KB245825

HIGH
TOP
1권
중학교 과학 1

STRUCTURE

HIGH TOP의 구성과 특징

지금부터 **HIGH TOP**이 이끄는 대로 한 단계 한 단계 따라와 보세요.
자신도 모르는 사이에 **과학 고수**가 되어 있을 것입니다.

Step 1 개념 이해

- **CHECK 이전에 배웠어요**   개념 학습에 들어가기 전에 이전 학년에서 배운 내용을 확인할 수 있어요.
- **개념 학습**   7종 교과서의 개념들을 이해하기 쉽게 체계적으로 설명했어요.
- **탐구+ / 자료+**   개념을 이해하는 데 도움이 되는 다양한 탐구나 자료를 다루었어요.
- **개념 빌드업**   학습한 중요 개념을 기억하고 있는지 바로 확인할 수 있어요.

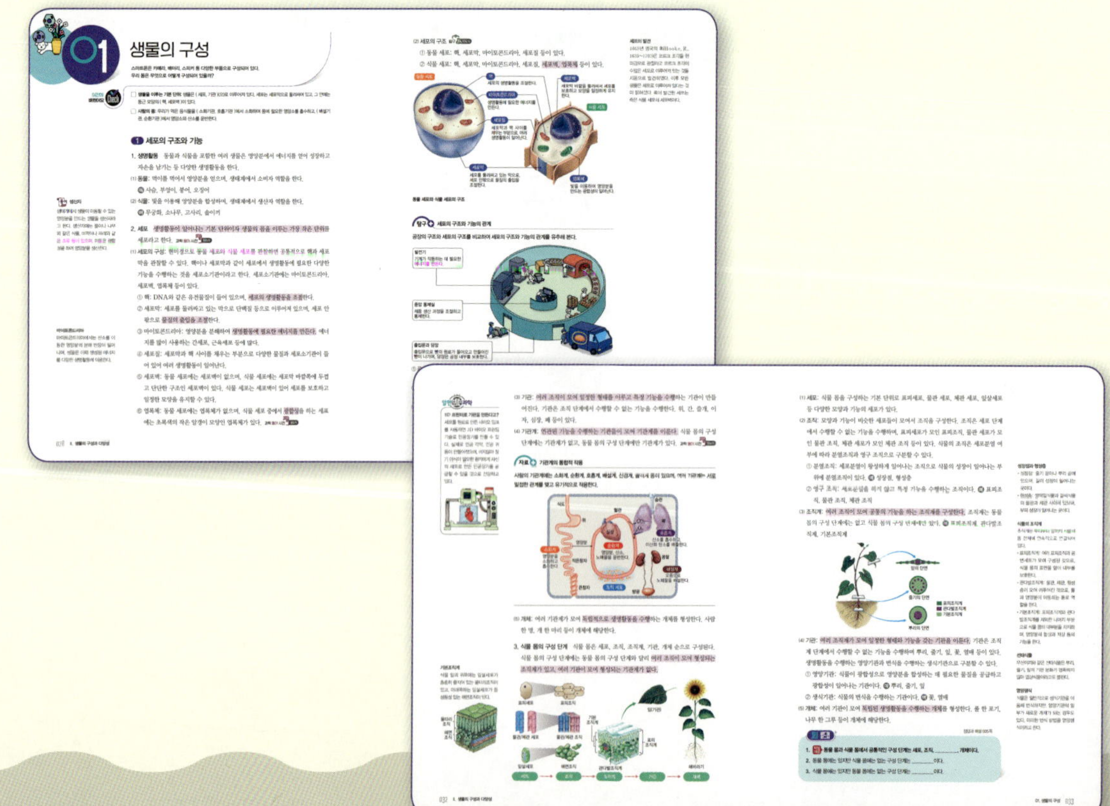

Step 2 개념 확장

- **탐구**   실제로 탐구 활동을 하는 것처럼 생생한 사진과 그림을 더해 이해하기 쉽게 정리했어요.
- **집중 분석**   꼭 알아야 할 주제를 체계적으로 분석하여 더 완벽하게 이해할 수 있어요.
- **HIGH 물리학/화학/생명과학/지구과학**   영역별 심화 내용을 학습하여 실력에 깊이를 더할 수 있어요.
- **비주얼 핵심 정리**   중단원별 중요한 개념을 핵심만 콕콕 집어 정리했어요.

QR코드를 찍으면
실험 영상을 볼 수 있어요!

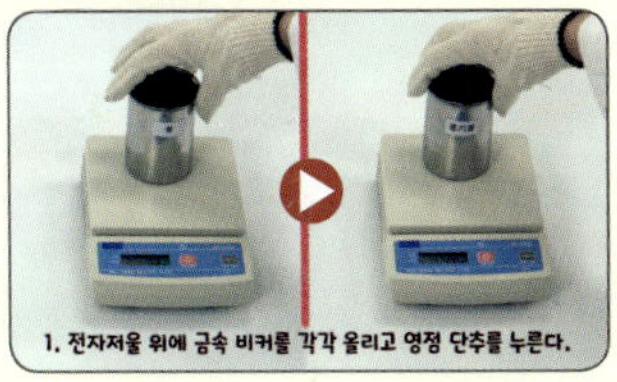

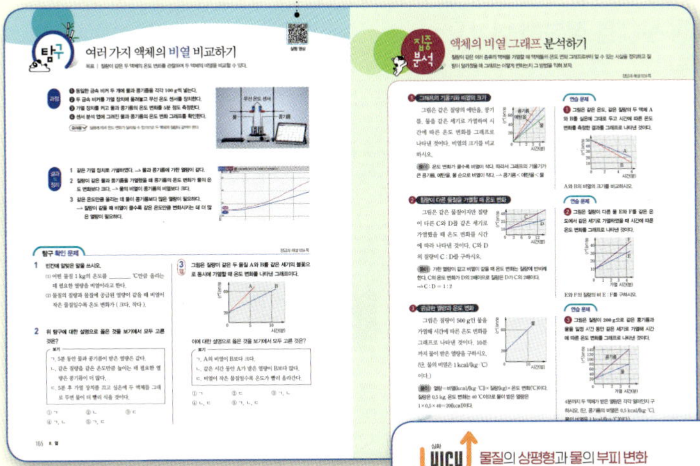

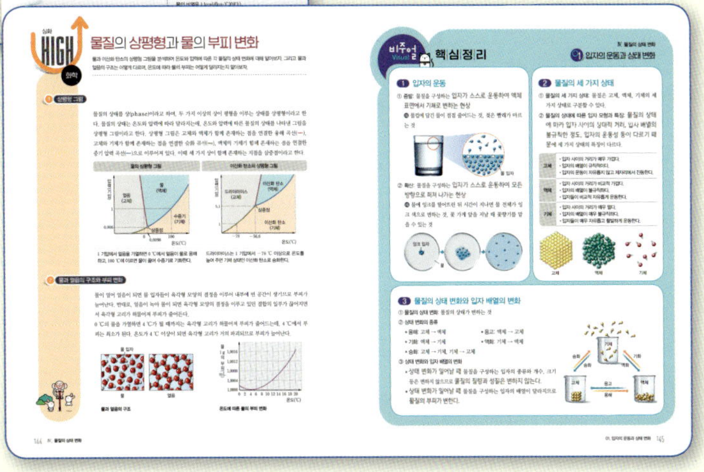

"자세하고 짜임새 있는 설명과 수준 높은 문제로 **실력의 차이**를 만듭니다!"

Step 3 실전 문제

- **개념 확인 문제**　학교 시험에 자주 출제되는 문제로 구성되어 있어요. 문제를 풀어본 후 틀린 문제는 개념 학습의 내용을 찾아 왜 틀렸는지 확실하게 알아 두도록 해요.
- **실력 강화 문제**　실력을 강화하기 위해 좀 더 수준이 높은 문제로 구성되어 있어요. 과학 고수가 되기 위해 한 문제 한 문제 스스로 풀어 보도록 해요.
- **서술형 문제**　제시된 Keyword를 이용하여 논리적으로 서술하는 연습을 할 수 있어요. 단계적 서술형 문제도 풀어보면서 서술형 문제를 정복해 나가요.

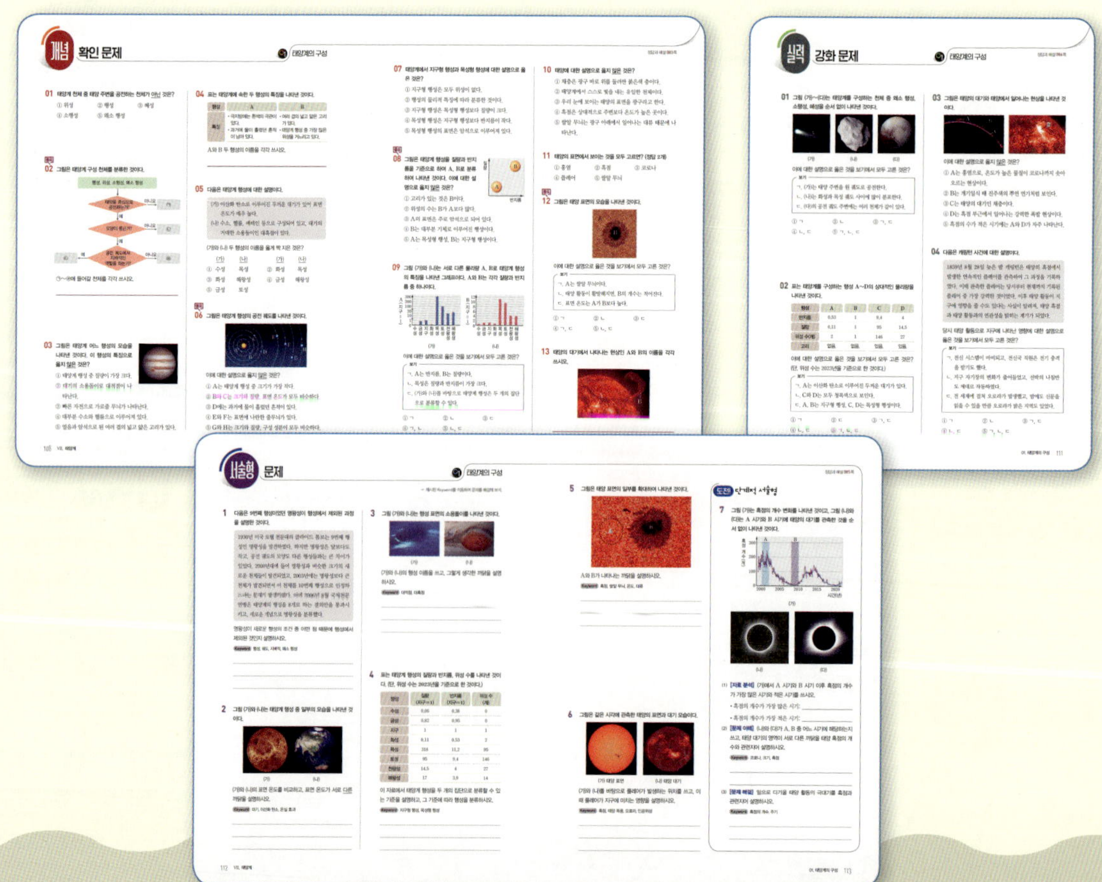

Step 4 심화 문제

- **사고력을 키우는 최상위권 도전 문제** 개념 학습 내용과 HIGH 물리학/화학/생명과학/지구과학 내용을 응용하거나 융합한 문제로 구성되어 있어요.
- **과학 역량을 기르는 논술형 문제** 예제를 통해 논술형 문제의 해결 방법을 익히고, 실전 문제를 스스로 해결하는 과정에서 진정한 과학 고수로 성장할 수 있어요.

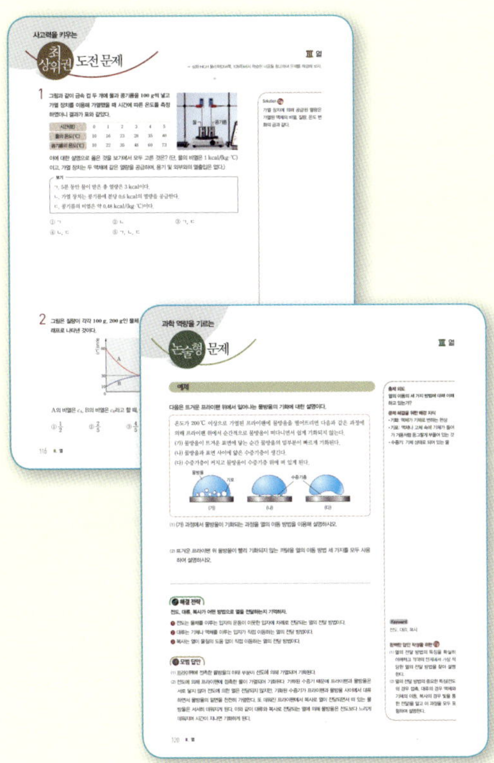

Step 5 마무리

- **미리 만나는 통합과학** 단원 내용과 연계된 통합과학 교과서 내용을 미리 만나 볼 수 있도록 쉽게 풀어서 설명했어요. 이와 관련된 필수 탐구나 자료, 학교 시험 맛보기 문제도 함께 구성되어 있어요.
- **Science Talk** 단원 내용과 관련된 흥미로운 과학 이야기로 구성되어 있어요.

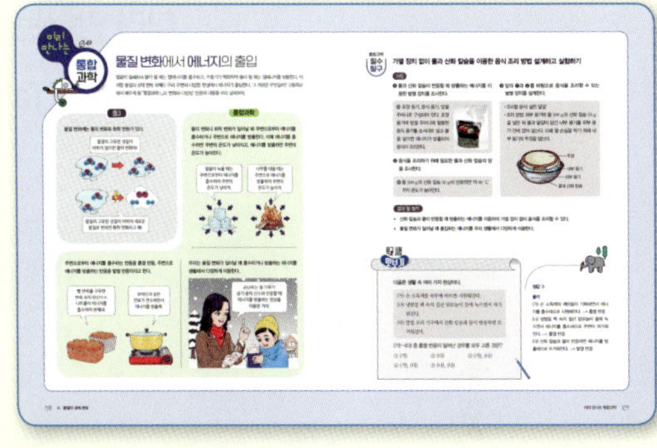

HIGH TOP만의 특별한 부록

과학 용어 사전과 찾아보기, 학교 시험 대비 문제가 수록되어 있어요.

CONTENTS

HIGH TOP의 차례 1권

III 열

IV 물질의 상태 변화

V. 힘의 작용 / VI. 기체의 성질 / VII. 태양계는 **2권**에 있습니다.

HIGH TOP과 내 교과서 비교하기

1권

활용 방법

❶ 내가 배우는 교과서의 출판사 이름을 찾는다.

❷ 출판사 이름에서 아래쪽으로 내려가면서 공부할 내용과 해당하는 쪽수를 찾는다.

❸ 찾은 쪽수에 해당하는 **High Top**은 몇 쪽인지 확인한다.

미래엔	비상교육	와이비엠	지학사	천재교과서 (임성숙)	천재교과서 (정대홍)
014~031	013~032	012~023	012~033	012~023	010~027
036~047	041~050	032~041	040~051	032~047	032~047
050~063	051~064	042~055	054~063	048~057	050~065
064~069	065~074	056~065	064~070	058~061	066~073
080~093	083~094	074~085	082~095	074~085	082~095
094~105	095~104	086~095	096~107	086~097	096~107
114~133	113~134	104~119	116~135	108~127	114~133
134~145	135~148	120~129	136~143	128~139	134~145

과학과 인류의 지속가능한 삶

O1 과학과 인류의 지속가능한 삶

초4_ 기후 변화와 우리 생활

기후 변화의 사례를 알고, 기후 변화에 대응하는 방법을 조사하여 실천한다.

초6_ 자원과 에너지

자원의 유한함을 알고, 자원과 에너지의 효율적인 이용 방법을 공유하고 실천한다.

중1_ 과학과 인류의 지속가능한 삶

"과학적 탐구 방법으로 얻은 과학 지식과 탐구 방법이 인류 문명에 준 영향을 알고, 인류의 지속가능한 삶을 위한 과학기술의 중요성과 역할을 이해한다."

『통합과학2』
과학과 미래 사회

인공지능 로봇이나 사물 인터넷과 같은 과학기술의 발전이 인간의 삶과 문명에 끼친 영향을 알고, 미래 사회에 미치는 유용성과 한계를 예측한다.

01 과학과 인류의 지속가능한 삶

과학기술의 발전으로 인류 문명은 비약적인 발달을 이루었지만 여러 가지 문제도 발생했다.
인류가 직면한 에너지·환경 문제에는 어떤 것이 있을까?

☐ **기후 변화 사례:** 폭염은 기온이 보통의 해보다 매우 (높을, 낮을) 때 나타나며, 한파는 기온이 보통의 해보다 매우 (높을, 낮을) 때 나타난다.

☐ **재생 에너지의 종류:** 태양을 이용하는 __________ 에너지, 바람을 이용하는 __________ 에너지, 생물을 이용하는 __________ 에너지 등이 있다.

① 과학적 탐구 방법

1. 과학 탐구의 과정과 방법 과학 용어 사전 184쪽

(1) **문제 인식:** 자연과 일상생활에서 발생하는 현상을 관찰하고, 의문을 가지거나 문제점을 발견한다. 예 떨어뜨린 탄산음료 캔을 언제 열면 음료가 흘러넘치지 않을까?

(2) **가설 설정:** 문제에 대한 잠정적인 결론을 정한다. 예 캔을 떨어뜨린 후 1분 뒤에 캔을 열면 음료가 흘러넘치지 않는다.

(3) **탐구 설계:** 가설을 검증할 수 있는 실험을 설계한다. 이때 다르게 할 조건과 같게 할 조건을 확인한다. 예 캔을 떨어뜨린 후 캔을 여는 시간을 10초씩 늘리면서 확인한다. 이때 캔의 모양, 온도 등 캔을 여는 시간 이외의 조건은 모두 같게 한다.

(4) **탐구 수행:** 탐구 설계에서 계획한 대로 관찰, 조사, 측정 등 다양한 방법으로 실험을 진행한다. 예 실제로 캔을 여는 시간을 10초씩 늘리면서 관찰한 결과를 기록한다.

(5) **자료 수집·분석 및 해석:** 실험한 결과 자료를 모아 표나 그래프 등으로 정리하고, 자료 사이의 관계나 규칙성 또는 어떤 경향 등을 찾아낸다. 예 실험 결과를 정리하니 60초 이후에 열었던 캔은 모두 음료가 흘러넘치지 않았다.

(6) **결론 도출:** 실험 결과를 종합하여 결론을 내린다. 결론이 가설과 맞지 않을 때는 가설을 수정하고 다시 탐구를 수행한다. 예 떨어뜨린 탄산음료 캔은 60초 이후에 열면 음료가 흘러넘치지 않는다.

자료 + 에이크만의 과학적 탐구

에이크만은 각기병에 걸린 닭의 모이가 백미에서 현미로 바뀐 뒤 각기병 증상이 사라진 것을 알고(**문제 인식**) '현미에는 각기병을 낫게 하는 물질이 들어 있다.'라는 가설을 설정하였다(**가설 설정**). 그리고 닭을 두 집단으로 나누어 한 집단에는 백미를, 다른 한 집단에는 현

미를 먹여 기르면서 비교하였더니(**탐구 설계 및 수행**), 백미를 먹인 닭은 각기병 증세를 보였지만 현미를 먹인 닭은 건강하였다(**자료 수집·분석 및 해석**). 이에 '현미에는 각기병을 치료하는 물질이 들어 있다.'라는 결론을 내렸다(**결론 도출**).

용어 가설

어떤 사실을 설명하기 위해 미리 설정한 가정

탐구 과정과 방법 보완

• 탐구 과정에서 위험한 요소는 없는지 확인하여 탐구 설계 시 안전 관련 사항도 기록한다.
• 결론 도출 후 결론을 일반화할 수 있으면 이론이나 법칙이 된다.

의사소통과 협업

탐구에 참여하는 사람들의 다양한 의견을 모아서 반영하고 적절한 협업이 이루어지도록 한다.

탐구 결과 발표 및 결과 공유

과학자들은 탐구를 하여 얻은 결과를 학회나 논문에서 발표하고 탐구 과정과 결과를 공개하여 탐구로 얻은 지식을 다른 사람들과 공유한다.

용어 각기병

다리가 붓고 힘이 약해져서 제대로 걷지 못하는 병으로, 바이타민 B_1 결핍이 원인이다.

2. 탐구 계획하기

(1) **탐구 문제 정하기**: 궁금한 점이나 의문이 생기는 점을 탐구를 하여 검증할 수 있는 형태의 질문으로 다듬는다. ─ 탐구 문제는 구체적이고 범위가 좁을수록 좋으며, 스스로 탐구 수행이 가능해야 한다.

(2) **탐구 계획서 작성하기** 탐구 016쪽

　① 탐구 문제: 탐구할 내용이 분명히 드러나도록 작성한다.

　② 가설: 탐구 문제를 해결할 수 있는 가설을 설정하고, 검증 가능한지 확인한다.

　③ 탐구 기간과 장소: 탐구 일정과 장소를 기록한다.

　④ 준비물: 실험에 필요한 준비물을 빠뜨리지 않도록 꼼꼼히 기록한다.

　⑤ 실험 과정: 다음 사항을 확인하면서 가설을 증명할 수 있는 실험을 계획한다.

탐구 계획서 예시

탐구 문제	감자가 왜 초록색으로 변했을까?		
가설	감자가 빛을 받아 초록색으로 변했을 것이다.		
탐구 기간	일주일	장소	교실
준비물	감자, 상자		
실험 과정	1. 상자 두 개에 같은 양의 감자를 담고, 한 상자는 뚜껑을 닫고 다른 한 상자는 뚜껑을 닫지 않은 채 두 상자를 빛이 잘 드는 같은 장소에 둔다. 2. 일주일 뒤 감자의 색을 확인한다.		
주의 사항	상자를 높은 곳에 두지 않는다.		

> • 가설을 증명할 때 가장 중요한 변인은 무엇이고, 어떻게 차이를 줄 것인가?
> • 실험에서 같게 유지해야 할 조건과 주의해야 할 점은 무엇인가?
> • 실험을 어떤 순서로 할 것인가?

　⑥ 주의 사항: 탐구를 수행할 때 주의할 점을 기록하고, 실험 기구 사용 및 실험 진행 시 예상되는 안전에 관한 사항도 빠짐없이 기록한다.

(3) **탐구 계획서 발표하기**: 작성한 탐구 계획서를 발표하고 공유하면서 잘된 점과 보완할 점을 이야기한다.

(4) **탐구 계획서의 활용**: 작성한 탐구 계획서를 활용하여 실제로 탐구를 수행해 본다. 탐구를 수행하다 새로운 의문점이 생기면 또 다른 탐구 문제로 발전시킨다.

3. 과학과 탐구　과학의 역사는 호기심과 의문을 해결하기 위한 탐구의 역사다. 탐구를 수행하는 과정에서 새로운 지식을 얻고 과학적 탐구 방법을 발전시켜 왔다.

탐구 문제로 발전시키는 예

• 종이비행기가 크면 더 잘 날 수 있을까? ⇒ 종이비행기의 날개 크기에 따라 비행시간이 어떻게 달라질까?

• 햇빛에 가장 빨리 뜨거워지는 색깔은 무엇일까? ⇒ 물체가 햇빛을 받을 때 물체의 색깔에 따라 온도 변화가 다를까?

용어 변인

실험 결과에 영향을 미치는 조건이나 실험 조건에 따라 달라지는 결과

독립 변인과 종속 변인

• 독립 변인: 실험 결과에 영향을 줄 수 있는 변인. 가설을 검증하기 위해서 값을 변화시키는 조작 변인과 값을 변화시키지 않고 유지하는 통제 변인이 있다. 조작 변인 외의 나머지 변인들을 일정하게 유지하는 행위를 변인 통제라고 한다.

• 종속 변인: 조작 변인이 변함에 따라 함께 변하는 변인. 측정 또는 관찰하고자 하는 결과에 해당한다.

정답과 해설 002쪽

개념 빌드업

1. **핵심개념** 현상을 관찰하고 의문을 가지는 탐구 과정을 _________(이)라고 한다.

2. **핵심개념** 탐구 설계 단계에서는 _________이/가 맞는지 검증할 수 있도록 실험을 설계한다.

3. 과학 탐구의 과정 중 실험한 결과 자료를 모아 표나 그래프 등으로 정리하는 것이 필요한 단계는 _________ 단계이다.

4. 실험 결과에 영향을 미치는 조건이나 실험 조건에 따라 달라지는 결과를 _________(이)라고 한다.

Check 이전에 배웠어요

☐ 높을, 낮을
☐ 태양, 풍력, 바이오

과학의 발전
과학 원리의 발견으로 기술 발달과 기기 발명이 가능해졌고, 이로 인해 인류의 문명이 발달했다.

과학 원리 발견	전파 원리 발견
↓	
기술 발달	위성 위치 확인 시스템(GPS) 개발
↓	
기기 발명	내비게이션 발명

용어 항생제
세균 증식을 억제하는 약제로, 파상풍, 결핵 등 세균 감염으로 인한 질병 예방과 치료에 광범위하게 사용된다.

1. 과학 발전과 인류 문명의 발달 과학의 발전은 인간의 사고를 바꾸었고, 삶을 편리하게 만들었으며, 문명의 발달을 이끌었다. └ 지구가 태양을 중심으로 돈다는 지동설의 증명으로 지구 중심의 우주관이 바뀌어 인류의 사고 체계가 변화하게 되었다.

(1) **과학의 발전:** 과학적 탐구를 통해 발견한 과학 원리로 기술이 발달하고 기기가 발명되었다.

(2) 과학 발전이 인류의 문명 발달에 영향을 준 사례

① 인쇄 기술의 발달로 책이 널리 보급되어 많은 지식과 정보가 전달되었다.

② 증기 기관의 발명으로 대량 생산, 장거리 이동이 가능해졌다. ─ 산업 혁명에 영향을 미쳤다.

③ 전기가 발명되어 에너지원으로 이용됨으로써 여러 가지 전기 기구가 만들어져 삶이 편리해졌다.

④ 항생제와 백신, X선의 개발로 의학이 크게 발전하여 평균 수명이 늘어났다.

⑤ 전화기와 인터넷의 발명으로 정보를 찾거나 주고받는 것이 빨라졌다.

⑥ 반도체의 발명으로 컴퓨터를 비롯한 첨단 기기가 개발되어 빠르고 정확한 시스템이 구축되었다.

(3) **과학과 다른 분야의 관계:** 과학은 기술, 공학, 예술, 수학 등의 분야와도 관련된다.

① 철을 다루는 기술은 기계, 자동차, 배, 건축 등 여러 분야에 활용된다.

② 아치 모양의 문과 다리는 과학 원리를 건축 공학에 이용한 것이다.

③ 사진, 영상, 미디어 아트, 음악 분수 등 예술 분야에도 과학기술이 활용된다.

④ 과학 원리를 증명하고 수식으로 표현하는 과정에서 수학이 더 발전하였다.

2. 첨단 과학기술이 가져올 미래 사회의 변화 과학 용어 사전 **184쪽**

로봇공학	인공지능
우주 탐사, 수술, 생산, 재난 구조 등에 이용하고 있으며, 더 편리하고 안전한 생활 환경을 제공할 것이다. 그러나 나쁜 의도로 악용될 가능성도 있다. 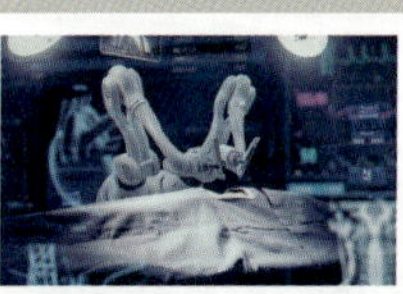	전자 상거래나 자율주행, 드론 등에 이용되며 교통 시스템을 효율적으로 개선할 수 있는 반면, 일자리 감소, 사생활 침해 등의 문제가 생길 수 있다. 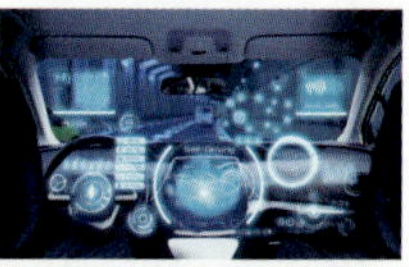
생명공학	우주항공
질병 진단과 치료, 신약 개발, 식량 증산 등에 이용되며, 수명 연장도 가능해질 것이다. 그러나 유전자조작과 관련하여 생명윤리 문제가 발생할 수 있다. 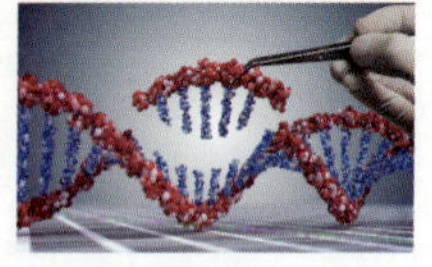	우주 탐사 및 글로벌 인터넷 연결 등에 활용되며, 우주 관광이 활발해질 전망이다. 한편, 우주 자원의 불균등한 이용 등의 윤리적 문제가 있을 수 있다. 

여러 가지 첨단 과학기술
무선 통신으로 각종 사물을 제어하는 사물 인터넷, 나노 크기의 입자를 활용하여 효율을 높이는 나노 기술, 복잡한 계산을 초고속으로 수행하는 양자 컴퓨팅, 유전정보를 활용하여 질병을 예측하고 맞춤형 치료제를 개발하는 첨단 바이오 등이 있다.

정답과 해설 002쪽

개념 빌드업

1. **핵심개념** **과학의 발전은 과학적 원리 발견, ________, 기기 발명으로 인류 문명을 발달시켰다.**

2. 과학 개념이나 원리는 기술, 공학, ________, 수학 등 과학 이외의 분야와도 관련이 있다.

3. 미래에는 (인공지능, 생명공학)의 발달로 인간 수명이 더 연장될 것이다.

3 지속가능한 삶과 과학기술

1. 인류가 직면한 에너지와 환경 문제

(1) 화석연료 사용 증가로 환경이 오염되고 기후가 변화하여 생태계가 파괴되고 있다.

(2) 과도한 개발과 도시화, 산업화로 자원이 고갈되어 가고 있다.

2. 지속가능발전
현재 세대가 발전하면서도 미래 세대가 이용할 환경과 자연을 훼손하지 않는 발전이다. 과학 용어 사전 184쪽

지속가능발전목표 우리나라에서는 17개의 지속가능발전목표를 위와 같이 4개의 전략으로 구분하였다.

3. 지속가능한 삶을 위한 과학기술의 중요성과 역할
다양한 분야에서 문제를 해결하는 데 필요한 도구와 지식을 제공한다. — 과학기술은 친환경 기술을 개발하거나 환경오염을 정화하는 기술을 개발함으로써 지속가능한 삶에 기여할 수 있다.

(1) 신재생 에너지 개발로 환경오염과 기후 변화를 완화하고 대체 에너지를 마련한다.

(2) 오염 물질의 발생을 줄이거나 제거하는 기술을 개발한다.

4. 지속가능한 삶을 위한 실천 방안

(1) 개인의 실천 방안: 대중교통과 자전거 이용하기, 에너지와 물 절약, 쓰레기 줄이기, 일회용품과 플라스틱 사용 줄이기, 재활용품 분리배출, 나무 심기 등

(2) 사회적 실천 방안: 지속가능한 삶을 위한 캠페인 및 정책 지원, 재생 가능한 에너지 사용 촉진, 폐기물 감소, 물 절약, 환경 보호, 탄소 배출량 감소, 국제 협력 등

정답과 해설 002쪽

개념 빌드업

1. **핵심 개념** 지속가능발전은 현재 세대가 발전하면서도 미래 세대가 이용할 ________을/를 훼손하지 않는 발전이다.

2. ________은/는 인류가 직면한 다양한 분야의 문제를 해결하는 데 필요한 도구와 지식을 제공한다.

지속가능발전목표
2015년 UN에서 채택한 17개 목표에는 빈곤 · 기아 퇴치, 불평등 감소, 기후 변화 대응, 육상 · 해상 오염 저감, 혁신적 기술 개발과 경제 성장 등이 포함된다.

알면 보이는 과학

탄소 포집 · 저장 · 활용 기술
이산화 탄소는 온실 기체로, 화석연료 사용이 증가하면서 대기 중 농도가 증가하여 지구 온난화의 주범으로 알려져 있다. 따라서 이산화 탄소 배출을 줄이기 위해 세계 각국에서 노력하고 있는데, 최근 이산화 탄소를 포집하여 저장하거나 활용하는 기술이 개발되어 주목받고 있다. 탄소 포집 · 저장 기술은 포집한 탄소를 땅속에 저장하는 기술로, 저장된 탄소는 시간이 지나면서 용해되거나 광물화된다. 탄소 포집 · 활용 기술은 포집한 탄소를 연료, 화학 물질, 건축 자재 등 새로운 제품을 만드는 데 활용하는 기술이다.

탐구 계획서 작성하기

목표 | 탐구 문제를 해결하기 위해 탐구 계획서를 작성할 수 있다.

과정

❶ 주변에서 탐구할 문제를 발견하고 탐구 문제로 발전시킨다.
- 먼저 궁금한 점을 쓴다.
- 탐구 수행이 가능한 형태로 질문을 바꾸어 탐구 문제를 만든다.

❷ 탐구 문제를 해결하기 위한 탐구 계획서를 작성한다.
- 탐구 문제에 대한 가설을 설정하고, 가설을 검증할 수 있는 실험을 계획한다.
- 탐구 문제, 가설, 실험 계획 등을 탐구 계획서로 작성한다.

변인 설정과 통제

실험을 계획할 때 다르게 해야 할 조건과 같게 해야 할 조건을 정하여 가설을 검증할 수 있도록 한다.

탐구 계획서

탐구 문제	
가설	
기간	장소
준비물	
실험 과정	
주의 사항	

결과 및 정리

탐구 계획서 예시

탐구 문제	물이 차가워지는 시간은 얼음의 크기에 따라 어떻게 달라질까?		
가설	얼음의 크기가 작을수록 물이 빨리 차가워질 것이다.		
기간	4월 1일 오전 9시 30분∼오전 11시 10분	장소	과학실
준비물	종이컵, 얼음 틀, 모양과 크기가 같은 500 mL 투명 유리컵 3개, 디지털 온도계 3개, 초시계		
실험 과정	1. 종이컵과 얼음 틀에 물 100 mL를 각각 넣고 얼린다. 2. 유리컵 3개에 20 ℃의 물을 300 mL씩 넣는다. 3. 물을 넣은 컵 3개 중 하나는 그대로 두고, 나머지 두 개의 물컵에 크기가 큰 얼음과 크기가 작은 얼음을 각각 넣는다. 4. 각 컵에 든 물의 온도를 3분 간격으로 측정한다.	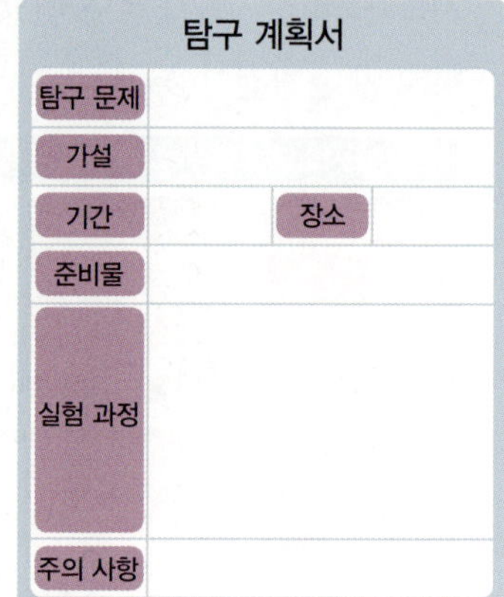	
주의 사항	• 얼음은 냉장고에 미리 얼려 놓는다. • 얼음을 맨손으로 오래 잡고 있지 않는다.		

탐구 확인 문제

정답과 해설 002쪽

1 위 탐구에서 가설을 검증하기 위해 다르게 해야 하는 조건은 무엇인지 쓰시오.

2 위 탐구에서 측정해야 하는 값에 해당하는 것은?

① 물의 온도
② 얼음의 개수
③ 유리컵의 크기
④ 얼음 틀의 모양
⑤ 얼음이 녹는 시간

3 위 탐구에서 탐구 문제를 '얼음이 녹는 시간은 물의 양에 따라 어떻게 달라질까?'로 바꾸었을 때의 탐구 계획서에 대한 설명으로 옳은 것을 보기에서 모두 고른 것은?

> 보기
>
> ㄱ. 투명 유리컵을 사용하지 않는다.
> ㄴ. 얼음의 크기는 모두 동일하게 한다.
> ㄷ. 가설을 검증하기 위해서 다르게 해야 하는 조건은 물의 양이다.

① ㄱ
② ㄴ
③ ㄱ, ㄷ
④ ㄴ, ㄷ
⑤ ㄱ, ㄴ, ㄷ

비주얼 Visual 핵|심|정|리

01 과학과 인류의 지속가능한 삶

❶-1 과학 탐구의 과정과 방법

① 문제 인식: 자연과 일상생활에서 **문제점 발견**

② 가설 설정: 잠정적인 결론 설정

③ 탐구 설계: **가설 검증이 가능하도록** 실험 설계

④ 탐구 수행: 관찰, 조사, 측정 등 **다양한 방법으로** 실험 진행

⑤ 자료 수집·분석 및 해석: **결과 자료를 정리**하고 자료 사이의 **관계, 규칙성, 경향 찾아내기**

⑥ 결론 도출: **실험 결과를 종합**하여 **결론**을 내림. 결론이 가설과 다르면 가설 수정 후 다시 탐구

❶-2 탐구 계획서 작성

① 탐구 문제: **궁금한 점이나 의문점을** 탐구 문제로 발전시켜서 탐구 내용이 분명히 드러나게 기록

② 가설: **탐구 문제를 해결할 수 있는** 가설 설정

③ 기간, 장소: 탐구 일정과 장소 기록

④ 준비물: 실험에 필요한 준비물 기록

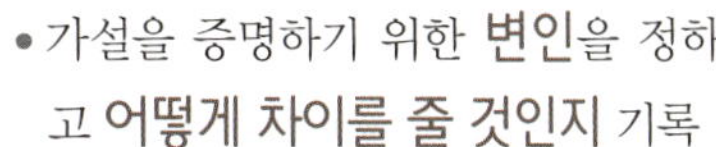

⑤ 실험 과정
- 가설을 증명하기 위한 **변인**을 정하고 **어떻게 차이를 줄 것인지** 기록
- **같게 유지해야 할 조건** 기록
- 실험을 어떤 순서로 할 것인지 기록

⑥ 주의 사항: **주의할 점이나 안전 관련 사항** 기록

❷ 과학과 인류 문명

① 과학 발전과 인류 문명: **과학적 탐구 방법을 통해 얻은 과학 지식과 방법**으로 **기술 개발, 기기 발명** → 인류 문명 발전, 문화 발달

② 과학과 다른 분야의 관계: **과학 개념이나 원리**는 기술, 공학, 예술, 수학 등 **과학 이외의 분야와 관련**이 있다.

③ 미래 사회의 변화

로봇공학	인공지능
사람들이 더 편안하고 안전한 환경에서 생활할 수 있게 된다.	다양한 분야에 인공지능이 도입되어 사람이 하는 일을 대신하게 될 것이다.
생명공학	우주항공
식량 증산이 이루어지고, 질병을 정복하여 인간의 수명이 더 연장될 것이다.	우주 탐사 및 우주 관광이 활발해지고, 우주 자원을 이용하게 될 것이다.

❸ 지속가능한 삶과 과학기술

① 지속가능발전: 미래 세대가 이용할 **환경과 자연을 훼손하지 않는 발전**

② 지속가능발전목표: 빈곤·기아 퇴치, 불평등 감소, 기후 변화 대응, 육상·해상 오염 저감, 혁신적 기술 개발과 경제 성장 등을 포함한다.

③ 인류의 지속가능한 삶을 위한 과학기술의 중요성과 역할 : 과학기술은 다양한 분야에서 **문제를 해결하는 데 필요한 도구와 지식을 제공**

④ 인류의 지속가능한 삶을 위한 실천 방안

개인 차원	사회 차원
대중교통 이용, 재활용품 분리배출, 나무 심기 등	재생 에너지 사용, 탄소 배출량 감소, 국제 협력 등

01 과학 탐구의 과정과 방법에 대한 설명으로 옳은 것을 보기에서 모두 고른 것은?

> **보기**
> ㄱ. 가설 설정 – 실험을 계획하고 설계한다.
> ㄴ. 자료 해석 – 실험 결과로부터 규칙성을 찾아낸다.
> ㄷ. 결론 도출 – 탐구 문제에 대한 잠정적인 결론을 만든다.

① ㄱ   ② ㄴ   ③ ㄱ, ㄷ
④ ㄴ, ㄷ   ⑤ ㄱ, ㄴ, ㄷ

중요
02 보기는 과학적 탐구 방법을 순서 없이 나타낸 것이다.

> **보기**
> ㄱ. 결론 도출
> ㄴ. 탐구 설계 및 수행
> ㄷ. 자료 수집·분석 및 해석
> ㄹ. 문제 인식 및 가설 설정

과학 탐구의 과정과 방법을 순서대로 옳게 나타낸 것은?

① ㄴ – ㄷ – ㄱ – ㄹ
② ㄴ – ㄹ – ㄷ – ㄱ
③ ㄷ – ㄹ – ㄴ – ㄱ
④ ㄹ – ㄴ – ㄱ – ㄷ
⑤ ㄹ – ㄴ – ㄷ – ㄱ

03 과학 탐구에서 탐구 문제를 정할 때 생각할 점으로 옳지 <u>않은</u> 것은?

① 탐구는 구체적인 것이 좋다.
② 탐구 내용이 분명히 드러나게 한다.
③ 궁금한 점을 탐구 문제로 발전시킨다.
④ 탐구 범위는 가능한 한 넓게 설정한다.
⑤ 스스로 탐구 수행이 가능한 것으로 한다.

중요
04 탐구 계획서에 포함되어야 할 내용에 대한 설명으로 옳지 <u>않은</u> 것은?

① 안전 관련 주의 사항을 기록한다.
② 실험에 필요한 준비물을 기록한다.
③ 탐구 문제에 대한 잠정적인 결론을 기록한다.
④ 가설을 증명하기 위한 실험 과정을 기록한다.
⑤ 탐구 결과를 표나 그래프를 이용하여 정리한다.

05 실험에서 다르게 해야 할 조건과 같게 해야 할 조건을 확인하고 다른 조건들이 실험에 영향을 주지 않도록 통제하는 것을 무엇이라고 하는지 쓰시오.

06 그림은 인류 문명의 발달 과정에서 나타난 과학기술의 발전 사례를 나타낸 것이다.

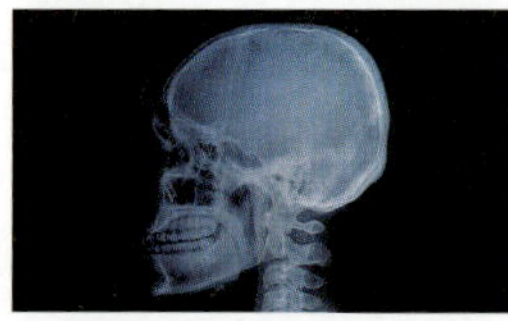
(가) X선

(나) 증기 기관

(다) 반도체

(라) 전기

(가)~(라)가 인류의 삶에 미친 영향으로 옳지 <u>않은</u> 것은?

① (가)는 의학을 크게 발전시켰다.
② (나)는 운송 수단으로만 이용되었다.
③ (다)는 대부분의 전자 기기에 들어간다.
④ (라)는 인류가 이용하는 주요 에너지이다.
⑤ 컴퓨터에는 (다)와 (라)가 함께 이용된다.

중요
07 과학 개념이나 원리가 다른 분야에 이용된 사례를 설명한 내용으로 옳지 **않은** 것은?

① 과학 원리를 증명하는 과정에서 수학도 발전했다.

② 항생제와 백신의 개발은 평균 수명 연장에 크게 기여했다.

③ 미디어 아트는 과학 원리가 예술 분야에 활용된 사례이다.

④ 통신 수단의 발달은 식량 증산에 직접적으로 영향을 미쳤다.

⑤ 아치 모양의 다리는 과학 원리가 건축 공학에 이용된 사례이다.

08 그림은 첨단 과학기술의 몇 가지 예이다.

로봇공학

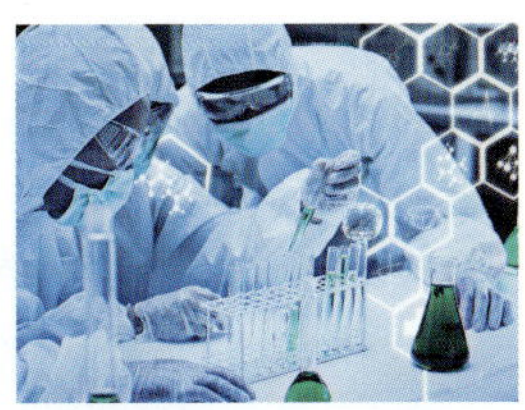
생명공학

인공지능

우주항공

첨단 과학기술과 그 이용 사례의 연결이 옳은 것을 보기에서 모두 고른 것은?

보기
ㄱ. 로봇공학 – 우주 탐사에 로봇을 이용한다.
ㄴ. 생명공학 – 신약 개발, 질병 진단에 이용한다.
ㄷ. 인공지능 – 자율주행, 드론 운용 등에 이용한다.
ㄹ. 우주항공 – 글로벌 인터넷 연결에 위성을 이용한다.

① ㄱ, ㄴ　　② ㄴ, ㄷ　　③ ㄱ, ㄴ, ㄷ

④ ㄴ, ㄷ, ㄹ　　⑤ ㄱ, ㄴ, ㄷ, ㄹ

09 지속가능발전과 관련된 설명으로 옳지 **않은** 것은?

① 지속가능발전을 위해서는 개인과 사회 모두의 노력이 필요하다.

② 지속가능발전을 위해서는 자원을 절약하고 환경오염을 줄여야 한다.

③ 지속가능발전목표에는 빈곤과 기아 퇴치, 불평등 감소, 경제 성장 등도 포함된다.

④ 국가들 사이의 협약보다는 국가별로 독립적인 계획과 실행을 하는 것이 지속가능발전에 효과적이다.

⑤ 지속가능발전이란 현재 세대가 발전하면서도 미래 세대가 이용할 환경과 자연을 훼손하지 않는 발전이다.

10 보기의 지속가능발전목표 중 깨끗한 환경을 미래 세대와 함께 누리기 위한 목표를 모두 고른 것은?

보기
ㄱ. 건강하고 행복한 삶 보장
ㄴ. 건강하고 안전한 물 관리
ㄷ. 좋은 일자리 확대와 경제 성장
ㄹ. 에너지의 친환경적 생산과 소비

① ㄱ, ㄴ　　② ㄱ, ㄷ　　③ ㄴ, ㄷ

④ ㄴ, ㄹ　　⑤ ㄴ, ㄷ, ㄹ

11 과학기술과 지속가능한 삶의 관계에 대한 설명으로 옳은 것을 보기에서 모두 고른 것은?

보기
ㄱ. 환경오염과 자원 고갈 등의 문제는 지속가능발전이 등장한 배경이다.
ㄴ. 과학기술은 환경 문제를 해결하는 데 필요한 도구와 지식을 제공한다.
ㄷ. 환경 문제의 원인 중 하나는 과학기술의 지나친 발전이므로 과학기술의 영향을 축소해야 한다.

① ㄱ　　② ㄷ　　③ ㄱ, ㄴ

④ ㄴ, ㄷ　　⑤ ㄱ, ㄴ, ㄷ

01 다음은 과학적 탐구 방법의 단계를 나타낸 것이다.

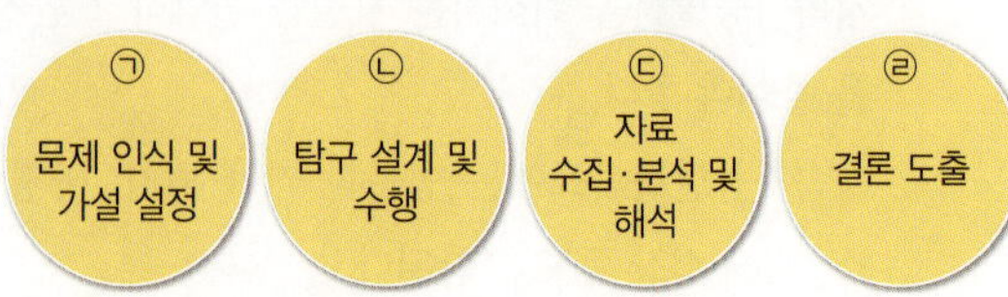

(가) 가설의 수정과 (나) 표나 그래프를 이용하는 탐구 단계를 옳게 짝 지은 것은?

	(가)	(나)		(가)	(나)
①	㉠	㉡	②	㉠	㉢
③	㉢	㉠	④	㉣	㉡
⑤	㉣	㉢			

02 탐구 계획서 작성에 대한 설명으로 옳은 것을 보기에서 모두 고른 것은?

보기
ㄱ. 탐구 문제는 생략하는 것이 좋다.
ㄴ. 실험을 어떤 순서로 할지 기록한다.
ㄷ. 실험에서 다르게 해야 할 조건을 기록한다.
ㄹ. 가설이 틀릴 때를 대비해 수정 가설을 기록한다.

① ㄱ, ㄴ　　② ㄱ, ㄷ　　③ ㄴ, ㄷ
④ ㄴ, ㄹ　　⑤ ㄷ, ㄹ

03 다음은 과학 발전과 인류 문명의 발달에 대한 설명이다.

• 과학적 (㉠)를 통해 얻은 다양한 과학 원리와 법칙의 발견으로 인류의 지식은 깊고 넓어졌다.
• 과학 발전 과정에서 (㉡)의 발달, (㉢)의 발명도 함께 이루어져 인류 문명이 비약적으로 발전하였다.

빈칸에 알맞은 말을 쓰시오.

04 다음은 첨단 과학기술이 가져올 미래 사회의 변화 중 부정적인 영향을 나타낸 것이다.

보기
ㄱ. 우주 자원의 불균등한 이용 문제가 발생할 수 있다.
ㄴ. 유전자조작과 관련하여 생명윤리 문제가 발생할 수 있다.
ㄷ. 인간 대신에 판단을 내리는 과정에서 인간의 존엄성이 훼손될 수 있다.

각 영향이 나타날 수 있는 첨단 과학기술 분야를 옳게 짝 지은 것은?

① ㄱ – 인공지능　　② ㄴ – 로봇공학
③ ㄴ – 우주항공　　④ ㄷ – 인공지능
⑤ ㄷ – 생명공학

05 다음은 우리나라의 지속가능발전 전략에 대한 설명이다.

우리나라는 지속가능발전의 17개 목표를 다음과 같은 4개 전략으로 구분하였다.
• [사람] 사람이 사람답게 살 수 있는 포용 사회
• [번영] 혁신적 성장을 통한 국민의 삶의 질 향상
• [환경] 미래 세대가 함께 누리는 깨끗한 환경
• [평화·협력] 지구촌 평화와 협력 강화

이에 대한 설명으로 옳지 <u>않은</u> 것은?

① 17개의 지속가능발전목표는 우리나라만의 목표이다.
② 빈곤층 감소와 사회 안전망 강화는 사람답게 살 수 있는 포용 사회를 위한 것이다.
③ 지속가능한 생산과 소비는 삶의 질을 향상하기 위한 것이다.
④ 우리나라는 혁신적 성장과 지속가능한 환경 보호를 함께 추구한다.
⑤ 우리나라는 인류의 번영과 환경 보호를 위한 글로벌 전략에 적극 협조한다.

서술형 문제　 과학과 인류의 지속가능한 삶

☞ 제시된 Keyword를 이용하여 문제를 해결해 보자.

1 다음 탐구 계획서에서 다르게 해야 할 조건과 같게 해야 할 조건을 근거를 들어 설명하시오.

탐구 문제	같은 종류의 모래시계가 측정하는 시간이 다른 까닭은 무엇일까?
가설	모래의 양에 따라 모래시계의 시간이 다르다.
준비물	모래시계 3개, 초시계, 전자저울
실험 과정	1. 3개의 모래시계에서 모래가 다 떨어지기까지의 시간을 각각 측정한다. 2. 각 모래시계에 들어 있는 모래의 무게를 측정한다.

Keyword 모래의 양, 모래시계의 모양

―――――――――――――――――――――――

―――――――――――――――――――――――

2 그림은 우리 생활에 이용되고 있는 로봇을 나타낸 것이다.

(1) 로봇이 일으킬 수 있는 미래 생활의 변화 중 편리한 점을 다음 제시어를 포함하여 설명하시오.

> 위험한 일, 힘든 일

Keyword 위험한 일, 힘든 일

―――――――――――――――――――――――

―――――――――――――――――――――――

(2) 미래 사회에서 로봇 때문에 발생할 수 있는 문제점에는 어떤 것들이 있는지 다음 제시어를 포함하여 설명하시오.

> 일자리 감소, 로봇 악용

Keyword 일자리 감소, 로봇 악용

―――――――――――――――――――――――

―――――――――――――――――――――――

도전! 단계적 서술형

3 그림은 인류가 직면한 에너지와 환경 문제를 표현한 것이다.

(1) **[자료 분석]** 인류가 직면한 에너지와 환경 문제 중 그림에 나타난 과학 관련 쟁점 한 가지를 찾아 쓰시오.

Keyword 오염, 개발

―――――――――――――――――――――――

(2) **[문제 이해]** 위에서 찾은 쟁점에 대해 과학기술을 활용한 해결 방안을 설명하시오.

Keyword 기술, 개발

―――――――――――――――――――――――

―――――――――――――――――――――――

(3) **[문제 해결]** 인류의 지속가능한 삶을 위한 과학기술의 중요성과 역할을 설명하시오.

Keyword 문제 해결, 지속가능한 삶

―――――――――――――――――――――――

―――――――――――――――――――――――

(4) **[가산점 줍줍!]** 위의 쟁점과 관련하여 인류의 지속가능한 삶을 위한 개인과 사회 차원의 활동 방안을 제안하시오.

Keyword 개인 차원, 사회 차원

―――――――――――――――――――――――

―――――――――――――――――――――――

과학기술과 인간의 삶

인공지능 로봇, 사물 인터넷과 같은 과학기술의 발달은 인간의 삶과 문명에 많은 영향을 줄 것이다. 첨단 과학기술은 인간의 삶을 어떻게 변화시킬까? 고등학교에서 배우게 될 『통합과학 2』의 '과학과 미래 사회' 단원의 내용을 미리 살펴보자.

과학기술은 미래 사회의 문제 해결에 중요한 역할을 할 수 있다.

신재생 에너지 기술로 자원 고갈 문제 해결

온라인 협업 도구를 활용한 교육 격차 해소

로봇을 활용한 노동 문제 해결

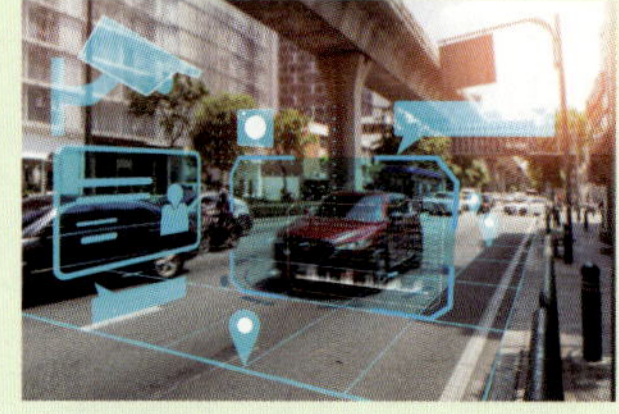

인공지능을 활용한 사고 예방 시스템

과학기술의 발달이 인간의 삶과 환경을 개선하고 있는 예로 인공지능 로봇과 사물 인터넷을 들 수 있다.

인공지능 로봇 인공지능을 통해 스스로 학습하고 판단하여 변화하는 상황에도 대응할 수 있는 로봇

사물 인터넷 여러 가지 장치나 사물에 센서와 통신 기술을 내장하여 인터넷에 연결하고, 사물끼리 또는 사물과 사람 사이에서 정보를 교환하며 작업을 수행하는 기술

인공지능 로봇과 사물 인터넷이 널리 활용되면 인간의 삶은 보다 편리해질 것이다.

인공지능 로봇이 의료, 산업 등에서 정확도와 작업 효율을 높일 수 있다.

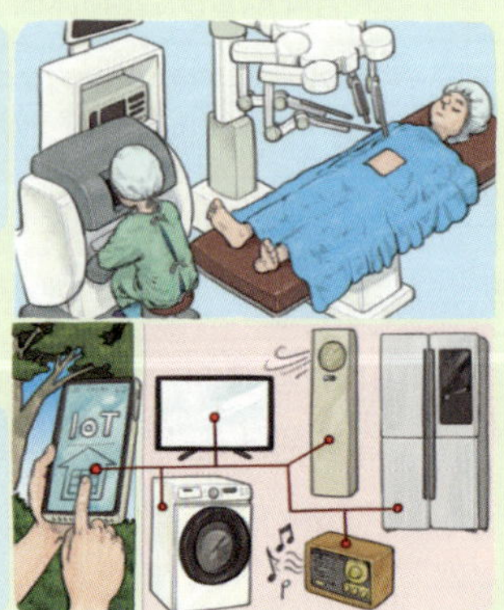

사물 인터넷을 사용하면 생활이 편리해진다.

인공지능 로봇과 사물 인터넷 기술의 발달은 문제점도 함께 가져올 수 있다.

인공지능 로봇이 사람의 일을 대신하여 일자리가 줄어들 수 있다.

사물 인터넷이 널리 활용되면 개인정보 유출과 해킹이 쉬워진다.

인공지능 로봇과 사물 인터넷이 바꾸는 미래 사회 예측하기

과정

❶ 인공지능 로봇과 사물 인터넷 중 하나를 선택하여 이들이 바꾸는 미래 사회의 모습을 예측해 본다.

❷ 예측한 내용을 바탕으로 미래 사회의 모습을 나타내는 상상화를 그린다.

❸ 인공지능 로봇과 사물 인터넷의 발달이 미래 사회에 미치는 유용성과 한계를 정리한다.

결과 및 정리

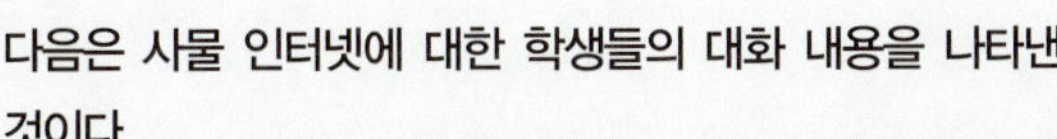

- 인공지능 로봇은 의료, 산업 현장 등에서 근로자의 안전을 보장하면서 작업 효율을 높일 수 있다. 하지만 인공지능 로봇을 무분별하게 이용하면 인간의 역량 계발이 방해받을 수 있고, 사람이 하는 일이 줄어 실업자가 늘어날 수도 있다.

- 사물 인터넷을 집안 가전제품에 적용하면 일상생활이 자동화되고 사용자가 스마트 기기 하나로 모든 가전제품을 조작할 수 있어 편의성을 높일 수 있다. 하지만 사물 인터넷 장치는 대부분 인터넷에 연결되어 있기 때문에 해킹의 위험성도 커진다.

학교 시험 맛보기

다음은 사물 인터넷에 대한 학생들의 대화 내용을 나타낸 것이다.

- **학생 A**: 사물 인터넷으로 연결한 장치에는 센서와 통신 장비가 내장되어 있어.
- **학생 B**: 사물 인터넷 기술을 적용한 장치는 모든 상황에 사람이 개입하여 제어하고 조종해야 해.
- **학생 C**: 사물 인터넷 기술을 가전제품에 적용하면 일상생활이 자동화되고 편의성이 높아져.

사물 인터넷에 대해 옳게 말한 학생을 모두 고른 것은?

① A   ② B   ③ A, C
④ B, C   ⑤ A, B, C

정답 ③

풀이

A: 사물 인터넷은 여러 가지 장치나 사물에 센서와 통신 장비를 내장하여 인터넷에 연결하는 기술이다.

B: 사물 인터넷 기술이 적용된 장치는 매번 사람이 개입하지 않아도 스스로 제어하고 조종할 수 있다.

C: 사물 인터넷은 자동으로 집안의 환경을 조절하는 스마트 홈, 스스로 속력과 방향을 조절하면서 운행하는 자율주행 자동차 등에 활용되며, 사물 인터넷 기술을 적용하면 일상생활이 자동화되고 편의성이 높아진다.

Science Talk

철의 이용

철은 지구를 구성하는 원소 중 가장 많은 양을 차지하며, 지각에서는 알루미늄 다음으로 많은 양을 차지하는 금속이다. 자연에서 철은 철광석이라는 암석 속에 들어 있는데, 순수한 철이 아닌 녹슨 형태를 하고 있다. 우리가 사용하는 형태의 철을 얻기 위해서는 광산에서 캐낸 철광석을 잘게 부수어 코크스, 석회석과 함께 용광로에 넣고 가열한다. 그러면 액체 상태의 철을 얻을 수 있는데 이것이 무쇠라고도 부르는 선철이다. 그 후 여기에 다시 탄소나 특수한 금속을 넣어 강철을 만든다. 강철은 충격에 강하고 쉽게 부러지지 않아서 자동차, 조선, 기계, 가전제품, 공업용 소재 등 산업 현장에서 많이 사용한다.

인류 역사에서 철은 언제부터 이용되었을까? 구석기 시대와 신석기 시대를 거치면서 돌과 나무로 시작된 인류 문명은 점차 금속을 이용하는 형태로 발전하였다. 처음에 사용한 금속은 비교적 가공이 쉬웠던 구리와 청동이다.

용광로

철광석

철광석은 흔했지만 고대 인류가 일으킬 수 있는 불의 온도는 1000 ℃ 안팎으로, 철의 용융점인 1538 ℃와는 큰 차이가 있었기 때문에 철을 사용할 수 없었고 존재도 몰랐다. 인간이 철로 도구를 만들기 시작한 것은 기원전 2000년 경이다. 처음에 철의 용융점보다 훨씬 낮은 상태에서 얻은 연철은 무기나 농기구로 쓰기 힘들 정도로 물렀다. 시간이 지나면서 기술이 발전하였고 선철을 뽑아낼 수 있게 되었는데, 선철은 너무 단단하다 보니 곧잘 깨졌고 주물 방식 외에는 가공이 어려웠다. 그러다가 선철의 탄소 함량을 변화시켜 강철을 얻을 수 있게 되었다.

유연하면서도 단단한 강철의 발명으로 인류 역사는 크게 달라졌다. 철제 농기구 사용으로 필요 이상의 식량을 생산할 수 있게 되면서 인구가 크게 늘었다. 집단의 규모가 커지면서 지배층이 형성되었고, 철제 무기의 발달로 군장 세력이 통합되면서 고대 국가가 형성되었다. 철의 발견과 사용은 단순한 도구의 변화를 넘어서서 문명의 발달을 가져온 매우 획기적인 사건이었다.

산업 혁명과 함께 철은 인류가 가장 많이 사용하는 금속이 되었으며 기차, 자동차, 배 등 교통 혁명을 일으키고 에펠탑, 자유의 여신상과 같은 구조물의 뼈대가 되었다. 현대 문명과 부의 상징인 고층 건물은 모두 강철로 만들어진다. 철은 현대 사회에서 차량, 선박, 항공기, 주택, 인공 뼈대, 각종 생활 용품 등 많은 분야에서 사용되고 있기 때문에 인류에게 철은 없어서는 안 되는 중요한 금속이다.

Ⅱ

생물의 구성과 다양성

1 생물의 구성

2 생물의 다양성

3 생물다양성보전

01 생물의 구성

스마트폰은 카메라, 배터리, 스피커 등 다양한 부품으로 구성되어 있다.
우리 몸은 무엇으로 어떻게 구성되어 있을까?

☐ **생물을 이루는 기본 단위**: 생물은 (세포, 기관)(으)로 이루어져 있다. 세포는 세포막으로 둘러싸여 있고, 그 안에는 둥근 모양의 (핵, 세포벽)이 있다.

☐ **사람의 몸**: 우리가 먹은 음식물을 (소화기관, 호흡기관)에서 소화하여 몸에 필요한 영양소를 흡수하고, (배설기관, 순환기관)에서 영양소와 산소를 운반한다.

① 세포의 구조와 기능

1. 생명활동   동물과 식물을 포함한 여러 생물은 영양분에서 에너지를 얻어 성장하고 자손을 남기는 등 다양한 생명활동을 한다.

(1) **동물**: 먹이를 먹어서 영양분을 얻으며, 생태계에서 소비자 역할을 한다.

　예 사슴, 부엉이, 붕어, 오징어

(2) **식물**: 빛을 이용해 영양분을 합성하며, 생태계에서 생산자 역할을 한다.

　예 무궁화, 소나무, 고사리, 솔이끼

2. 세포   생명활동이 일어나는 기본 단위이자 생물의 몸을 이루는 가장 작은 단위를 세포라고 한다. 과학 용어 사전 185쪽

(1) **세포의 구성**: 현미경으로 동물 세포와 식물 세포를 관찰하면 공통적으로 핵과 세포막을 관찰할 수 있다. 핵이나 세포막과 같이 세포에서 생명활동에 필요한 다양한 기능을 수행하는 것을 세포소기관이라고 한다. 세포소기관에는 마이토콘드리아, 세포벽, 엽록체 등이 있다.

① **핵**: DNA와 같은 유전물질이 들어 있으며, 세포의 생명활동을 조절한다.

② **세포막**: 세포를 둘러싸고 있는 막으로 단백질 등으로 이루어져 있으며, 세포 안 팎으로 물질의 출입을 조절한다.

③ **마이토콘드리아**: 영양분을 분해하여 생명활동에 필요한 에너지를 만든다. 에너지를 많이 사용하는 간세포, 근육세포 등에 많다.

④ **세포질**: 세포막과 핵 사이를 채우는 부분으로 다양한 물질과 세포소기관이 들어 있어 여러 생명활동이 일어난다.

⑤ **세포벽**: 동물 세포에는 세포벽이 없으며, 식물 세포에는 세포막 바깥쪽에 두껍고 단단한 구조인 세포벽이 있다. 식물 세포는 세포벽이 있어 세포를 보호하고 일정한 모양을 유지할 수 있다.

⑥ **엽록체**: 동물 세포에는 엽록체가 없으며, 식물 세포 중에서 광합성을 하는 세포에는 초록색의 작은 알갱이 모양인 엽록체가 있다. 과학 용어 사전 185쪽

용어 **생산자**

생태계에서 생물이 이용할 수 있는 영양분을 만드는 생물을 생산자라고 한다. 생산자에는 풀이나 나무와 같은 식물, 미역이나 파래와 같은 조류 등이 있으며, 이들은 광합성을 하여 영양분을 생산한다.

마이토콘드리아

마이토콘드리아에서는 산소를 이용한 영양분의 분해 반응이 일어나며, 생물은 이때 생성된 에너지를 다양한 생명활동에 이용한다.

(2) 세포의 구조 탐구 034쪽

    ① 동물 세포: 핵, 세포막, 마이토콘드리아, 세포질 등이 있다.

    ② 식물 세포: 핵, 세포막, 마이토콘드리아, 세포질, 세포벽, 엽록체 등이 있다.

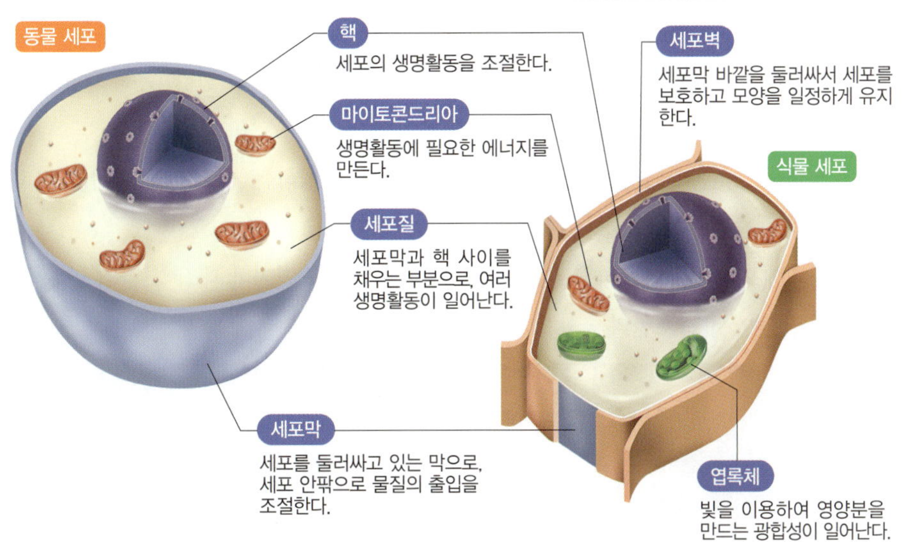

동물 세포와 식물 세포의 구조

탐구＋ 세포의 구조와 기능의 관계

공장의 구조와 세포의 구조를 비교하여 세포의 구조와 기능의 관계를 유추해 본다.

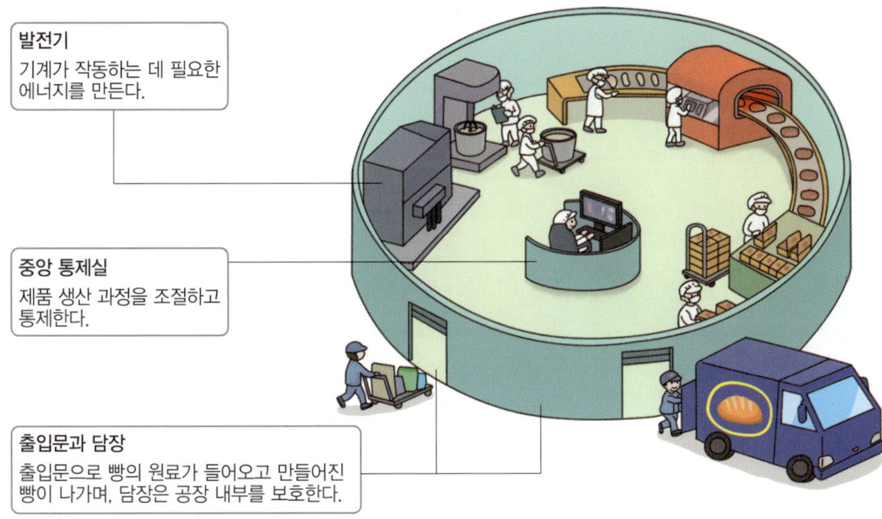

① 공장의 발전기와 비슷한 기능을 하는 세포소기관은 마이토콘드리아이다. ⟶ 마이토콘드리아는 세포의 생명활동에 필요한 에너지를 만든다.

② 공장의 중앙 통제실과 비슷한 기능을 하는 세포소기관은 핵이다. ⟶ 핵은 유전물질이 있어 세포의 생명활동을 조절한다.

③ 공장의 출입문, 담장과 비슷한 기능을 하는 세포소기관은 세포막, 세포벽이다. ⟶ 세포막과 세포벽은 세포를 둘러싸서 보호하고, 세포막은 세포 안팎으로 물질이 드나드는 것을 조절한다.

세포의 발견

1665년 영국의 훅(Hooke, R., 1635~1703)은 코르크 조각을 현미경으로 관찰하고 코르크 조각이 수많은 세포로 이루어져 있는 것을 처음으로 발견하였다. 이후 모든 생물은 세포로 이루어져 있다는 것이 밝혀졌다. 훅이 발견한 세포는 죽은 식물 세포의 세포벽이다.

Check 이전에 배웠어요

☐ 세포, 핵
☐ 소화기관, 순환기관

3. **세포의 모양과 기능** 세포의 모양과 크기는 세포의 기능에 따라 매우 다양하다. 생물은 모양과 기능이 다양한 세포로 이루어져 있어서 여러 복잡한 생명활동을 수행할 수 있다.

(1) 사람의 몸을 구성하는 세포

　① 신경세포: 가늘고 긴 모양으로, 길이가 1 m에 달하는 것도 있다. 온몸 구석구석에 퍼져 있으며 서로 연결되어 자극과 반응에 관한 신호를 전달한다.

　② 적혈구: 둥글고 납작한 원반 모양으로, 혈액을 구성하는 세포이다. 혈관을 따라 온몸을 순환하며 산소를 운반한다.

　③ 상피세포: 주로 납작하고 편평한 모양으로, 몸의 표면이나 내장 기관의 안쪽 표면을 덮어서 보호한다.

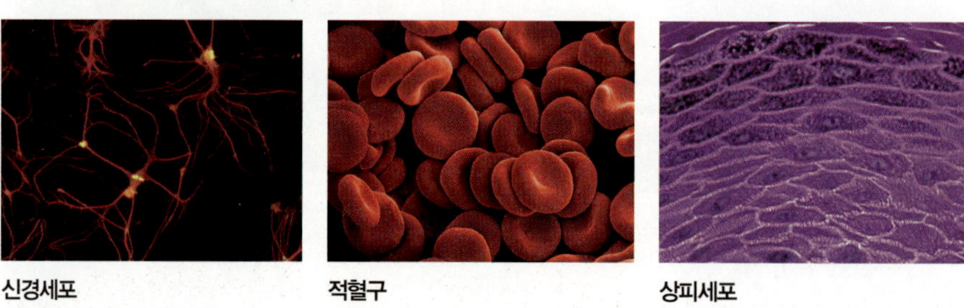

신경세포　　　적혈구　　　상피세포

(2) 식물의 몸을 구성하는 세포

　① 물관 세포: 속이 빈 대롱 모양의 세포가 이어져 있어서 물이 이동할 수 있다.

　② 표피세포: 납작한 모양으로, 식물의 표면을 덮어서 보호한다.

　③ 공변세포: 반달 모양의 세포로, 공기가 드나드는 기공을 사이에 두고 두 개가 마주 보고 있어 기공을 열고 닫는다. 과학 용어 사전 186쪽

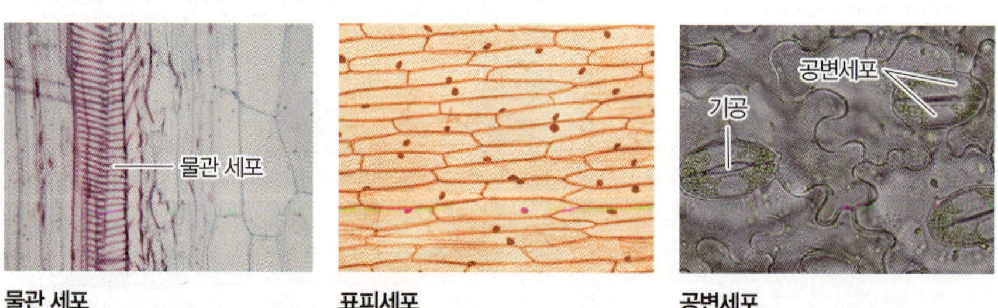

물관 세포　　　표피세포　　　공변세포

정답과 해설 005쪽

1. **핵심개념** 생명활동이 일어나는 기본 단위이자 생물의 몸을 이루는 가장 작은 단위를 ________(이)라고 한다.

2. 유전물질이 들어 있으며, 생명활동을 조절하는 세포소기관은 ________이다.

3. 영양분을 분해하여 생명활동에 필요한 에너지를 만드는 세포소기관은 ________이다.

4. 식물 세포에는 있지만 동물 세포에는 없는 세포소기관은 ________와/과 ________이다.

5. 세포의 다양한 모양은 세포의 ________와/과 관련이 있다.

개념 빌드업

② 생물의 유기적 구성

1. 생물 몸의 구성 단계 다세포생물은 세포가 단순히 모여 있는 것이 아니라 단계별로 체계를 이루고 있다. 여러 세포가 모여 조직을 이루고 여러 조직이 모여 기관을 형성하며, 여러 기관이 모여 완전한 개체가 된다.

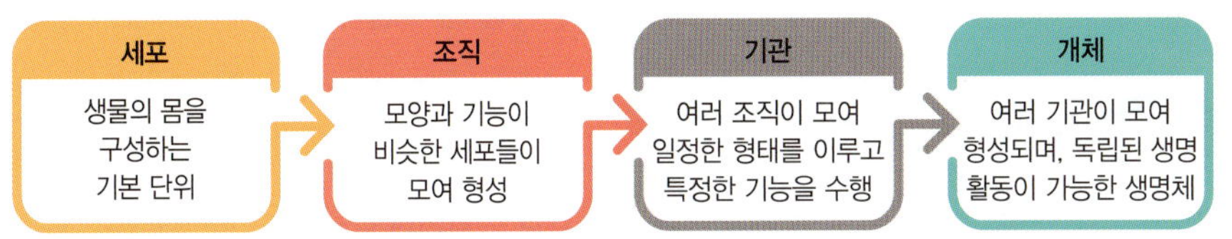

단세포생물
다세포생물과 달리 세포 하나로만 이루어진 생물로 대장균, 아메바, 효모 등이 있다.

2. 동물 몸의 구성 단계 동물 몸은 세포, 조직, 기관, 기관계, 개체 순으로 구성된다. 동물 몸의 구성 단계에는 식물 몸의 구성 단계와 달리 여러 조직이 모여 형성되는 조직계가 없고, 여러 기관이 모여 형성되는 기관계가 있다.

기관이 없는 동물
동물 중에는 해면동물과 같이 기관이 형성되지 않아 기관과 기관계가 모두 없는 동물도 있다.

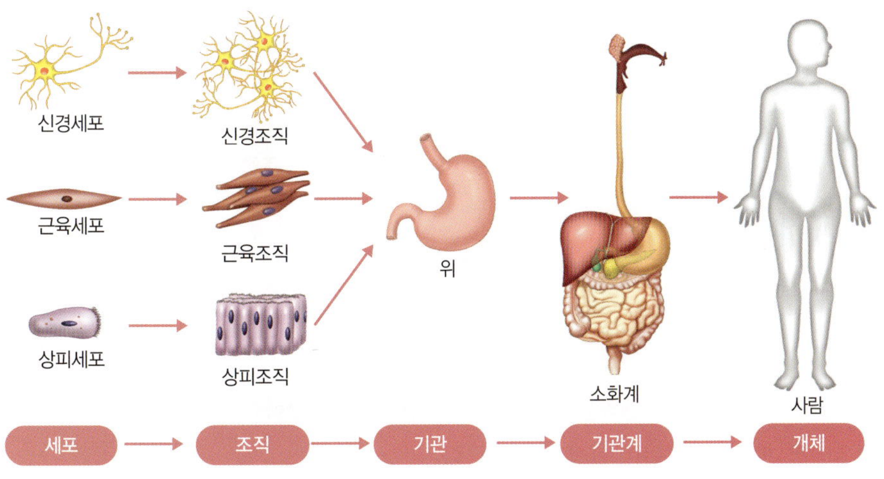

가로무늬근과 민무늬근
가로무늬가 있는 골격근과 심장근을 가로무늬근이라 하고, 가로무늬가 없는 내장근을 민무늬근이라고 한다.

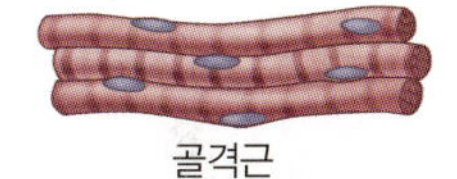

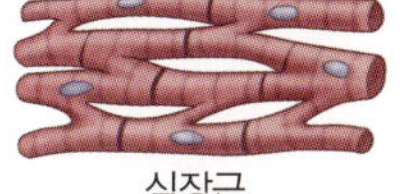

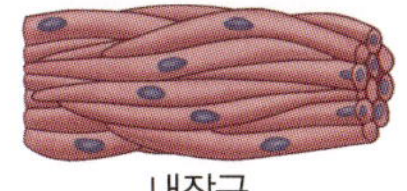

⑴ **세포**: 동물 몸을 구성하는 기본 단위로 신경세포, 근육세포, 상피세포 등이 있다.

⑵ **조직**: 모양과 기능이 비슷한 세포들이 모여서 구성한다. 세포 단계에서 수행할 수 없는 기능을 수행하며, 신경세포가 모인 신경조직, 근육세포가 모인 근육조직, 상피세포가 모인 상피조직, 혈구세포나 뼈세포 등이 각각 모인 결합조직이 있다.

① 신경조직: 몸 안팎의 신호를 받아들여 전달하고 이를 판단한다. 판단 결과 내려진 명령을 온몸에 전달한다.

② 근육조직: 수축 또는 이완하여 움직임을 만든다. 뼈에 붙어 있는 골격근, 내장을 이루는 내장근, 심장을 구성하는 심장근 등이 있다.

③ 상피조직: 몸의 표면이나 몸속 기관의 내벽을 덮고 있으며, 몸을 보호하고 물질의 출입을 조절한다.

④ 결합조직: 조직이나 기관을 연결하거나 지지하는 역할을 한다. 결합조직에는 뼈조직, 힘줄, 혈액, 지방조직 등이 있다.

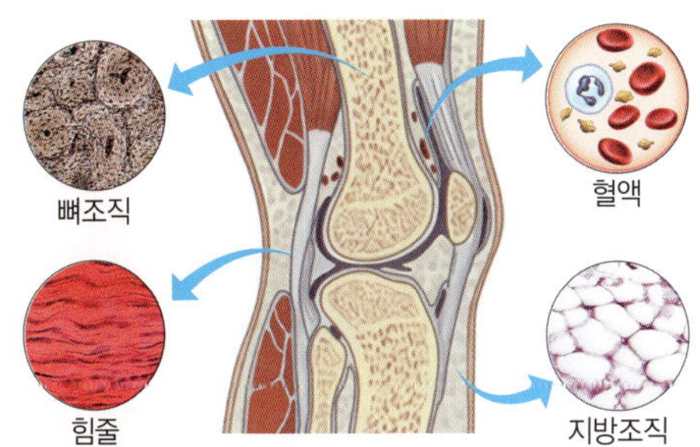

다리의 결합조직

3D 프린터로 기관을 만든다고?
세포를 원료로 만든 바이오 잉크를 사용하면 3D 바이오 프린팅 기술로 인공장기를 만들 수 있다. 실제로 인공 각막, 인공 귀 등이 만들어졌으며, 머지않아 장기 이식이 필요한 환자에게 자신의 세포로 만든 인공장기를 공급할 수 있을 것으로 전망하고 있다.

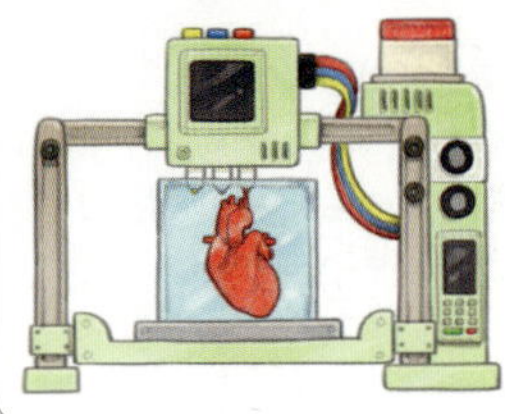

(3) 기관: 여러 조직이 모여 일정한 형태를 이루고 특정 기능을 수행하는 기관이 만들어진다. 기관은 조직 단계에서 수행할 수 없는 기능을 수행한다. 위, 간, 쓸개, 이자, 심장, 폐 등이 있다.

(4) 기관계: 연관된 기능을 수행하는 기관들이 모여 기관계를 이룬다. 식물 몸의 구성 단계에는 기관계가 없고, 동물 몸의 구성 단계에만 기관계가 있다. 과학 용어 사전 186쪽

자료 + 기관계의 통합적 작용

사람의 기관계에는 소화계, 순환계, 호흡계, 배설계, 신경계, 골격계 등이 있으며, 여러 기관계는 서로 밀접한 관계를 맺고 유기적으로 작용한다.

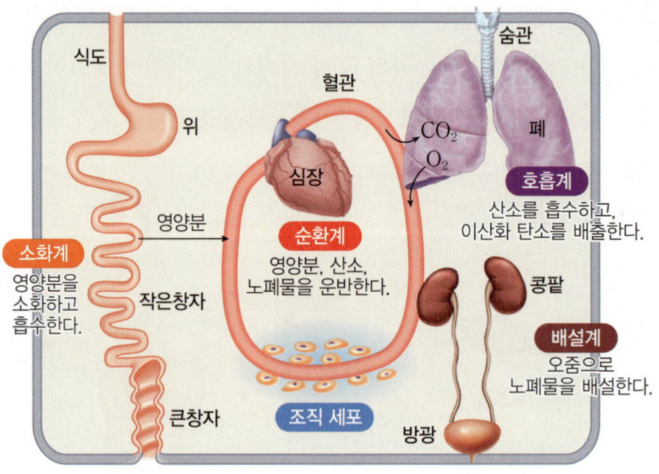

(5) 개체: 여러 기관계가 모여 독립적으로 생명활동을 수행하는 개체를 형성한다. 사람 한 명, 개 한 마리 등이 개체에 해당한다.

3. 식물 몸의 구성 단계 식물 몸은 세포, 조직, 조직계, 기관, 개체 순으로 구성된다. 식물 몸의 구성 단계에는 동물 몸의 구성 단계와 달리 여러 조직이 모여 형성되는 조직계가 있고, 여러 기관이 모여 형성되는 기관계가 없다.

기본조직계
식물 잎의 위쪽에는 잎살세포가 촘촘히 줄지어 있는 울타리조직이 있고, 아래쪽에는 잎살세포가 듬성듬성 있는 해면조직이 있다.

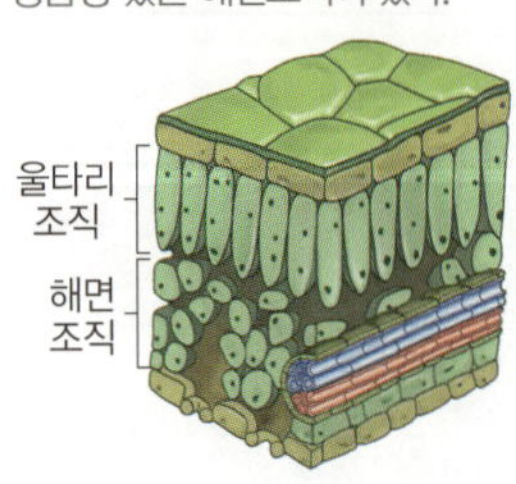

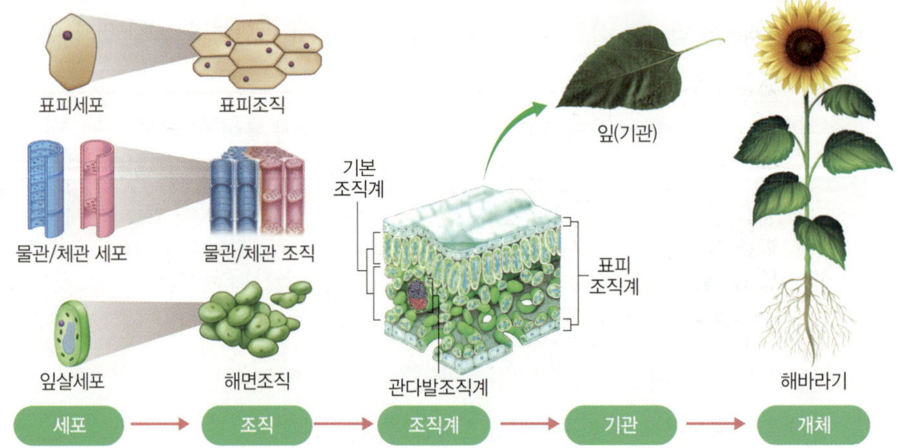

⑴ **세포**: 식물 몸을 구성하는 기본 단위로 표피세포, 물관 세포, 체관 세포, 잎살세포 등 다양한 모양과 기능의 세포가 있다.

⑵ **조직**: 모양과 기능이 비슷한 세포들이 모여서 조직을 구성한다. 조직은 세포 단계에서 수행할 수 없는 기능을 수행하며, 표피세포가 모인 표피조직, 물관 세포가 모인 물관 조직, 체관 세포가 모인 체관 조직 등이 있다. 식물의 조직은 세포분열 여부에 따라 분열조직과 영구 조직으로 구분할 수 있다.

  ① **분열조직**: 세포분열이 왕성하게 일어나는 조직으로 식물의 성장이 일어나는 부위에 분열조직이 있다. **예** 성장점, 형성층

  ② **영구 조직**: 세포분열을 하지 않고 특정 기능을 수행하는 조직이다. **예** 표피조직, 물관 조직, 체관 조직

⑶ **조직계**: 여러 조직이 모여 공통의 기능을 하는 조직계를 구성한다. 조직계는 동물 몸의 구성 단계에는 없고 식물 몸의 구성 단계에만 있다. **예** 표피조직계, 관다발조직계, 기본조직계

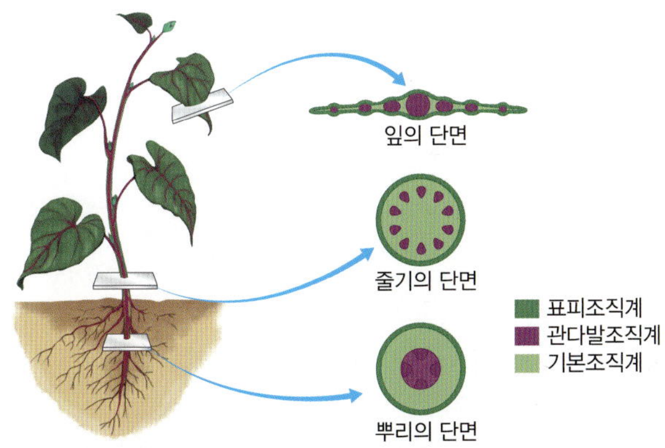

⑷ **기관**: 여러 조직계가 모여 일정한 형태와 기능을 갖는 기관을 이룬다. 기관은 조직계 단계에서 수행할 수 없는 기능을 수행하며 뿌리, 줄기, 잎, 꽃, 열매 등이 있다. 생명활동을 수행하는 영양기관과 번식을 수행하는 생식기관으로 구분할 수 있다.

  ① **영양기관**: 식물이 광합성으로 영양분을 합성하는 데 필요한 물질을 공급하고 광합성이 일어나는 기관이다. **예** 뿌리, 줄기, 잎

  ② **생식기관**: 식물의 번식을 수행하는 기관이다. **예** 꽃, 열매

⑸ **개체**: 여러 기관이 모여 독립된 생명활동을 수행하는 개체를 형성한다. 풀 한 포기, 나무 한 그루 등이 개체에 해당한다.

성장점과 형성층
- 성장점: 줄기 끝이나 뿌리 끝에 있으며, 길이 성장이 일어나는 곳이다.
- 형성층: 쌍떡잎식물과 겉씨식물의 물관과 체관 사이에 있으며, 부피 성장이 일어나는 곳이다.

식물의 조직계
조직계는 뿌리부터 잎까지 식물의 몸 전체에 연속적으로 연결되어 있다.
- 표피조직계: 여러 표피조직과 공변세포가 모여 구성된 것으로, 식물 몸의 표면을 덮어 내부를 보호한다.
- 관다발조직계: 물관, 체관, 형성층이 모여 이루어진 것으로, 물과 영양분이 이동하는 통로 역할을 한다.
- 기본조직계: 표피조직계와 관다발조직계를 제외한 나머지 부분으로 식물 몸의 대부분을 차지하며, 영양분의 합성과 저장 등의 기능을 한다.

선태식물
우산이끼와 같은 선태식물은 뿌리, 줄기, 잎의 기관 분화가 명확하지 않아 엽상식물이라고도 불린다.

영양생식
식물은 일반적으로 생식기관을 이용해 번식하지만, 영양기관의 일부가 새로운 개체가 되는 경우도 있다. 이러한 번식 방법을 영양생식이라고 한다.

정답과 해설 005쪽

개념 빌드업

1. **핵심개념** 동물 몸과 식물 몸에서 공통적인 구성 단계는 세포, 조직, ________, 개체이다.

2. 동물 몸에는 있지만 식물 몸에는 없는 구성 단계는 ________이다.

3. 식물 몸에는 있지만 동물 몸에는 없는 구성 단계는 ________이다.

동물 세포와 식물 세포 관찰하기

실험 영상

목표 | 현미경을 사용하여 동물 세포와 식물 세포를 관찰하고, 동물 세포와 식물 세포의 특징을 설명할 수 있다.

과정

1. 동물 세포 관찰하기

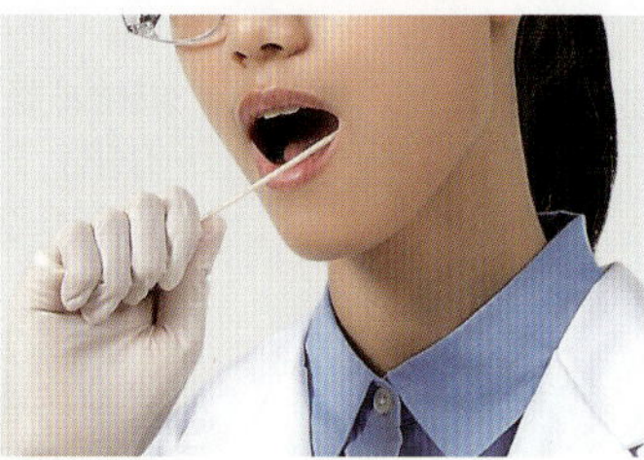
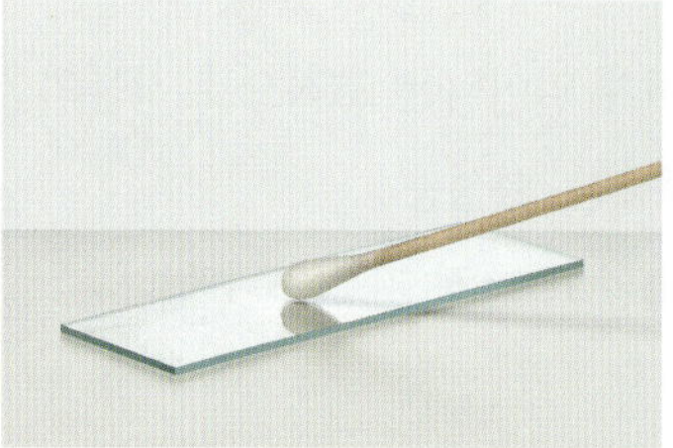
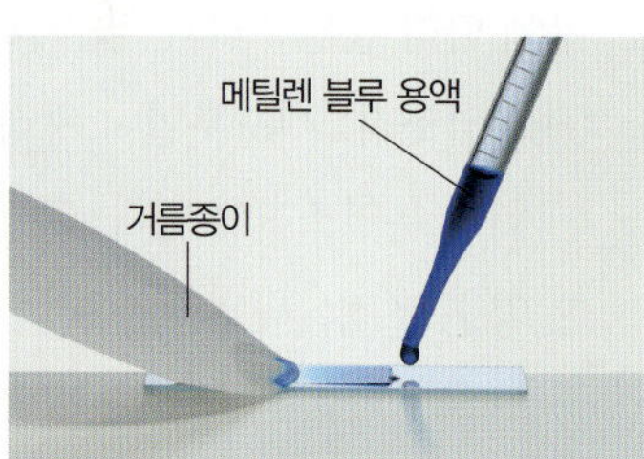

❶ 입안을 물로 헹군 뒤, 면봉으로 볼 안쪽 면을 가볍게 긁어낸다.
　→ 입안 상피세포를 채취할 수 있다.

❷ 면봉을 받침 유리 위에 문지르고 물을 한 방울 떨어뜨린 뒤 공기가 들어가지 않도록 천천히 덮개 유리를 덮는다.

❸ 덮개 유리 한쪽에 메틸렌 블루 용액을 한 방울 떨어뜨린 뒤 반대편에서 거름종이로 여분의 용액을 흡수한다.

❹ 현미경을 이용하여 낮은 배율부터 높은 배율 순서로 관찰한다.

2. 식물 세포 관찰하기

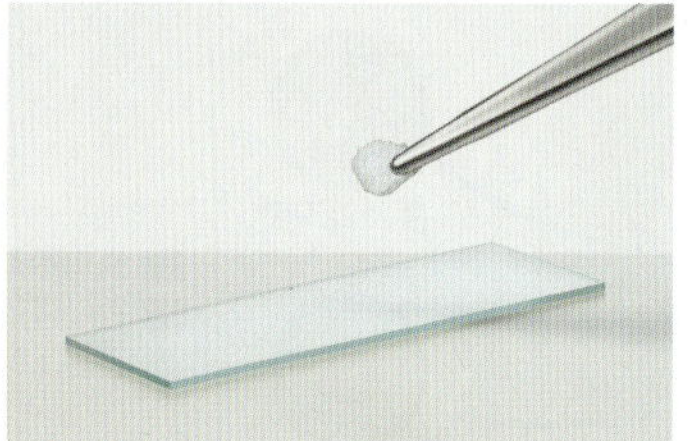
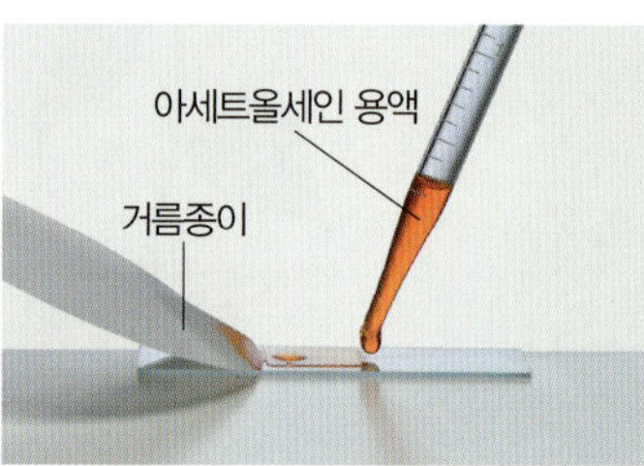

❶ 안전면도로 양파 껍질 안쪽을 격자 모양으로 자르고 핀셋으로 표피를 떼어 낸다.
　→ 양파 표피세포를 채취할 수 있다.

❷ 표피 조각을 받침 유리 위에 올려놓고 물을 한 방울 떨어뜨린 뒤 공기가 들어가지 않도록 천천히 덮개 유리를 덮는다.

❸ 덮개 유리 한쪽에 아세트올세인 용액을 한 방울 떨어뜨린 뒤 반대편에서 거름종이로 여분의 용액을 흡수한다.

❹ 현미경을 이용하여 낮은 배율부터 높은 배율 순서로 관찰한다.

유의점
- 한번 사용한 면봉을 재사용하지 않는다.
- 안전면도의 날은 날카로우므로 조심스럽게 다룬다.
- 염색액이 피부나 렌즈에 묻지 않도록 조심한다.
- 염색액에서 특유의 냄새가 날 수 있으므로 환기를 한다.

Tip
- 현미경의 배율은 '접안렌즈의 배율 × 대물렌즈의 배율'이다.
- 먼저 낮은 배율에서 상을 찾고, 필요에 따라 배율을 높여 관찰한다.

결과 및 정리

1. 입안 상피세포와 양파 표피세포에서는 공통적으로 세포막과 염색된 핵이 관찰된다.

2. 동물 세포인 입안 상피세포는 모양이 일정하지 않고 세포벽이 없다.

3. 식물 세포인 양파 표피세포는 모양이 일정하고 세포벽이 있다.

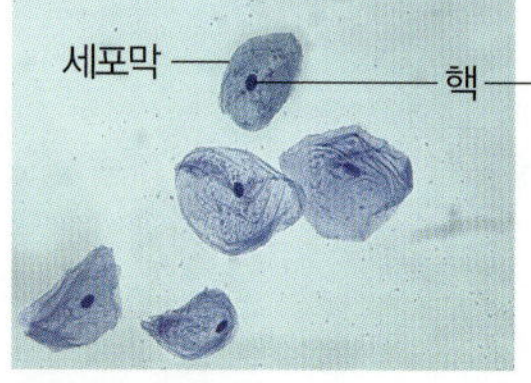

입안 상피세포

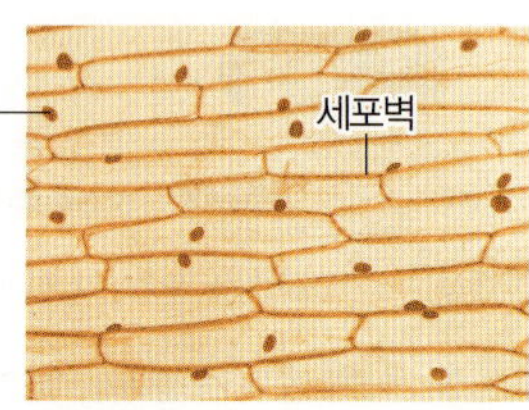

양파 표피세포

과정 핀셋으로 검정말잎 하나를 떼어 받침 유리 위에 펴 놓고 물을 한 방울 떨어뜨린 뒤 덮개 유리를 덮어 현미경으로 관찰한다.

 →  → 

결과 및 정리 검정말잎 세포에서는 양파 표피세포에서 관찰되지 않는 엽록체를 관찰할 수 있다.

 검정말잎을 뜨거운 에탄올에 담가 탈색한 뒤 아세트올세인 용액으로 염색하면 핵을 관찰할 수 있다.

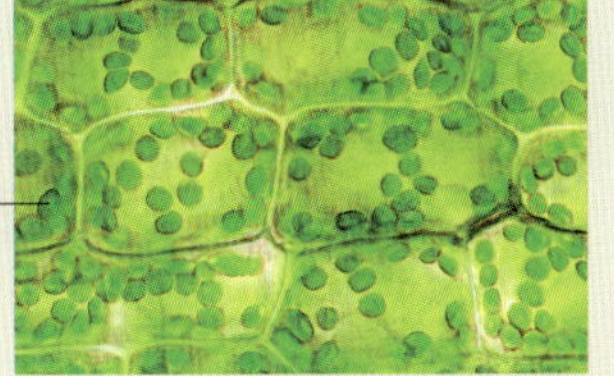

탐구 확인 문제

정답과 해설 005쪽

1 메틸렌 블루 용액과 아세트올세인 용액에 염색되는 세포소 기관으로 옳은 것은?

① 핵 　② 세포막 　③ 세포벽
④ 엽록체 　⑤ 마이토콘드리아

2 입안 상피세포와 양파 표피세포의 특징에 대한 설명으로 옳은 것을 보기에서 모두 고른 것은?

> **보기**
> ㄱ. 입안 상피세포에는 세포벽이 있다.
> ㄴ. 양파 표피세포에는 세포막이 있다.
> ㄷ. 입안 상피세포와 양파 표피세포에는 공통적으로 핵이 있다.

① ㄱ 　② ㄴ 　③ ㄱ, ㄷ
④ ㄴ, ㄷ 　⑤ ㄱ, ㄴ, ㄷ

3 접안렌즈의 배율이 10배이고 대물렌즈의 배율이 40배일 때 현미경의 배율을 쓰시오.

4  다음은 식물 세포를 관찰하기 위한 실험 과정의 일부이다.

> 1. 검정말잎 하나를 떼어 받침 유리 위에 펴 놓고 ㉠아세트산 카민 용액을 한 방울 떨어뜨린다.
> 2. 5분 뒤 덮개 유리를 덮고 그 위에 ㉡거름종이를 덮은 다음, 손가락으로 가볍게 눌러서 여분의 용액을 제거한다.

이에 대한 설명으로 옳은 것을 보기에서 모두 고른 것은?

> **보기**
> ㄱ. 검정말잎은 두껍고 단단할수록 좋다.
> ㄴ. ㉠의 용액 대신 아세트올세인 용액을 사용할 수 있다.
> ㄷ. ㉡ 과정을 거치지 않으면 상이 지나치게 밝아진다.

① ㄱ 　② ㄴ 　③ ㄷ
④ ㄱ, ㄴ 　⑤ ㄴ, ㄷ

다양한 기능의 세포소기관

동물 몸과 식물 몸을 구성하는 세포에는 다양한 기능을 하는 세포소기관이 있다. 세포소기관의 종류에 따라 어떤 일을 하는지 알아보자.

1 단백질합성과 분비에 관여하는 세포소기관

효소, 호르몬, 헤모글로빈 등 생명활동에 꼭 필요한 단백질은 세포에서 만들어진다. 핵에 있는 DNA에는 단백질합성에 필요한 유전정보가 있어서 이 유전정보에 따라 라이보솜과 소포체에서 단백질이 만들어진다. 세포에서 만들어진 단백질 중 일부는 세포 밖으로 분비되는데, 그림과 같이 골지체에서 가공된 뒤에 소낭에 담겨 세포막으로 전달되며, 소낭이 세포막과 융합하면 단백질이 세포 밖으로 분비되어 필요한 곳으로 전달된다.

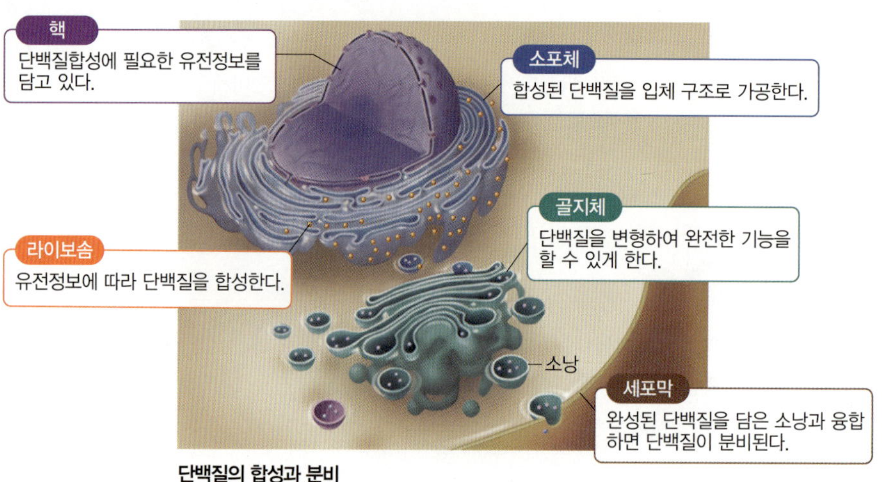

단백질의 합성과 분비

2 에너지전환에 관여하는 세포소기관

식물 세포에 들어 있는 엽록체에서는 빛에너지, 이산화 탄소, 물을 이용해 영양분(포도당)과 산소를 만드는 광합성이 일어난다. 포도당에는 생명활동에 필요한 화학 에너지가 저장되어 있다.

식물 세포와 동물 세포에 모두 들어 있는 마이토콘드리아에서는 영양분과 산소를 이용해 이산화 탄소와 물, ATP를 만드는 세포호흡이 일어난다. ATP에는 생명활동에 사용할 수 있는 화학 에너지가 저장되어 있다.

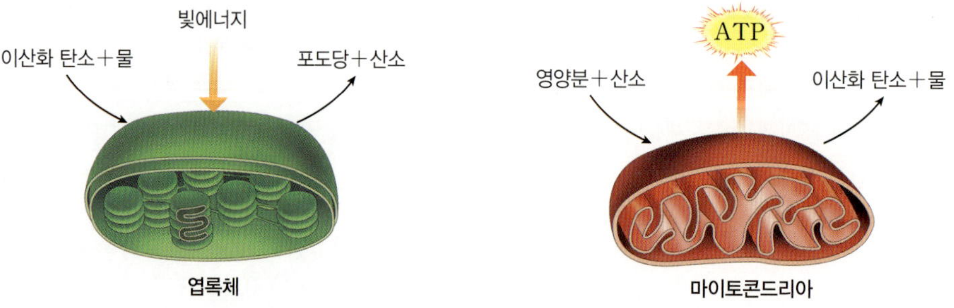

비주얼 Visual 핵|심|정|리

1 세포의 구조와 기능

① 세포: 생명활동이 일어나는 기본 단위이자 생물의 몸을 이루는 가장 작은 단위

② 동물 세포와 식물 세포에 모두 있는 구조: 핵, 세포막, 세포질, 마이토콘드리아

③ 식물 세포에만 있는 구조: 엽록체, 세포벽

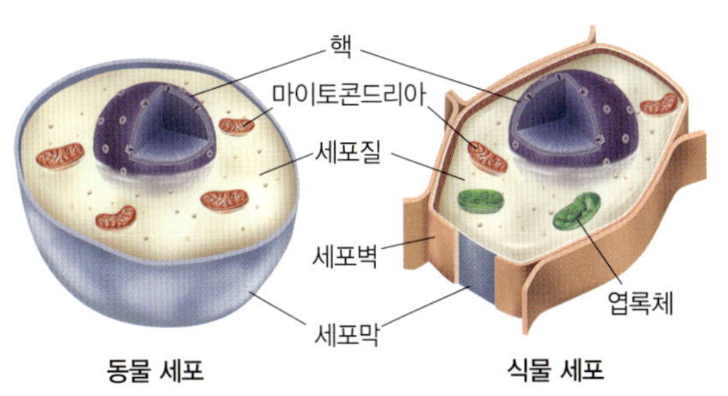

2 생물의 유기적 구성

① 동물 몸의 구성 단계: 세포 → 조직 → 기관 → 기관계 → 개체 순으로 구성된다. 식물 몸에는 없는 기관계가 있다.

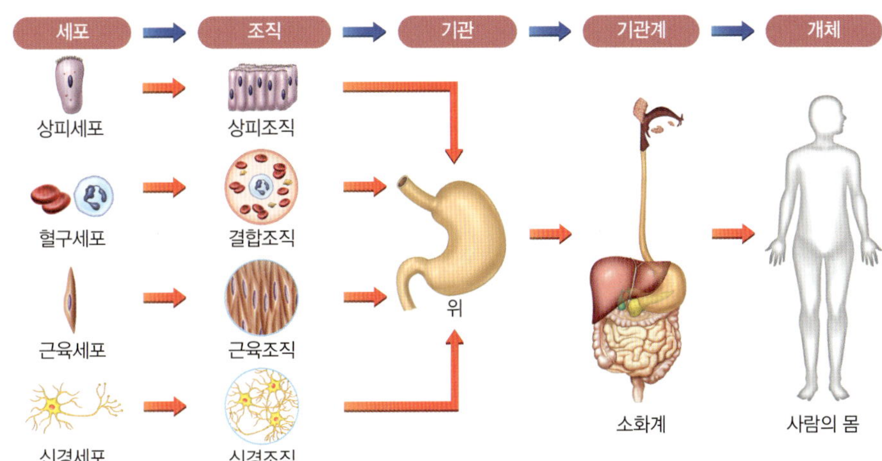

② 식물 몸의 구성 단계: 세포 → 조직 → 조직계 → 기관 → 개체 순으로 구성된다. 동물 몸에는 없는 조직계가 있다.

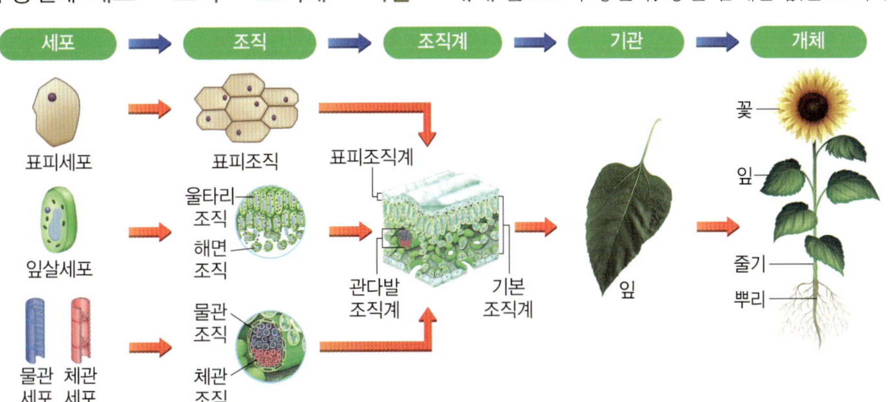

중요
01 생물의 생명활동에 대한 설명으로 옳은 것을 보기에서 모두 고른 것은?

> 보기
> ㄱ. 동물은 먹이를 먹어서 영양분을 얻는다.
> ㄴ. 식물은 빛을 이용해서 영양분을 만든다.
> ㄷ. 생물의 생명활동이 일어나는 기본 단위는 세포이다.

① ㄱ ② ㄴ ③ ㄱ, ㄷ
④ ㄴ, ㄷ ⑤ ㄱ, ㄴ, ㄷ

02 세포에 대한 설명으로 옳은 것은?

① 세포벽은 물질의 출입을 조절한다.
② 모든 동물은 동일한 세포로 구성되어 있다.
③ 모든 생물은 여러 개의 세포로 이루어져 있다.
④ 세포를 관찰할 때 염색하지 않으면 아무것도 보이지 않는다.
⑤ 대부분의 세포는 크기가 매우 작지만, 맨눈으로 볼 수 있는 세포도 있다.

중요
03 그림은 동물 세포의 구조를 나타낸 것이다.

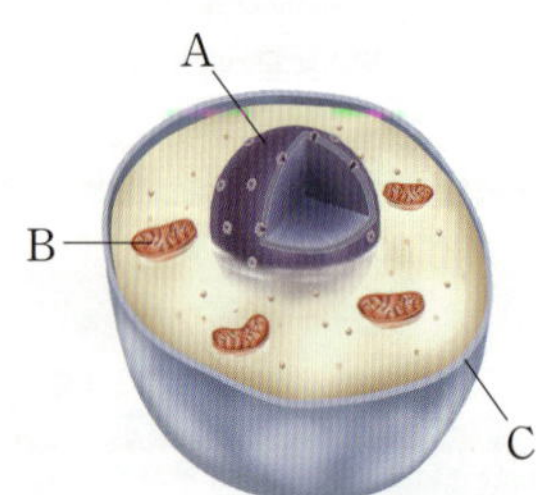

이에 대한 설명으로 옳지 않은 것은?

① A는 생명활동을 조절한다.
② A는 메틸렌 블루 용액에 염색된다.
③ B는 세포막이다.
④ B는 생명활동에 필요한 에너지를 만든다.
⑤ C는 물질의 출입을 조절한다.

중요
04 오른쪽 그림은 식물 세포의 구조를 나타낸 것이다. A~C는 세포벽, 세포질, 엽록체를 순서 없이 나타낸 것이다. 이에 대한 설명으로 옳지 않은 것은?

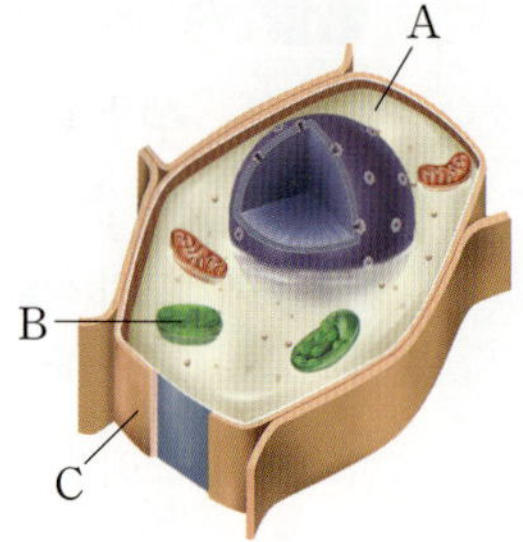

① A에서는 생명활동이 일어나지 않는다.
② B는 엽록체이다.
③ B에서 빛을 이용한 광합성이 일어난다.
④ C는 동물 세포에는 없다.
⑤ C는 세포를 보호하고, 모양을 일정하게 유지한다.

05 동물 세포에는 없고, 식물 세포에는 있는 세포소기관으로 옳게 짝 지은 것은?

① 핵, 세포막 ② 핵, 엽록체
③ 엽록체, 세포벽 ④ 세포막, 세포벽
⑤ 엽록체, 마이토콘드리아

중요
06 표는 세포소기관 ㉠~㉢의 기능을 나타낸 것이다. ㉠~㉢은 세포막, 엽록체, 핵을 순서 없이 나타낸 것이다.

세포소기관	기능
㉠	생명활동을 조절한다.
㉡	빛을 이용한 광합성이 일어난다.
㉢	ⓐ

이에 대한 설명으로 옳은 것을 보기에서 모두 고른 것은?

> 보기
> ㄱ. ㉠에는 유전물질이 들어 있다.
> ㄴ. ㉡은 엽록체이다.
> ㄷ. '물질의 출입을 조절한다.'는 ⓐ에 해당한다.

① ㄱ ② ㄴ ③ ㄱ, ㄷ
④ ㄴ, ㄷ ⑤ ㄱ, ㄴ, ㄷ

[07~08] 그림은 입안 상피세포를 관찰하기 위한 실험 과정의 일부를 나타낸 것이다.

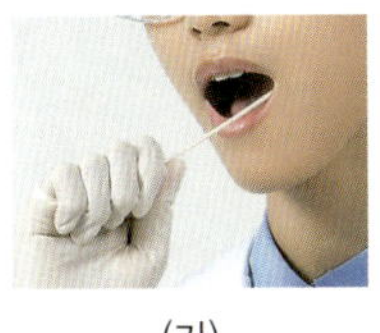
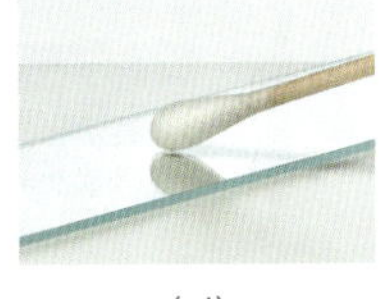
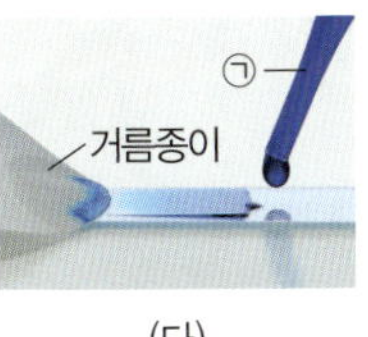

(가)　　　(나)　　　(다)

07 이에 대한 설명으로 옳지 <u>않은</u> 것은?

① (가)는 면봉으로 입 안쪽의 볼을 긁어내는 모습이다.

② (나)에서 받침 유리에 입안 상피세포가 묻는다.

③ (나) 과정 뒤에 물을 한 방울 떨어뜨리고 덮개 유리를 덮는다.

④ (다)에서 입안 상피세포가 분리된다.

⑤ (다) 과정 뒤에 현미경으로 핵을 관찰할 수 있다.

08 용액 ㉠의 이름을 쓰시오.

중요

09 다음은 검정말잎 세포를 관찰하기 위한 실험 과정이다.

> [실험 과정]
> 1. 검정말잎을 한 장 떼어 받침 유리 위에 놓고 물을 한 방울 떨어뜨린다.
> 2. 아세트올세인 용액 한 방울을 검정말잎에 떨어뜨린다.
> 3. 덮개 유리를 덮고 거름종이로 여분의 용액을 제거한 뒤에 현미경으로 관찰한다.

이 실험에 대한 학생 (가)~(라)의 설명으로 옳은 것의 기호를 모두 쓰시오.

> (가) 덮개 유리를 덮을 때에는 수직으로 빠르게 떨어뜨려야 기포가 생기지 않아.
> (나) 검정말 세포는 규칙적으로 배열되어 있어.
> (다) 아세트올세인 용액을 사용하지 않으면 동물 세포에 없는 식물 세포의 구조를 관찰할 수 없어.
> (라) 현미경으로 관찰할 때에는 높은 배율에서 초점을 맞춘 뒤에 낮은 배율에서 상을 찾는 것이 좋아.

10 그림은 빵을 만드는 공장을 나타낸 것이다.

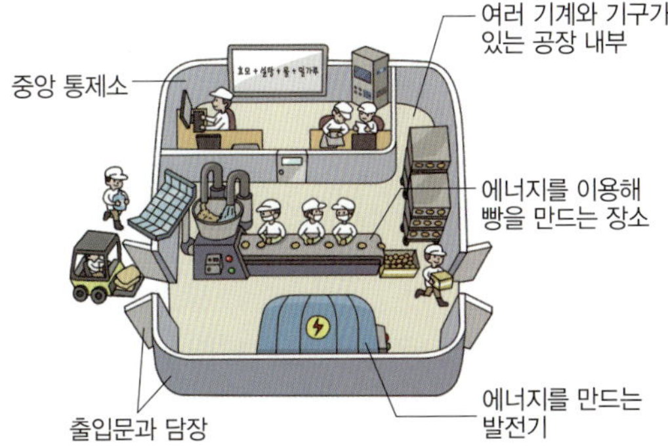

공장의 각 부분에 비유할 수 있는 세포의 구조를 옳게 짝지은 것은?

① 공장 내부 － 핵

② 발전기 － 세포질

③ 빵 생산 장소 － 엽록체

④ 중앙 통제소 － 세포막과 세포벽

⑤ 출입문과 담장 － 마이토콘드리아

중요

11 그림은 사람의 몸에 있는 세 가지 세포를 나타낸 것이다.

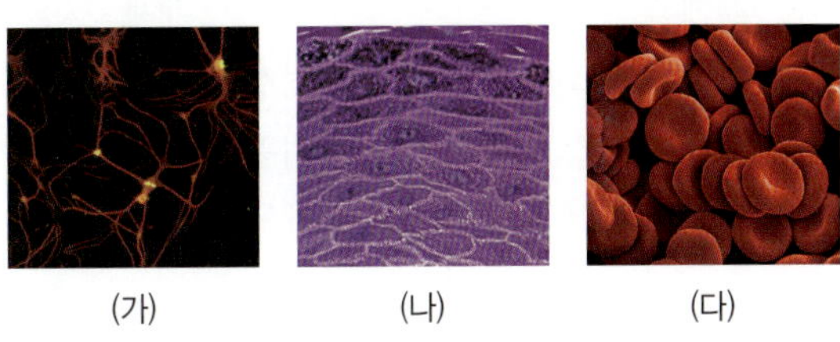

(가)　　　(나)　　　(다)

(가)~(다)에 해당하는 설명을 보기에서 골라 각각 기호를 쓰시오.

> 보기
> ㄱ. 움푹 파인 원반 모양으로 산소를 운반한다.
> ㄴ. 누리망 선처럼 길게 뻗은 구조로 신호를 전달한다.
> ㄷ. 벽돌처럼 촘촘히 붙어 있어 피부와 내장의 안쪽 표면을 덮어 보호한다.

12 동물 몸의 구성 단계에는 없고, 식물 몸의 구성 단계에만 있는 구성 단계는 무엇인지 쓰시오.

13 그림 (가)와 (나)는 근육세포와 잎살세포를 순서 없이 나타 낸 것이다.

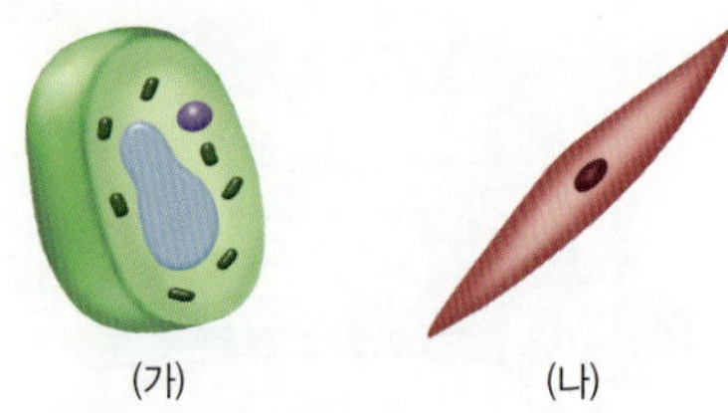

(가)   (나)

이에 대한 설명으로 옳은 것을 보기에서 모두 고른 것은?

보기
ㄱ. (가)는 잎살세포이다.
ㄴ. (나)는 식물의 몸을 구성하는 세포이다.
ㄷ. (가)와 (나)에는 모두 핵이 있다.

① ㄱ   ② ㄴ   ③ ㄷ
④ ㄱ, ㄷ   ⑤ ㄴ, ㄷ

14 식물 몸의 구성 단계로 옳은 것은?

① 개체 → 세포 → 조직계 → 조직 → 기관
② 세포 → 기관 → 기관계 → 조직 → 개체
③ 세포 → 조직 → 기관 → 기관계 → 개체
④ 세포 → 조직 → 조직계 → 기관 → 개체
⑤ 세포 → 조직 → 조직계 → 개체 → 기관

15 그림은 식물 몸의 구성 단계를 순서 없이 나타낸 것이다.

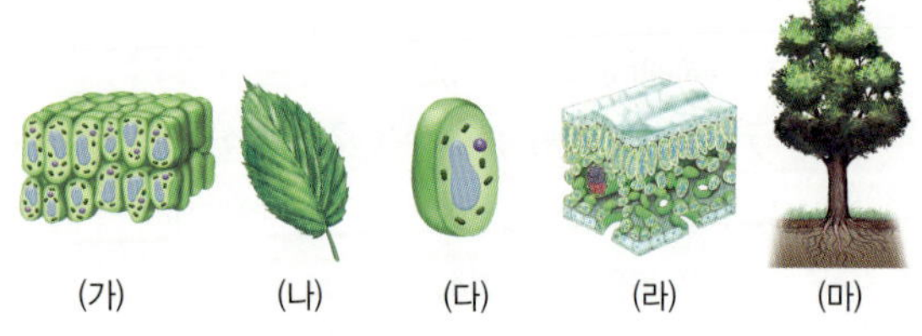

(가)   (나)   (다)   (라)   (마)

이에 대한 설명으로 옳지 <u>않은</u> 것은?

① (가)는 표피세포로 구성된 조직이다.
② (나)는 뿌리, 줄기와 같은 구성 단계이다.
③ (다)에는 엽록체와 세포벽이 포함된다.
④ (라)에는 울타리조직, 표피조직, 물관 조직이 포함된다.
⑤ (마)는 독립적인 생명활동을 하는 개체이다.

16 그림은 동물 몸의 구성 단계를 순서 없이 나타낸 것이다.

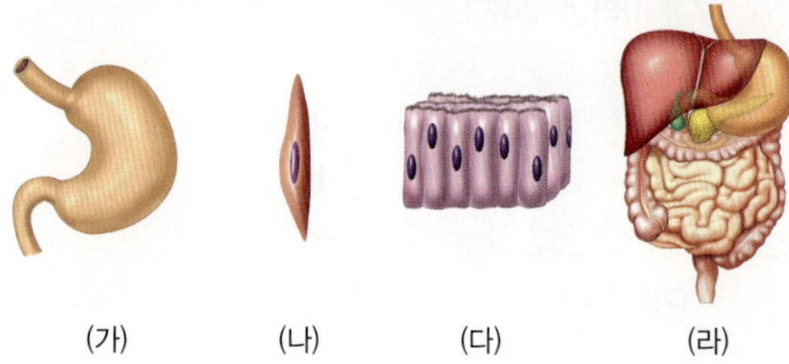

(가)   (나)   (다)   (라)

동물 몸의 구성 단계를 작은 단계부터 큰 단계의 순서대로 기호를 나열하시오.

17 동물 몸의 구성 단계에 대한 설명으로 옳은 것을 보기에서 모두 고른 것은?

보기
ㄱ. 동물의 몸을 구성하는 기본 단위는 세포이다.
ㄴ. 근육세포와 상피세포가 모여 신경조직을 이룬다.
ㄷ. 표피조직계와 기본조직계가 있다.

① ㄱ   ② ㄴ   ③ ㄷ
④ ㄱ, ㄴ   ⑤ ㄴ, ㄷ

중요
18 그림은 동물 몸과 식물 몸의 구성 단계를 나타낸 것이다. ㉠ 과 ㉡은 동물 몸과 식물 몸을, (가)~(라)는 기관, 기관계, 세포, 조직을 각각 순서 없이 나타낸 것이다.

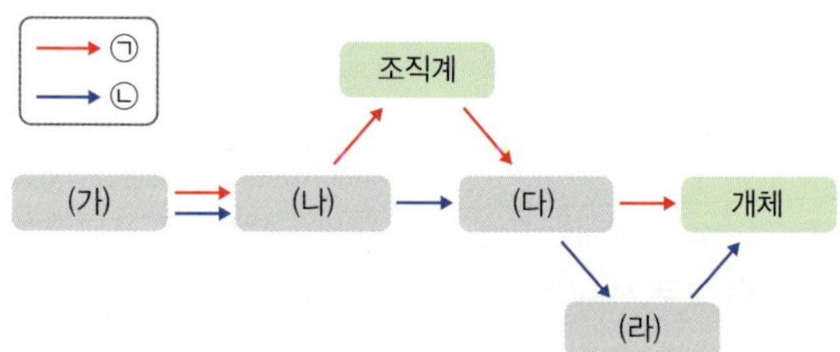

이에 대한 설명으로 옳은 것을 보기에서 모두 고른 것은?

보기
ㄱ. (가)는 세포이다.
ㄴ. (나)의 예로 줄기가 있다.
ㄷ. (라)는 연관된 기능을 하는 여러 종류의 (다)로 구성 된다.

① ㄱ   ② ㄴ   ③ ㄷ
④ ㄱ, ㄷ   ⑤ ㄴ, ㄷ

01 그림은 식물 세포의 구조를 나타낸 것이다. A∼D는 마이토콘드리아, 세포벽, 엽록체, 핵을 순서 없이 나타낸 것이다.

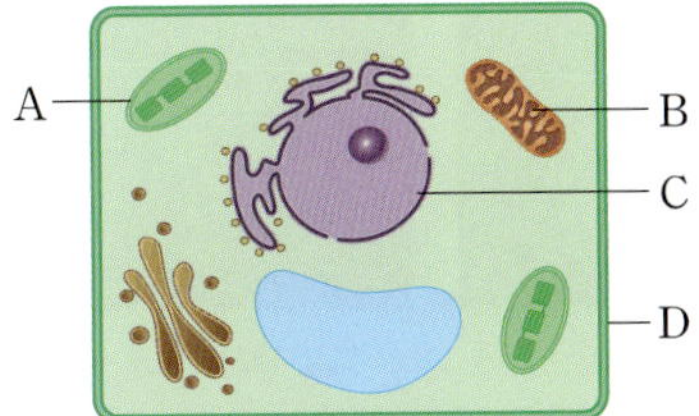

이에 대한 설명으로 옳지 <u>않은</u> 것은?

① A는 빛에너지를 화학 에너지로 전환한다.
② B는 에너지를 많이 사용하는 세포에 많다.
③ B는 동물 세포에도 있다.
④ C에서 영양분이 만들어진다.
⑤ D는 동물 세포에는 없는 세포벽이다.

02 다음 설명에 해당하는 식물 세포로 옳은 것은?

> 주로 잎 뒷면에 분포하며 엽록체가 있어 광합성을 한다. 두 개가 마주 보고 있어 기공의 여닫이를 조절한다.

① 잎살세포 ② 공변세포 ③ 상피세포
④ 체관 세포 ⑤ 물관 세포

03 그림 (가)∼(다)는 근육조직, 상피조직, 신경조직을 순서 없이 나타낸 것이다.

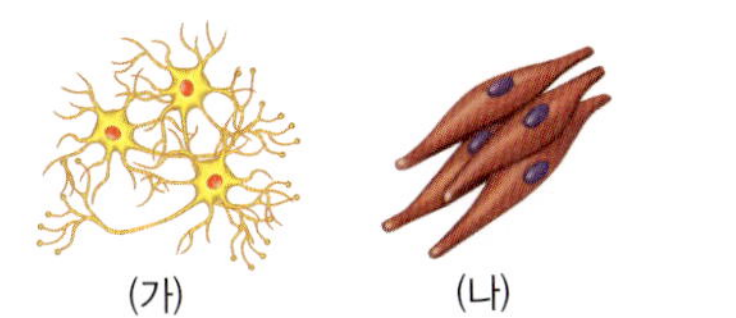

이에 대한 설명으로 옳지 <u>않은</u> 것은?

① (가)는 뇌를 구성한다.
② (가)는 신경세포가 모여 형성된다.
③ (나)는 기능과 모양이 다양한 세포가 모여 형성된다.
④ (다)는 상피조직이다.
⑤ 소화기관인 위에서는 (가)∼(다)가 모두 관찰된다.

04 그림은 사람의 기관계 A∼D를 나타낸 것이다. A∼D는 배설계, 소화계, 순환계, 호흡계를 순서 없이 나타낸 것이다.

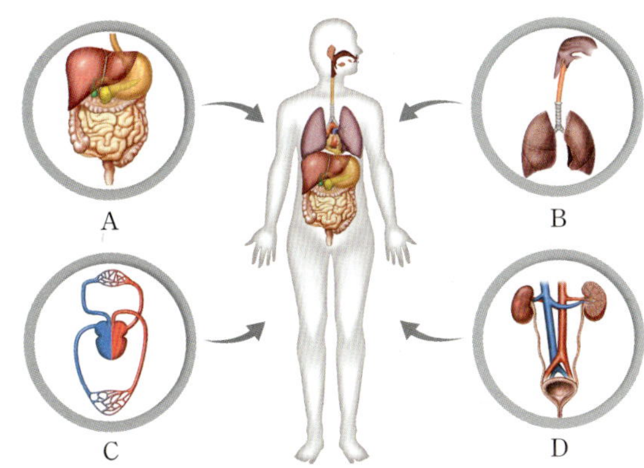

이에 대한 설명으로 옳은 것은?

① A는 호흡계이다.
② B는 순환계이다.
③ C를 구성하는 기관에 위가 있다.
④ D는 여러 종류의 기관으로 구성된다.
⑤ 기관계는 식물 몸의 구성 단계에도 있다.

05 그림은 식물의 잎을 구성하는 조직과 조직계를 나타낸 것이다. ㉠∼㉢에 알맞은 조직계의 이름을 각각 쓰시오.

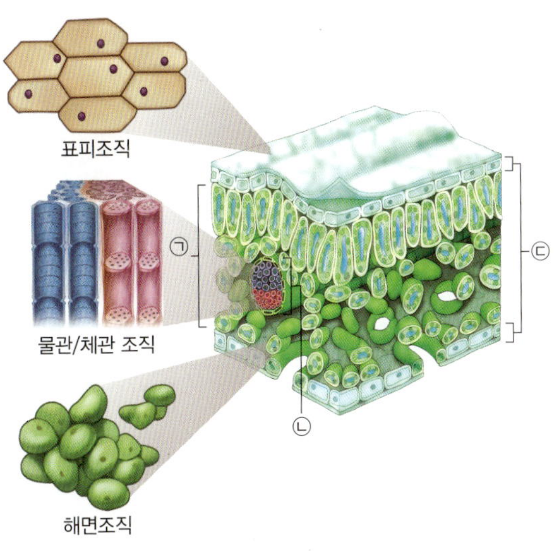

☞ 제시된 Keyword를 이용하여 문제를 해결해 보자.

1 그림은 양파의 표피세포를 관찰하기 위한 실험 과정의 일부를 나타낸 것이다.

 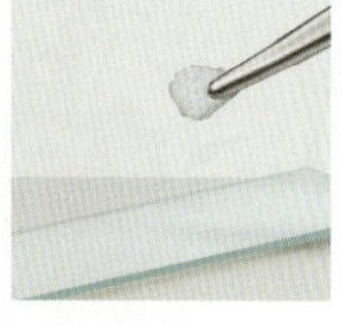 

(가)　　　　　(나)　　　　　(다)

(1) (나)와 (다) 사이에 필요한 과정을 설명하시오.

Keyword 물, 덮개 유리

____

____

(2) 이 과정으로 만든 현미경표본을 현미경으로 관찰할 때 볼 수 있는 세포의 특징을 설명하시오.

Keyword 핵, 세포벽, 모양, 배열

____

____

2 그림은 공장의 구조를 나타낸 것이다.

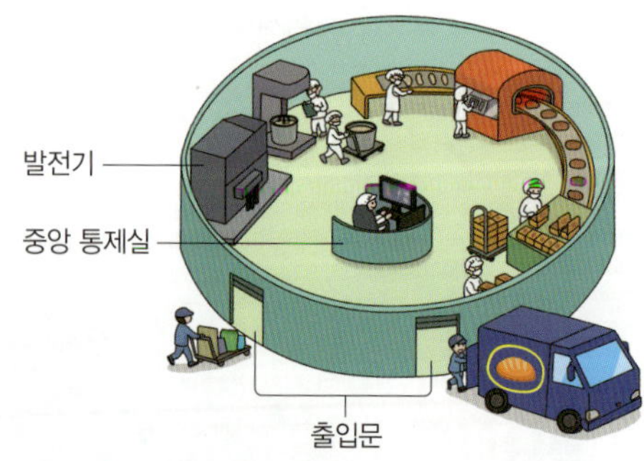

발전기, 중앙 통제실, 출입문은 각각 세포에서 어떤 구조에 비유할 수 있는지 쓰고, 그 까닭을 설명하시오.

Keyword 핵, 마이토콘드리아, 세포막

____

____

3 그림 (가)~(다)는 상피세포, 신경세포, 적혈구를 순서 없이 나타낸 것이다.

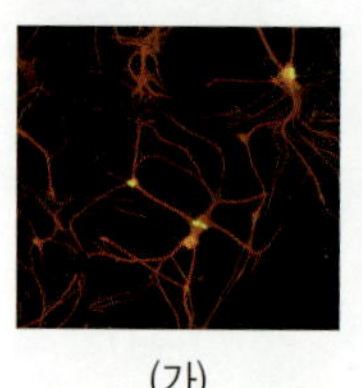 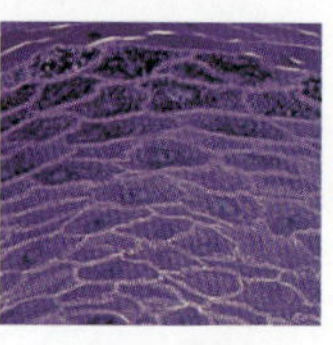 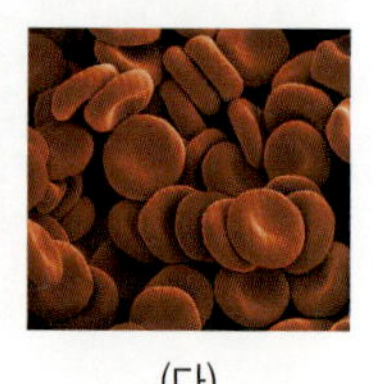

(가)　　　　　(나)　　　　　(다)

(가)~(다)의 이름을 각각 쓰고, 각 세포의 기능을 모양과 관련지어 설명하시오.

Keyword 보호, 전달, 운반

____

____

____

4 그림은 벌새와 백일홍을 나타낸 것이다. 벌새와 백일홍은 많은 수의 세포가 단계적으로 모여 유기적으로 구성되어 있다.

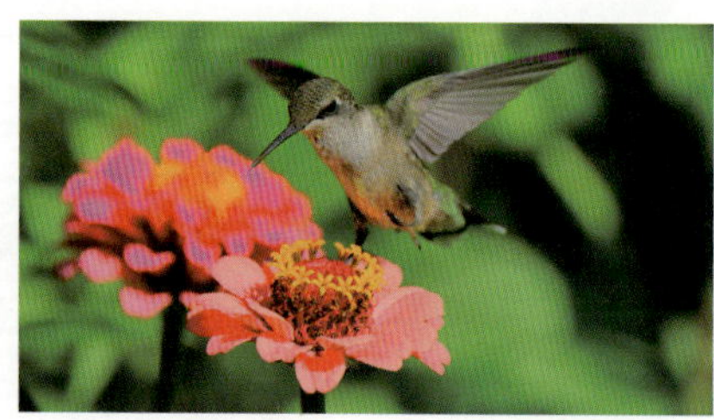

벌새의 몸과 백일홍의 몸에서 나타나는 공통적인 구성 단계를 쓰고, 각 구성 단계의 특징을 설명하시오.

Keyword 세포, 조직, 기관, 개체

____

____

5 그림은 식물 몸과 동물 몸의 구성 단계를 나타낸 것이다.

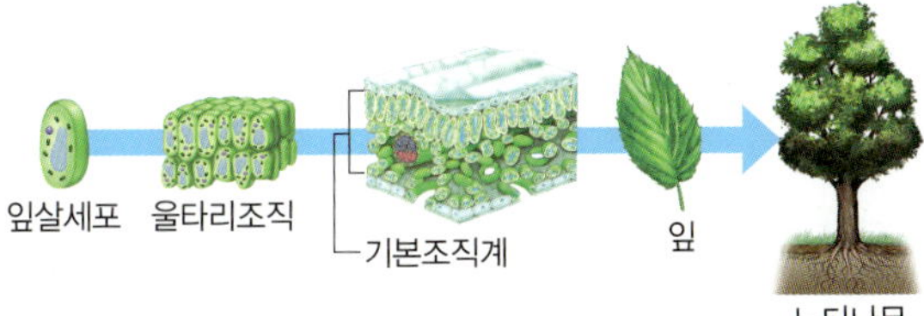

식물 몸의 구성 단계

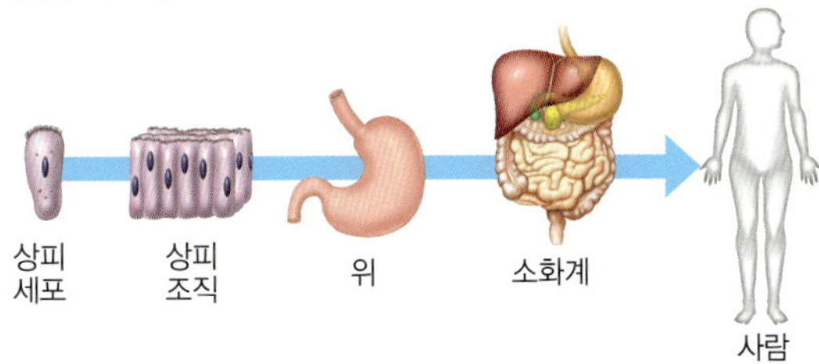

동물 몸의 구성 단계

식물 몸과 동물 몸의 구성 단계에서 나타나는 차이점을 설명하시오.

Keyword 조직계, 기관계

---

6 그림은 심정지 환자에게 심폐 소생술을 시행하는 모습을 나타낸 것이다.

심정지 환자에게 늦지 않게 심폐 소생술을 시행하면 뇌 손상을 막을 수 있다. 그 까닭을 생물의 유기적 구성과 관련지어 설명하시오.

Keyword 순환계, 신경계, 뇌, 산소

도전! 단계적 서술형

7 그림 (가)는 검정말잎 세포를, (나)는 사람의 입안 상피세포를 현미경으로 관찰한 것이다.

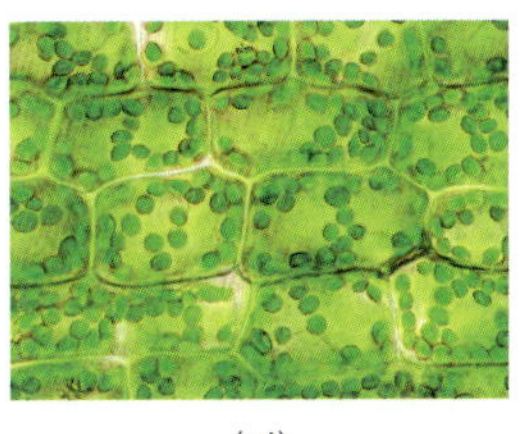
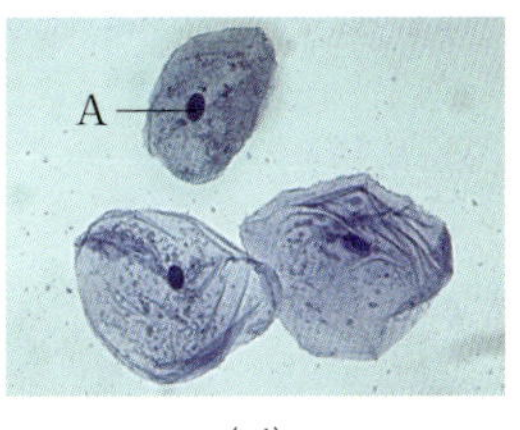

(가)   (나)

(1) **[자료 분석]** 핵을 제외하고 (가)와 (나)에서 공통적으로 관찰되는 구조와 (가)에서만 관찰되는 구조를 쓰시오.

Keyword 세포막, 세포벽, 엽록체

(2) **[문제 이해]** (가)와 (나)의 세포 배열이 다른 까닭을 세포 구조의 차이를 근거로 설명하시오.

Keyword 세포벽

(3) **[문제 해결]** 이 관찰 결과를 바탕으로 식물 세포와 동물 세포의 공통점과 차이점을 설명하시오.

Keyword 핵, 세포막, 세포벽, 엽록체

(4) **[가산점 줍줍!]** (가)에서 A와 같은 구조를 뚜렷하게 관찰할 수 있는 방법을 설명하시오.

Keyword 에탄올, 아세트올세인 용액

02 생물의 다양성

지구에는 수많은 생물이 살고 있다. 지구에는 어떻게 많은 생물이 생겨났을까?
이러한 생물다양성은 왜 중요할까?

☐ **동물과 식물 이외의 생물**: 우리 주변에는 동물과 식물뿐만 아니라 버섯이나 곰팡이와 같은 (균류, 세균)와/과 해캄, 짚신벌레와 같은 (세균, 원생생물)이 있다.

☐ **곰팡이, 버섯, 해캄 관찰**: 현미경으로 관찰하면 곰팡이는 가늘고 긴 (균사, 촉수)로 이루어져 있고, (버섯, 해캄)은 갓의 아래쪽에 주름이 많고 깊게 파여 있다.

① 생물다양성과 변이

과학 용어 사전 187쪽

1. 생물다양성   지구에는 다양한 환경의 서식지가 있고, 생물은 각 서식지에 맞게 적응하여 살고 있다. 어떤 지역에 살고 있는 생물의 다양한 정도를 생물다양성이라고 한다. 생물다양성은 종다양성, 생태계다양성, 유전적 다양성을 모두 포함한다.

(1) **종다양성**: 일정한 지역에 살고 있는 생물 종류의 다양한 정도를 뜻한다. 생물의 수가 많고, 여러 종류의 생물이 고르게 분포할수록 종다양성이 높다.

> **용어 생태계**
>
> 어떤 지역에 살고 있는 생물과 생물이 살아가는 데 영향을 주는 빛, 온도, 물, 공기 등과 같은 비생물요소로 구성된 체계를 말한다.

탐구⊕ 종다양성의 비교

그림은 생태계 (가)와 (나)에서 식물종 A~D의 분포를 나타낸 것이다.

(가)

(나)

① 분포하는 식물의 종류와 수가 고른 정도는 생태계 (나)가 (가)보다 높다.

생태계	(가)				(나)			
식물	A	B	C	D	A	B	C	D
개체수	2	3	0	11	3	3	4	6

② 식물의 종다양성은 생태계 (나)가 (가)보다 높다.

(2) **생태계다양성**: 생물이 살아가는 환경인 생태계의 다양한 정도를 뜻한다. 지구에는 열대우림, 초원, 사막, 남극, 호수, 강, 갯벌, 바다, 농경지 등의 생태계가 있다. 생태계의 종류에 따라 살고 있는 생물의 종류가 다르므로, 생태계가 다양할수록 종다양성이 높다. 과학 용어 사전 187쪽

열대우림	초원	사막	남극
호수	갯벌	바다	농경지

다양한 생태계

(3) **유전적 다양성**: 같은 종류의 생물에서도 개체마다 생김새나 특징이 서로 다른 것을 뜻한다. 유전적 다양성은 개체마다 생물의 특징을 결정하는 유전자가 서로 다르기 때문에 나타난다. 유전적 다양성이 높은 집단은 환경이 급격하게 변하거나 전염병이 유행할 때 살아남는 개체가 있을 확률이 높다.
유전적 다양성이 낮은 집단은 급격한 환경 변화나 전염병 때문에 멸종할 가능성이 높다.

달팽이의 유전적 다양성

생물다양성의 3가지 단계

그로미셀 바나나

2. **변이** 한 종류의 생물 사이에서 조금씩 서로 다른 특징을 나타내는 것을 변이라고 한다. 변이는 생물마다 부모에게서 물려받은 유전정보가 서로 달라서 나타난다.

돌연변이
부모에게 없던 특징이 자손에게 나타나는 현상으로, 돌연변이가 일어나면 새로운 변이가 생길 수 있다.

바지락의 변이

나비의 변이

3. 변이와 생물다양성의 관계

(1) **생물의 생존과 변이**: 생물은 다양한 환경에 살아가며, 환경은 끊임없이 변한다. 한 종류의 생물에도 다양한 변이가 있으므로 어떤 개체의 특징은 환경에 적합하고, 어떤 개체의 특징은 환경에 적합하지 않다. 환경에 적합한 특징이 있는 개체는 살아남을 가능성이 높고 자신의 특징을 후손에게 더 많이 전달할 수 있다. → 생물의 변이가 다양하면 환경이 급격하게 변하더라도 그 변화에 적응할 수 있는 개체가 있어 멸종할 확률이 낮다.

다양한 변이가 있는 한 종류의 토끼가 살고 있었다.

서식지에 강이 생겨 두 무리로 나누어 살게 되었다.

각 서식지에서 천적의 눈에 잘 띄지 않는 토끼가 살아남았다.

살아남은 토끼가 자손을 남겼다.

변이와 생물의 생존

(2) **변이와 새로운 생물의 출현**: 한 종류의 생물 사이에서 변이가 누적되어 변이의 폭이 넓어지면 서로 다른 종류의 생물로 나누어질 수 있다. 이러한 과정을 거치면서 지구상에는 다양한 생물이 나타나게 되었다.

자연선택

생물은 많은 수의 자손을 남기고 자손은 제한된 환경에서 생존해야 한다. 자손 중 환경에 더 적합한 개체가 살아남아 자신의 유전자를 물려줄 확률이 더 높으므로, 오랜 기간 이 과정이 반복되면 생물집단의 특징이 바뀔 수 있으며 이를 자연선택이라고 한다.

 **개념 빌드업**

정답과 해설 009쪽

1. 어떤 지역에 사는 생물 종류의 다양한 정도를 ________(이)라고 한다.

2. **핵심개념** 한 종류의 생물 사이에서 조금씩 서로 다른 특징을 나타내는 것을 ________(이)라고 한다.

3. 같은 종류에 속하는 생물의 변이가 다양하면 환경이 급격하게 변하거나 전염병이 유행하더라도 그 변화에 적응할 수 있는 생물이 있어 멸종할 확률이 ________.

2 생물의 분류

1. 생물분류 다양한 생물을 어떤 기준에 따라 비슷한 것끼리 무리 지어 나누는 것을 뜻한다.

(1) **생물분류의 목적**: 생물 사이의 유연관계를 밝히는 데 있다. 또 생물을 일정한 기준에 따라 분류하면 생물을 체계적으로 이해하고 연구하는 데 도움이 되며, 새로운 생물을 발견하였을 때 어떤 무리에 속하는지 쉽게 알 수 있어 생물다양성을 이해하는 데 도움이 된다.

(2) **생물분류의 방법과 기준**: 과거에는 생물을 주로 사람의 편의에 따른 기준으로 분류하였다. 이후 생물을 있는 그대로 연구하기 위해 생물에서 나타나는 고유의 특징을 기준으로 분류하기 시작하였으며, 최근에는 생물의 유전적 특징과 진화적 특징을 고려하여 유연관계에 따라 분류한다.

① **인위분류**: 생물이 살고 있는 장소, 식용 여부, 사람의 이용 목적 등과 같이 사람이 정한 인위적인 기준에 따라 생물을 분류하는 방법이다. ─ 사람마다 분류 결과가 다를 수 있다.

인위적인 기준에 따라 분류한 예

② **자연분류**: 생물의 겉모습이나 속 구조, 영양분을 얻는 방법, 번식 방법, 발생 과정, 유전적 특징 등 생물이 가진 고유한 특징을 기준으로 생물을 분류하는 방법이다. 자연분류는 생물 고유의 특징을 바탕으로 생물 사이의 유연관계와 진화 과정을 밝히기 위한 과학적인 분류 방법이다.

생물 고유의 특징을 기준으로 분류한 예

📜 **용어** 유연관계

생물 사이의 가깝고 먼 정도를 나타내는 관계이다. 유연관계가 가깝다는 것은 공통된 특징이 많고, 진화적으로 최근에 공통조상으로부터 분리되었다는 것을 뜻한다.

태생과 난생

모체에서 새끼로 태어나는 것을 태생, 알로 나오는 것을 난생이라고 한다. 말, 토끼, 고래, 사람과 같은 포유류는 새끼를 낳고, 그외 대부분의 동물은 알을 낳는다. 알을 낳는 동물 중 닭과 같은 조류는 체온이 일정하게 유지되는 정온동물로, 알에서 새끼가 깨어날 때까지 어미가 품는 경우가 많다.

2. 생물분류체계

유년 시절부터 꽃을 좋아한 린네
는 식물을 관찰하고 분류하는 연
구에 참여하면서 4000여 종의 동
물과 5000여 종의 식물을 분류하
였으며, 이 생물에 속명과 종소명
을 이용하여 명명하는 이명법을
확립하였다. 또 모든 생물을 동물
계와 식물계로 분류하는 2계 분류
체계를 제안하였다.

2. 생물분류체계 다양한 생물을 일정한 기준으로 무리 지어 단계적으로 정리한 것이다. 18세기 린네가 제안한 분류체계는 현재까지 발전하면서 이어지고 있다.

(1) 분류 단위: 종, 속, 과, 목, 강, 문, 계로 나타낼 수 있다.

① '종'에서 '계'로 갈수록 각 단위에 속하는 생물의 종류가 다양해진다.

② 작은 분류 단위에 함께 속해 있을수록 생물 사이의 유연관계가 가깝다.

생물의 분류체계(고양이의 분류체계) 고양이는 고양이(종) → 고양이속 → 고양이과 → 식육목 → 포유동물강 → 척삭동물문 → 동물계에 속한다.

형태학적 종

생김새와 일부 특징이 비슷한 생
물 무리를 같은 종으로 규정한 것이
다. 그러나 생김새가 비슷하더라
도 다른 종일 수 있고, 같은 종이라
도 성별, 연령별, 계절별로 생김새
가 다를 수 있으므로 생김새와 일
부 특징만으로 종을 규정하는 것
은 한계가 있다.

생물학적 종

번식 능력이 있는 자손을 낳을 수
있는 생물 무리를 종으로 규정하
는 것이다. 그러나 다른 종 사이에
서 잡종이 형성되는 경우도 있고,
단세포생물이나 무성생식을 하는
집단에는 적용되지 않는다는 한계
가 있다. 따라서 현대에는 생물학
적 종을 종의 개념으로 받아들이
되, 유전자를 분석하여 종을 식별
한다.

(2) 종: 생물을 분류하는 기본 단위이다. 과거에는 겉모습과 일부 특징이 비슷한 개체들을 같은 종으로 분류하였지만, 현대에는 '자연 상태에서 짝짓기를 하여 번식 능력이 있는 자손을 낳을 수 있는 생물 무리'를 종으로 정의한다. 과학 용어 사전 188쪽

종의 정의는 과학이 발달하면서 바뀔 수 있다.

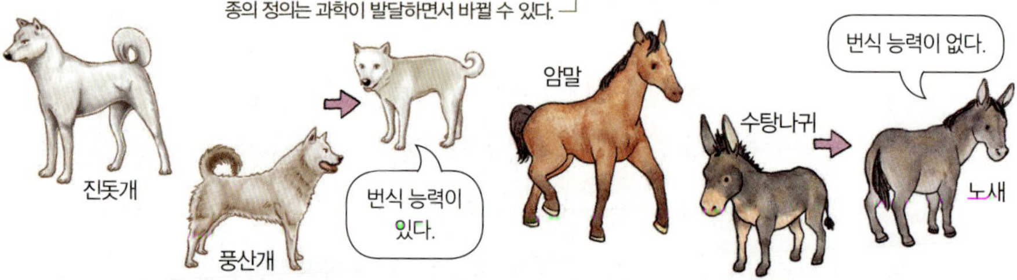

진돗개와 풍산개 사이에서 태어난 강아지는 자라서 새끼를 낳을 수 있으므로, 진돗개와 풍산개는 같은 종이다.

말과 당나귀 사이에서 태어난 노새는 자라서 새끼를 낳을 수 없으므로, 말과 당나귀는 다른 종이다.

종의 판단 기준

정답과 해설 009쪽

개념 빌드업

1. **핵심 개념** 다양한 생물을 어떤 기준에 따라 비슷한 것끼리 무리 지어 나누는 것을 __________(이)라고 한다.

2. 일정한 기준으로 생물을 무리 지어 단계적으로 분류하는 것을 생물__________(이)라고 한다.

3. 자연 상태에서 짝짓기를 하여 번식 능력이 있는 자손을 낳을 수 있는 생물 무리를 __________(이)라고 한다.

③ 생물의 5계

생물을 계 수준에서 분류하는 분류체계에 따르면 지구상의 생물은 원핵생물계, 원생생물계, 식물계, 균계, 동물계의 5계로 분류할 수 있다. 린네가 모든 생물을 동물계와 식물계로 분류하는 2계 분류체계를 제안한 이후, 현미경이 발달하여 미생물이 발견되고, 다양한 생물의 특징이 밝혀지면서 생물계의 수가 늘어났다.

1. 원핵생물계

(1) 특징

① 핵막이 없는 원핵세포로 이루어져 있다.

② 하나의 세포로 이루어진 단세포생물이며, 세포에 세포벽이 있다.
　　　　　　　　　　　　　　　　　　　　└ 식물 세포와 달리 펩티도글리칸
③ 대부분은 광합성을 하지 않으며, 일부는 광합성을 한다. 성분으로 이루어져 있다.

④ 주로 분열법으로 번식한다.
　　　└ 단세포생물이 세포분열로 개체수를 늘리는 번식 방법

(2) 생물의 예: 대장균, 폐렴균, 젖산균, 남세균

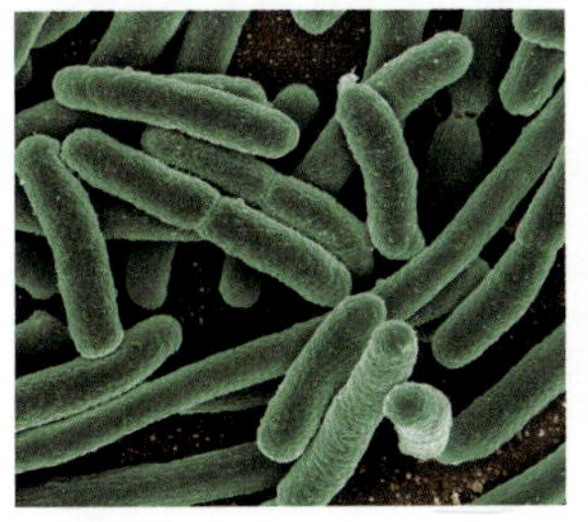
대장균

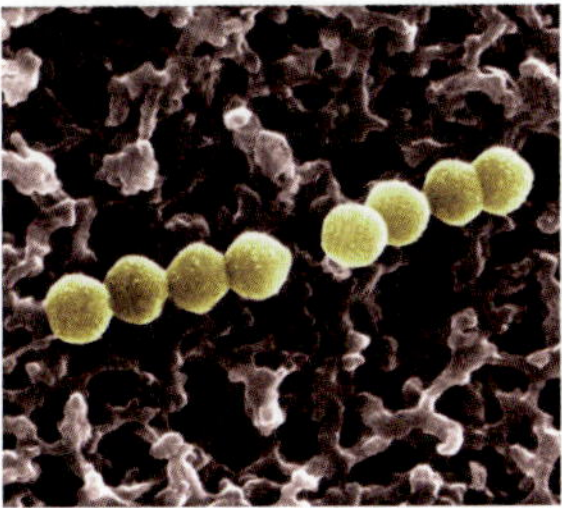
폐렴균

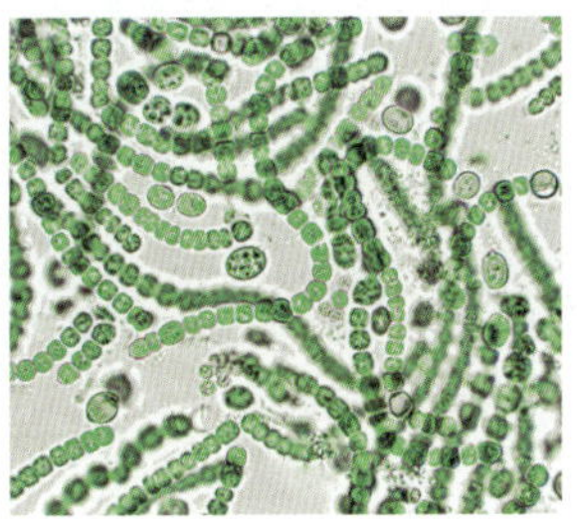
남세균 — 광합성을 한다.

2. 원생생물계　과학 용어 사전 188쪽

(1) 특징

① 핵막이 있는 진핵세포로 이루어져 있다.

② 진핵생물 중 식물계, 균계, 동물계에 속하지 않는 생물 무리이다.

③ 대부분 단세포생물이며 일부는 다세포생물이고, 세포벽이 있거나 없다.

④ 다른 생물을 잡아먹어 영양분을 얻는 것도 있고, 광합성을 하여 스스로 영양분을 만드는 것도 있으며, 죽은 생물을 분해하여 영양분을 얻는 것도 있다.

⑤ 분열법으로 번식하는 것도 있고, 포자로 번식하는 것도 있다.

(2) 생물의 예: 아메바, 유글레나, 짚신벌레, 해캄, 점균류, 김, 미역, 다시마

아메바

점균류

다시마

미국의 식물 생태학자로 생물을 동물계, 식물계, 균계, 원생생물계, 원핵생물계로 분류하는 5계 분류체계를 처음 제안하였다.

2계 분류체계와 3계 분류체계

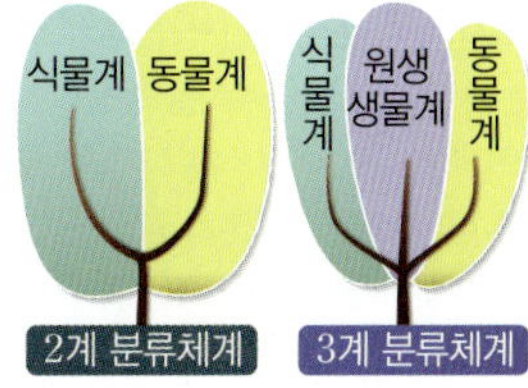

원핵세포와 원핵생물

원핵세포는 핵막이 없어 핵을 관찰할 수 없는 세포이다. 몸이 원핵세포로 이루어진 생물을 원핵생물이라고 하며, 이러한 생물 무리를 원핵생물계로 분류한다.

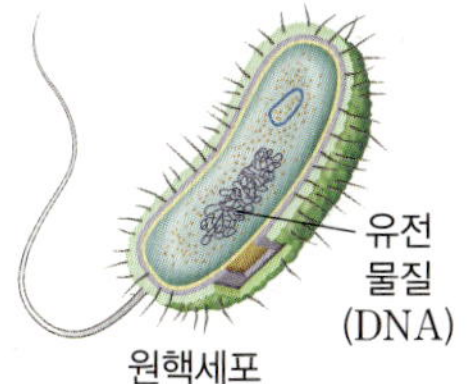

진핵세포와 진핵생물

진핵세포는 핵막으로 구분된 뚜렷한 핵이 있는 세포이다. 몸이 진핵세포로 이루어진 생물을 진핵생물이라고 하며, 원생생물계, 식물계, 균계, 동물계의 생물은 모두 진핵생물이다.

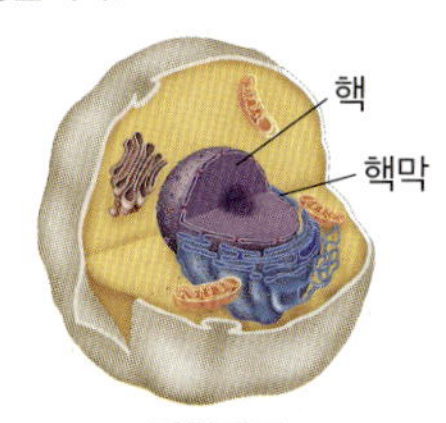

3. 식물계

(1) 특징

① 핵막이 있는 진핵세포로 이루어져 있다.

② 다세포생물이며, 세포에 셀룰로스가 주성분인 세포벽이 있다.

③ 세포에 광합성을 하는 엽록체가 있어 스스로 영양분을 만든다.

④ 대부분 뿌리, 줄기, 잎과 같은 기관이 발달되어 있다.

⑤ 일부는 포자로 번식하고, 일부는 씨로 번식한다.

⑥ 관다발이 없고 포자로 번식하는 선태식물, 관다발이 있고 포자로 번식하는 양치식물, 씨로 번식하는 종자식물로 분류한다. 종자식물은 씨방이 있는 속씨식물과 씨방이 없는 겉씨식물로 분류한다. 과학 용어 사전 189쪽

속씨식물이 식물의 대부분을 차지한다.

(2) **생물의 예**: 우산이끼, 고사리, 소나무, 해바라기

우산이끼 — 선태식물

고사리 — 양치식물

해바라기 — 종자식물 중 속씨식물

4. 균계

(1) 특징

① 핵막이 있는 진핵세포로 이루어져 있다.

② 대부분 다세포생물이며, 세포에 세포벽이 있다.

③ 다세포생물은 몸이 균사로 이루어져 있다.

④ 대부분 생물의 사체나 배설물을 분해하여 영양분을 흡수하므로 생태계에서 분해자 역할을 한다.

모체 일부에서 혹처럼 싹이 나와 자란 뒤 분리되어 하나의 개체로 자라는 무성생식 방법

⑤ 대부분 포자로 번식하며, 효모는 출아법으로 번식한다.

⑥ 버섯류와 곰팡이류, 단세포생물인 효모가 있다.

(2) **생물의 예**: 송이버섯, 누룩곰팡이, 푸른곰팡이, 붉은빵곰팡이, 효모

송이버섯

누룩곰팡이

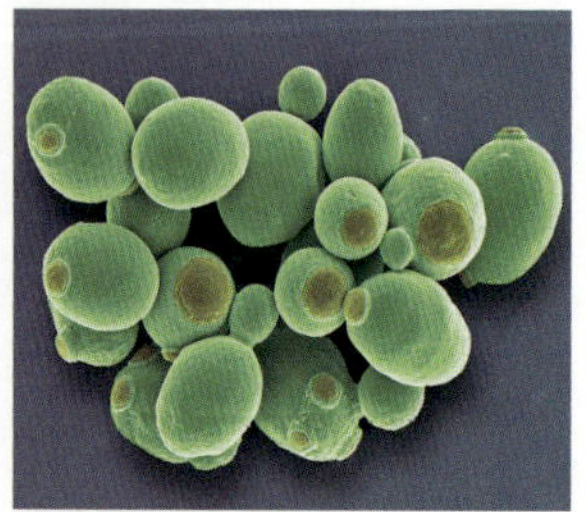

효모 — 단세포생물

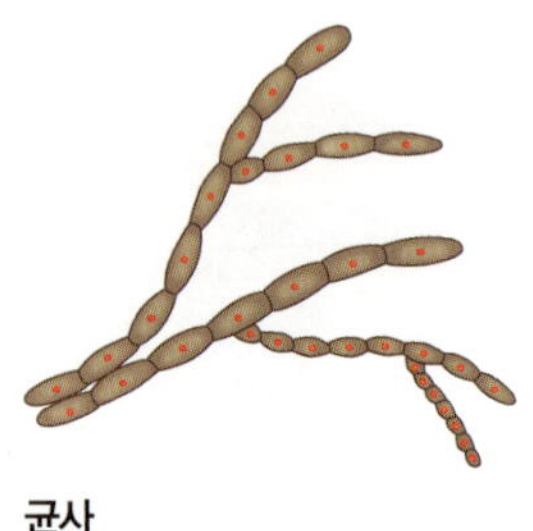

균사

5. 동물계

(1) 특징

① 핵막이 있는 진핵세포로 이루어져 있다.

② 다세포생물이며, 세포에 세포벽이 없다.

③ 대부분 여러 가지 기능을 수행하는 기관이 발달되어 있다.

④ 다른 생물을 먹이로 섭취하여 영양분을 얻는다.

⑤ 대부분 암수 개체가 있고, 생식세포의 수정으로 번식한다.
　　　　　　　　　　　　　　└─ 유성생식

(2) 생물의 예: 해파리, 오징어, 꿀벌, 붕어, 참새, 호랑이

해파리 ─ 자포동물

꿀벌 ─ 절지동물

호랑이 ─ 척삭동물 중 척추동물

과학 용어 사전 189쪽

6. 생물의 5계 특징 비교 탐구 052쪽

구분	원핵생물계	원생생물계	식물계	균계	동물계
핵막	없다.	있다.	있다.	있다.	있다.
세포벽	있다.	있는 생물도 있고, 없는 생물도 있다.	있다.	있다.	없다.
세포 수	단세포	대부분 단세포	다세포	대부분 다세포	다세포
광합성	대부분 안 한다.	하는 생물도 있고, 안 하는 생물도 있다.	한다.	안 한다.	안 한다.

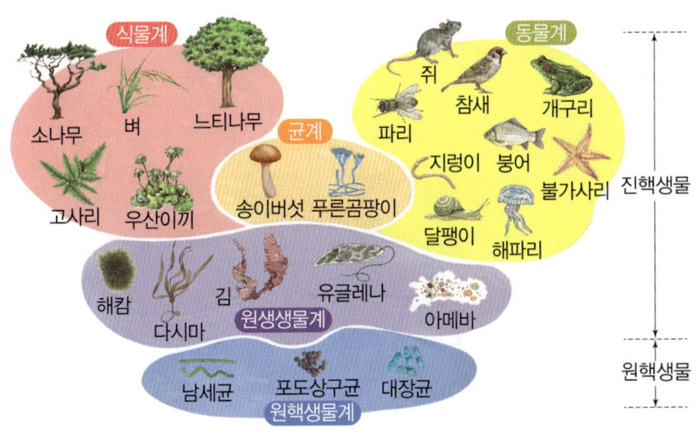

정답과 해설 009쪽

개념 빌드업

1. **핵심 개념** 생물을 다섯 개의 계로 분류할 때 ________계, ________계, 식물계, 균계, 동물계로 분류한다.

2. 핵막이 없는 하나의 세포로 이루어진 생물은 ________계에 속한다.

3. 엽록체가 있어 광합성을 하며 잎, 줄기, 뿌리 등의 기관이 발달한 생물은 ________계에 속한다.

4. ________계의 모든 생물은 세포벽이 없다.

동물계에는 쥐, 참새, 개구리, 붕어와 같이 척추가 있는 척추동물, 파리, 가재, 거미와 같이 몸에 마디가 있고 다리에 관절이 있는 절지동물, 오징어, 조개, 달팽이와 같이 몸이 부드러운 연체동물, 말미잘, 해파리와 같이 항문이 없고 입 주변에 촉수가 있는 자포동물, 지렁이, 거머리와 같이 몸이 원통형이고 마디가 있는 환형동물, 불가사리, 성게와 같이 관족으로 이동하고 몸이 방사 대칭인 극피동물 등의 다양한 무리가 있다.

탐구

생물을 계 수준에서 분류하기

목표 | 여러 가지 생물의 특징을 알고, 각 생물을 계 수준에서 분류할 수 있다.

과정

❶ 그림은 생물을 다섯 개의 계 (가)~(마)로 분류하는 과정을 나타낸 것이다. (가)~(마)는 동물계, 균계, 식물계, 원생생물계, 원핵생물계를 순서 없이 나타낸 것이다. 분류 기준을 참고하여 (가)~(마)에 알맞은 계를 각각 써 보자.

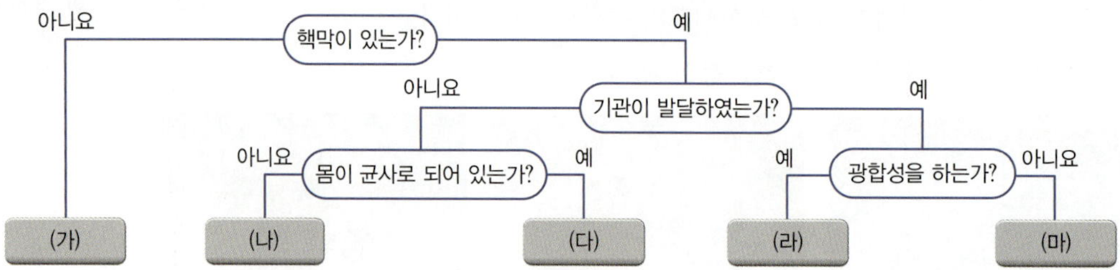

❷ 다음은 우리 주변에서 볼 수 있는 열 가지 생물을 나타낸 것이다. 각 생물에서 핵막, 기관, 균사, 엽록체의 유무를 조사하여 체크하고 조사 결과를 바탕으로 각 생물이 속하는 계가 무엇인지 써 보자.

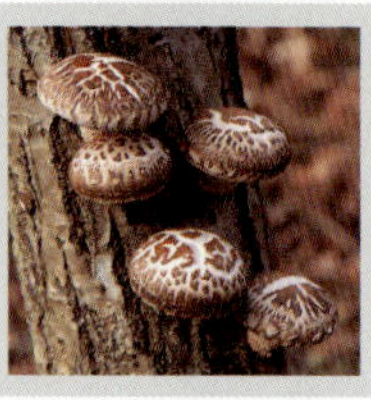

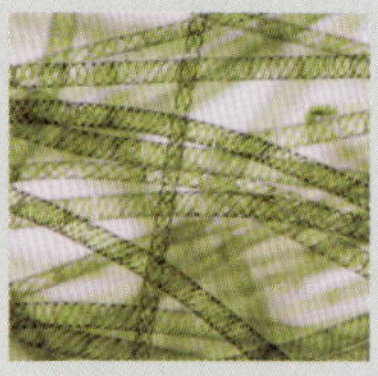

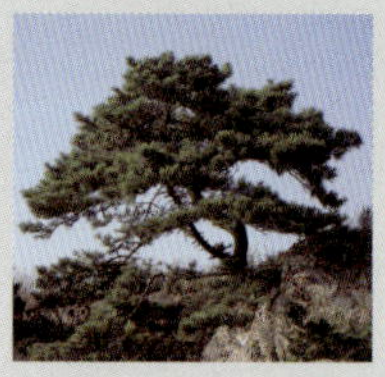

기린	표고버섯	해캄	소나무	푸른곰팡이

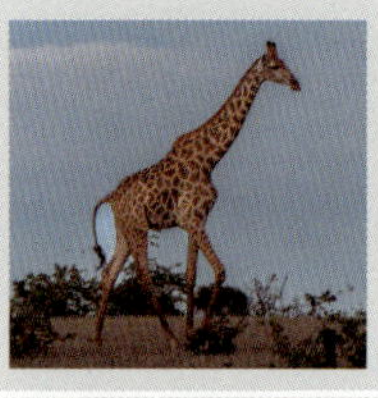

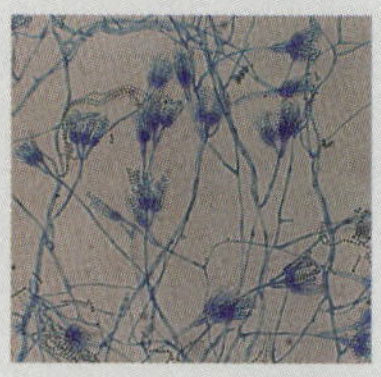

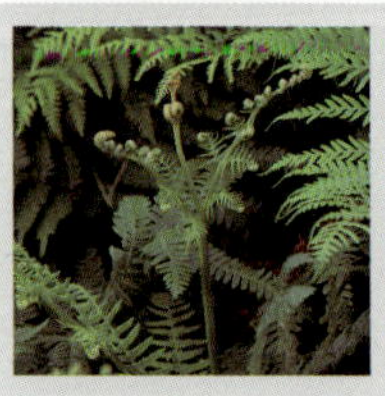

각 생물에 대하여 핵막, 기관, 균사, 엽록체의 있음·없음을 체크하고, 속하는 계를 쓰는 표.

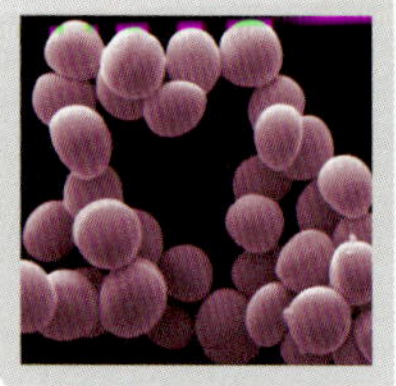

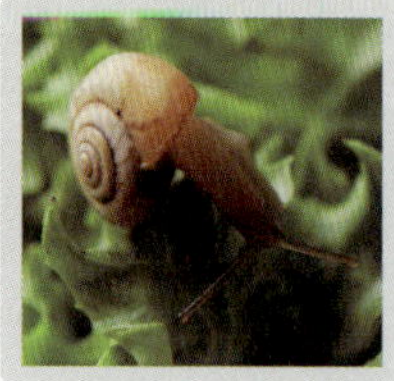

고사리	포도상구균	달팽이	짚신벌레	젖산균

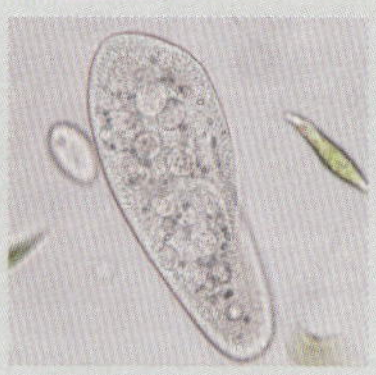

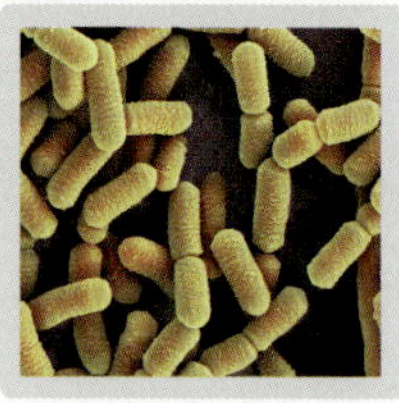

❸ 우리 주변에서 5계에 속하는 생물을 각각 세 가지씩 조사하여 써 보자.

1 (가)는 원핵생물계, (나)는 원생생물계, (다)는 균계, (라)는 식물계, (마)는 동물계이다.

2 기린과 달팽이는 동물계에, 표고버섯과 푸른곰팡이는 균계에, 소나무와 고사리는 식물계에, 해캄과 짚신벌레는 원생생물계에, 포도상구균과 젖산균은 원핵생물계에 속한다.

생물	기린	표고버섯	해캄	소나무	푸른 곰팡이	고사리	포도상 구균	달팽이	짚신벌레	젖산균
핵막	○	○	○	○	○	○	×	○	○	×
기관	○	×	×	○	×	○	×	○	×	×
균사	×	○	×	×	○	×	×	×	×	×
엽록체	×	×	○	○	×	○	×	×	×	×
계	동물계	균계	원생 생물계	식물계	균계	식물계	원핵 생물계	동물계	원생 생물계	원핵 생물계

(○: 있음. ×: 없음.)

3 5계에 속하는 생물의 예

계	원핵생물계	원생생물계	식물계	균계	동물계
생물의 예	대장균 결핵균 폐렴균	유글레나 미역 파래	우산이끼 참나무 보리	느타리버섯 붉은빵곰팡이 효모	개 성게 공벌레

탐구 확인 문제

정답과 해설 009쪽

1 세포에 핵막과 세포벽이 있고, 기관이 발달해 있는 생물은 어떤 생물계에 속하는가?

① 균계　　　② 식물계　　　③ 동물계
④ 원핵생물계　　　⑤ 원생생물계

2 그림은 우리 주변에서 볼 수 있는 두 종류의 생물을 나타낸 것이다.

진달래

파래

두 생물의 공통점을 두 가지만 쓰시오.

3 적용 생물을 5계로 분류하는 기준으로 옳은 것을 보기에서 모두 고른 것은?

> 보기
> ㄱ. 몸의 구조　　　ㄴ. 번식 방법
> ㄷ. 서식 환경　　　ㄹ. 세포의 구조

① ㄱ, ㄴ　　　② ㄱ, ㄹ　　　③ ㄷ, ㄹ
④ ㄴ, ㄷ, ㄹ　　　⑤ ㄱ, ㄴ, ㄷ, ㄹ

4 동물계에 대한 설명으로 옳지 않은 것은?

① 세포벽이 있다.
② 다세포생물이다.
③ 세포에 핵막이 있다.
④ 대부분 생식세포의 수정으로 번식한다.
⑤ 다른 생물을 먹이로 섭취하여 영양분을 얻는다.

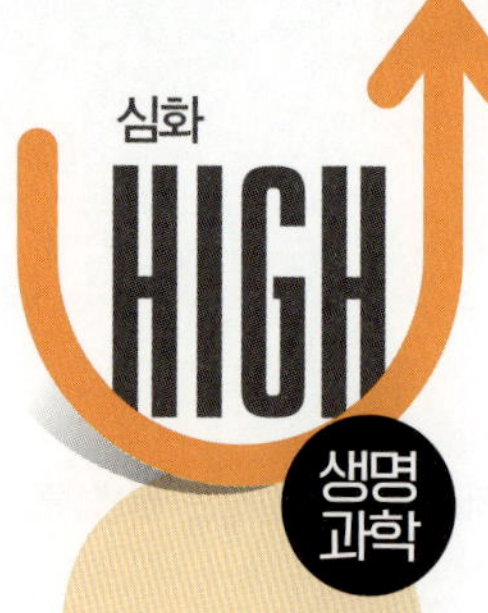

3역 6계 분류체계

휘태커가 제안한 생물의 5계 분류체계는 생명과학이 발달함에 따라 현재까지 계속 변화하고 있다. 특히 생물의 유전적 특징이 더 많이 밝혀지면서 계보다 높은 수준의 분류 단위인 역이 제안되었다. 3역 6계 분류체계에 대해 알아보자.

1 3역 6계 분류체계

최근에는 분자생물학의 발달로 유전정보의 유사성, 단백질의 아미노산배열 순서의 유사성, 전자 현미경으로 관찰한 미세 구조 등이 분류 기준으로 제안되고 있다. 미국의 과학자인 우즈(Woese, C. R., 1928~2012)는 유전물질을 분석한 결과 일부 원핵생물은 유전정보가 저장되는 방식이나 유전자가 발현되는 방식이 진핵세포와 유사하다는 것을 알아냈다. 그는 이러한 원핵생물은 진핵생물과 유연관계가 가까운 고균으로 별도로 분리할 것을 주장하였고, '계'보다 더 큰 분류 단위로 '역(domain)'을 제안하였다. 우즈가 제안한 분류체계에는 세균역, 고균역, 진핵생물역의 3역이 있고, 세균역에는 세균계, 고균역에는 고균계, 진핵생물역에는 원생생물계, 식물계, 균계, 동물계의 총 6계가 있다.

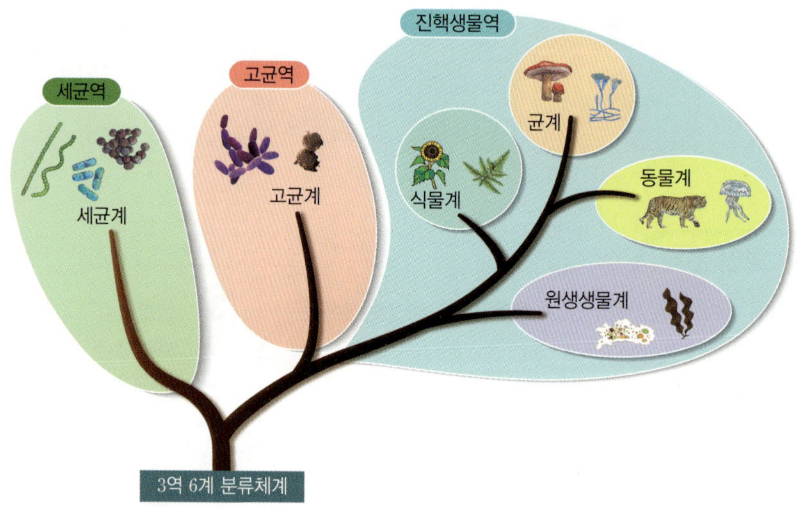

린네가 제안한 2계 분류체계는 생명과학이 발달하면서 5계 분류체계, 3역 6계 분류체계 등으로 변화되어 왔다. 이후에도 분류체계는 계속 변화할 가능성이 있다.

2 5계 분류체계와 3역 6계 분류체계의 비교

3역 6계 분류체계는 5계 분류체계에서 원핵생물계에 속하던 일부 세균을 고균계로 분리하고, '계' 위에 최상위 분류 단위인 '역'을 두었다는 차이점이 있다.

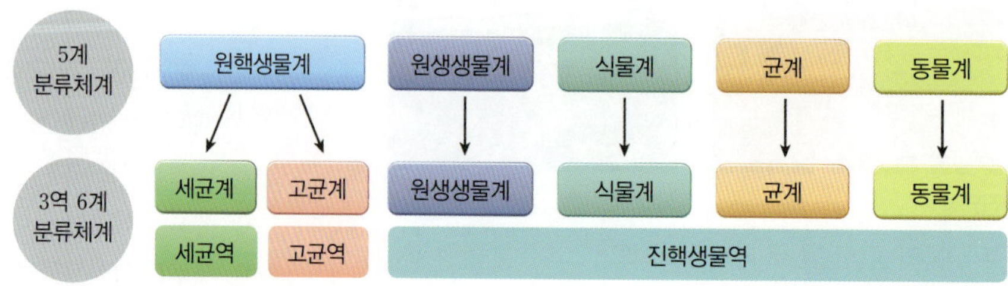

비주얼 Visual 핵|심|정|리

1 생물다양성과 변이

① 생물다양성: 어떤 지역에 살고 있는 생물의 다양한 정도로 **종다양성, 생태계다양성, 유전적 다양성**을 포함한다.

② 변이: 한 종류의 생물 사이에서 조금씩 서로 다른 특징을 나타내는 것

③ 변이와 생물다양성의 관계

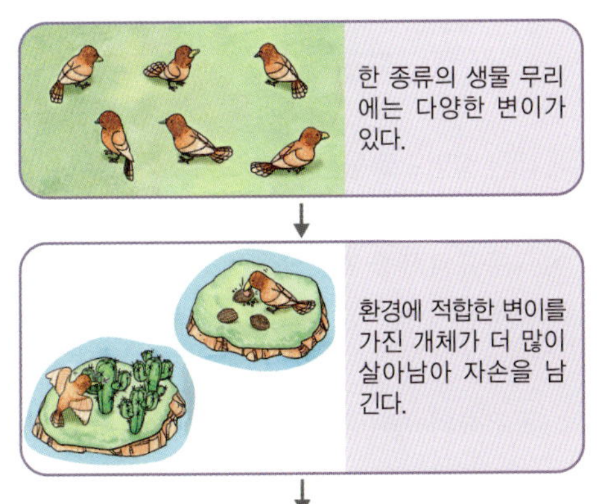

2 생물의 분류

① 생물분류의 목적: 생물 사이의 유연관계를 밝히는 데 있다.

② 생물의 분류체계: **종 → 속 → 과 → 목 → 강 → 문 → 계** 순이며, 작은 분류 단위일수록 함께 속하는 생물의 유연관계가 가깝다.

③ **종**: 자연 상태에서 짝짓기를 하여 번식 능력이 있는 자손을 낳을 수 있는 생물 무리

3 생물의 5계

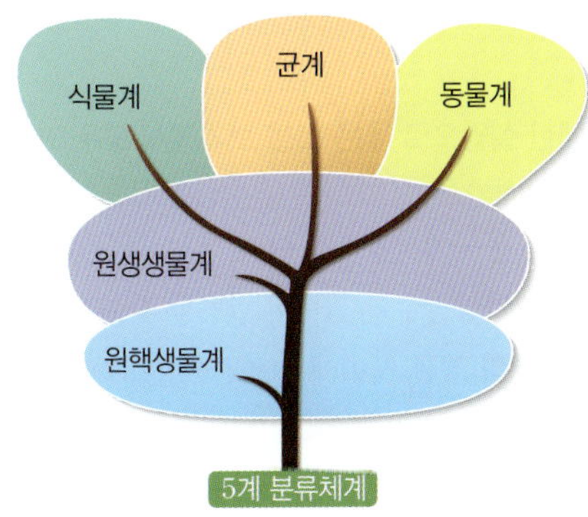

구분	원핵생물계	원생생물계	식물계	균계	동물계
핵막	없다.	있다.	있다.	있다.	있다.
세포벽	있다.	있는 생물도 있고, 없는 생물도 있다.	있다.	있다.	없다.
세포 수	단세포	대부분 단세포	다세포	대부분 다세포	다세포
광합성	대부분 안 한다.	하는 생물도 있고, 안 하는 생물도 있다.	한다.	안 한다.	안 한다.
생물 예	대장균, 남세균	아메바, 다시마	우산이끼, 고사리	누룩곰팡이, 송이버섯	해파리, 꿀벌

01 생물다양성에 대한 설명으로 옳은 것을 보기에서 모두 고른 것은?

― 보기 ―
ㄱ. 생태계다양성이 높은 지역에서는 종다양성도 높게 나타난다.
ㄴ. 한 생태계에서 얼마나 다양한 종류의 생물이 살아가는지를 뜻하는 것이 생태계다양성이다.
ㄷ. 같은 종류의 생물로 이루어진 무리에서 다양한 유전적 특징이 나타나는 것을 유전적 다양성이라고 한다.

① ㄱ   ② ㄴ   ③ ㄷ
④ ㄱ, ㄷ   ⑤ ㄴ, ㄷ

중요
02 그림은 생태계 (가)와 (나)에서 서식하는 식물 A~D를 나타낸 것이다.

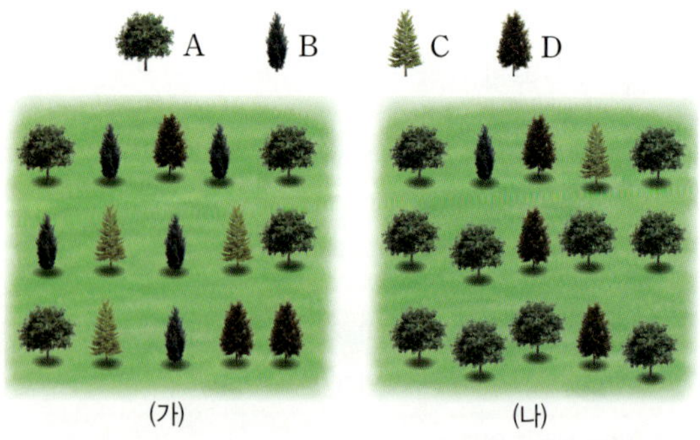

(가)   (나)

이에 대한 설명으로 옳은 것을 보기에서 모두 고른 것은?

― 보기 ―
ㄱ. 식물의 종류는 (가)가 (나)보다 많다.
ㄴ. A의 개체수는 (가)가 (나)보다 많다.
ㄷ. 종다양성은 (가)가 (나)보다 높다.

① ㄱ   ② ㄴ   ③ ㄷ
④ ㄱ, ㄴ   ⑤ ㄴ, ㄷ

03 그림은 위도에 따라 서식하는 포유류의 종 수를 나타낸 것이다.

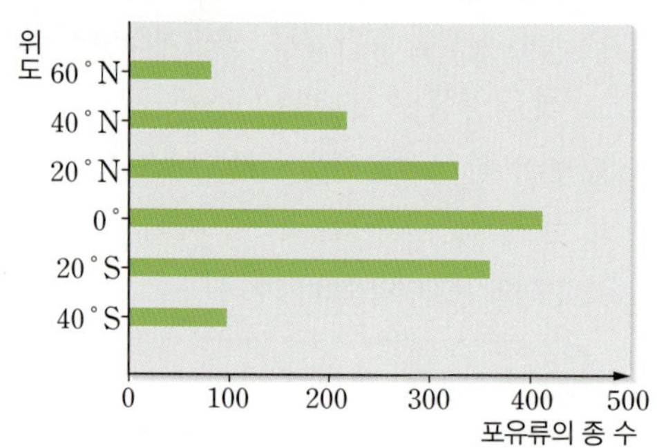

이에 대한 설명으로 옳은 것을 보기에서 모두 고른 것은?

― 보기 ―
ㄱ. 포유류의 멸종 가능성은 적도가 극지방보다 높다.
ㄴ. 포유류에 속하는 종의 수는 적도가 북위 20°보다 많다.
ㄷ. 포유류의 종다양성은 북반구에서 위도가 낮을수록 낮아진다.

① ㄱ   ② ㄴ   ③ ㄷ
④ ㄱ, ㄴ   ⑤ ㄴ, ㄷ

중요
04 변이에 대한 설명으로 옳은 것을 보기에서 모두 고른 것은?

― 보기 ―
ㄱ. 변이는 동물에서만 나타난다.
ㄴ. 변이가 다양할수록 생물이 멸종할 확률이 낮다.
ㄷ. 한 종류의 생물 사이에서 조금씩 서로 다른 특징을 나타내는 것이다.

① ㄱ   ② ㄴ   ③ ㄱ, ㄷ
④ ㄴ, ㄷ   ⑤ ㄱ, ㄴ, ㄷ

05 그림은 무당벌레의 다양한 무늬를 나타낸 것이다.

이와 같이 같은 종류의 생물 개체 사이에서 나타나는 서로 다른 특징을 무엇이라고 하는지 쓰시오.

---

07 다음은 바나나의 번식 방법에 대한 자료이다.

바나나의 야생종은 오른쪽 그림과 같이 씨가 있어 ㉠씨를 통해 번식하지만, 우리가 흔히 먹는 바나나는 씨가 없다.

이는 야생종을 개량하여 개발한 씨 없는 바나나의 ㉡줄기 일부를 잘라서 옮겨 심어 번식시켰기 때문이다.

㉠과 ㉡ 중 바나나가 급격한 환경 변화에서 살아남기에 더 적합한 번식 방법은 무엇인지 기호를 쓰시오.

---

08 다음 분류 기준 중 자연분류의 기준으로 적합하지 <u>않은</u> 것은?

① 핵막 유무 　② 세포벽 유무 　③ 광합성 여부
④ 유전적 특징 　⑤ 식용 가능 여부

중요

06 그림은 어떤 지역에서 나비 집단의 변화를 나타낸 것이다. 단, 나비는 바다 사이를 오가지 못한다.

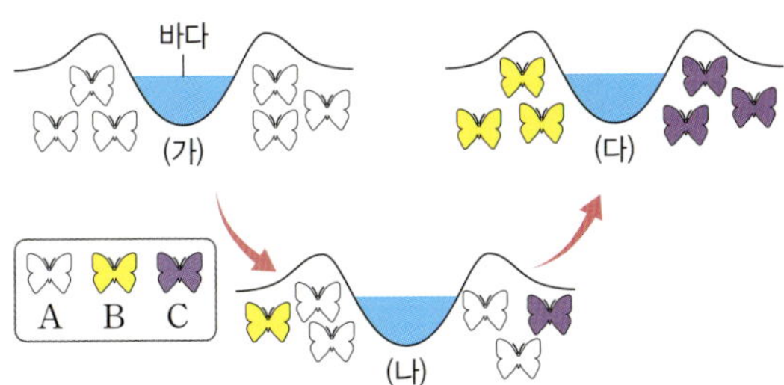

이에 대한 설명으로 옳은 것을 보기에서 모두 고른 것은?

보기

ㄱ. 바다로 분리된 두 집단에서는 각각 서로 다른 변이가 나타났다.
ㄴ. 나비 날개 색의 변이는 (가)가 (나)보다 다양하다.
ㄷ. (나)에서 (다)로 될 때 A~C 중 환경에 가장 적합한 특징을 가진 나비는 A이다.

① ㄱ 　　　　② ㄴ 　　　　③ ㄷ
④ ㄱ, ㄴ 　　　⑤ ㄴ, ㄷ

---

09 그림은 잠자리, 오리, 송어를 서로 다른 기준으로 분류한 결과 (가)와 (나)를 나타낸 것이다.

(가) 　　　　　　(나)

이에 대한 설명으로 옳은 것을 보기에서 모두 고른 것은?

보기

ㄱ. (가)는 자연분류에 해당한다.
ㄴ. (나)는 생물 고유의 특징에 따른 분류이다.
ㄷ. 잠자리, 오리, 송어는 모두 세포에 핵이 있다.

① ㄱ 　　　　② ㄴ 　　　　③ ㄷ
④ ㄱ, ㄴ 　　　⑤ ㄴ, ㄷ

10 생물분류의 주된 목적으로 옳은 것은?

① 새로운 생물을 발견하기 위해서

② 생물의 서식 환경을 연구하기 위해서

③ 멸종 위기의 생물을 번식시키기 위해서

④ 생물 사이의 유연관계를 밝히기 위해서

⑤ 생물자원을 효과적으로 이용하기 위해서

11 다음은 생물분류체계를 가장 큰 단위부터 작은 단위의 순서대로 나열한 것이다. ㉠~㉢에 해당하는 분류 단위를 각각 쓰시오.

> 계 > ㉠ > 강 > ㉡ > 과 > 속 > ㉢

[중요]
12 생물의 분류체계에서 종에 대한 설명으로 옳은 것을 보기에서 모두 고른 것은?

> 보기
> ㄱ. 계보다 큰 분류 단위이다.
> ㄴ. 생물을 분류하는 기본 단위이다.
> ㄷ. 자연 상태에서 짝짓기를 하여 번식 능력이 있는 자손을 낳을 수 있는 생물 무리이다.

① ㄱ   ② ㄴ   ③ ㄷ

④ ㄱ, ㄴ   ⑤ ㄴ, ㄷ

13 다음에서 설명하는 생물의 분류 단위는 무엇인지 쓰시오.

> • 문보다 큰 분류 단위이다.
> • 이 분류 단위에서는 지구상의 모든 생물을 다섯 종류로 분류할 수 있다.

[중요]
14 그림은 여섯 종류의 생물을 (가)와 (나) 두 무리로 분류한 결과를 나타낸 것이다.

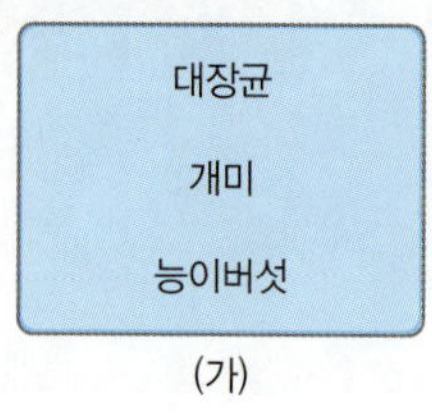

여섯 종류의 생물을 (가)와 (나)로 분류한 기준으로 옳은 것은?

① 핵막의 유무   ② 세포벽의 유무

③ 엽록체의 유무   ④ 기관의 발달 여부

⑤ 몸을 구성하는 세포의 수

15 동물계에 대한 설명으로 옳은 것을 보기에서 모두 고른 것은?

> 보기
> ㄱ. 다세포생물이다.
> ㄴ. 세포에 세포벽이 없다.
> ㄷ. 광합성을 하여 영양분을 얻는다.

① ㄱ   ② ㄴ   ③ ㄷ

④ ㄱ, ㄴ   ⑤ ㄴ, ㄷ

16 다음에서 설명하는 계는 무엇인지 쓰시오.

> • 세포에 핵막이 없다.
> • 이 계에 속하는 생물의 예로 대장균, 젖산균이 있다.

[17~18] 그림은 생물의 5계 분류체계에 따라 여섯 종류의 생물을 분류한 결과를 나타낸 것이다. A~E는 동물계, 균계, 식물계, 원생생물계, 원핵생물계를 순서 없이 나타낸 것이며, ㉠과 ㉡은 생물종이다.

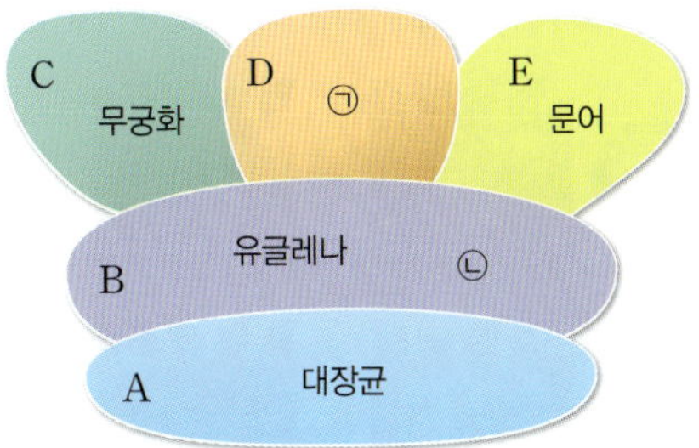

17 A~E에 해당하는 것을 각각 쓰시오.

중요

18 이 생물분류에 대한 설명으로 옳은 것을 보기에서 모두 고른 것은?

> 보기
> ㄱ. 송이버섯은 ㉠에 해당한다.
> ㄴ. 대장균과 무궁화는 둘 다 세포벽이 있다.
> ㄷ. 유글레나와 ㉡의 유연관계는 문어와 ㉡의 유연관계보다 가깝다.

① ㄱ ② ㄴ ③ ㄱ, ㄴ
④ ㄴ, ㄷ ⑤ ㄱ, ㄴ, ㄷ

19 다음은 어떤 생물에 대한 설명이다.

> • 세포에 핵막이 있다.
> • 동물계, 균계, 식물계에 속하지 않는다.
> • 광합성을 한다.

이에 해당하는 생물로 옳은 것은?

① 해캄 ② 개구리 ③ 중지균
④ 짚신벌레 ⑤ 우산이끼

중요

20 그림은 무당거미와 느타리버섯을 나타낸 것이다.

무당거미   느타리버섯

이 두 생물과 같은 계에 속하는 생물을 옳게 짝 지은 것은?

	무당거미	느타리버섯
①	소나무	송이버섯
②	유글레나	사자
③	해파리	푸른곰팡이
④	잠자리	참나무
⑤	대장균	불가사리

21 그림은 벼와 은행나무를 나타낸 것이다.

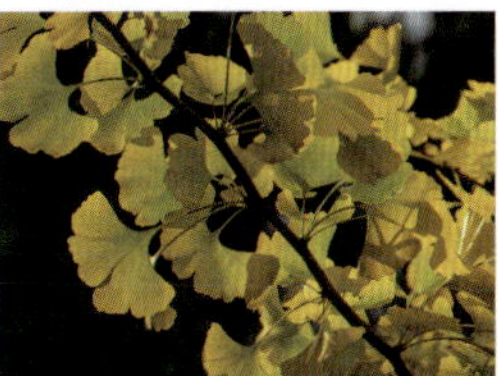

벼   은행나무

이 두 생물의 공통점으로 옳은 것을 보기에서 모두 고른 것은?

> 보기
> ㄱ. 엽록체가 있다.
> ㄴ. 다세포생물이다.
> ㄷ. 기관이 분화되어 있다.

① ㄱ ② ㄴ ③ ㄱ, ㄴ
④ ㄴ, ㄷ ⑤ ㄱ, ㄴ, ㄷ

01 그림은 세균 집단 (가)와 (나)에 항생제를 처리한 뒤 각 집단의 변화를 나타낸 것이다. (가)와 (나) 중 한 집단에서는 돌연변이가 일어나 변이가 형성되었다.

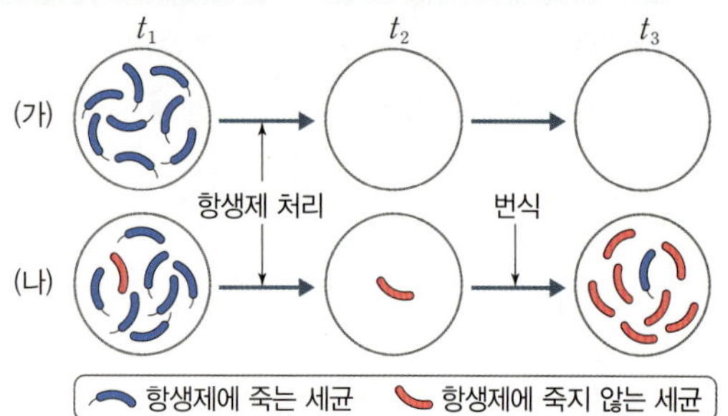

이에 대한 설명으로 옳은 것을 보기에서 모두 고르시오.

보기
ㄱ. t_1일 때 변이는 (가)에서가 (나)에서보다 다양하다.
ㄴ. (나)에서 t_2에서 t_3으로 될 때 돌연변이가 일어났다.
ㄷ. 변이가 다양한 집단은 급격한 환경 변화에서 멸종할 확률이 낮다.

02 그림은 갈라파고스제도의 여러 섬에 살고 있는 다양한 핀치의 부리 모양과 먹이를 나타낸 것이다.

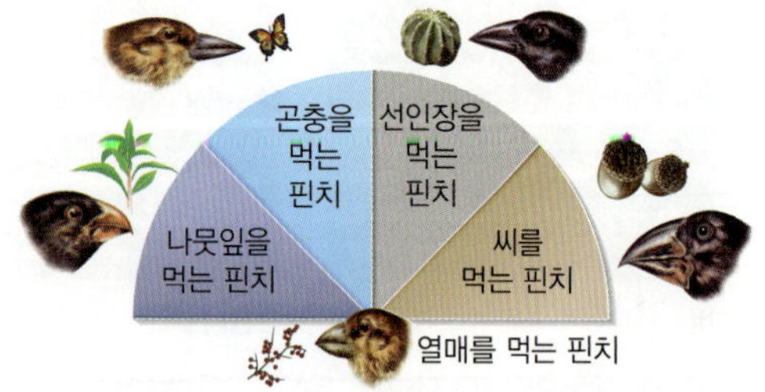

이에 대한 설명으로 옳은 것을 보기에서 모두 고른 것은?

보기
ㄱ. 원래 핀치의 부리는 모두 같은 모양이었다.
ㄴ. 핀치의 부리 모양은 먹이 환경과 관련이 있다.
ㄷ. 핀치의 부리 모양이 섬에 따라 다양한 것은 자연선택의 결과이다.

03 그림은 감자를 재배한 경작지 A와 B에서 감자마름병이 유행하였을 때 변화를 나타낸 것이다.

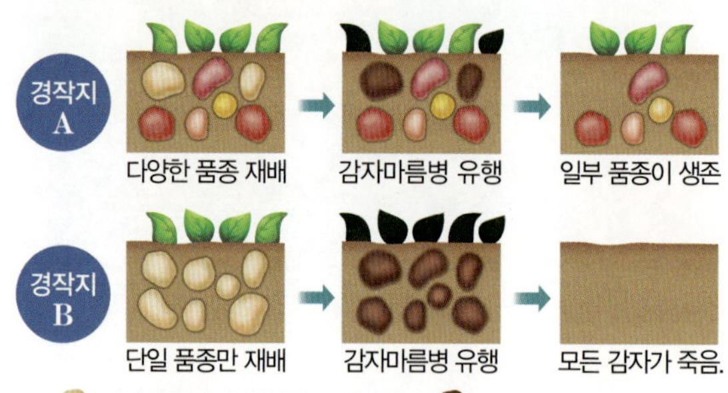

이에 대한 설명으로 옳은 것을 보기에서 모두 고른 것은?

보기
ㄱ. 감자의 유전적 다양성은 A에서가 B에서보다 낮다.
ㄴ. A에는 감자마름병이 유행할 때 살아남기에 적합한 감자 품종이 있다.
ㄷ. 단일 품종 재배 작물은 전염병이 유행할 때 수확량이 크게 감소할 수 있다.

① ㄱ   ② ㄷ   ③ ㄱ, ㄴ
④ ㄴ, ㄷ   ⑤ ㄱ, ㄴ, ㄷ

04 그림은 생태계 (가)와 (나)에 서식하는 생물을 나타낸 것이다.

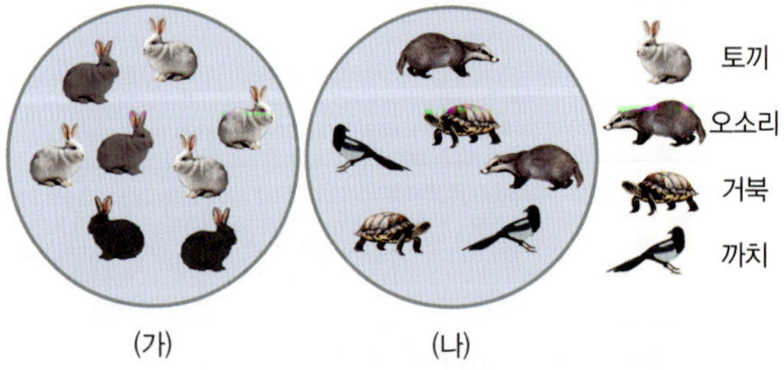

이에 대한 설명으로 옳은 것을 보기에서 모두 고른 것은?

보기
ㄱ. (가)의 토끼는 털색에 대한 변이가 있다.
ㄴ. 생물의 종 수는 (나)에서가 (가)에서보다 많다.
ㄷ. 오소리와 까치는 같은 계에 속한다.

① ㄱ   ② ㄷ   ③ ㄱ, ㄴ
④ ㄴ, ㄷ   ⑤ ㄱ, ㄴ, ㄷ

05 그림은 생태계 (가)와 (나)에 서식하는 생물을 나타낸 것이다.

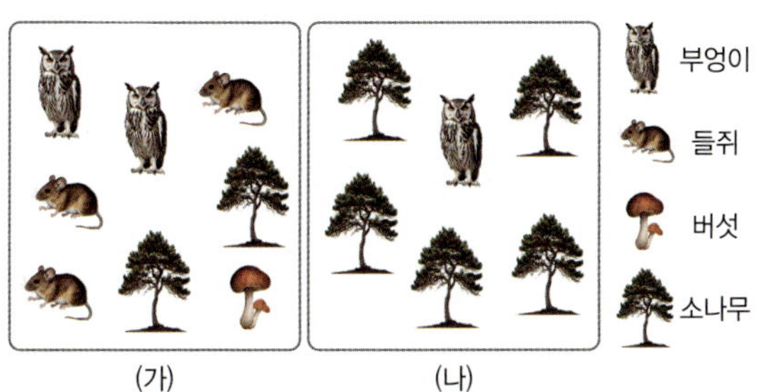

이에 대한 설명으로 옳은 것을 보기에서 모두 고른 것은?

보기
ㄱ. 들쥐와 부엉이는 같은 문에 속한다.
ㄴ. 버섯과 소나무는 세포에 엽록체가 있다.
ㄷ. 종다양성은 (가)에서가 (나)에서보다 높다.

① ㄱ　　　　② ㄴ　　　　③ ㄷ
④ ㄱ, ㄷ　　　⑤ ㄴ, ㄷ

06 그림은 서로 다른 생태계 (가)와 (나)에서 생물 사이의 먹이 관계를 나타낸 것이다. 개구리와 들쥐는 같은 문에 속하고, 개구리와 메뚜기는 다른 문에 속한다.

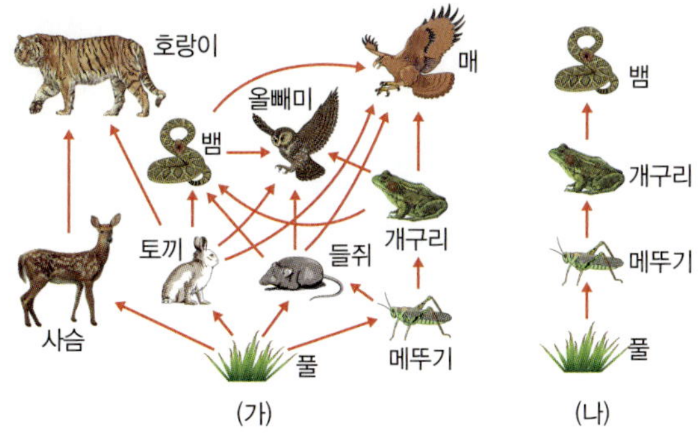

이에 대한 설명으로 옳은 것은?

① 풀과 들쥐는 같은 계에 속한다.
② 토끼와 개구리의 세포에는 핵막이 없다.
③ 생물다양성은 (가)에서가 (나)에서보다 높다.
④ 뱀의 먹이는 (나)에서가 (가)에서보다 다양하다.
⑤ 개구리와 메뚜기의 유연관계는 개구리와 들쥐의 유연 관계보다 가깝다.

07 그림은 균계와 (가)~(다)를 분류 기준에 따라 분류하는 과정을 나타낸 것이다. (가)~(다)는 동물계, 식물계, 원핵생물계를 순서 없이 나타낸 것이다.

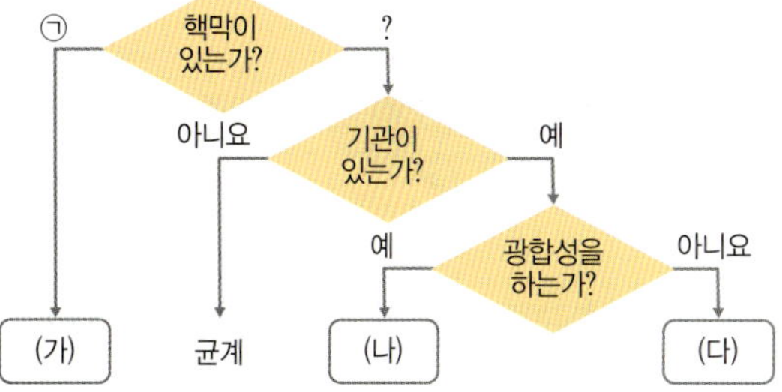

이에 대한 설명으로 옳은 것을 보기에서 모두 고른 것은?

보기
ㄱ. ㉠은 '예'이다.
ㄴ. (나)는 식물계이다.
ㄷ. 지렁이는 (다)에 속한다.

① ㄱ　　　　② ㄴ　　　　③ ㄷ
④ ㄱ, ㄴ　　　⑤ ㄴ, ㄷ

08 표는 오징어, 바지락, 고양이의 분류체계 일부를 나타낸 것이다.

분류 단위	오징어	바지락	고양이
문	연체동물문	연체동물문	척삭동물문
강	두족강	이매패강	포유동물강
종	오징어	바지락	고양이

이에 대한 설명으로 옳은 것을 보기에서 모두 고른 것은?

보기
ㄱ. 바지락과 고양이는 서로 다른 목에 속한다.
ㄴ. 오징어, 바지락, 고양이는 같은 계에 속한다.
ㄷ. 오징어와 바지락의 유연관계는 오징어와 고양이의 유연관계보다 가깝다.

① ㄱ　　　　② ㄴ　　　　③ ㄷ
④ ㄱ, ㄴ　　　⑤ ㄱ, ㄴ, ㄷ

☞ 제시된 Keyword를 이용하여 문제를 해결해 보자.

1 그림은 몸 색이 다른 나방 (가)와 (나)를 나타낸 것이다.

(가)　　　　　(나)

어두운 환경에서 밝은 환경으로 바뀌었을 때 (가)와 (나) 중 생존에 더 적합한 나방은 무엇인지 판단하여 그 까닭을 설명하시오.

Keyword 환경, 포식자, 적합

____

____

____

2 그림은 멸종 위기 야생 생물 2급인 기생꽃을 나타낸 것이다. 국내에 자생하는 기생꽃을 조사한 결과 개체수가 매우 적으며, 땅속줄기로부터 새로운 개체가 만들어지는 방식으로 번식을 하여 개체 사이에 유전적 특징이 거의 같다는 것이 밝혀졌다.

기생꽃이 멸종 위기에 놓인 까닭을 설명하시오.

Keyword 개체수, 유전적 다양성, 멸종

____

____

3 그림은 암말과 수탕나귀 사이에서 태어난 노새를 나타낸 것이다. 노새는 번식 능력이 없다.

말과 당나귀는 각각 종으로 정의하지만 노새는 종으로 정의하지 않는 까닭을 설명하시오.

Keyword 자연 상태, 짝짓기, 번식 능력

____

____

4 그림은 붉은여우, 코요테, 회색늑대를 분류 단위에 따라 나타낸 것이다. (가)와 (나)는 과와 속을 순서 없이 나타낸 것이다.

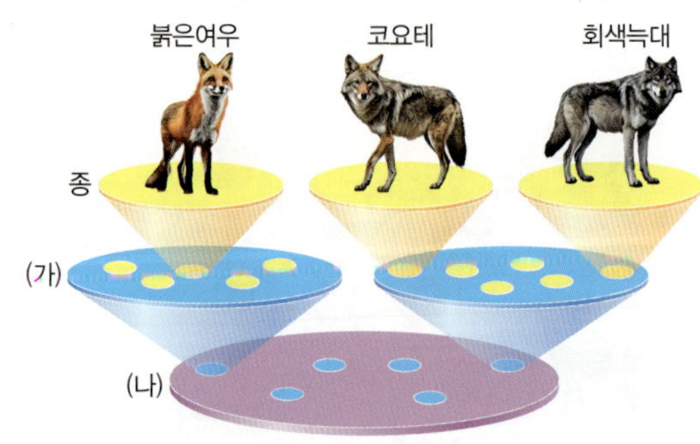

(1) (가)와 (나)는 무엇인지 근거를 들어 설명하시오.

Keyword 분류 단위

____

(2) 코요테는 붉은여우와 회색늑대 중 어떤 생물과 유연관계가 더 가까운지 설명하시오.

Keyword 속, 유연관계

____

____

5 표는 생물 A~C에서 핵막, 세포벽, 엽록체, 기관의 유무를 나타낸 것이고, A~C는 달팽이, 대장균, 벼를 순서 없이 나타낸 것이다.

특징	A	B	C
핵막	○	○	×
세포벽	○	×	○
엽록체	○	×	×
기관	○	○	×

(○: 있음. ×: 없음.)

(1) A~C는 각각 무엇인지 근거를 들어 설명하시오.

Keyword 핵막, 세포벽, 엽록체, 기관

____

____

(2) B와 C 중 A와 유연관계가 더 가까운 생물은 무엇인지 설명하시오.

Keyword 핵막, 유연관계

____

____

6 그림은 여섯 종류의 생물을 분류 기준에 따라 무리 (가)~(라)로 분류한 것이다.

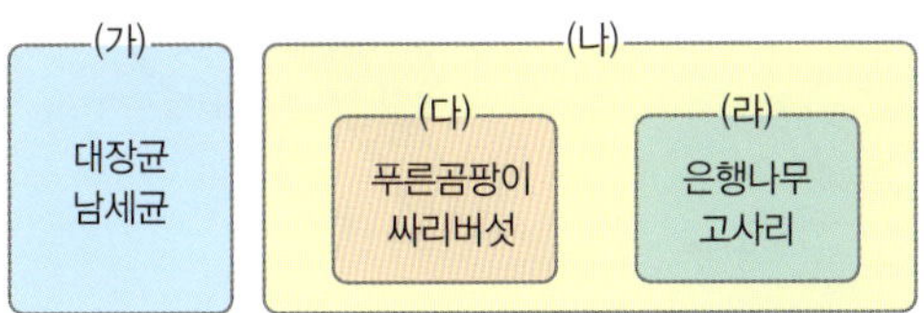

(1) (가)와 (나) 생물의 차이점을 두 가지 분류 기준을 들어 각각 설명하시오.

Keyword 세포, 핵막

____

____

(2) (다)와 (라) 생물의 차이점을 두 가지 분류 기준을 들어 각각 설명하시오.

Keyword 광합성, 기관

____

____

7 그림 (가)는 새 A~C와 먹이를, (나)는 섬 ㉠과 ㉡에 살고 있는 A~C의 개체수 비율을 나타낸 것이다.

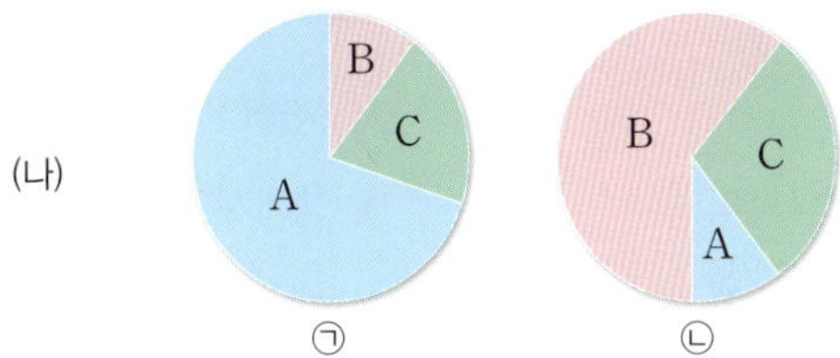

(1) **[문제 이해]** ㉠에서 개체수 비율이 가장 높은 새와 ㉡에서 개체수 비율이 가장 높은 새를 각각 쓰시오.

____

(2) **[자료 분석]** A~C의 부리 모양이 서로 다른 까닭을 먹이와 관련지어 설명하시오.

Keyword 먹이, 적합, 적응

____

____

(3) **[문제 해결]** ㉠에서 A의 개체수 비율이 ㉡에서보다 높은 것을 바탕으로 ㉠과 ㉡의 환경 차이를 설명하시오.

Keyword 먹이, 벌레, 환경

____

____

(4) **[가산점 줍줍!]** 선인장에 전염병이 돌아 선인장의 개체수가 급격히 줄었다면 ㉡에서 B의 비율이 어떻게 변할지 예상하고 그렇게 예상한 까닭을 설명하시오.

Keyword 선인장, 개체수, 비율

____

____

03 생물다양성보전

생물다양성은 사람과 생태계 모두에게 중요하다. 생물다양성이 감소하는 원인은 무엇이고, 어떻게 보전할 수 있을까?

☐ **다양한 생물과 우리 생활:** 젖산균을 이용해 요구르트를 만드는 것은 작은 생물이 우리 생활에 미치는 (긍정적, 부정적) 영향이고, 충치균이 충치를 일으키는 것은 (긍정적, 부정적) 영향이다.

☐ **첨단 생명과학과 생물다양성:** 짧은 시간 안에 빠르게 수가 늘어나는 (세균, 식물)의 특징을 이용하여 많은 양의 약품을 대량으로 생산한다.

1 생물다양성의 가치

1. 생물다양성과 생태계

생태계평형의 회복

어떤 생물의 개체수가 감소하면 이 생물을 먹는 포식자의 수는 감소하고 이 생물에게 먹히는 피식자의 수는 증가한다. 이로 인해 감소했던 생물의 개체수는 다시 증가하여 원래의 상태로 회복된다.

(1) **생태계평형:** 생태계를 구성하는 생물의 종류, 개체수, 물질의 양 등이 일정한 수준을 유지하여 안정한 상태를 이루고 있는 것을 생태계평형이라고 한다. 안정된 생태계는 일시적으로 평형이 깨지더라도 원래의 상태로 돌아갈 수 있는 회복력이 있다.

(2) **생물다양성과 생태계평형:** 깨어진 생태계평형은 생물의 먹이 관계를 통해 회복된다. 생물다양성이 높아 먹이 관계가 복잡한 생태계일수록 생태계평형이 안정하게 유지된다.

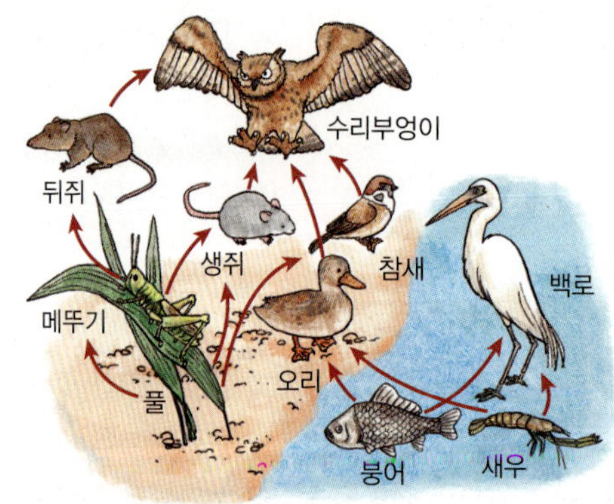

생물다양성이 높아 안정한 생태계

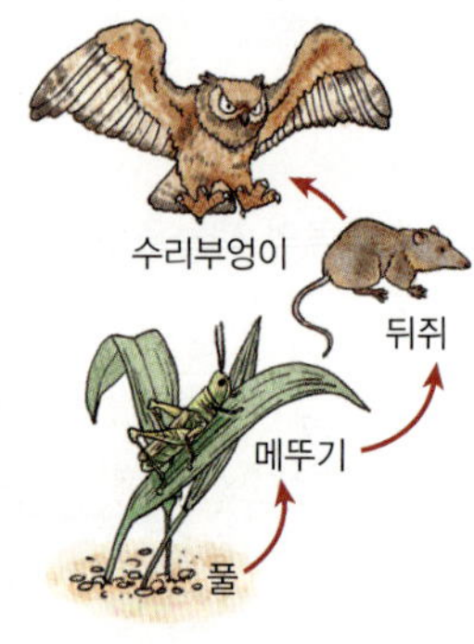

생물다양성이 낮아 불안정한 생태계

(3) 생태계의 기능과 생물다양성

세계 벌의 날

매년 5월 20일은 UN이 지정한 세계 벌의 날이다. 생태계에서 중요한 역할을 하는 벌을 지키기 위한 다양한 활동을 함께하는 날이다.

① 생태계에서 각 생물은 고유한 기능을 수행하고 있다. **예** 벌은 꽃가루를 옮겨 다양한 식물의 번식을 돕는다. 숲에서 나무는 토양의 유실을 막는다.

② 생물다양성이 높은 생태계는 특정 생물이 크게 줄거나 사라져도 다른 생물이 그 기능을 대체할 수 있으므로 생태계의 기능이 유지될 수 있다.

 **용어 생물자원**

사람이 생활하는 데 필요한 모든 생물을 생물자원이라고 한다.

2. 생물다양성과 생물자원 사람은 생물로부터 식량을 비롯한 여러 자원을 얻어 살아가고 있다. 따라서 생물다양성이 높을수록 사람이 얻을 수 있는 생물자원의 다양함과 풍부함은 증가한다.

(1) **의식주 자원**: 식량, 의복 재료, 목재 등을 생물로부터 얻는다.

> 예 식량 – 벼, 옥수수, 콩, 의복 재료 – 목화, 마, 누에고치, 양, 목재 – 편백, 소나무

(2) **의약품 자원**: 현재 사용하는 의약품의 상당 부분은 생물에서 얻는다.

> 예 아스피린(버드나무 껍질), 페니실린(푸른곰팡이), 항암제 택솔(주목)

(3) **휴식 공간과 관광자원**: 생물다양성이 높은 생태계는 맑은 공기, 깨끗한 물, 비옥한 토양 등을 제공하므로 휴식처와 여가 활동 장소가 된다. 또 자연이 주는 여유로움과 아름다움은 생태 관광자원으로 활용될 수 있다.

> 예 휴양림, 제주도 올레길, 순천만 습지

(4) **유전자원**: 생명공학을 이용하여 새로운 형질을 갖는 생물을 만드는 데 필요한 유전자원을 생물로부터 얻는다.

> 예 세균의 해충 저항성 유전자, 해파리의 형광 단백질 유전자

(5) **산업 자원과 아이디어**: 생물에서 추출한 물질을 산업적으로 이용하거나 생물의 몸 구조나 독특한 기능에서 아이디어를 얻어 이를 모방한 제품을 만든다.

> 예 인공 거미줄로 만든 가볍고 강한 방탄복, 연잎 효과를 응용하여 만든 방수가 되는 스마트폰과 음식물이 타거나 달라붙지 않는 프라이팬

생물다양성이 우리에게 주는 혜택

정답과 해설 014쪽

개념 빌드업

1. 생태계를 구성하는 생물의 종류와 개체수 등이 일정한 수준을 유지하여 안정한 상태를 이루고 있는 것을 ________(이)라고 한다.

2. **핵심개념** 생물다양성이 높을수록 생태계________이/가 잘 유지되고, 생물로부터 얻을 수 있는 ________의 다양함과 풍부함이 증가한다.

종자은행

식물의 씨는 특정 조건에서 매우 오랜 시간 휴면 상태로 있을 수 있고 크기가 작아 보관이 쉽다. 씨에는 식물체 전체의 유전자가 들어 있으므로 다양한 씨를 보관하는 종자은행은 유전자 보존고 역할을 하고 있다.

녹색 형광 단백질

해파리로부터 얻은 녹색 형광 단백질 유전자는 여러 가지 생명공학기술에 활용되고 있다.

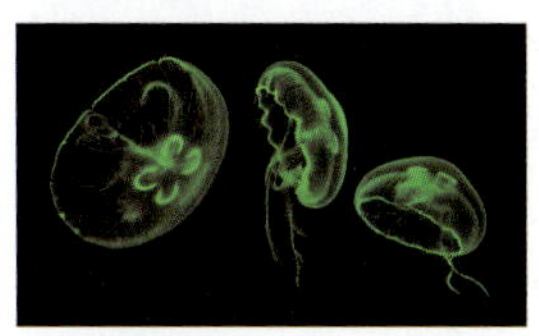

알면 뇌에 쏘옥 과학

연잎 효과

연잎 표면에는 미세한 돌기가 있어 물이 떨어지면 물방울로 맺혀 구르면서 먼지, 세균 등을 제거하는데, 이것을 연잎 효과라고 한다. 이와 같은 특징은 한련, 선인장 등 다른 식물과 나방 등 일부 곤충에서도 발견된다. 연잎 효과를 응용하여 나노 크기의 돌기로 방수 또는 자가 세정 기능을 입힌 유리, 섬유 등 여러 가지 제품이 개발되고 있다.

Check 이전에 배웠어요

- [ ] 긍정적, 부정적
- [ ] 세균

② 생물다양성보전

1. 생물다양성보전의 필요성　생물다양성이 감소하면 생태계평형이 유지되기 어렵고, 다양한 생물자원을 얻어 살아가는 사람도 풍요로운 삶을 살기 어려워진다. 따라서 생물다양성을 감소시키는 원인을 줄이고 생물다양성보전을 위해 노력해야 한다.

2. 생물다양성 감소 원인　생물다양성이 감소하는 원인에는 화산, 홍수, 산사태와 같은 자연재해도 있지만, 주된 원인은 과도한 사람의 활동이다.

⑴ **자연재해**: 화산이 폭발하거나 대규모 홍수가 발생하면 생물의 서식지가 파괴되면서 생물다양성이 감소한다.　**예** 통가에서 대규모 화산 폭발로 섬의 생물다양성이 감소하였다.

⑵ **서식지파괴와 서식지단편화**

　① 서식지파괴: 도시나 농경지 개발을 위해 숲의 나무를 베거나 습지를 매립하면 생물의 서식지가 파괴된다. 서식지가 파괴되면 그곳에 사는 생물의 수가 급격히 감소한다. → 서식지파괴는 생물다양성 감소 원인 중 가장 주요한 원인이다.

　② 서식지단편화: 도로 건설, 택지 개발 등으로 서식지가 소규모로 나누어지면 서식지의 면적이 줄어들고 생물의 이동을 제한하여 고립시키므로, 그

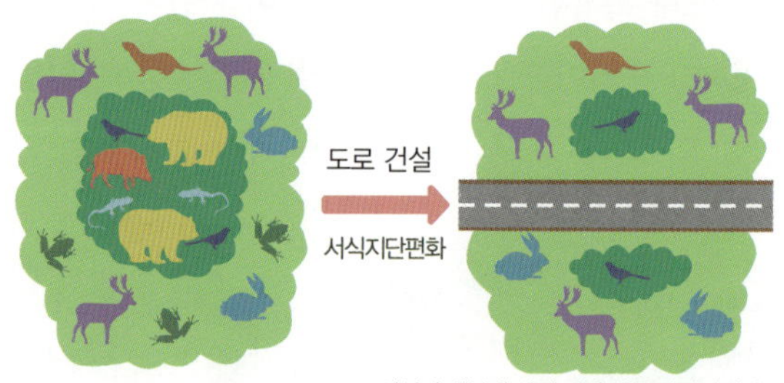

지역에 사는 생물집단의 크기가 감소하고 멸종으로 이어질 수 있다.

⑶ **불법 포획과 남획**: 멸종 위기에 놓인 보호 생물을 불법으로 잡거나, 멸종 위기 종이 아니더라도 필요 이상으로 과도하게 잡으면 생물의 개체수가 급격하게 감소하여 멸종될 수 있다.

⑷ **외래종 유입**: 외래종 중 일부는 포식자가 없는 새로운 환경에서 대량으로 번식하여 토종 생물의 생존을 위협하고 먹이사슬에 변화를 일으켜 생태계평형을 파괴한다. **예** 뉴트리아, 큰입배스, 가시박, 돼지풀

⑸ **환경오염**: 오염에 취약한 생물은 대기오염, 수질오염, 토양오염 등으로 개체수가 크게 감소하거나 멸종할 수 있다.

⑹ **기후 변화**: 기온과 수온이 상승하는 등의 기후 변화로 서식 환경이 달라지면 기존 서식지에 살던 생물이 사라질 수 있다.

외래종 유입 ― 가시박

환경오염 ― 비닐봉지를 해파리로 착각한 거북

기후 변화 ― 수온 상승으로 죽은 산호

아마존 열대우림의 파괴
생물다양성이 매우 높은 지역인 아마존 열대우림은 사람의 벌목으로 많은 생물의 서식지가 파괴되어 생물다양성이 빠르게 감소하고 있다.

서식지단편화
서식지단편화가 일어나면 서식지 내부 공간이 크게 축소된다. 서식지 내부에서 살아가는 생물은 일정 수준 이상의 공간이 확보되지 않으면 서식지에서 살아남을 수 없어 멸종될 가능성이 있다. 반면 서식지 가장자리는 단편화로 인해 늘어나는 경향이 있다.

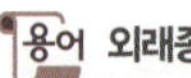 **용어 외래종**
사람의 활동을 비롯한 여러 요인으로 다른 나라에서 들어온 생물로, 기존 생태계에 서식하지 않던 생물이다.

3. 생물다양성보전을 위한 노력

(1) **서식지 보전**: 지나친 개발을 자제하고 서식지를 보전한다. 생물다양성이 높은 지역은 국립공원과 같은 보호구역으로 지정하여 전체 생물집단을 보호하는 것이 효과적이다.

(2) **단편화된 서식지 연결**: 도로나 철도를 건설하여 서식지가 단편화된 경우 야생 동물이 이동할 수 있는 생태통로를 설치하여 단편화된 서식지를 연결해 준다.

(3) **불법 포획과 남획 금지**: 멸종 위기 종을 지정하여 보호하고 관리한다. 이를 불법으로 포획하는 행위를 강하게 규제하고, 멸종 위기 종이 아니더라도 남획을 하지 못하도록 규제한다.

(4) **외래종의 무분별한 유입 방지와 꾸준한 감시**: 외래종의 유입 경로를 관리하여 불법으로 유입되는 것을 막는다. 또 유입된 외래종을 꾸준히 감시하고, 필요하다면 외래종을 퇴치하는 활동을 한다. 외래종을 도입해야 할 때에는 기존 생태계에 미치는 영향을 철저히 검증한다.

(5) **환경오염 방지**: 쓰레기 배출량을 줄이고, 환경 정화 시설을 설치하여 환경오염을 줄인다. 친환경 물품 사용을 생활화한다.

(6) **환경 윤리 강화**: 사람도 지구에 살고 있는 생물 가운데 하나이며, 다른 생물로부터 다양한 자원을 얻어 살아간다. 따라서 다른 생물도 사람과 지구에서 함께 살아가야 할 동반자임을 인식하고, 생물다양성보전을 위해 노력해야 한다.

(7) **협력 강화**: 생물다양성보전을 위한 대책을 효과적으로 수행하기 위해서는 사회단체, 국가기관, 국제기구가 협력해야 한다. 예 생물다양성협약, 람사르 협약, 멸종 위기에 처한 야생 동식물의 국제 거래에 관한 협약(CITES), 기후 변화 협약

생태통로

생물다양성협약

지구에 있는 생물을 보호하기 위해 마련된 국제 협약으로, 생물다양성보전과 생물자원의 지속가능한 이용 및 생물자원의 이용으로부터 얻는 이익의 공정한 분배를 목적으로 한다.

람사르 협약

물새 서식지로서 중요한 습지의 보전과 관련된 협약으로 1971년, 이란의 람사르에서 체결되었다. 우리나라의 우포늪, 순천만, 강화 매화마름 군락지 등이 람사르 습지로 등록되어 있다.

	서식지파괴	불법 포획과 남획	외래종 유입	환경오염 · 기후 변화
원인				
대책	• 지나친 개발 자제 • 서식지 보전 • 보호구역 지정 • 생태통로 설치	• 법률 강화 • 멸종 위기 생물 지정	• 외래종의 무분별한 유입 방지 • 꾸준한 감시와 외래종 퇴치 활동	• 쓰레기 배출량을 줄이는 생활 습관 • 환경 정화 시설 설치

정답과 해설 014쪽

개념 빌드업

1. 생물다양성이 감소하는 원인에는 자연재해와 __________의 활동이 있다.

2. 다른 나라에서 들어온 생물을 __________(이)라고 한다.

3. **핵심 개념** 도로나 철도를 건설하여 단편화된 서식지에는 __________을/를 설치하여 단편화된 서식지를 연결해 준다.

생물다양성보전을 위한 개인의 실천

생물다양성보전은 나와 우리의 삶을 위해 누구나 함께 참여해야 하는 활동이다. 따라서 국가적, 국제적 노력이 진행되고 있지만 학생 수준에서 참여하기는 어렵다. 다음은 누구나 할 수 있는 활동이므로 함께 실천하여 생물다양성보전을 위한 공동의 노력에 동참해 보자.

1 부상 야생 동물 구조 신고

도시와 농경지 개발로 서식지가 파괴되어 먹을 것이 부족해진 야생 동물은 자신의 서식지가 아닌 곳으로 이동하다가 다치기도 하고, 사람이 설치한 올무, 그물, 덫에 걸려 부상을 입기도 한다. 이러한 야생 동물을 발견하면 누구나 관할 구조 센터로 구조 신고를 할 수 있다.

2 생물다양성 중요성 알리기

생물다양성의 중요성을 인식하는 사람도 많지만 아직까지 생물다양성이 자신의 삶과 어떤 관련이 있는지 인식하지 못하는 사람도 많다. 생물다양성보전은 모든 사람이 참여해야 효과적으로 달성할 수 있으므로 생물다양성의 중요성을 주변에 알리는 활동은 매우 중요하다.

3 생물다양성 친화 제품 소비하기

생물다양성보전의 중요성이 많은 사람에게 알려지면서 여러 기업이 생물다양성보전 활동에 참여하고 이를 기업의 홍보 수단으로 활용하기도 한다. 생물다양성보전에 기여한 기업의 제품을 소비하고 친환경 물품을 사용하는 것은 누구나 참여할 수 있는 활동이다.

4 야생 동물 개인 사육 지양

숲에서 귀여운 야생 동물을 발견하더라도 이를 개인이 사육하는 것은 생물다양성을 감소시키는 원인이 될 수 있다. 야생 동물은 자연의 서식지에서 살아갈 수 있도록 보호해야 한다.

5 불필요한 살생 금지

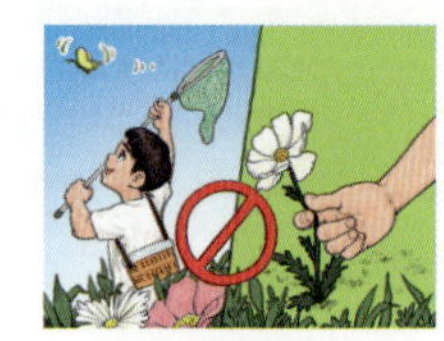

주변에서 볼 수 있는 동물을 잡거나 식물을 채집하기보다는 생물이 피해를 받지 않도록 사진이나 그림으로 관찰 결과를 남겨 불필요한 살생을 하지 않아야 한다.

6 서식지 주변 쓰레기 줍기

사람들이 버린 쓰레기로 환경이 오염되고 이로 인해 그 환경에서 살아가는 생물들의 생존이 위협받고 있다. 서식지 주변에 쓰레기가 발견되면 함께 정리하고 쓰레기를 버리지 않아야 한다.

1 생물다양성의 가치

① 생물다양성과 **생태계평형**: 생물다양성이 높은 생태계에서는 복잡한 먹이 관계가 형성되며, 이 때문에 생태계평형이 안정하게 유지된다.

② 생물다양성과 **생태계 기능**: 생물다양성이 높은 생태계에서는 생태계의 특정 기능을 하는 생물이 다양하므로 특정 생물이 사라지거나 개체수가 크게 줄어도 다른 생물이 그 기능을 대신할 수 있다.

③ 생물다양성과 **생물자원**: 사람은 생물로부터 다양한 자원을 얻고 이를 활용해 풍요로운 삶을 살아간다. 생물다양성이 높을수록 사람이 이용할 수 있는 생물자원의 다양함과 풍부함은 증가한다.

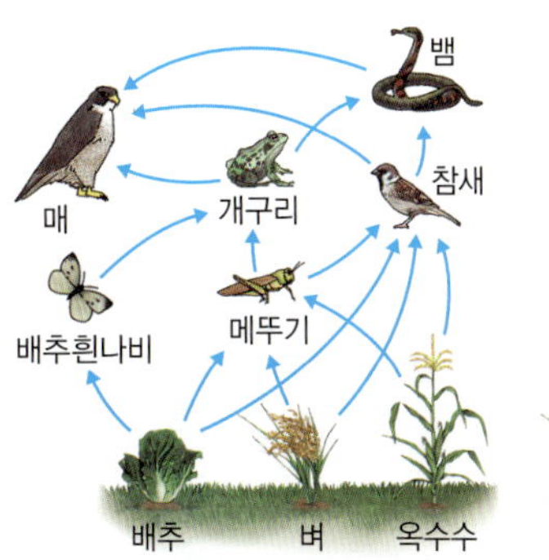

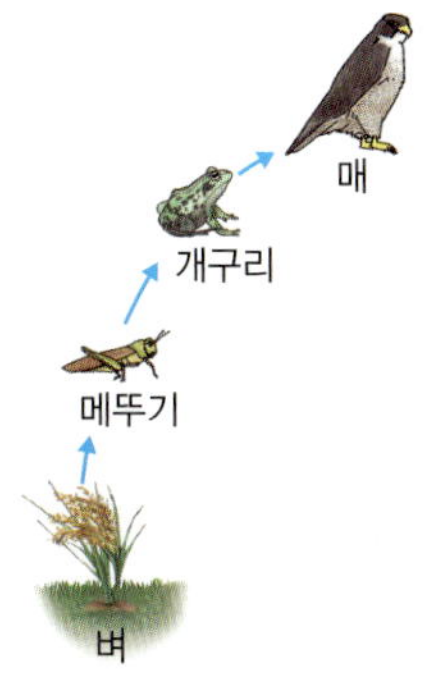

식량 자원	의복 자원	주택 자원	의약품 자원	관광자원	유전자원	산업 자원·아이디어
벼, 밀, 옥수수, 콩, 소, 닭, 돼지 등은 식량을 제공한다.	목화, 마, 누에고치, 양 등은 의복 재료인 섬유를 제공한다.	편백, 소나무, 자작나무 등은 주택에 필요한 목재를 제공한다.	버드나무, 푸른곰팡이, 주목 등은 의약품 원료를 제공한다.	생물다양성이 높은 지역은 휴식과 관광의 자원으로 활용된다.	특정 생물의 유전자를 생명공학 기술에 활용한다.	생물의 몸 구조나 특정 기능을 모방하여 산업에 활용한다.

2 생물다양성보전

생물다양성 감소 원인	생물다양성보전을 위한 노력
서식지파괴: 도시나 농경지 등을 개발하는 과정에서 서식지가 파괴되고 단편화된다. 	불필요한 개발을 최소화하고, 단편화된 서식지에는 생물의 이동이 가능하도록 **생태통로**를 설치한다. 
불법 포획과 남획: 멸종 위기 종을 불법으로 잡거나 멸종 위기종이 아닌 생물이더라도 과도하게 잡는다.	멸종 위기 생물을 법으로 지정하여 **보호**하고, 불법 포획이나 남획을 법으로 강하게 규제한다.
외래종 유입: 사람의 활동으로 외래종이 무분별하게 유입된다.	의도하지 않은 외래종 유입을 막기 위해 외래종의 유입 경로를 **관리**하며, 외래종의 분포와 개체수를 감시하고 조절한다.
환경오염과 기후 변화: 사람의 활동으로 배출되는 쓰레기와 폐기물에 의해 환경이 오염된다. 	쓰레기 배출을 줄이고, **재활용**을 적극적으로 하며, 폐기물을 **정화**하여 배출한다. 
생물다양성의 가치에 대한 인식 부족: 지역과 국가 사이에서 생물다양성에 대한 인식과 노력이 불균등하다.	생물다양성에 관한 국제적인 **협약**을 마련하고 공동의 노력을 기울인다.

01 생물다양성의 가치에 대한 설명으로 옳은 것을 보기에서 모두 고른 것은?

> 보기
>
> ㄱ. 생태계를 구성하는 생물의 종류, 개체수, 물질의 양 등이 일정하게 유지되는 것을 생태계평형이라고 한다.
> ㄴ. 먹이 관계가 복잡한 생태계는 먹이 관계가 단순한 생태계보다 생태계평형이 안정하게 유지된다.
> ㄷ. 생물다양성이 높은 생태계에서는 사람이 얻을 수 있는 생물자원의 다양성과 풍부함이 높다.

① ㄱ ② ㄴ ③ ㄱ, ㄷ
④ ㄴ, ㄷ ⑤ ㄱ, ㄴ, ㄷ

02 사람이 생물로부터 얻을 수 있는 자원으로 옳지 <u>않은</u> 것은?

① 벼나 콩으로부터 얻는 식량
② 플라스틱을 재활용해서 만든 가방
③ 균이나 해파리로부터 얻는 유전자
④ 목화나 양으로부터 얻는 의복 재료
⑤ 버드나무나 주목으로부터 얻는 의약품 원료

03 그림은 사람이 생물로부터 얻는 생물자원을 나타낸 것이다.

이 생물자원은 식량 자원, 의복 자원, 의약품 자원, 주택 자원 중 무엇에 해당하는지 쓰시오.

04 생물다양성을 보전해야 하는 까닭으로 옳지 <u>않은</u> 것은?

① 풍부한 생물을 남획하기 위해서
② 의식주에 필요한 것을 얻기 위해서
③ 생태계평형을 안정하게 유지하기 위해서
④ 편안하게 쉴 수 있는 휴식처를 보전하기 위해서
⑤ 생물의 유전자를 활용한 생명공학기술의 발전을 위해서

05 그림 (가)는 식물인 우엉의 열매를, (나)는 어떤 물건을 붙였다 떼었다 할 때 사용하는 벨크로 테이프를 나타낸 것이다.

 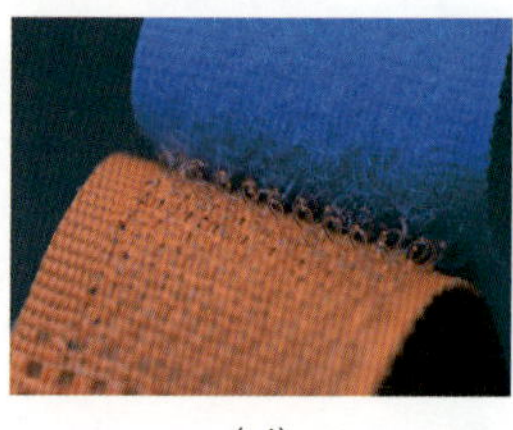
(가) (나)

(가)의 구조를 참고하여 (나)를 만든 사례와 관련이 깊은 것은?

① 편백을 가공하여 목재를 얻었다.
② 푸른곰팡이로부터 페니실린을 얻었다.
③ 사탕수수를 이용해 바이오연료를 만들었다.
④ 해파리에서 녹색 형광 단백질 유전자를 얻었다.
⑤ 연잎의 표면 돌기를 모방해 방수가 뛰어난 섬유 소재를 개발하였다.

06 생물다양성이 감소하는 원인으로 옳지 <u>않은</u> 것은?

① 불필요한 외래종을 도입하였다.
② 쓰레기와 폐기물로 환경이 오염되었다.
③ 멸종 위기 생물을 불법으로 포획하였다.
④ 도시와 농경지 개발로 서식지가 파괴되었다.
⑤ 생물다양성이 높은 지역을 보호구역으로 지정하였다.

중요
07 그림은 생태계 (가)와 (나)의 먹이 관계를 나타낸 것이다.

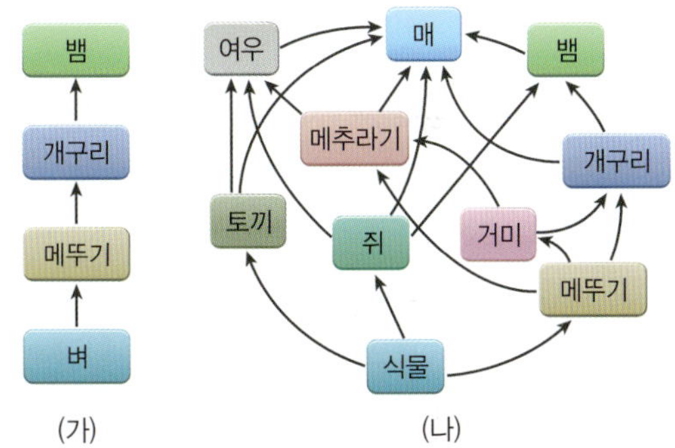

(가)   (나)

이에 대한 설명으로 옳은 것을 보기에서 모두 고른 것은?

보기
ㄱ. 생물다양성은 (나)가 (가)보다 높다.
ㄴ. 생태계평형이 잘 유지되는 생태계는 (가)이다.
ㄷ. 개구리가 멸종될 때 뱀도 멸종될 확률은 (나)에서가 (가)에서보다 높다.

① ㄱ   ② ㄴ   ③ ㄷ
④ ㄱ, ㄴ   ⑤ ㄴ, ㄷ

08 그림은 어떤 생태계에 도로가 건설되었을 때의 변화를 나타낸 것이다.

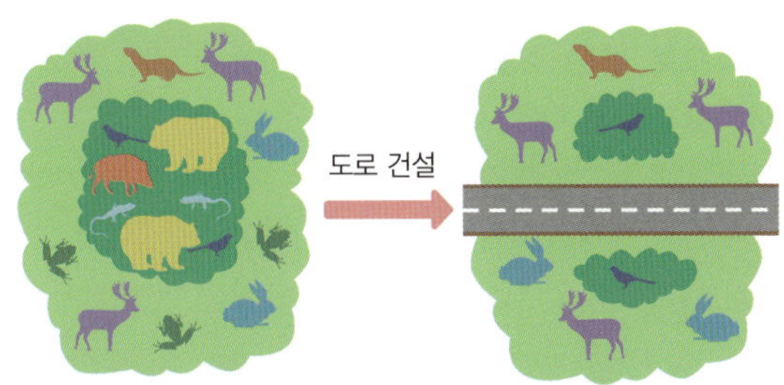

도로 건설, 택지 개발 등으로 서식지가 소규모로 나누어지면 서식지의 면적이 줄어들고 생물의 이동이 제한되어 고립되는 현상을 무엇이라고 하는지 쓰시오.

09 그림은 생태통로를 나타낸 것이다.

생태통로는 생물다양성의 감소 원인 중 어떤 것을 해결하기 위한 노력인가?

① 남획   ② 환경오염   ③ 외래종 유입
④ 불법 포획   ⑤ 서식지단편화

중요
10 생물다양성보전을 위한 노력으로 옳지 <u>않은</u> 것은?

① 외래종을 적극적으로 도입한다.
② 쓰레기 배출을 줄이고 재활용을 생활화한다.
③ 생물다양성보전을 위한 법을 마련하고 집행한다.
④ 생물다양성이 높은 지역을 보호구역으로 지정한다.
⑤ 생물다양성보전의 필요성을 알리는 홍보 활동에 참여한다.

11 그림은 우리 주변에서 볼 수 있는 큰입배스와 가시박을 나타낸 것이다.

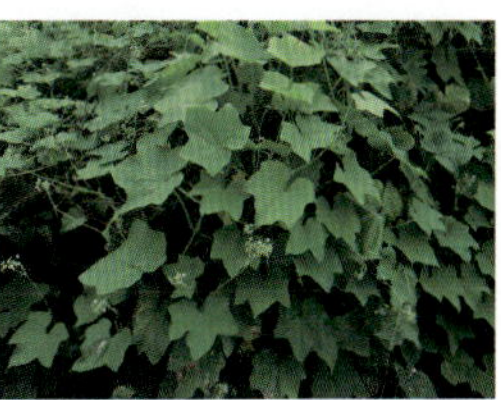

큰입배스   가시박

이에 대한 설명으로 옳은 것을 보기에서 모두 고른 것은?

보기
ㄱ. 큰입배스는 외래종이다.
ㄴ. 가시박의 유입으로 생물다양성이 증가하였다.
ㄷ. 우리나라에서 큰입배스와 가시박의 개체수는 빠르게 증가하였다.

① ㄱ   ② ㄴ   ③ ㄷ
④ ㄱ, ㄷ   ⑤ ㄴ, ㄷ

01 그림은 생태계 (가)와 (나)의 먹이 관계를 나타낸 것이다.

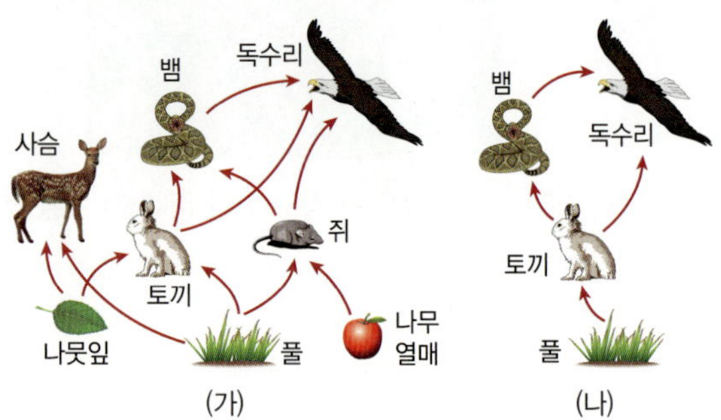

이에 대한 설명으로 옳은 것을 보기에서 모두 고른 것은?

보기

ㄱ. (가)에서 토끼가 사라지면 뱀도 사라진다.

ㄴ. (나)에서 뱀이 사라져도 독수리는 사라지지 않는다.

ㄷ. 생태계평형은 (가)에서가 (나)에서보다 안정하게 유지된다.

① ㄱ　　　② ㄴ　　　③ ㄷ

④ ㄱ, ㄷ　　　⑤ ㄴ, ㄷ

02 다음은 갯벌에 대한 자료이다.

매우 다양한 생물이 살고 있는 갯벌은 강이나 바다에서 물이 드나드는 넓은 벌판이다. ㉠아름다운 경관으로 사람들에게 휴식 공간을 제공하면서, 생산성이 높은 다양한 생물이 살고 있다. 사람은 갯벌에서 ㉡조개나 낙지 등을 잡는다. ㉢갯벌을 메우는 간척 사업은 최근 환경의 중요성이 부각되면서 과거에 비해 줄어들었다.

이에 대한 설명으로 옳은 것을 보기에서 모두 고른 것은?

보기

ㄱ. ㉠은 의약품 자원에 해당한다.

ㄴ. ㉡은 식량 자원에 해당한다.

ㄷ. ㉢이 과도하게 진행되면 생물다양성이 감소한다.

① ㄱ　　　② ㄴ　　　③ ㄷ

④ ㄱ, ㄴ　　　⑤ ㄴ, ㄷ

03 그림은 도로 건설로 서식지가 분할되는 과정을, 표는 분할 전후에 생물 A~E의 개체수를 나타낸 것이다.

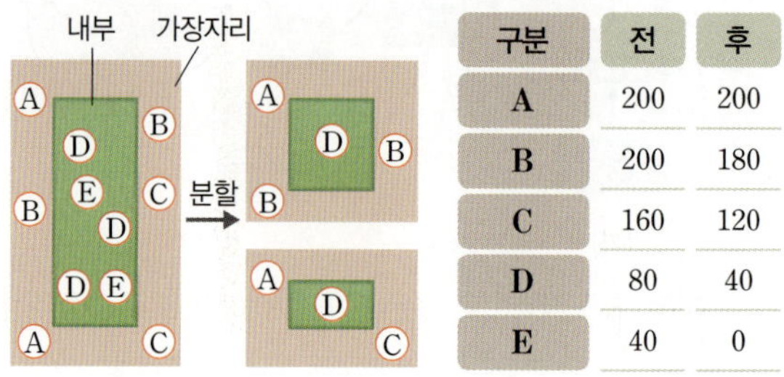

구분	전	후
A	200	200
B	200	180
C	160	120
D	80	40
E	40	0

이에 대한 설명으로 옳은 것을 보기에서 모두 고른 것은?

보기

ㄱ. 서식지 분할로 가장자리 면적이 증가하였다.

ㄴ. 생물다양성은 서식지 분할 전이 분할 후보다 높다.

ㄷ. 서식지 분할로 E가 멸종한 것은 내부 면적이 감소하였기 때문이다.

① ㄱ　　　② ㄴ　　　③ ㄱ, ㄷ

④ ㄴ, ㄷ　　　⑤ ㄱ, ㄴ, ㄷ

04 오른쪽 그림은 서식지가 파괴될 때 보존되는 면적에 따른 주어진 면적에서 원래 발견되었던 종의 비율을 나타낸 것이다. 이에 대한 설명으로 옳은 것을 보기에서 모두 고른 것은?

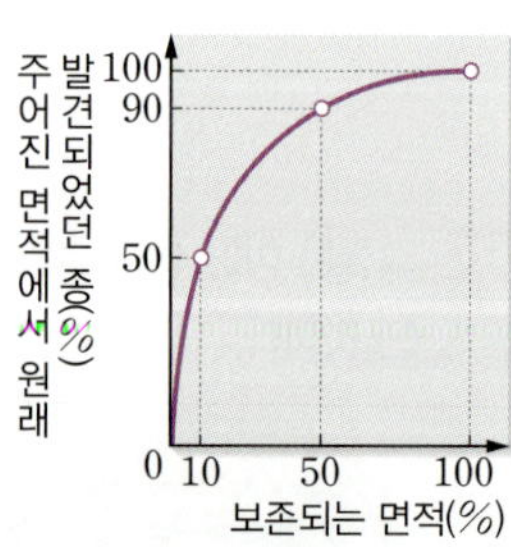

보기

ㄱ. 서식지가 파괴되면 생물다양성이 감소한다.

ㄴ. 보호구역을 지정할 때에는 넓은 면적을 지정하는 것이 효과적이다.

ㄷ. 서식지 면적이 절반으로 줄어들면 주어진 면적에서 원래 발견되었던 종도 절반으로 줄어든다.

① ㄱ　　　② ㄴ　　　③ ㄷ

④ ㄱ, ㄴ　　　⑤ ㄴ, ㄷ

 **서술형 문제**  **3** 생물다양성보전

☞ 제시된 Keyword를 이용하여 문제를 해결해 보자.

1 종자은행에서는 그림과 같이 수많은 식물의 씨를 보관하고 있다.

종자은행을 운영하는 까닭을 설명하시오.

Keyword 휴면, 발아, 멸종, 복원

____

____

____

2 그림은 북미에 주로 서식하는 미국가재를 나타낸 것이다. 애완용으로 도입된 미국가재는 2006년에 우리나라에서 처음으로 어떤 연못에서 발견되었고, 2019년에 생태계 교란 생물로 지정되었다.

미국가재가 생태계 교란 생물로 지정된 까닭과 이를 퇴치하기 위한 노력이 중요한 까닭을 설명하시오.

Keyword 외래종, 토종 생물, 생물다양성

____

____

도전! 단계적 서술형

3 그림은 시간에 따른 아마존 열대우림의 변화를 나타낸 것이다.

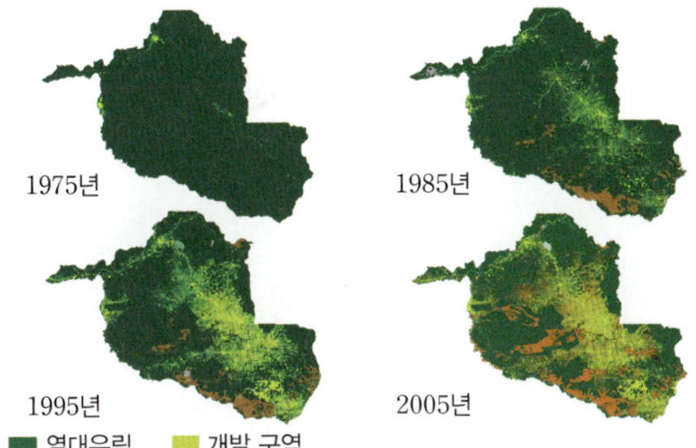

(1) **[자료 분석]** 아마존 열대우림이 변화한 까닭을 설명하시오.

Keyword 사람의 활동, 감소

____

____

(2) **[문제 이해]** 아마존 열대우림에서 생물다양성이 어떻게 변하였을지 과학적 근거를 들어 설명하시오.

Keyword 생물다양성, 감소

____

____

(3) **[문제 해결]** 아마존 열대우림의 생물다양성을 보전할 수 있는 방법을 설명하시오.

Keyword 생물다양성협약

____

____

(4) **[가산점 줍줍!]** 아마존 열대우림을 보전해야 하는 까닭을 설명하시오.

Keyword 생물자원, 기후 변화, 생물다양성

1 그림은 동물 세포를 나타낸 것이다. A~C는 마이토콘드리아, 세포막, 핵을 순서 없이 나타낸 것이다.

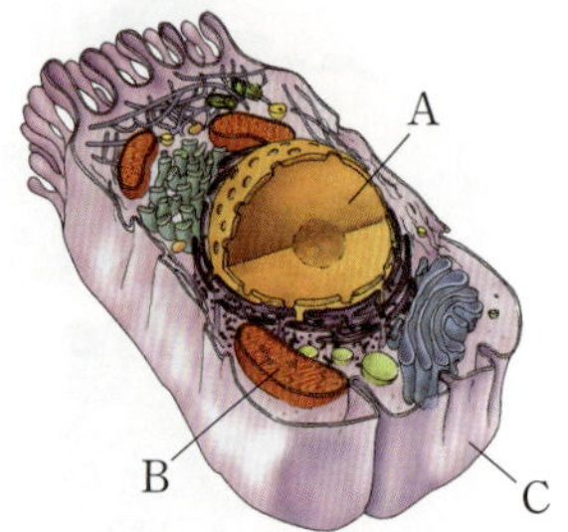

이에 대한 설명으로 옳은 것을 보기에서 모두 고른 것은?

보기

ㄱ. A에는 단백질합성에 필요한 정보를 담고 있는 DNA가 있다.

ㄴ. B에서는 영양분을 분해하여 에너지를 만들고 ATP에 저장한다.

ㄷ. C는 세포에서 만들어진 단백질을 세포 밖으로 내보낸다.

① ㄱ　　　　　② ㄴ　　　　　③ ㄱ, ㄷ

④ ㄴ, ㄷ　　　　⑤ ㄱ, ㄴ, ㄷ

Solution **Tip**

A는 핵, B는 마이토콘드리아, C는 세포막이다.

세포소기관
동물 세포와 식물 세포에는 세포 안에서 고유의 기능을 하는 세포 소기관이 있다.

2 그림은 식물 몸에 있는 잎의 내부 구조를 나타낸 것이다. ㉠과 ㉡은 체관 조직과 울타리조직을 순서 없이 나타낸 것이다.

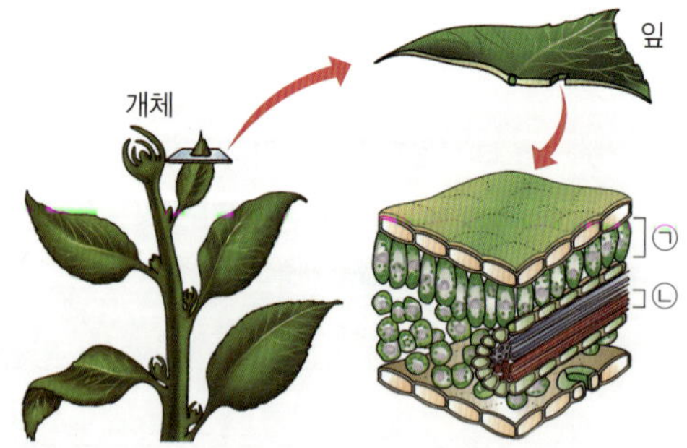

이에 대한 설명으로 옳은 것을 보기에서 모두 고른 것은?

보기

ㄱ. 잎은 식물 몸의 구성 단계 중 조직계에 해당한다.

ㄴ. ㉠에는 엽록체가 있다.

ㄷ. ㉡은 영구 조직에 해당한다.

① ㄱ　　　　　② ㄴ　　　　　③ ㄱ, ㄷ

④ ㄴ, ㄷ　　　　⑤ ㄱ, ㄴ, ㄷ

Solution **Tip**

㉠은 잎의 위쪽에 잎살세포가 촘촘히 몰려 있는 울타리조직이고, ㉡은 광합성으로 만들어진 영양분이 이동하는 체관 조직이다.

식물의 조직
식물의 조직에는 형성층이나 성장점과 같은 분열조직과 물관 조직, 체관 조직, 울타리조직, 해면조직과 같은 영구 조직이 있다.

3 그림은 사람의 기관계 A~D를 나타낸 것이다. A~D는 배설계, 소화계, 순환계, 호흡계를 순서 없이 나타낸 것이다.

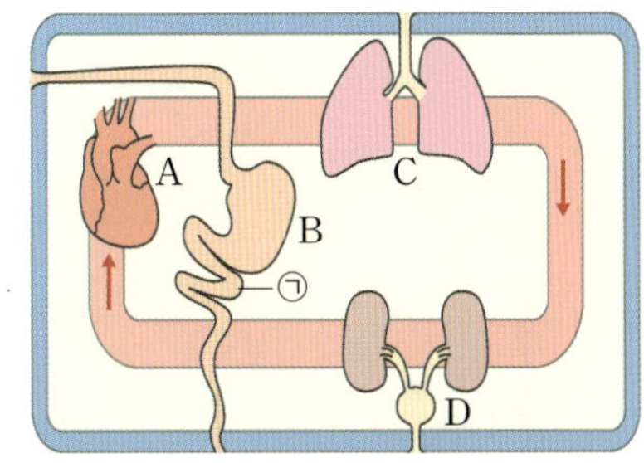

이에 대한 설명으로 옳은 것을 보기에서 모두 고른 것은?

보기

ㄱ. B의 ㉠에는 상피조직과 근육조직이 모두 있다.

ㄴ. 산소는 C를 통해 들어와 A를 통해 운반된다.

ㄷ. 콩팥과 방광이 속하는 기관계는 D이다.

① ㄱ   ② ㄴ   ③ ㄱ, ㄷ

④ ㄴ, ㄷ   ⑤ ㄱ, ㄴ, ㄷ

Solution Tip

A는 순환계, B는 소화계, C는 호흡계, D는 배설계이다. 여러 세포가 모여 조직을 이루고, 여러 조직이 모여 기관을 이루며, 여러 기관이 모여 기관계를 이룬다.

동물의 조직

동물의 조직에는 상피조직, 근육조직, 신경조직, 결합조직이 있으며, 다양한 조직이 모여 기관을 이룬다.

4 표 (가)는 식물 몸의 구성 단계 일부와 그 예를 나타낸 것이고, (나)는 식물 몸의 구성 단계에 대한 자료이다. A~C는 조직, 조직계, 기관을 순서 없이 나타낸 것이고, ㉠과 ㉡은 A와 C를 순서 없이 나타낸 것이다.

구성 단계	예
A	표피조직계
B	잎
C	?

(가)

식물에서 모양과 기능이 비슷한 세포들이 모여 ㉠을 이루고, 여러 ㉠이 모여 ㉡을 이룬다.

(나)

이에 대한 설명으로 옳은 것을 보기에서 모두 고른 것은?

보기

ㄱ. ㉠은 A이다.

ㄴ. 울타리조직은 C의 예이다.

ㄷ. 식물의 뿌리와 열매는 B의 예이다.

① ㄱ   ② ㄴ   ③ ㄱ, ㄷ

④ ㄴ, ㄷ   ⑤ ㄱ, ㄴ, ㄷ

Solution Tip

A는 조직계, B는 기관, C는 조직이다. ㉠은 조직, ㉡은 조직계이다.

식물의 기관

식물의 기관에는 꽃이나 열매와 같이 번식을 담당하는 생식기관과 뿌리, 줄기, 잎과 같이 생명활동을 담당하는 영양기관이 있다.

5 그림은 어떤 지역에 서식하는 나방 집단에서 (가)~(다) 시기에 포획된 나방 중 흰색 나방과 검은색 나방의 빈도를 나타낸 것이다. (가)에서 (나)로 될 때 주변 밝기가 변하였고, (나)에서 (다)로 될 때 주변 밝기가 변하였다. 나방을 먹는 포식자는 눈에 잘 띄는 나방을 먼저 잡아먹는다.

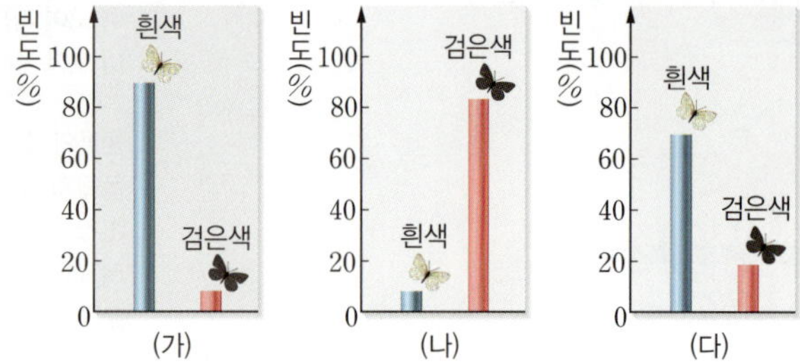

이에 대한 설명으로 옳은 것을 보기에서 모두 고른 것은?

보기

ㄱ. 나방 집단에는 몸 색에 대한 변이가 있다.

ㄴ. (가)에서 (나)로 될 때 포식자에게 먹히는 검은색 나방이 증가하였다.

ㄷ. (나)에서 (다)로 될 때 주변 환경은 어두워졌다.

① ㄱ   ② ㄴ   ③ ㄱ, ㄷ

④ ㄴ, ㄷ   ⑤ ㄱ, ㄴ, ㄷ

6 그림은 네 종류의 생물을 나타낸 것이다.

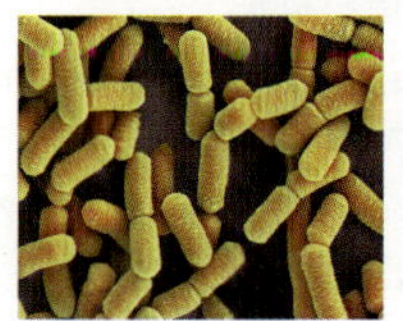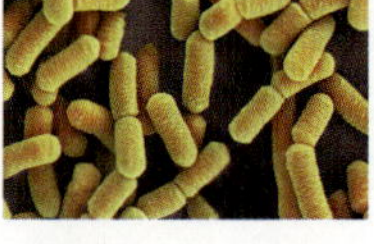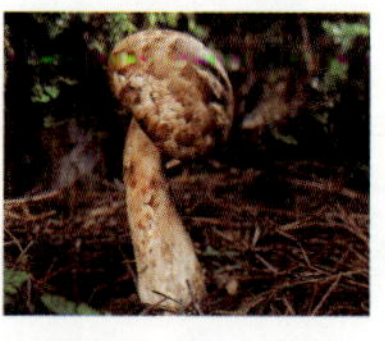

젖산균   오징어   민들레   송이버섯

이에 대한 설명으로 옳은 것을 보기에서 모두 고른 것은?

보기

ㄱ. 젖산균과 민들레의 세포에는 세포벽이 있다.

ㄴ. 민들레와 송이버섯은 독립영양생물이므로 같은 계에 속한다.

ㄷ. 젖산균과 오징어의 유연관계는 민들레와 송이버섯의 유연관계보다 가깝다.

① ㄱ   ② ㄴ   ③ ㄱ, ㄷ

④ ㄴ, ㄷ   ⑤ ㄱ, ㄴ, ㄷ

7 그림은 생물의 5계 사이의 진화적 관계를 나타낸 것이다. (가)~(다)는 균계, 식물계, 원핵생물계를 순서 없이 나타낸 것이며, (다)에 속하는 생물은 몸이 균사로 이루어져 있다.

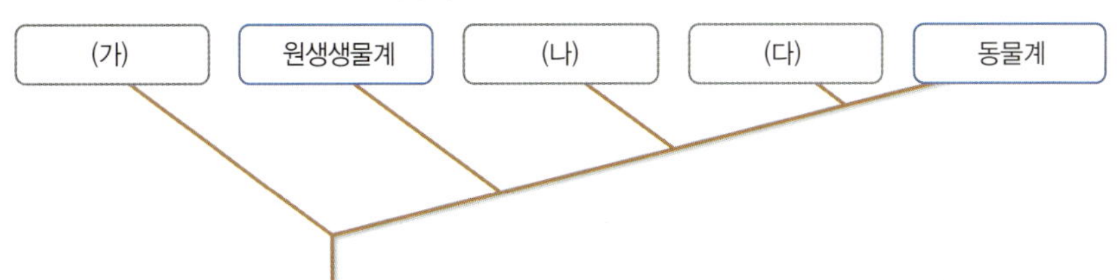

이에 대한 설명으로 옳은 것을 보기에서 모두 고른 것은?

> **보기**
> ㄱ. 대장균은 (가)에 속한다.
> ㄴ. (나)에 속하는 생물은 세포에 셀룰로스가 주성분인 세포벽이 있다.
> ㄷ. (다)에 속하는 생물은 3역 6계 분류체계에 따르면 (가)와 같은 역에 속한다.

① ㄱ   ② ㄴ   ③ ㄱ, ㄴ
④ ㄴ, ㄷ   ⑤ ㄱ, ㄴ, ㄷ

Solution Tip

균사로 몸이 이루어진 균류는 균계에 속한다. 생물은 크게 핵막이 없는 원핵생물과 핵막이 있는 진핵생물로 분류할 수 있다.

생물의 5계
지구상의 모든 생물을 핵막의 유무, 영양 방식, 개체를 구성하는 세포의 수, 기관의 발달 등을 기준으로 다섯 개의 계로 분류할 수 있다.

8 그림은 이끼로 완전히 덮힌 바위에서 일부 이끼층을 벗겨내어 만든 이끼층 A~C를, 표는 A~C에 50종의 소형 절지동물을 각각 넣고 6개월이 지났을 때 서식하는 소형 절지동물의 종 수를 나타낸 것이다. B는 이끼층이 네 개로 분할되어 있고, A와 C는 분할되지 않은 이끼층으로 되어 있다.

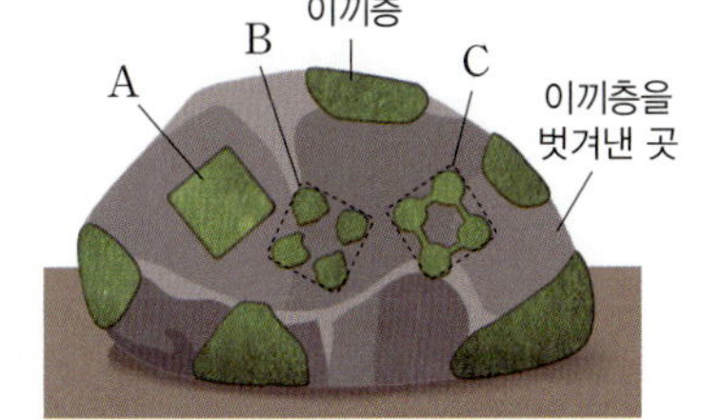

이끼층	A	B	C
소형 절지동물 종 수	50	30	43

이에 대한 설명으로 옳은 것을 보기에서 모두 고른 것은?

> **보기**
> ㄱ. A~C 중 사라진 소형 절지동물의 종 수는 A에서가 가장 많다.
> ㄴ. A와 B를 비교하면 서식지파괴가 생물다양성에 미치는 영향을 알 수 있다.
> ㄷ. B와 C를 비교하면 생태통로가 생물다양성에 미치는 영향을 알 수 있다.
> ㄹ. 이 실험의 결과로 개발을 제한하고 서식지를 보호하는 것이 생물다양성보전에 필요하다는 결론을 내릴 수 있다.

① ㄱ, ㄷ   ② ㄷ, ㄹ   ③ ㄱ, ㄴ, ㄹ
④ ㄴ, ㄷ, ㄹ   ⑤ ㄱ, ㄴ, ㄷ, ㄹ

Solution Tip

A는 분할되지 않은 서식지이고, B와 C는 파괴된 서식지이다. B는 네 개로 분할된 서식지이고, C는 단편화된 서식지가 연결되어 있다. 소형 절지동물의 종 수는 A > C > B 순으로 많다.

서식지단편화
서식지단편화는 생물다양성을 감소시키는 주된 원인이다. 단편화된 서식지에서는 생물의 이동이 제한되어 유전자 교류 또한 제한되므로 생물다양성이 감소한다. 생태통로는 그 영향을 완화하기 위해 마련되었다.

예제

다음은 말라리아에 대한 자료이다.

(가) 과거에는 말라리아의 원인이 ⓐ세균이라고 생각하였지만 연구 결과 원생생물인 ⓑ말라리아원충이 사람에 감염되어 발병하는 것으로 밝혀졌다.

(나) 말라리아는 모기를 매개로 전염되므로 ⓒ모기가 사라지면 말라리아를 예방하는 데 도움이 된다. 하지만 ㉠모기는 많은 동물의 먹이이며, 일부 수컷 모기는 식물의 꽃가루받이에도 관여한다.

(다) 길가나 강가에서 쉽게 발견되는 식물인 ⓓ개똥쑥에서 과학자들은 ㉡말라리아 치료 성분인 아르테미시닌을 얻었다.

(라) 케냐 빅토리아 호수 주변에서 모기에 공생하는 ⓔ마이크로스포르디아 MB라는 곰팡이가 발견되었고, 이 곰팡이에 감염된 모기는 말라리아를 전파하지 못하였다.

(1) ⓐ~ⓔ를 ⓐ와 나머지 생물로 분류할 때 사용할 수 있는 분류 기준을 제시하시오.

(2) ⓑ~ⓔ를 ⓓ와 나머지 생물로 분류할 때 사용할 수 있는 분류 기준을 제시하시오.

(3) ㉠과 ㉡을 근거로 생물다양성보전의 필요성을 설명하시오.

🔑 해결 전략

생물을 5계로 분류할 때 분류 기준이 무엇인지 알아야 한다. 생물마다 생태계에서 고유의 기능을 하고 있으며, 특정 생물로부터 사람에게 유용한 자원을 얻을 수 있다.

❶ 5계의 생물을 크게 핵막이 없는 원핵생물과 핵막이 있는 진핵생물로 분류할 수 있다.

❷ 식물계에 속하는 생물과 원생생물계에 속하는 생물의 일부는 광합성을 하여 스스로 영양분을 만든다.

❸ 생물다양성이 높을수록 생태계에서 고유 기능을 수행하는 생물 및 생물자원의 다양성과 풍부함도 높다.

✏️ 모범 답안

(1) ⓐ는 유전물질이 핵막에 싸여 있지 않고 나머지 생물은 유전물질이 핵막에 싸여 있으므로 핵막의 유무를 분류 기준으로 ⓐ~ⓔ를 ⓐ와 ⓑ~ⓔ로 분류할 수 있다.

(2) ⓓ는 광합성을 하여 스스로 영양분을 만들고, ⓑ, ⓒ, ⓔ는 먹이나 사체, 배설물 등에서 영양분을 얻으므로 광합성 여부를 분류 기준으로 ⓑ~ⓔ를 ⓓ와 ⓑ, ⓒ, ⓔ로 분류할 수 있다.

(3) 모기는 특정 생물의 먹이가 되고 식물의 꽃가루받이에도 도움이 된다. 이처럼 생태계에서 고유한 기능을 수행하는 생물의 개체수가 감소하거나 사라져 생물다양성이 감소하면 생태계는 안정적으로 유지되기 어렵다. 또한, 개똥쑥에서 의약품 원료를 얻는 것과 같이 생물다양성이 높을수록 사람에게 유용한 생물자원도 다양하고 풍부하게 얻을 수 있다.

출제 의도
생물을 5계로 분류하는 기준을 이해하고 있는가?
생물다양성보전의 필요성을 생태계평형과 생물자원으로 설명할 수 있는가?

문제 해결을 위한 배경 지식
• **세균**: 핵막이 없어 유전물질이 세포질에 있는 단세포생물
• **말라리아**: 말라리아원충이 적혈구에 감염되어 나타나는 질병으로 고열을 동반하며 심한 경우 뇌 손상이 생기기도 한다.

Keyword
(1) 핵막
(2) 광합성
(3) 생태계, 생물자원

완벽한 답안 작성을 위한 Tip
(1), (2) 생물을 분류할 때 적용할 수 있는 분류 기준은 다양하지만, 생물이 가진 고유한 특징을 분류 기준으로 제시하면 완벽한 답안이 될 수 있다.
(3) 생물다양성보전의 필요성을 생태계평형의 안정적인 유지와 생물자원의 확보라는 두 가지 관점에서 설명하면 완벽한 답안이 될 수 있다.

1 지식·이해

그림 (가)는 아프리카 초원에 서식하는 여섯 종류의 동물을, (나)는 사하라 사막에 서식하는 다섯 종류의 동물을 나타낸 것이다.

(가) 

(나) 

이 자료를 근거로 생태계다양성이 종다양성에 미치는 영향을 설명하시오.

Solution Tip

서로 다른 생태계에 생물이 적응하여 살아간다는 점을 생각해 본다.

Keyword

생태계, 환경, 종

2 가치·태도

그림은 어떤 지역의 숲과 이 지역을 개간하여 만든 밭을 나타낸 것이다.

숲

밭

숲을 개간하여 밭을 만들었을 때의 문제점을 생물다양성 관점에서 설명하시오.

Solution Tip

숲과 밭에서 살아가는 생물의 다양함을 비교하여 생각해 본다.

Keyword

생물다양성, 생태계, 환경 변화

3 지식·이해

다음은 배추와 김치에 대한 자료이다.

(가) 배추과에 속하는 식물을 연구한 우장춘 박사는 배추와 양배추를 교배하여 유채라는 새로운 종을 만들어 냈다. 이러한 연구 성과는 다윈이 제안한 기존 진화 이론을 확장하는 데 기여하였다.

유채

(나) 재래종의 ⓐ배추는 환경 변화에 민감하고 병충해에 취약하였다. 우장춘 박사는 여러 가지 배추를 교배하여 품종을 개량하는 방법으로 현재 우리가 먹는 배추를 만들어 냈다.

(다) 배추는 현재 김치의 재료로 많이 활용되고 있다. 김치를 만들 때에는 배추에 소금과 멸치나 ⓑ새우로 만든 젓갈을 넣어 염도가 높은 환경을 만들고, 김치통을 밀봉하여 산소가 통하지 않는 환경을 만들어 준다. 이로 인해 처음 만들어진 김치에는 다양한 세균이 있던 반면 숙성된 김치에 있는 세균은 대부분 ⓒ젖산균이다.

(라) 배추가 ⓓ스클레로티니아 곰팡이에 감염되면 균핵병에 걸려 잎과 줄기가 물러지므로 상품성이 크게 떨어진다. 이를 예방하기 위해 농약을 많이 사용하였는데 최근 스클레로티니아 곰팡이를 억제하는 세균인 ⓔ방선균이 발견되어 농약의 사용을 줄이고, 방선균을 균핵병 예방에 활용하고 있다.

(1) 다윈이 제안한 진화 이론을 설명하고, 유채를 만든 연구 성과가 기존 진화 이론을 확장할 수 있었던 까닭을 설명하시오.

(2) ⓐ를 이루는 세포와 ⓑ를 이루는 세포의 공통점과 차이점을 설명하시오.

(3) 김치 속 세균의 변화를 자연선택의 관점에서 설명하시오.

(4) ⓒ~ⓔ를 자연분류 방식으로 두 무리로 분류할 때 사용할 수 있는 분류 기준을 제시하시오.

Solution Tip

(1) 새로운 생물의 출현이 자연선택이 아닌 다른 과정을 통해서도 가능하다는 점을 생각해 본다.
(2) 동물 세포와 식물 세포의 공통점과 차이점을 생각해 본다.
(3) 환경의 변화가 생물의 생존경쟁에 어떤 영향을 미치는지 생각해 본다.
(4) 원핵생물계와 균계의 차이점에 대해 생각해 본다.

Keyword

(1) 자연선택
(2) 엽록체, 세포벽
(3) 환경, 적응
(4) 핵막, 단세포생물, 다세포생물

4 과정·기능

다음은 어떤 해변에 살고 있는 쥐에 대한 자료이다.

- 해변은 바다와 가까운 모래 지대와 바다와 먼 암석 지대로 이루어져 있다. 모래 지대는 주변 환경이 밝은색이고, 암석 지대는 주변 환경이 어두운색이다.
- 해변에는 다양한 털색을 가진 쥐가 살고 있으며, 그림의 쥐 (가)의 털은 어두운색이고, (나)의 털은 밝은색이다.

- 모래 지대와 암석 지대에 각각 (가)를 본떠 만든 모형 100개와 (나)를 본떠 만든 모형 100개를 설치하였다.

모래 지대와 암석 지대에서 각각 (가)를 본떠 만든 모형과 (나)를 본떠 만든 모형 중 포식자로부터 더 많은 공격을 받는 모형은 무엇일지 예상하고 그 까닭을 설명하시오.

Solution **Tip**

환경과 생물의 특징을 바탕으로 포식자에게 발견될 확률을 생각해 본다.

Keyword

밝은 모래 지대, 어두운 암석 지대, 포식자

5 지식·이해 가치·태도

다음은 항생제 내성 세균에 대한 자료이다.

- 플레밍은 ⓐ사람에게 폐렴, 중이염, 식중독 등을 일으키는 ⓑ포도상구균을 연구하던 중 ⓒ푸른곰팡이(페니실리움)가 생긴 배지에서 포도상구균이 죽은 것을 보고 푸른곰팡이에 있는 항생물질을 페니실린이라고 이름 붙였다.
- 페니실린은 포도상구균의 세포벽을 합성하는 데 관여하는 효소 X를 억제하여 포도상구균이 증식하지 못하도록 억제하는 효과가 있다. 그러나 페니실린이 널리 사용되면서 페니실린 분해효소 유전자가 있는 세균의 비율이 증가하였고, 항생제로서 페니실린의 효과는 감소하였다.
- 페니실린 분해효소에 분해되지 않으면서 효소 X를 억제할 수 있는 메티실린이 개발되어 사용되었다.
- 세균 중 세포벽을 만드는 데 효소 X가 아닌 효소 Y를 이용하는 세균의 비율이 증가하였고, 이로 인해 페니실린과 메티실린의 항생제 효과는 다시 감소하였다.

(1) ⓐ~ⓒ를 자연분류 방식으로 분류할 때 적용할 수 있는 분류 기준을 제시하시오.

(2) 최근 포도상구균에 의한 질병을 치료할 때 페니실린과 메티실린의 효과가 떨어지는 까닭을 주어진 자료를 활용하여 설명하시오.

(3) 항생제의 오남용을 경계해야 하는 까닭을 자연선택의 관점에서 설명하시오.

Solution **Tip**

(1) 동물계, 원핵생물계, 균계의 차이점을 생각해 본다.
(2) 세균의 변이와 항생제 내성 세균의 비율 변화를 생각해 본다.
(3) 항생제를 사용할수록 항생제 효과가 감소한다는 것을 생각해 본다.

Keyword

(1) 핵막, 기관, 균사
(2) 효소, 유전자, 자손, 비율
(3) 항생제 효과, 자연선택

생명 시스템의 기본 단위, 세포

모든 생물은 세포로 이루어져 있다. 세포는 생물의 구성과 생명활동의 기본 단위이다. 통합과학에서는 하나의 시스템으로서 기능하는 생명체와 세포를 배우고 동물 세포와 식물 세포의 구조와 기능을 더욱 자세히 다룬다. 고등학교에서 배우게 될 『통합과학1』의 '생명 시스템' 단원 내용을 미리 살펴보자.

중2

식물 세포의 엽록체에서는 태양의 빛에너지를 이용하여 물과 이산화 탄소로 포도당을 합성하는 광합성이 일어난다. 마이토콘드리아에서는 포도당과 같은 영양분을 물과 이산화 탄소로 분해하여 에너지를 만드는 세포호흡이 일어난다.

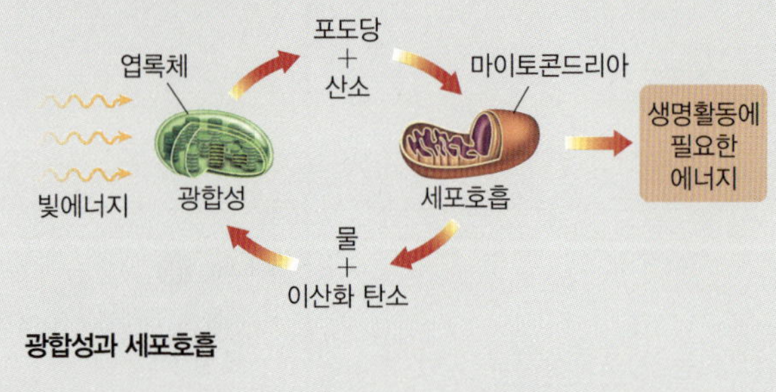

광합성과 세포호흡

통합과학

구성요소 사이의 상호작용으로 생명현상이 나타나는 체계를 생명 시스템이라고 한다. 모든 생명체는 세포로 구성되어 있고 세포는 그 자체로 하나의 생명 시스템이다. 세포에서는 물질의 합성과 분해, 에너지대사와 같은 생명활동이 일어난다.

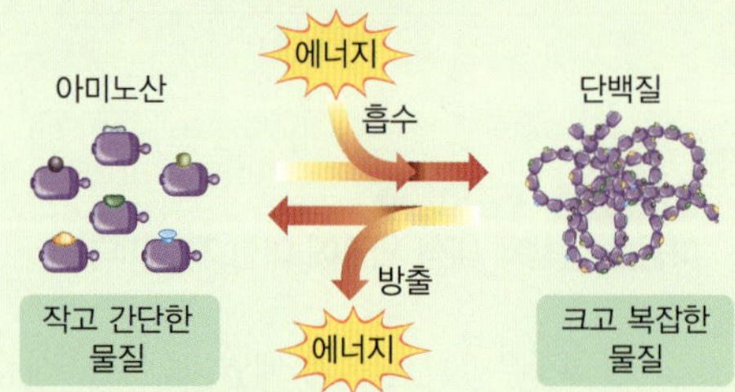

단백질의 합성과 분해

핵에 있는 DNA에는 단백질합성에 필요한 유전정보가 저장되어 있다. 이 유전정보는 RNA에 전달되고, RNA는 세포질로 나와 단백질합성 기구인 라이보솜과 결합한다. 라이보솜은 전달받은 유전정보에 따라 단백질을 합성한다.

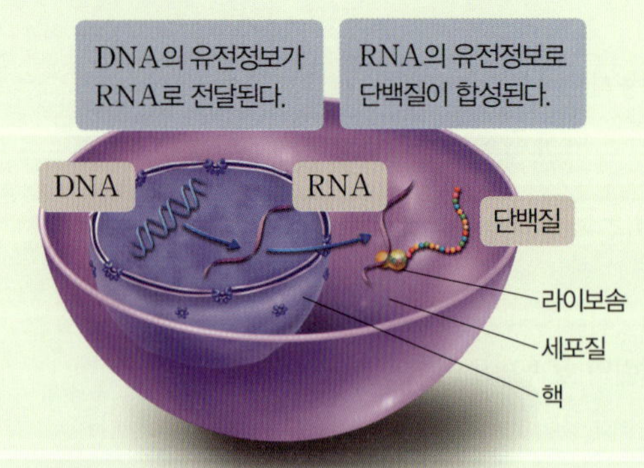

진핵세포에서 단백질합성

세포막은 세포 안을 주변 환경과 분리하고 물질의 출입을 조절하여 생명 시스템 유지에 매우 중요한 역할을 한다. 세포막은 주로 인지질과 단백질로 구성된다. 인지질은 꼬리가 마주 보는 2중층으로 되어 있고, 그 사이에 끼어 있는 단백질은 여러 가지 물질의 통로 역할을 한다.

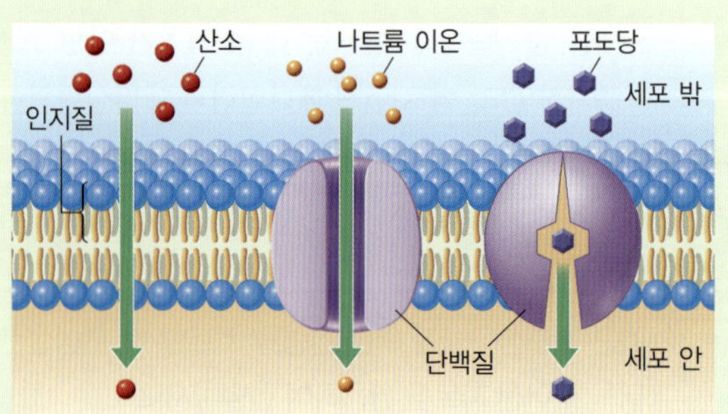

세포막에서 물질의 이동

세포의 구조와 세포소기관의 기능

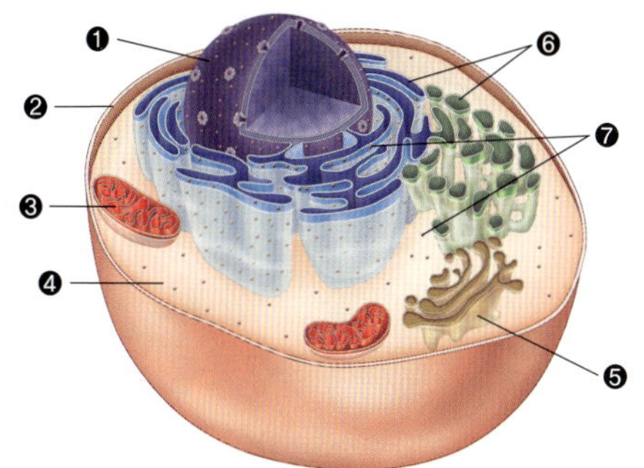

동물 세포의 구조

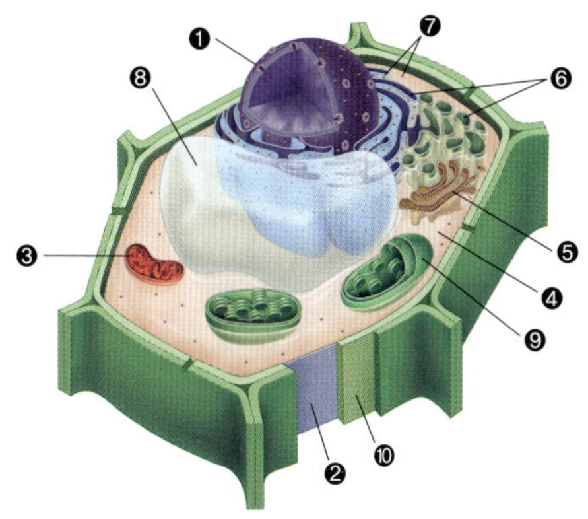

식물 세포의 구조

❶ **핵**: 유전정보가 담긴 DNA가 들어 있으며, 생명활동을 조절한다.

❷ **세포막**: 세포를 둘러싸는 막으로, 세포의 물질 출입을 조절한다.

❸ **마이토콘드리아**: 생명활동에 필요한 에너지를 생산한다.

❹ **세포질**: 세포소기관이 있는 곳으로 다양한 생명활동이 일어난다.

❺ **골지체**: 소포체에서 운반된 단백질을 변형하고 분비하는 데 관여한다.

❻ **소포체**: 라이보솜에서 합성한 단백질을 골지체나 세포의 다른 부위로 운반한다.

❼ **라이보솜**: 작은 알갱이 모양으로 단백질을 합성한다.

❽ **액포**: 영양분, 색소, 노폐물 등을 저장하며, 세포의 성장과 삼투압 유지에 관여한다.

❾ **엽록체**: 빛에너지를 흡수하여 포도당을 합성하는 광합성이 일어난다.

❿ **세포벽**: 세포막 바깥쪽에 있는 단단한 막으로 세포의 형태를 유지하고 세포를 보호한다.

학교 시험 맛보기

오른쪽 그림은 식물 세포를 나타낸 것이다. A~C는 골지체, 엽록체, 라이보솜을 순서 없이 나타낸 것이다. 이에 대한 설명으로 옳은 것을 보기에서 모두 고른 것은?

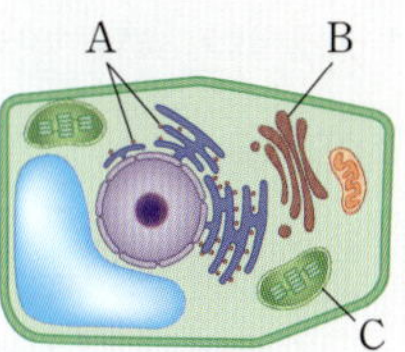

보기

ㄱ. A에서 단백질이 합성된다.

ㄴ. B는 골지체이다.

ㄷ. C에서 빛에너지가 화학 에너지로 전환되는 반응이 일어난다.

① ㄱ   ② ㄴ   ③ ㄱ, ㄷ

④ ㄴ, ㄷ   ⑤ ㄱ, ㄴ, ㄷ

정답 ⑤

풀이

ㄱ. A는 라이보솜이다. DNA에 있는 단백질 합성에 관한 정보는 RNA로 전달되고 이후 라이보솜으로 전달되어 라이보솜에서 단백질 합성이 일어난다.

ㄴ. B는 단백질 변형과 분비에 관여하는 골지체이다.

ㄷ. C는 엽록체이다. 엽록체에서는 빛에너지가 화학 에너지로 전환되는 광합성이 일어난다.

Science Talk

미래 인류의 생존과 생물다양성보전을 위한

국제종자저장소

노르웨이에는 북위 74°~81° 부근에 위치한 스발바르제도가 있다. 스발바르제도는 60 %가 빙하로 덮여 있을 만큼 매우 척박한 지역이며 이 지역의 주요 산업은 광산업이다. 스발바르제도의 여러 섬 중 스피츠베르겐섬에는 우리나라가 북극을 연구하기 위해 설치한 북극다산과학기지와 미래에 지구가 큰 위기를 겪을 때를 대비해 식량 작물의 씨를 보관하고 있는 스발바르 국제종자저장소(Svalbard Global Seed Vault)가 있다.

스발바르 국제종자저장소는 큰 충격에도 무너지지 않도록 강력한 내진 설계로 건설되어 미래에 큰 재앙이 지구에 오더라도 씨를 안전하게 보관할 수 있으며, 해발 100 m가 넘는 지역에 건설되어 해수면 상승으로 인한 침수를 막을 수 있다. 또 영하 18 ℃로 온도를 일정하게 유지하고 있으므로 씨를 휴면 상태로 장기간 보관할 수 있으며, 전기 공급이 끊어지더라도 북극 지방에 위치하고 있어 온도를 영하 3 ℃~4 ℃로 유지할 수 있다.

스발바르 국제종자저장소는 2006년에 지어지기 시작하여 2008년부터 공식적으로 운영을 시작하였다. 스발바르 국제종자저장소에는 쌀과 밀, 옥수수와 같은 인류의 주식인 곡물을 비롯해 체로키 인디언의 곡물까지 다양한 식량 작물의 씨가 보관되어 있다.

스발바르 국제종자저장소는 씨를 반입하거나 반출할 때만 문을 연다. 현재까지 대부분은 반입을 위해 문을 열었으나 2015년에는 시리아로 반출하기 위해 문을 열기도 하였다. 시리아 알레포의 국제건조지역농업연구센터(ICARDA)는 내전이 일어나 반군이 유전자은행을 장악하자 스발바르 국제종자저장소에 도움을 요청하였고, 그동안 맡겨 둔 씨 일부를 돌려받아 레바논과 모로코에 유전자은행을 다시 만들었다. 상황이 안정되자 국제건조지역농업연구센터는 스발바르 국제종자저장소에 이 씨들을 반납하였다.

　스발바르 국제종자저장소가 식량 작물 위주의 씨를 보관하는 곳이라면 우리나라의 경상북도 봉화군 춘양면 국립백두대간수목원에 위치한 백두대간 국제종자저장소는 야생 식물의 씨를 주로 보관하고 있다. 세계에서 두 번째로 설립된 국제종자저장소인 백두대간 국제종자저장소는 2015년에 설립되었으며 한국수목원정원관리원에서 운영하고 있다.

　문수산 중턱 해발 600 m에 위치한 백두대간 국제종자저장소는 대규모 지진에도 견딜 수 있도록 내진 설계로 건설되어 있다. 영하 20 ℃, 습도 40 %로 유지하고 있으며, 전기 공급이 끊어지더라도 지하 46 m 지점에 위치하고 있어 영상 10 ℃~15 ℃ 이상으로 온도가 올라가지는 않는다. 2022년 12월에 총 5424종 192625점의 씨가 보관되었으며 최대 200만 종의 씨를 보관할 수 있다. 또한, 건설된 공간 이외에도 추가로 설치가 가능하도록 설계하였다.

　산림청은 2009년에 야생 식물의 씨를 영구 보관하는 국제종자저장소를 처음 계획하였다. 야생 식물은 식량 작물보다 종류가 더 많고 향후 식량과 의약품 자원, 산업 자원 등으로 활용될 가능성이 높음에도 안전하게 장기간 보관할 곳이 없었다. 백두대간 국제종자저장소의 설립으로 식량 작물에 비해 기초적인 연구가 제대로 이루어지지 못했던 야생 식물의 씨에 관한 연구가 앞으로 더욱 빠르게 진행될 것으로 기대하고 있다.

스발바르 국제종자저장소(Svalbard Global Seed Vault)

Ⅲ 열

1 열의 이동

2 비열과 열팽창

01 열의 이동

왜 책상에 올려 둔 사과보다 냉장고에 넣어 둔 사과가 차가울까?

이전에 배웠어요 Check

☐ **열의 이동:** 온도가 다른 두 물체가 접촉할 때 열은 온도가 (낮은, 높은) 물체에서 온도가 (낮은, 높은) 물체로 이동한다.

☐ **열이 이동하는 방식:** 손난로를 만질 때 따뜻함을 느끼는 것은 (전도, 대류, 복사)에 의해 열이 전달되는 것이고, 더운 공기가 위로 올라가면서 방 전체가 따뜻해지는 것은 (전도, 대류, 복사)에 의해 열이 전달되기 때문이다.

1 온도와 입자 운동

섬씨온도와 절대 온도의 관계

절대 온도(K)＝섬씨온도(℃)＋273

화씨온도

화씨온도는 물의 어는점과 끓는점을 기준점으로 삼고 그 사이를 180등분한 온도로 기호는 °F를 사용한다. 얼음의 어는점을 32 °F, 물의 끓는점을 212 °F로 한다. 섬씨온도보다 화씨온도가 더 정밀하게 온도를 나타낼 수 있다.

섬씨온도와 화씨온도의 관계

화씨온도(°F)
$=\frac{9}{5}×$섬씨온도(℃)$+32$

용어 입자

크기가 매우 작아서 눈에 보이지 않을 정도의 작은 물체를 의미한다. 과학에서는 일반적으로 물질을 이루는 원자나 분자와 같은 작은 알갱이를 입자라고 한다.

1. 온도 물체의 따뜻하고 차가운 정도를 측정하여 수치로 나타낸 것이다.

(1) **섬씨온도:** 일상생활에서 사용하는 온도이다. 단위는 ℃(섬씨도)를 사용한다. 1기압에서 물의 어는점을 0 ℃, 끓는점을 100 ℃로 정하고, 그 사이를 100등분한 온도이다.

(2) **절대 온도:** 국제 단위계에서 쓰는 온도이다. 단위는 K(켈빈)을 사용한다. 물체를 구성하는 입자의 운동이 완전히 멈출 때의 온도를 0 K으로 나타내는데, 0 K은 섬씨온도로 -273 ℃에 해당한다.

2. 온도와 입자 운동 온도는 물체를 이루는 입자 운동이 활발한 정도를 나타낸다. 온도가 높아지면 물체의 입자 운동이 활발해지고, 온도가 낮아지면 물체의 입자 운동이 둔해진다. 과학 용어 사전 190쪽

例 찬물과 뜨거운 물을 페트리 접시에 담고 잉크를 떨어뜨리면 찬물보다 뜨거운 물에서 입자 운동이 활발해 찬물보다 뜨거운 물에서 잉크가 더 빨리 퍼져 나간다.

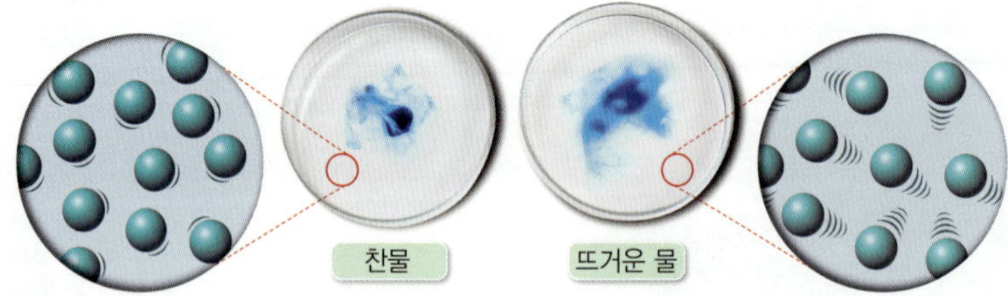

정답과 해설 022쪽

개념 빌드업

1. **핵심개념** 온도는 물체를 이루는 __________이/가 활발한 정도를 나타낸다.

2. 물체의 따뜻하고 차가운 정도를 측정하여 수치로 나타낸 것을 __________(이)라고 한다.

3. 일상생활에서 주로 사용하는 __________은/는 물의 어는점과 끓는점 사이를 100등분한 온도이다.

4. 물의 온도가 (높을수록, 낮을수록) 입자 운동이 활발하다.

2 열과 열평형

1. 열   온도가 다른 두 물체가 접촉하였을 때 온도가 높은 물체에서 온도가 낮은 물체로 이동하는 에너지를 열이라고 한다. 단위는 J(줄)을 사용한다.

2. 열평형

(1) **온도가 다른 두 물체가 접촉할 때**: 찬물이 담긴 열량계에 뜨거운 물이 담긴 금속 컵을 넣으면 찬물의 온도는 높아지고 뜨거운 물의 온도는 낮아진다. 시간이 충분히 지나면 두 물의 온도가 같아진다. 탐구 092쪽

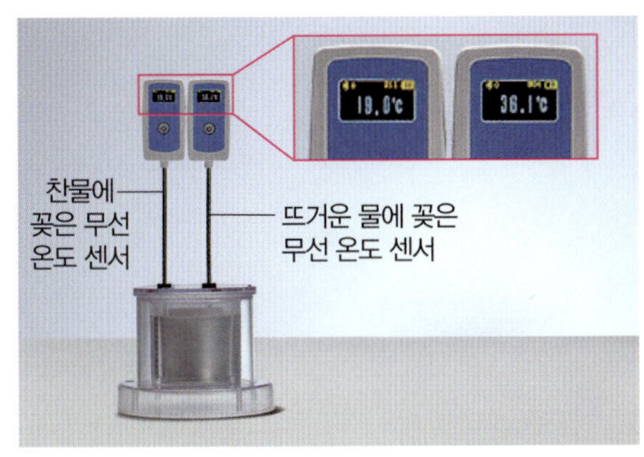

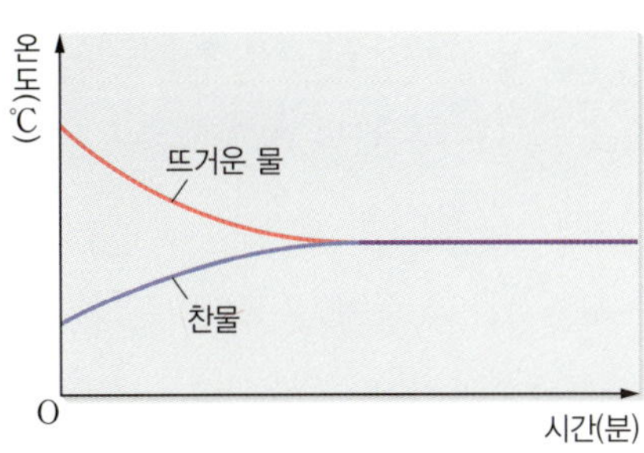

(2) **온도가 다른 두 물체가 접촉하였을 때 열의 이동**: 온도가 높은 물체에서 온도가 낮은 물체로 열이 이동한다. 이때 온도가 높았던 물체의 온도는 낮아지고, 온도가 낮았던 물체의 온도는 높아진다.

구분	온도 변화	입자의 운동
온도가 높은 물체	온도가 낮아진다.	둔해진다.
온도가 낮은 물체	온도가 높아진다.	활발해진다.

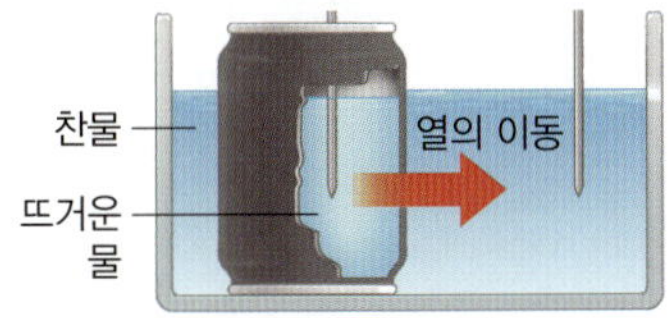

열의 이동 방향   뜨거운 물이 담긴 금속 캔을 찬물이 담긴 열량계에 넣으면 금속 캔 속 물에서 열량계 속 물로 열이 이동하고, 시간이 충분히 지난 후 열평형 상태가 되면 두 물의 온도가 변하지 않는다.

자료+ 물질의 상태와 입자 운동

물질이 고체, 액체, 기체 상태일 때 입자의 운동 상태가 다르다.

고체	액체	기체
입자가 규칙적으로 배열되어 있고, 제자리에서 진동 운동을 한다.	입자가 고체보다 비교적 자유롭게 운동할 수 있다.	입자 사이의 거리가 멀어서 입자가 매우 활발하게 운동한다.

열화상 사진으로 본 열평형

물체에서 복사된 열을 이용하여 온도를 색깔로 나타내어서 물체의 온도를 한눈에 볼 수 있게 한 사진을 열화상 사진이라고 한다. 찬물에 담근 뜨거운 달걀을 열화상 카메라로 촬영하면 처음에 달걀과 물의 온도가 다르지만 시간이 흐르면 온도가 같아진다.

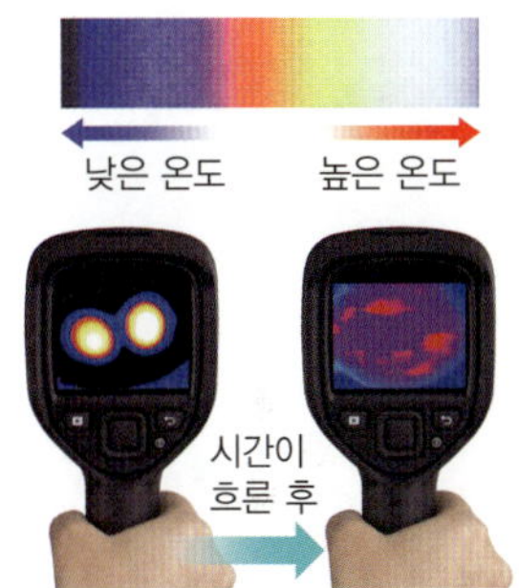

Check 이전에 배웠어요

- [ ] 높은, 낮은
- [ ] 전도, 대류

(3) 열평형 상태: 온도가 서로 다른 두 물체가 접촉하여 두 물체의 온도가 같아져서 두 물체의 온도가 더 이상 변하지 않는 상태를 열평형이라고 한다.

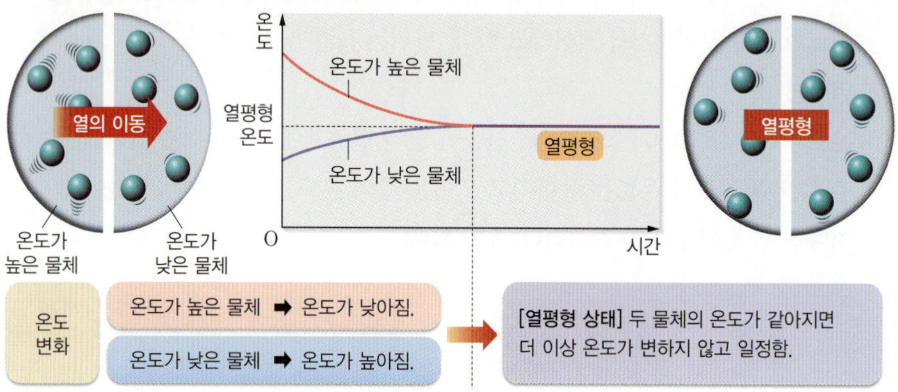

온도계도 열평형을 이용한다고?

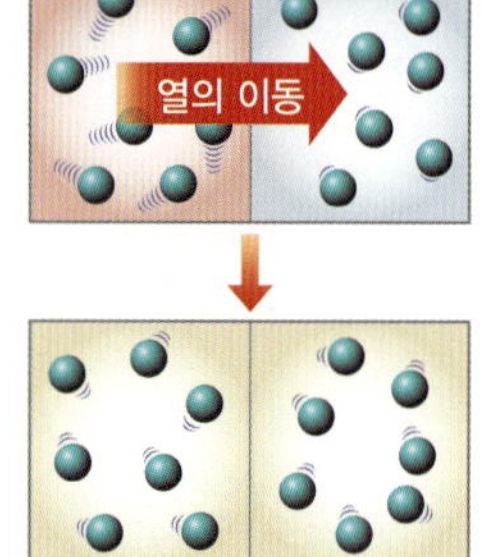

온도계를 따뜻한 물에 담그면 온도계와 물 사이에 열이 이동하여 온도계는 열을 얻어 온도가 올라가고, 물은 열을 잃어 온도가 내려간다. 하지만 온도계에 비해 물의 양이 충분히 많아 물이 잃은 열이 크지 않기 때문에 열평형이 일어난 후 온도를 물의 온도로 생각해도 된다.

(4) 열평형 상태의 예시

① 온도계는 물체와 접촉하여 물체의 온도를 측정한다. 과학 용어 사전 191쪽

② 과일을 차가운 물에 오랫동안 담가 두면 과일이 시원해진다.

③ 음식물을 냉장고에 넣어 두면 음식물과 냉장고 속 공기가 열평형 상태가 되어 음식물의 온도가 냉장고 속 공기의 온도와 같아진다.

열평형 상태의 온도계

온도를 유지하는 냉장고

정답과 해설 022쪽

개념 빌드업

1. **핵심개념** 온도가 서로 다른 두 물체가 접촉하여 두 물체의 온도가 같아져서 두 물체의 온도가 더 이상 변하지 않는 상태를 ________(이)라고 한다.

2. 온도가 (높은, 낮은) 물체에서 온도가 (높은, 낮은) 물체로 이동하는 에너지를 열이라고 한다.

3. 온도가 다른 두 물체가 접촉하면 온도가 높은 물체는 온도가 (높아, 낮아)지고, 온도가 낮은 물체는 온도가 (높아, 낮아)진다.

1. 전도 물체를 이루는 입자의 운동이 이웃한 입자에 차례로 전달되어 열이 이동하는 방법으로, 물질의 종류에 따라 전도되는 정도가 다르다.

　예 냄비를 데우면 냄비 손잡이가 뜨거워진다, 뜨거운 국에 숟가락을 넣으면 숟가락이 뜨거워진다. 과학 용어 사전 191쪽

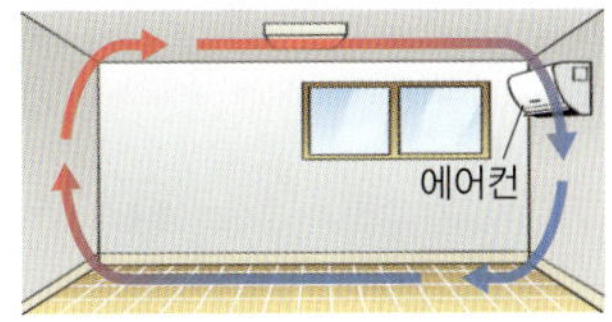

열의 이동

금속에서의 전도

2. 대류 기체나 액체를 이루는 입자가 직접 이동하여 열을 전달하는 방법으로, 따뜻한 기체나 액체 입자는 위로 올라가고 상대적으로 차가운 입자는 아래로 내려가면서 순환한다.

　예 방의 위쪽에 에어컨을 설치하면 방 전체가 시원해진다, 물을 데울 때 냄비의 바닥 부분만 가열해도 물 전체가 골고루 데워진다.

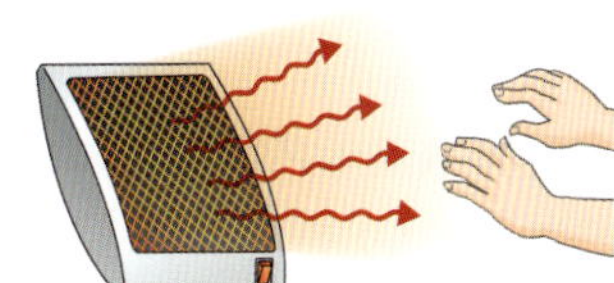

에어컨

방 안에서의 대류

3. 복사 열이 물질의 도움 없이 직접 이동하는 방법으로, 열이 물질을 통하지 않고 직접 빛과 같은 형태로 이동한다. 전도나 대류보다 열의 이동이 빠르다.

　예 그늘보다 햇볕 아래가 더 따뜻하다, 난로에 가까이 있으면 따뜻하다. 과학 용어 사전 192쪽

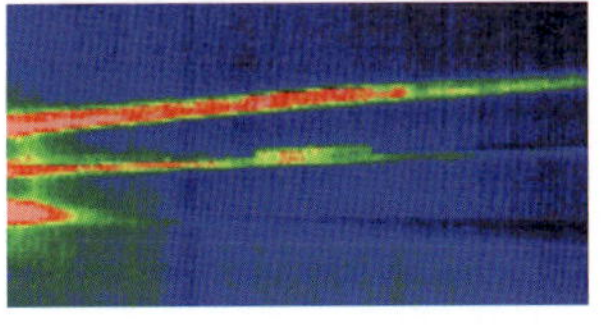

난로에서의 복사

탐구 ➕ 물체에서 열의 전도 비교

구리 막대, 알루미늄 막대, 유리 막대의 한쪽 끝을 가열하는 모습을 열화상 카메라로 촬영하면 구리 막대, 알루미늄 막대, 유리 막대 순으로 색깔이 빨리 변한다.

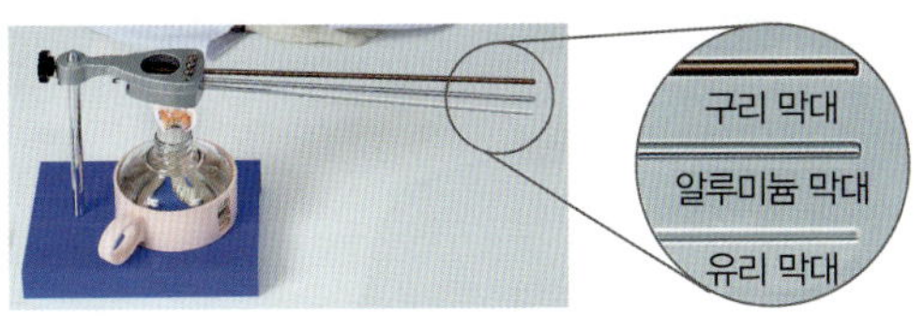

① 막대의 색깔이 가열한 쪽에서부터 변하여 반대쪽 끝도 변한다. ⟶ 열이 전도되어 막대 전체가 뜨거워진다.

② 열이 전도되는 정도를 비교하면 구리 > 알루미늄 > 유리이다.

정답과 해설 022쪽

개념 빌드업

1. **핵심개념** 물체를 이루는 입자의 운동이 이웃한 입자에 차례로 전달되어 열이 이동하는 방법을 ________(이)라고 한다.

2. ________은/는 기체나 액체를 이루는 입자가 직접 이동하여 열을 전달하는 방법이다.

3. 난로 앞에 있으면 얼굴이 따뜻해지는 까닭은 열이 ________(으)로 전달되기 때문이다.

과학 용어 사전 192쪽

열의 이동 방법을 이용한 예

① 전도: 프라이팬이나 냄비는 금속으로 만들고, 손잡이나 주방 장갑은 플라스틱이나 고무로 만든다.

② 대류: 에어컨은 위쪽에, 난로는 아래쪽에 설치한다.

③ 복사: 캠핑을 할 때 추우면 모닥불에 가까이 간다.

액체의 대류

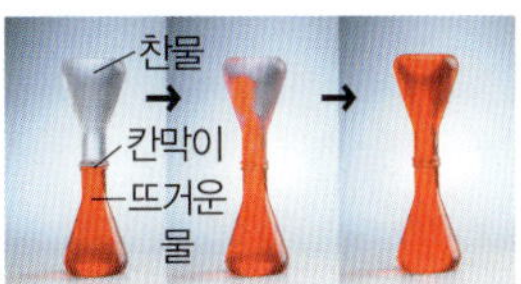

뜨거운 물과 차가운 물 사이를 막고 있는 칸막이를 제거하면 뜨거운 물은 위로 올라가고, 차가운 물은 아래로 내려오면서 섞인다.

태양 복사 에너지

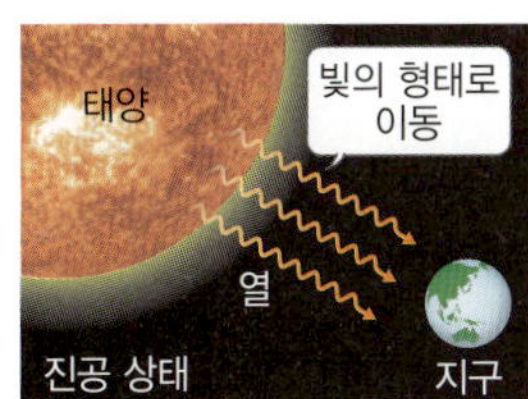

우주는 진공 상태이지만 태양의 열에너지는 복사되어 지구까지 전달된다. 이렇게 열이 전달되는 방식을 복사라고 한다. 그래서 태양에서 나와 지구에 도달하는 에너지를 태양 복사 에너지라고 한다.

탐구

온도가 다른 두 물체가 접촉할 때 온도 변화 관찰하기

실험 영상

목표 | 온도가 다른 두 물체가 열평형에 도달하는 과정을 시간에 따른 온도 그래프로 분석하고 입자의 운동으로 설명할 수 있다.

과정

❶ 열량계에 찬물 200 mL를 넣는다.

❷ 뜨거운 물 100 mL가 담긴 금속 컵을 찬물이 담긴 열량계에 넣는다.

❸ 열량계의 뚜껑을 닫고 찬물과 뜨거운 물의 온도 변화를 무선 온도 센서로 관찰한다.

유의점 ✔ 뜨거운 물을 사용할 때 화상을 입지 않도록 주의한다.

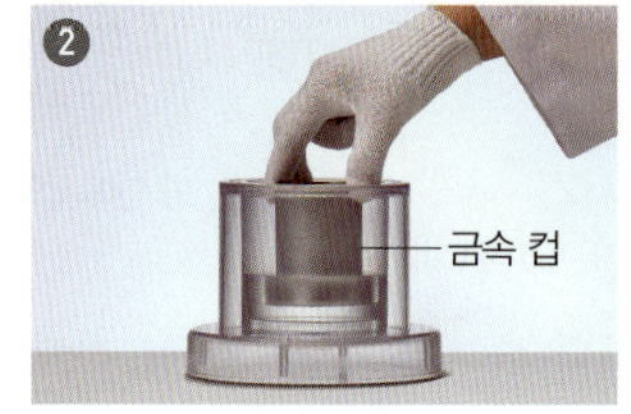

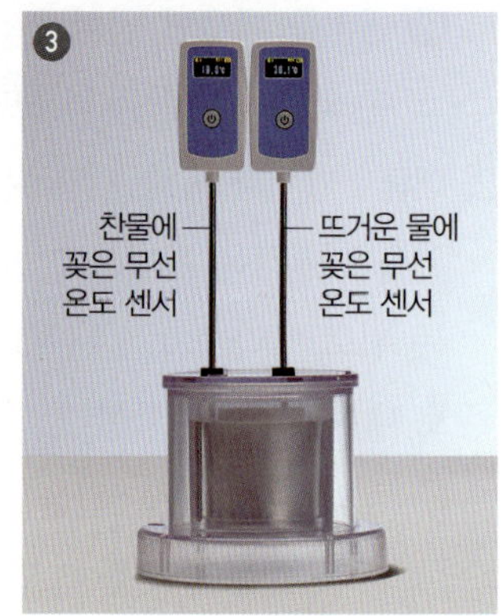

결과 및 정리

1 시간이 지나면서 열량계 속 물의 온도는 높아지고, 금속 컵 속 물의 온도는 낮아진다.

2 열은 온도가 높은 뜨거운 물에서 온도가 낮은 찬물로 이동한다.

3 금속 컵 속 물과 열량계 속 물의 온도 변화는 점점 작아진다.

4 시간이 충분히 지나면 금속 컵 속 물과 열량계 속 물의 온도가 같아진다. 이 상태를 열평형 상태라고 한다.

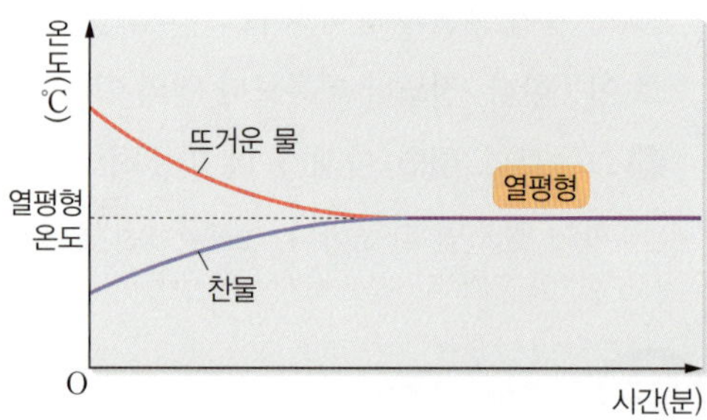

탐구 확인 문제

정답과 해설 022쪽

1 위 탐구에 대한 설명으로 옳은 것은?

① 열은 찬물에서 뜨거운 물로 이동한다.

② 시간이 지날수록 온도 변화는 점점 커진다.

③ 뜨거운 물의 입자 운동은 점점 활발해진다.

④ 시간이 충분히 지나면 열평형 상태에 도달한다.

⑤ 열평형 상태일 때 두 물의 온도 차가 가장 크다.

2 위 탐구 결과로 얻은 그래프가 그림과 같을 때 A∼D 구간 중 열평형 상태인 구간을 쓰시오.

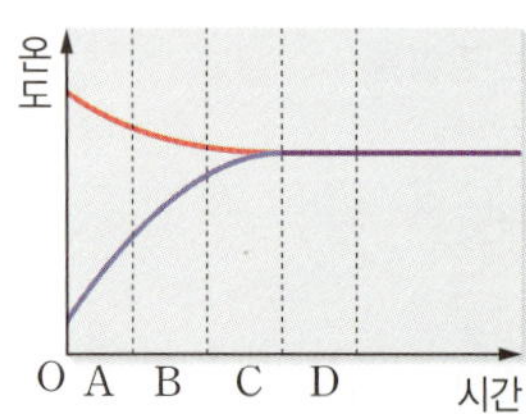

3 적용 그림은 온도가 서로 다른 두 물체 A, B가 접촉할 때, 시간에 따른 A와 B의 온도 변화를 나타낸 그래프이다. 이에 대한 설명으로 옳은 것을 보기에서 모두 고른 것은?

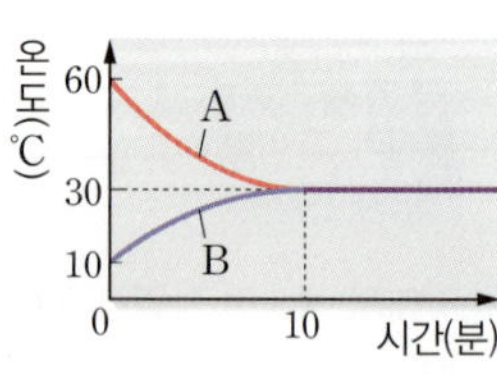

보기

ㄱ. 열은 A에서 B로 이동한다.

ㄴ. A의 입자 운동은 점점 둔해진다.

ㄷ. 약 10분 후 열평형 상태가 된다.

① ㄱ   ② ㄴ   ③ ㄱ, ㄴ

④ ㄴ, ㄷ   ⑤ ㄱ, ㄴ, ㄷ

열의 이동

열이 이동하는 다양한 방법은 입자의 운동으로 설명할 수 있다. 입자들의 운동으로 열의 이동 방법을 이해해 보고, 열의 이동 방법을 공을 전달하는 방법으로 표현해 보자.

입자 운동으로 설명하는 열의 이동

열의 이동 방법 표현하기

1 전도

물체를 가열하면 가열한 쪽의 입자가 활발해지고, 입자의 운동이 이웃한 입자들에 연속적으로 전달되면서 열이 이동한다. 입자들이 가까이 있어야 열이 전달되므로 고체나 액체에서 전도가 잘 일어난다. 열이 전도되는 정도는 물질마다 다르다.

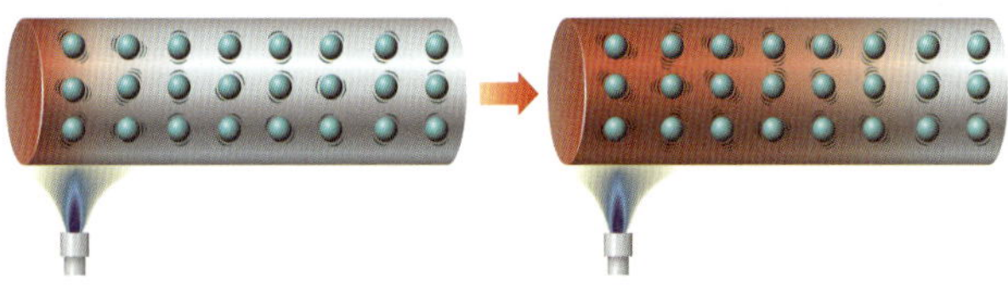

공이 학생 개개인에게 전달되어 이동하는 것처럼 전도는 이웃한 입자에 연속적으로 열이 전달된다.

2 대류

가열된 입자들과 주변 입자들의 밀도가 달라 위로 올라가거나 내려오면서 직접 이동해 열을 전달한다. 입자들이 직접 이동할 수 있는 액체나 기체에서 대류가 일어난다. 대류는 바닷물의 흐름이나 기상 현상을 일으켜 지구 전체의 열을 이동시킨다.

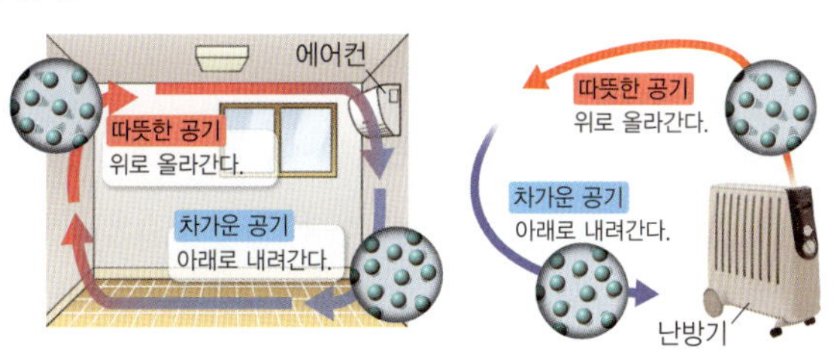

학생이 직접 공을 들고 이동하는 것처럼 대류는 입자가 직접 이동해 열을 전달한다.

3 복사

열을 가진 물질에서 빛이 나와 주변으로 퍼지면서 열에너지가 물질을 거치지 않고 빛에너지의 형태로 전달된다. 전도나 대류에 비해 복사에 의한 열의 전달 속도는 매우 빠르다.

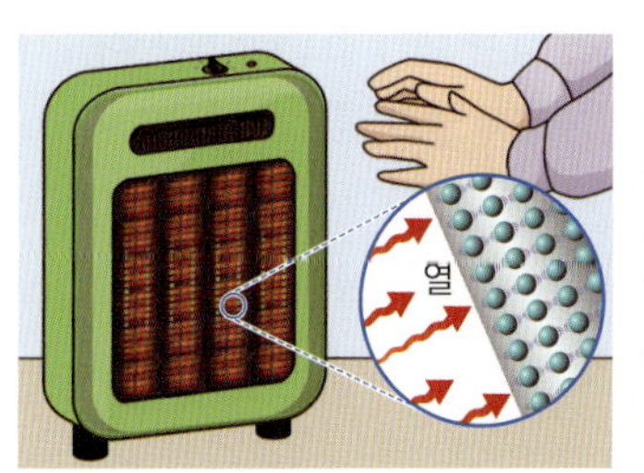

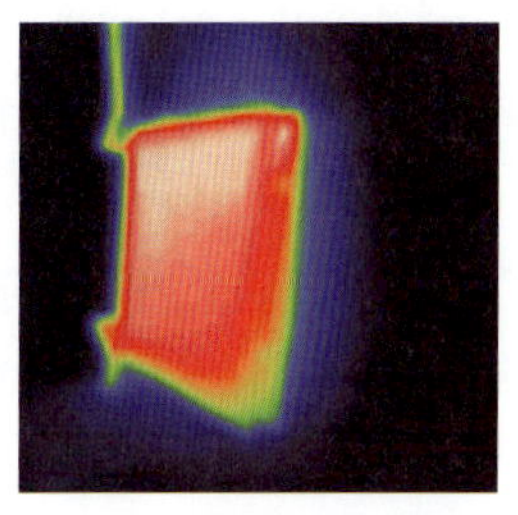

멀리 떨어져 있는 상태에서 공만 이동하는 것처럼 복사는 열이 물질의 도움 없이 직접 이동한다.

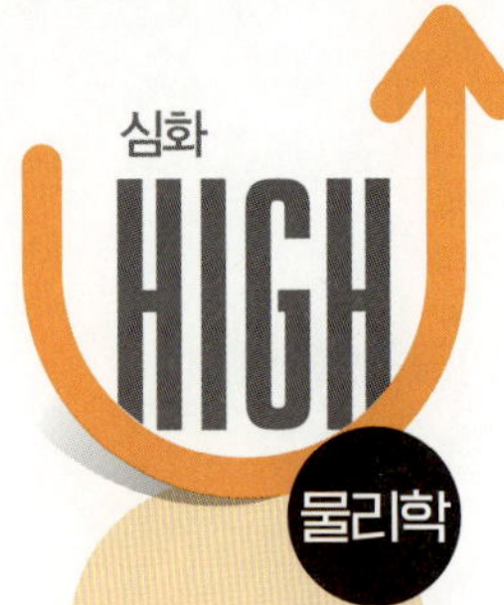

전도, 대류, 복사

열이 이동하는 세 가지 방법인 전도, 대류, 복사의 물리적 특성을 좀 더 깊이 있게 이해해 보자.

1 열이 전도되는 정도에 영향을 주는 요인

같은 물질이라도 열이 전도되는 정도가 다를 수 있다. 열이 전도되는 정도는 온도 차가 클수록, 넓이가 넓을수록 크며, 길이가 길수록 작다.

$$\text{열이 전도되는 정도} \propto \text{넓이} \times \frac{\text{온도 차}}{\text{길이}}$$

열이 전도되는 정도는 물질의 종류에 따라 다르다. 물질마다 물질을 구성하는 입자의 크기, 배치, 성질 등이 다르기 때문이다. 주로 고체인 금속에서 열이 전도되는 정도가 크며, 액체나 기체는 열이 전도되는 정도가 작다. 공기에서는 금속에 비해 열이 수천 배 느리게 전달된다. 폴리우레탄, 유리 섬유 등 열전도가 느린 물질을 이용하면 열전도를 막는 단열 소재로 사용할 수 있다.

2 지구에서 발생하는 에너지의 이동에 기여하는 대류

액체나 기체에서는 대류에 의해 열이 이동한다. 액체나 기체를 가열하면 가열한 부분의 온도가 높아지면서 입자 운동이 활발해지고 부피가 증가하여 밀도가 감소한다. 따라서 가열한 부분이 주변보다 가벼워져 위로 올라간다. 가벼워진 액체나 기체가 위로 올라가면 위에 있던 상대적으로 무거운 액체나 기체는 아래로 내려온다. 이처럼 대류는 온도가 높아진 입자가 직접 이동하면서 열이 전달된다.

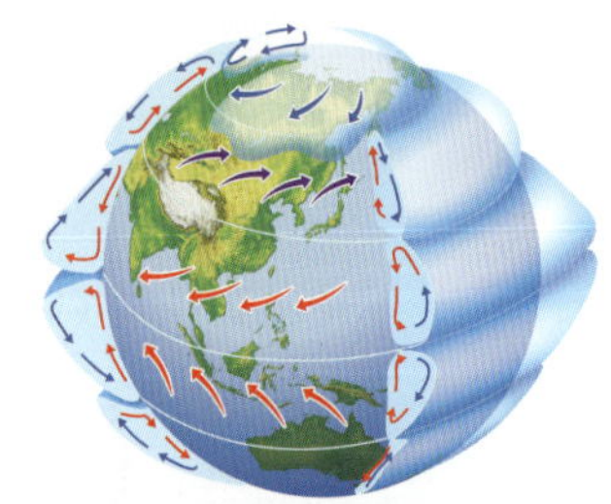
지구에서 대류에 의한 열의 이동

지구에서는 주로 대류에 의해 에너지가 이동한다. 대기에서는 대류에 의해 기상 현상이 일어나고, 바다에서는 해류가 대류하면서 적도 지방의 따뜻한 물이 극지방으로 이동한다. 이처럼 대류는 대기나 바다에서 순환을 일으키면서 지구의 에너지를 분배하는 역할을 한다.

3 빛의 형태로 방출되는 복사 에너지

열이 빛을 통해 이동하는 것을 복사라고 한다. 물질의 도움 없이 빛을 통해 열이 전달되므로 전달 속도는 빛의 속도와 같다. 열이 전달되는 정도는 온도와 관련이 있다. 온도가 높을수록 빛으로 전달되는 열의 양이 많다.

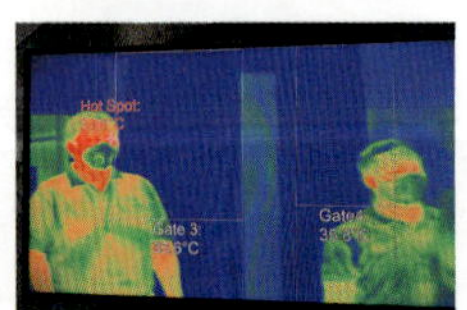
열화상 카메라 사진

지구의 거의 모든 에너지는 태양 빛에서 오는 복사 에너지로부터 얻는다. 진공에서도 빛의 속도로 에너지가 전달되기 때문에 멀리 떨어져 있어도 아주 빠르게 열이 전달된다.

우리가 자주 볼 수 있는 열화상 카메라 사진은 열이 있는 물체에서 나오는 빛을 감지해서 색깔을 입힌 것으로, 복사로 전달되는 열을 감지하는 것이다.

비주얼 Visual 핵|심|정|리

1 온도와 입자 운동

① 온도: 물체의 따뜻하고 차가운 정도를 측정하여 수치로 나타낸 것
- 섭씨온도: 1기압에서 물의 어는점을 0 °C, 끓는점을 100 °C로 정하고, 그 사이를 100등분한 온도
- 절대 온도: 물체를 구성하는 입자의 운동이 완전히 멈출 때의 온도를 0 K으로 나타낸 온도

② 온도와 입자 운동: 온도가 낮은 물체보다 **온도가 높은 물체에서 입자 운동이 활발하다.**

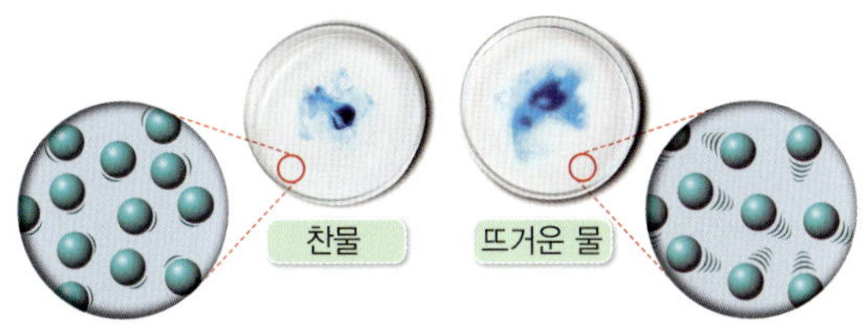

2 열과 열평형

① 열: 온도가 높은 물체에서 온도가 낮은 물체로 이동하는 에너지

② 열의 이동과 온도 변화

> 온도가 높은 물체: 열을 잃는다. → 온도 낮아짐.
> 온도가 낮은 물체: 열을 얻는다. → 온도 높아짐.

③ 열평형: 접촉한 두 물체의 온도가 같아져서 두 물체의 온도가 더 이상 변하지 않는 상태

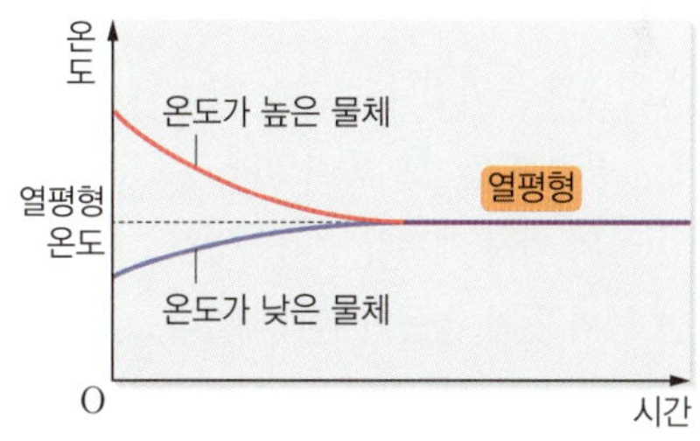

3 열의 이동 방법

① 전도
- 물체를 이루는 입자의 운동이 **이웃한 입자에 차례로 전달**되어 열이 이동하는 방법
- 물질의 종류에 따라 전도되는 정도가 다르다.

② 대류
- 기체나 액체를 이루는 **입자가 직접 이동**하여 열을 전달하는 방법
- 주로 액체나 기체와 같이 흐르는 성질이 있는 물질에서 일어난다.

③ 복사
- **열**이 물질의 도움 없이 **직접 이동**하는 방법
- 열이 물질을 통하지 않고 직접 빛과 같은 형태로 이동하여 전도나 대류보다 열의 이동이 빠르다.

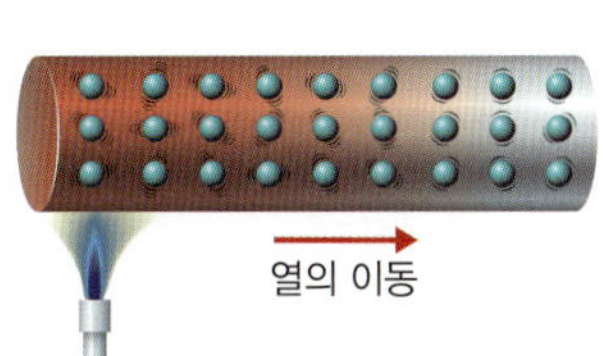

금속에서의 전도

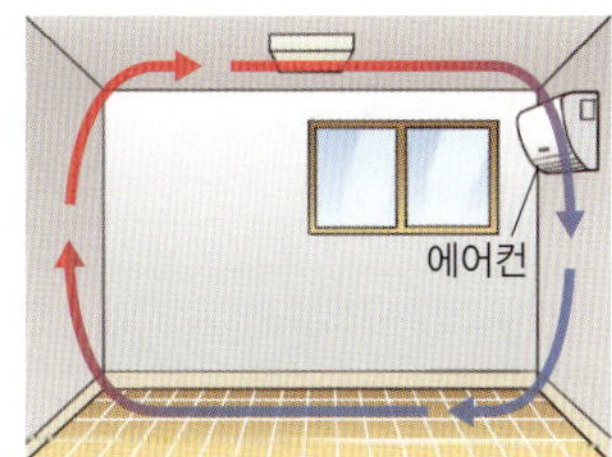

방 안에서의 대류

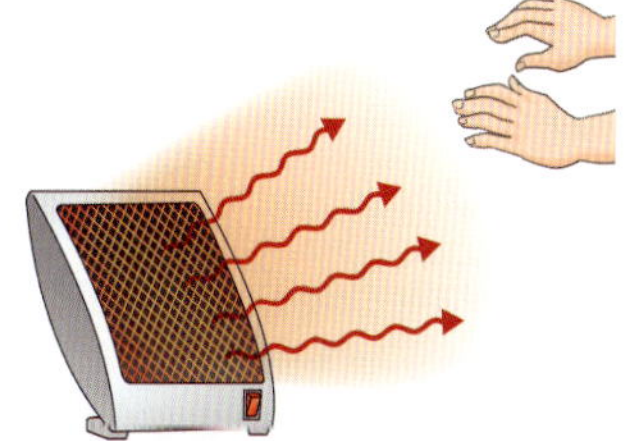

난로에서의 복사

01 컵에 물을 담아 상온에 두었더니 물의 입자 운동이 그림 (가)에서 (나)와 같이 변하였다.

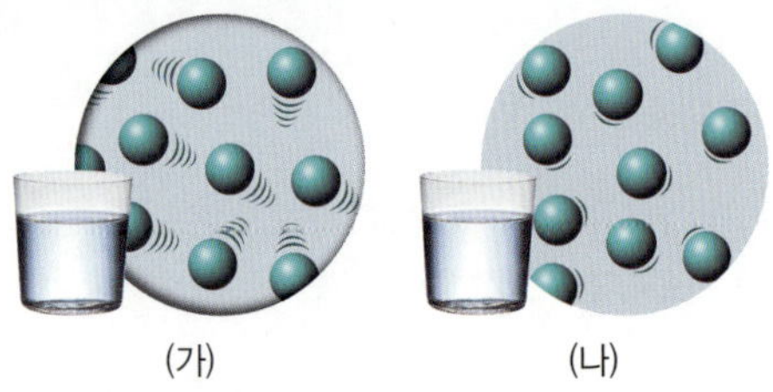

(가)   (나)

이에 대한 설명으로 옳은 것은? (단, 컵 밖으로 입자의 이동은 없다.)

① 물의 온도가 높아졌다.

② 물에서 공기로 열이 이동하였다.

③ 컵 안 물의 입자 개수가 증가하였다.

④ 컵 안 물의 입자 운동이 활발해졌다.

⑤ 입자 운동이 변하는 동안 물은 열평형 상태이다.

02 그림은 온도가 높은 물체 A와 온도가 낮은 물체 B가 서로 접촉한 모습을 나타낸 것이다.

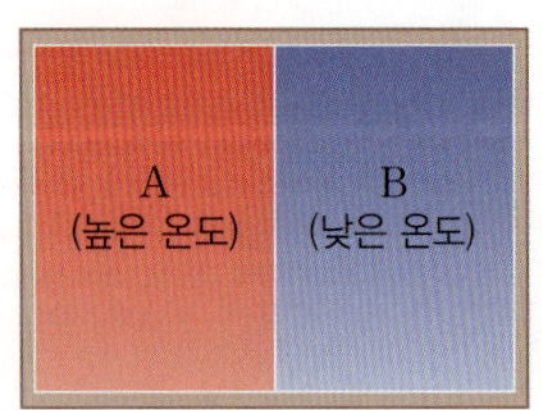

시간이 지나면서 나타나는 변화에 대한 설명으로 옳은 것을 보기에서 모두 고른 것은? (단, 열은 A와 B 사이에서만 이동한다.)

보기
ㄱ. A는 온도가 내려간다.
ㄴ. B는 입자 운동이 활발해진다.
ㄷ. 시간이 흐른 뒤 B의 온도는 A보다 높아진다.

① ㄱ   ② ㄴ   ③ ㄷ

④ ㄱ, ㄴ   ⑤ ㄴ, ㄷ

03 온도가 다른 네 물체 A, B, C, D 중 두 개씩 골라 접촉하였더니 다음과 같이 열이 이동하였다.

C → B   A → C   D → A

A~D 중 처음 온도가 가장 높은 물체와 가장 낮은 물체를 순서대로 옳게 짝 지은 것은?

① A, B   ② B, C   ③ C, A

④ D, B   ⑤ D, C

04 열평형과 관련된 예로 옳지 <u>않은</u> 것은?

① 찻잔의 차가 식는다.

② 알코올 온도계로 체온을 잰다.

③ 차가운 계곡물에 수박을 담가 둔다.

④ 뜨거운 달걀을 찬물에 담가 식힌다.

⑤ 식용유가 물보다 더 빨리 데워진다.

중요
05 그림은 온도가 다른 물체 A와 B를 접촉시켜 시간에 따른 온도 변화를 측정한 그래프이다.

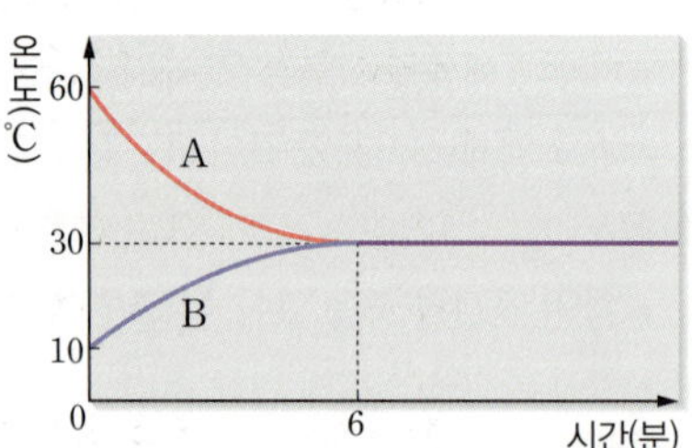

이에 대한 설명으로 옳지 <u>않은</u> 것은? (단, 외부와의 열출입은 없다.)

① 2분일 때 B는 열을 얻는다.

② A의 입자 운동은 점점 활발해진다.

③ 3분일 때 열은 A에서 B로 이동한다.

④ 6분 이후 두 물체는 열평형 상태이다.

⑤ 열평형 상태일 때 A와 B의 온도는 모두 30 ℃이다.

[06~07] 그림과 같이 찬물이 담긴 열량계에 뜨거운 물이 담긴 금속 컵을 넣은 후 온도 센서를 꽂고 외부와의 열출입이 없는 상태에서 가만히 두었다.

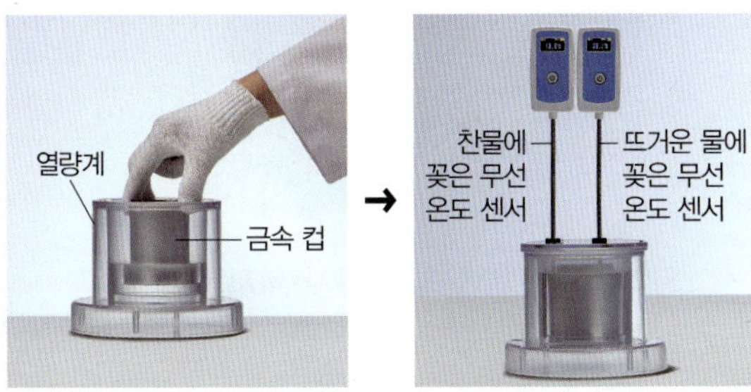

중요

06 위 실험에 대한 설명으로 옳은 것을 보기에서 모두 고른 것은?

보기
ㄱ. 뜨거운 물의 입자 운동이 점점 빨라진다.
ㄴ. 온도 센서와 뜨거운 물 사이에서 열평형이 일어난다.
ㄷ. 열은 뜨거운 물에서 찬물로 이동한다.

① ㄱ   ② ㄴ   ③ ㄷ
④ ㄱ, ㄴ   ⑤ ㄴ, ㄷ

07 그림은 금속 컵에 담긴 물과 열량계에 담긴 물의 온도 변화를 시간에 따라 나타낸 그래프이다.

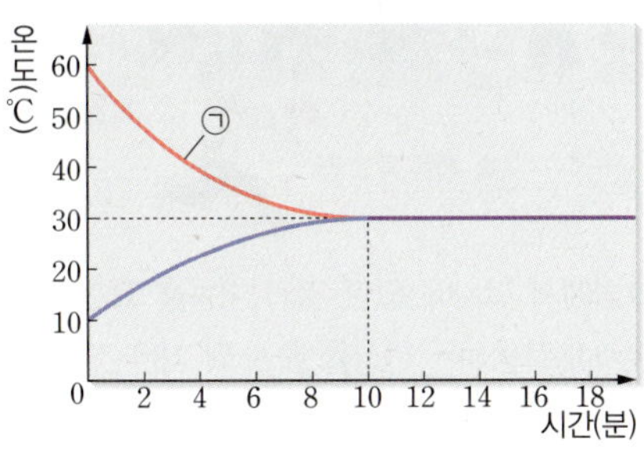

이에 대한 설명으로 옳지 <u>않은</u> 것은?

① 뜨거운 물은 열을 잃는다.
② 열은 뜨거운 물에서 찬물로 이동한다.
③ ㉠은 금속 컵에 담긴 물의 온도 변화이다.
④ 찬물의 온도 변화가 뜨거운 물의 온도 변화보다 크다.
⑤ 10분 후 두 물의 입자 운동의 활발한 정도는 같아진다.

08 그림은 수조에 차가운 물을 넣고 그 안에 따뜻한 물이 담긴 비커를 넣은 모습을 나타낸 것이다.

시간이 지나면서 나타나는 변화에 대한 설명으로 옳은 것을 보기에서 모두 고른 것은? (단, 외부와의 열출입은 없다.)

보기
ㄱ. 수조의 물은 온도가 올라간다.
ㄴ. 열은 비커의 물에서 수조의 물로 이동한다.
ㄷ. 비커의 물은 입자 운동이 활발해진다.

① ㄱ   ② ㄴ   ③ ㄷ
④ ㄱ, ㄴ   ⑤ ㄱ, ㄴ, ㄷ

09 그림은 금속 막대의 한쪽 끝을 가열할 때 금속을 이루는 입자의 운동을 모형으로 나타낸 것이다.

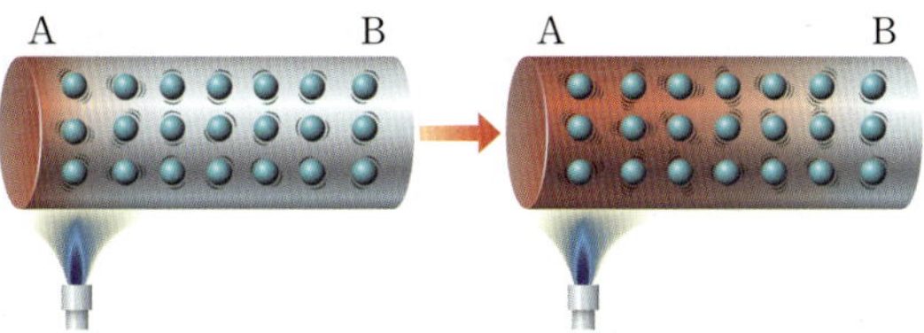

이에 대한 설명으로 옳은 것을 보기에서 모두 고른 것은?

보기
ㄱ. 이웃한 입자에 차례로 열이 전달된다.
ㄴ. 시간이 지나면 B의 온도가 높아진다.
ㄷ. A에서 B로 온도가 높은 입자가 직접 이동한다.

① ㄱ   ② ㄴ   ③ ㄷ
④ ㄱ, ㄴ   ⑤ ㄴ, ㄷ

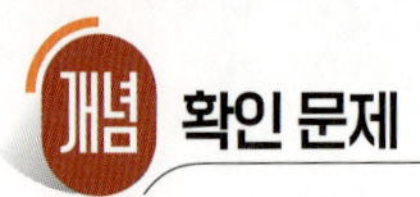

정답과 해설 022쪽

10 그림 (가), (나)는 각 물체에서 열이 이동하는 방향을 화살표로 나타낸 것이다.

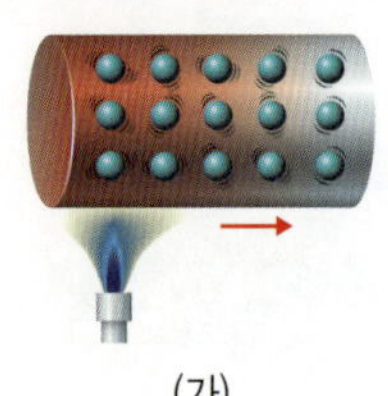
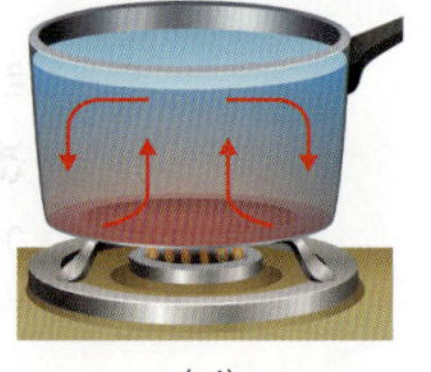

(가)　　　　　(나)

이에 대한 설명으로 옳지 않은 것은?

① (가)에서는 열이 직접 이동한다.

② (가)에서 물질의 종류에 따라 열을 전달하는 속도가 다르다.

③ (나)에서는 물질이 직접 이동해 열을 전달한다.

④ (나)에서 바닥을 가열하면 잠시 후 물 전체가 따뜻해진다.

⑤ (가)는 전도, (나)는 대류에 의해 열이 전달된다.

11 그림과 같이 백열전구에 손을 가까이 하면 따뜻하다. 이와 같은 방법으로 열이 전달되는 예로 옳지 않은 것은?

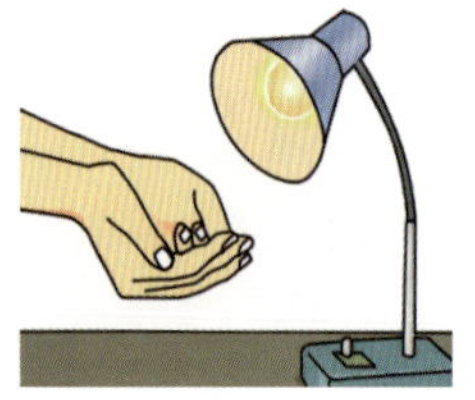

① 끓고 있는 냄비 손잡이를 만지면 뜨겁다.

② 사람이 많은 곳에 가면 훈훈함을 느낀다.

③ 그늘보다 햇볕 아래에서 빨래가 잘 마른다.

④ 화로 옆에 손을 가까이 가져가면 따뜻함을 느낀다.

⑤ 낮 동안에는 태양 에너지에 의해 지구의 기온이 올라간다.

12 (가)~(다)에서 열의 이동 방법을 각각 쓰시오.

> (가) 불을 붙여 냄비의 물을 골고루 끓인다.
>
> (나) 야외에서 햇볕을 쬐면 따뜻해진다.
>
> (다) 국에 담가 둔 숟가락의 손잡이가 따뜻해진다.

(가) ＿＿＿＿＿, (나) ＿＿＿＿＿, (다) ＿＿＿＿＿

13 그림은 열의 이동 방법 A~C를 나타낸 것이다.

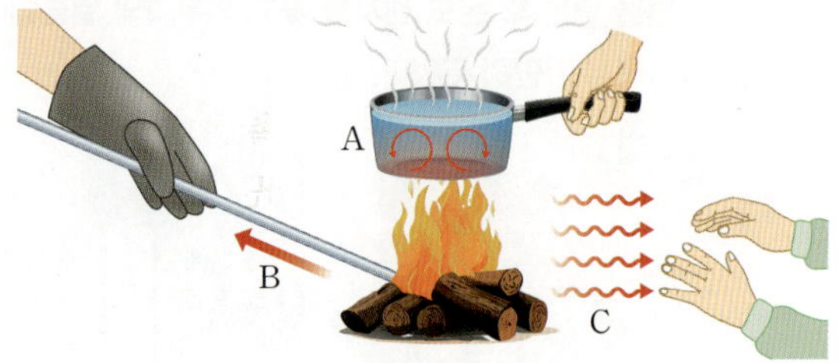

열의 이동 방법 A~C를 옳게 짝 지은 것은?

	A	B	C
①	전도	대류	복사
②	전도	복사	대류
③	대류	전도	복사
④	대류	복사	전도
⑤	복사	전도	대류

14 그림은 교실에서 책을 뒤로 이동시키는 방법 1, 2, 3을 나타낸 것이고, 보기는 일상생활에서 열이 이동하는 여러 현상을 설명한 것이다.

그림에서 복사에 의한 열의 이동을 표현한 것과 보기에서 복사에 해당하는 현상을 옳게 짝 지은 것은?

> **보기**
>
> ㄱ. 에어컨을 틀었더니 방 전체가 차가워졌다.
>
> ㄴ. 그늘보다 햇볕이 비치는 곳이 더 따뜻하다.
>
> ㄷ. 뜨거운 국에 국자를 넣었더니 손잡이 부분까지 뜨거워졌다.

① 1 - ㄱ　　② 1 - ㄴ　　③ 2 - ㄴ

④ 2 - ㄷ　　⑤ 3 - ㄱ

01 그림은 서로 다른 물체 A, B가 접촉한 상태에서 시간에 따른 온도 변화를 측정한 결과를 나타낸 그래프이다.

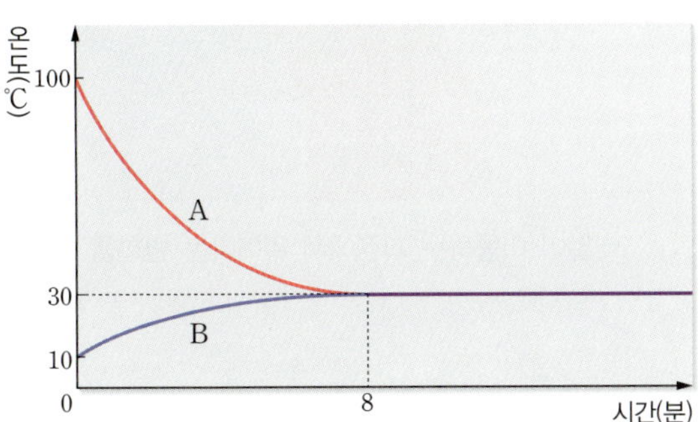

이에 대한 설명으로 옳은 것을 보기에서 모두 고른 것은? (단, 열은 A, B 사이에서만 이동한다.)

보기
ㄱ. 8분까지 A, B 모두 열이 전달되는 속도는 느려진다.
ㄴ. 열평형 온도는 A와 B의 처음 온도의 평균인 55 ℃이다.
ㄷ. A의 온도 변화가 B보다 큰 것으로 보아 A의 입자 운동은 더 활발해졌다.

① ㄱ　　　　② ㄴ　　　　③ ㄷ
④ ㄱ, ㄴ　　　⑤ ㄴ, ㄷ

02 온도에 대한 설명으로 옳은 것은?

① 절대 온도의 단위는 화씨를 사용한다.
② 0 K은 섭씨온도로 273 ℃에 해당한다.
③ 섭씨온도에서 물의 어는점은 100 ℃이다.
④ 사람의 손으로 온도를 정확하게 측정할 수 있다.
⑤ 절대 온도는 물체를 구성하는 입자의 운동이 완전히 멈출 때의 온도를 0 K으로 한다.

03 그림과 같이 촛농으로 나무 막대를 붙인 철, 구리, 알루미늄 막대의 끝을 가열하였다. 실험 결과 구리, 알루미늄, 철 순으로 나무 막대가 떨어졌다.

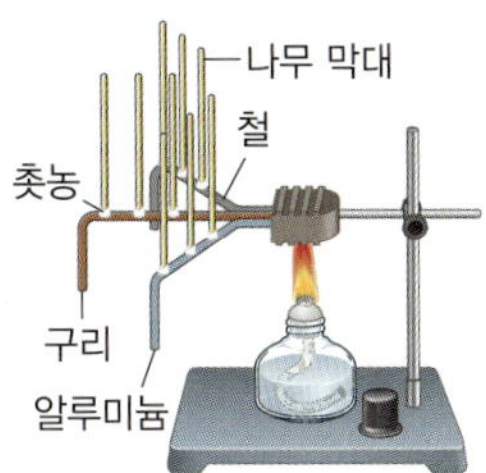

이에 대한 설명으로 옳은 것을 보기에서 모두 고른 것은?

보기
ㄱ. 열이 전도가 잘 될수록 촛농이 먼저 녹아 나무 막대가 먼저 떨어진다.
ㄴ. 이 실험으로 금속의 종류에 따라 열이 전도되는 빠르기가 다름을 알 수 있다.
ㄷ. 철, 구리, 알루미늄 중 전도에 의한 열의 전달이 가장 빠른 것은 구리이다.

① ㄱ　　　　② ㄴ　　　　③ ㄱ, ㄷ
④ ㄴ, ㄷ　　　⑤ ㄱ, ㄴ, ㄷ

04 그림과 같이 시험관에 물을 넣고 시험관 위쪽을 가열하면 위에 있는 물은 끓지만, 시험관 아래에 있는 물은 끓지 않는다. 이러한 현상의 원인으로 설명할 수 있는 것을 보기에서 모두 고른 것은?

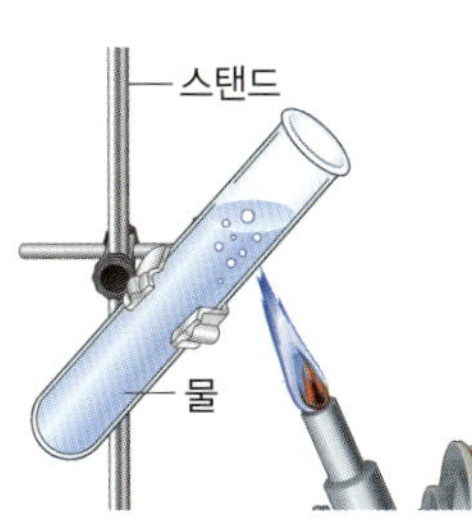

보기
ㄱ. 에어컨은 천장에 설치하는 것이 좋다.
ㄴ. 그늘보다 햇볕이 비치는 곳이 더 따뜻하다.
ㄷ. 난방기를 아래쪽에 설치하면 방 안 전체 공기가 훈훈해진다.

① ㄱ　　　　② ㄴ　　　　③ ㄷ
④ ㄱ, ㄷ　　　⑤ ㄴ, ㄷ

서술형 문제

☞ 제시된 Keyword를 이용하여 문제를 해결해 보자.

1 (가)~(다)에서 열의 이동 방향을 각각 설명하시오.

(가) 생선을 얼음 위에 올려놓는다.

(나) 주스를 얼음에 담가 둔다.

(다) 찬물에 삶은 달걀을 담가 둔다.

Keyword 온도가 낮은, 온도가 높은, 열

(가) _______________________________

(나) _______________________________

(다) · _______________________________

2 그림 (가)는 보온병에 실온의 물을 넣었을 때 물의 입자 운동을 나타낸 것이고, (나)는 실온의 물이 담긴 보온병을 세게 흔드는 모습을 나타낸 것이다.

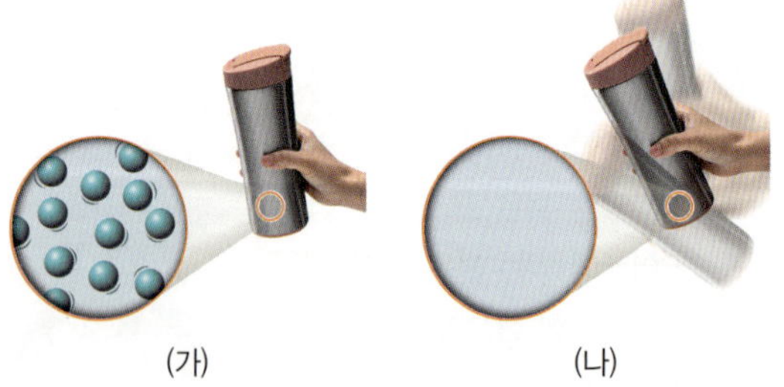

(가)　　　　　(나)

(1) 보온병을 3분 동안 세게 흔든 후 물의 입자 운동을 그림 (나)에 나타내시오.

(2) 보온병을 흔드는 동안 물의 온도와 물의 입자 운동을 설명하시오.

Keyword 온도, 입자 운동

____

____

____

3 그림은 온도가 높은 물체 A와 온도가 낮은 물체 B를 접촉시켰을 때 열이 이동하는 것을 모형으로 나타낸 것이다.

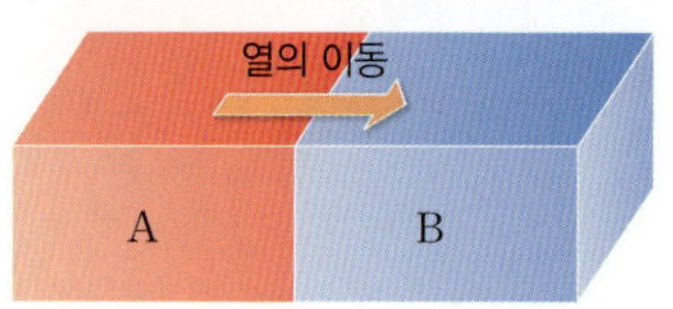

(1) 열이 이동하는 과정에서 일어나는 변화를 아래 빈칸에 쓰시오.

물체	A	B
온도 변화		
입자 운동 변화		
열의 이동 방향		

(2) 위와 같은 열의 이동 현상에 대한 예를 한 가지만 쓰고 그 상황에서 온도 변화와 열의 이동 방향을 (1)에서 답한 결과를 이용해 설명하시오.

Keyword 열의 이동, 온도

____

____

4 그림과 같이 가정에서 냉난방을 위해 에어컨은 위쪽에, 따뜻한 바람이 나오는 난로는 아래쪽에 설치한다.

에어컨과 난로의 위치가 다른 까닭을 열의 이동 방법과 관련지어 설명하시오.

Keyword 대류, 온도, 열의 이동

____

____

____

5 그림과 같이 전기난로에는 효율을 높이기 위해 안쪽에 은색 반사판이 설치되어 있다. 반사판을 설치하는 까닭을 열의 이동 관점에서 설명하시오.

Keyword 열의 이동, 빛, 반사, 복사

6 그림 (가)는 외벽이 모두 유리로 되어 있는 건물을, (나)는 건물 유리에 어두운 필름을 붙이는 것을 나타낸 것이다.

 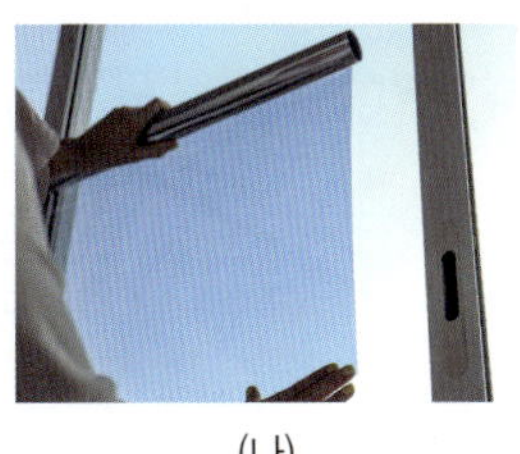

(가)　　　　　　　　　(나)

⑴ (가)의 건물이 여름철에 실내 온도가 높아지는 까닭을 열의 이동과 관련지어 설명하시오.

Keyword 열, 빛, 복사

⑵ (가)와 같은 건물에서는 여름철 실내 온도를 낮추기 위해 (나)와 같이 유리에 어두운 필름을 붙이기도 한다. 그 까닭을 열의 이동 관점에서 설명하시오.

Keyword 복사, 빛, 온도

도전! 단계적 서술형

7 그림 (가)는 20 ℃의 물이 담긴 수조에 70 ℃의 물이 담긴 삼각 플라스크를 넣은 것을, (나)는 수조와 삼각 플라스크에 담긴 물의 온도를 2분마다 측정한 것을 표로 나타낸 것이다. (단, 외부와의 열출입은 없다.)

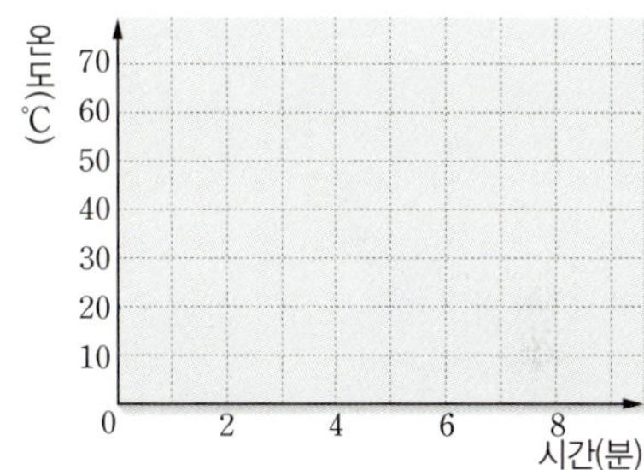

시간(분)	수조(℃)	삼각 플라스크(℃)
0	20	70
2	30	55
4	37	45
6	40	40
8	40	40

(가)　　　　　　　　　(나)

⑴ **[자료 분석]** 시간에 따른 삼각 플라스크와 수조에 담긴 물의 온도 변화를 그래프로 그리시오.

⑵ **[문제 해결]** (나)에서 몇 분 후에 열평형 상태가 되는지 그 까닭과 함께 설명하시오.

Keyword 열의 이동, 온도 변화

⑶ **[가산점 줍줍!]** 삼각 플라스크와 수조에 담긴 물의 입자 운동의 활발한 정도는 어떻게 변하는지 설명하시오.

Keyword 온도 변화

02 비열과 열팽창

왜 찌개는 두꺼운 뚝배기에 끓여 먹을까?

- [ ] 열은 온도가 (높은, 낮은) 물체에서 온도가 (높은, 낮은) 물체로 이동한다.
- [ ] 온도를 오랫동안 유지하기 위해 열의 이동을 줄이는 것을 (단열, 열팽창)이라고 한다.

1 비열

1. 열량과 비열

(1) **열량**: 온도가 다른 물체 사이에서 온도 차에 의해 이동하는 열의 양을 열량이라고 하며, 단위는 cal(칼로리), kcal(킬로칼로리) 등을 사용한다.

> **예** 1 kcal: 물 1 kg의 온도를 1 ℃ 높이는 데 필요한 열량

(2) **비열**

① 어떤 물질 1 kg의 온도를 1 ℃만큼 변화시키는 데 필요한 열량을 비열이라고 하며, 단위는 kcal/(kg·℃) 또는 J/(kg·℃)를 사용한다.

② 여러 가지 물질의 비열: 물질에 따라 비열이 다르다. 비열은 물질의 특성으로 물질마다 고유한 값을 가진다.

물질	구리	철	모래	알루미늄	콩기름	물
비열 (kcal/(kg·℃))	0.09	0.11	0.19	0.21	0.47	1.00

2. 물체의 온도 변화에 영향을 주는 요인

(1) **비열과 온도 변화**: 같은 질량의 서로 다른 두 물질에 같은 열량을 가하면 비열이 큰 물질보다 비열이 작은 물질의 온도 변화가 크다. 즉, 온도 변화는 비열에 반비례한다. 탐구 106쪽

(2) **질량과 온도 변화**: 같은 물질의 질량을 다르게 하여 같은 열량을 가하면 질량이 큰 물질보다 질량이 작은 물질의 온도 변화가 크다. 즉, 온도 변화는 질량에 반비례한다.

(3) **열량, 비열, 질량과 온도 변화의 관계**  집중분석 107쪽

> 열량(kcal) = 비열(kcal/(kg·℃)) × 질량(kg) × 온도 변화(℃)

용어 비례, 반비례

한쪽의 양이나 수가 증가하는 만큼 그와 관련 있는 다른 쪽의 양이나 수도 증가하는 관계를 비례라고 하며, 한쪽의 양이 커질 때 다른 쪽 양이 그와 같은 비로 작아지는 관계를 반비례라고 한다.

3. 비열과 관련된 현상과 사례

(1) **물과 관련된 현상과 사례**: 물은 비열이 커서 급격한 온도 변화를 막거나 열을 저장하는 데 이용하기도 한다.

　① 여름 한낮의 바닷가의 모래는 매우 뜨거운데, 바닷물은 시원하다.

　② 해안 지방이 내륙 지방보다 일교차가 작다.

　③ 바다는 지구의 급격한 기온 변화를 막아 준다.

　④ 사람의 몸은 70 % 정도가 물로 되어 있어 체온이 급격하게 변하지 않는다.

　⑤ 기계의 열을 식힐 때 사용하는 냉각수에 주로 물을 사용한다.

　⑥ 물을 데워 사용해 찜질팩이나 보일러의 열이 오랫동안 유지되도록 한다.

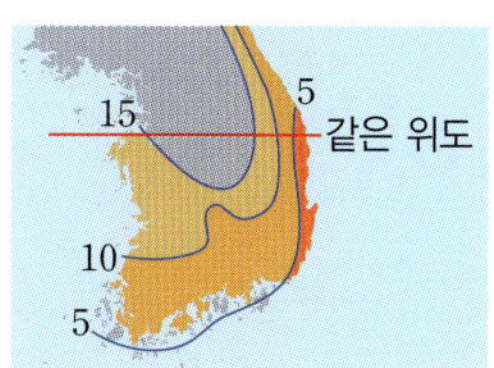

기온의 일교차　같은 위도지만 내륙 지방보다 해안 지방의 일교차가 더 작다.

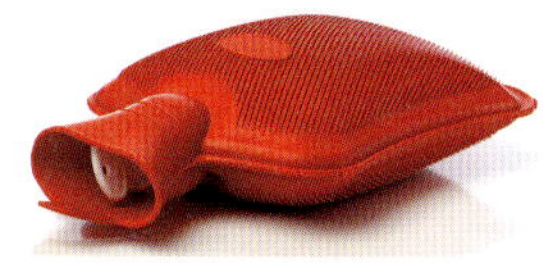

찜질팩

용어　일교차

기온, 습도, 기압 따위가 하루 동안에 변하는 차

자료 ➕ 물의 비열에 의한 해륙풍

물의 비열은 다른 물질에 비해 매우 커서 바다와 육지 사이에 바람을 만들어 낸다. 낮에는 태양의 열에 의해 비열이 작은 육지가 바다보다 빨리 데워져, 따뜻해진 육지의 공기가 위로 올라간다. 상대적으로 온도가 낮은 바다의 공기는 아래로 내려가고, 바다의 공기가 육지 쪽으로 이동하여 해풍이 분다. 반면, 밤에는 비열이 작은 육지가 바다보다 빨리 식어, 차가워진 육지의 공기가 아래로 내려간다. 상대적으로 온도가 높은 바다의 공기가 위로 올라가고, 육지의 공기가 바다 쪽으로 이동하여 육풍이 분다.

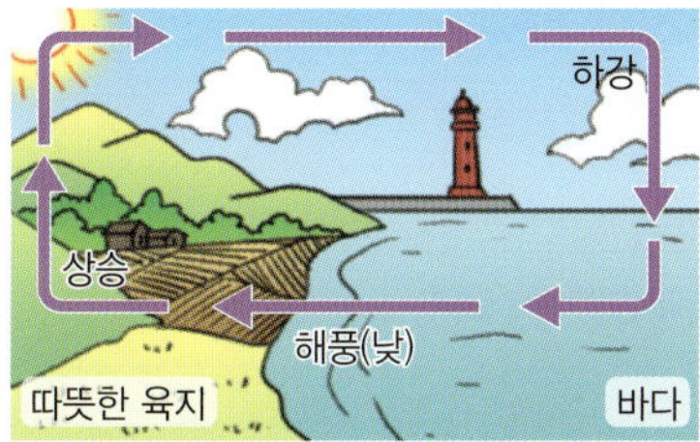

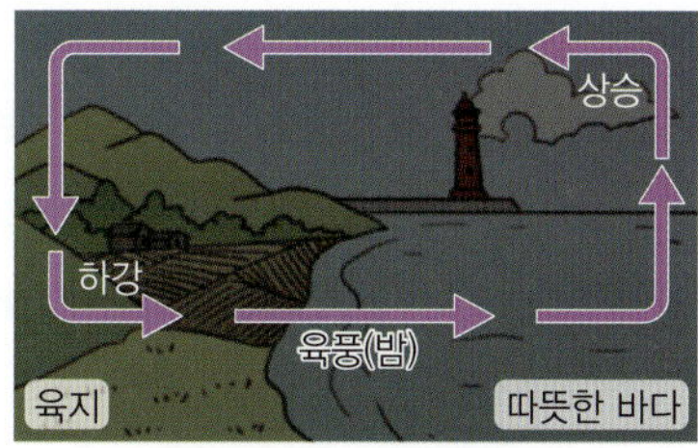

---

(2) **여러 가지 물질의 비열을 활용한 사례**

　① 돌솥이나 뚝배기는 다른 금속 그릇에 비해 비열이 커서 음식을 오랫동안 따뜻하게 먹을 수 있다.

　② 라면 등을 끓일 때 비열이 작은 금속 냄비를 사용하면 빠르게 요리할 수 있다.

알면 비~옷 과학

물의 비열이 큰 까닭

물은 잘 데워지지도 않고 잘 식지도 않는다. 물의 이런 특성은 물의 구조 때문이다. 물은 수소와 산소라는 입자로 이루어져 있다. 이때 수소는 전기적으로 ($+$), 산소는 전기적으로 ($-$)를 띠고 있다. 전기적으로 ($+$)를 띠는 입자와 ($-$)를 띠는 입자는 서로 잡아당기는 성질이 있고, 이렇게 서로 강하게 잡아당기는 힘 때문에 물을 가열해 물 입자를 운동시키기 위해서는 많은 열이 필요하다.

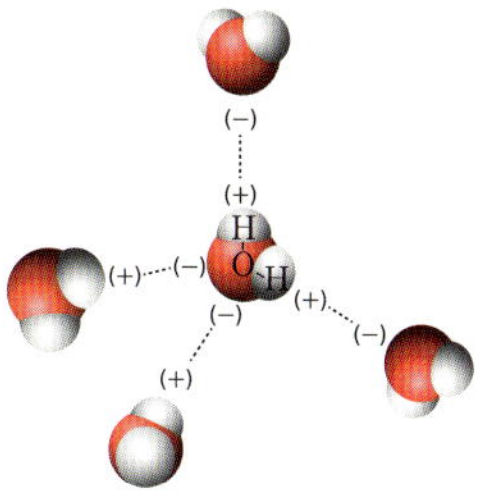

물 분자의 구조

정답과 해설 025쪽

개념 빌드업

1. **핵심개념** 물질의 비열이 클수록 물질을 가열했을 때 온도 변화가 (크다, 작다).

2. 비열은 어떤 물질 1 kg의 온도를 ________ 변화시키는 데 필요한 ________(이)다.

3. 같은 물질일 때 질량이 클수록 온도 변화가 (크고, 작고), 질량이 작을수록 온도 변화가 (크다, 작다).

4. 뚝배기는 금속 그릇에 비해 비열이 (커서, 작아서) 요리를 오랫동안 따뜻하게 먹을 수 있다.

Check 이전에 배웠어요

☐ 높은, 낮은
☐ 단열

2 열팽창

1. 열팽창 온도에 따라 물체의 길이와 부피가 변하는 현상을 열팽창이라고 한다.

(1) 온도가 높아지면 물질의 입자 운동이 활발해져서 입자 사이의 거리가 멀어진다.
  → 물체의 부피가 커진다.

(2) 온도가 낮아지면 물질의 입자 운동이 둔해져 입자 사이의 거리가 가까워진다.
  → 물체의 부피가 작아진다.

2. 물질의 상태와 열팽창

(1) 고체와 액체의 열팽창: 고체와 액체는 물질에 따라 열팽창 정도가 다르다. 고체와 액체 모두 온도가 높아지면 팽창하고, 일반적으로 액체가 고체보다 열팽창 정도가 크다. 과학 용어 사전 193쪽

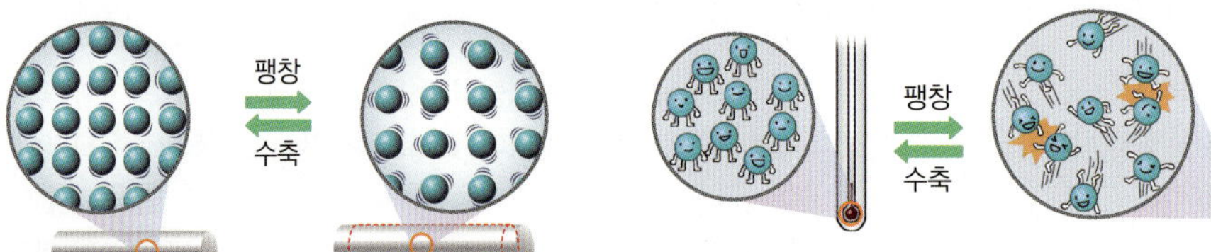

물질	백금	유리	강철	콘크리트	놋쇠	알루미늄	납
늘어나는 길이(mm)	9	9	11	11	19	23	29

처음 길이가 1000 m인 여러 가지 고체의 온도를 1 ℃ 높일 때 늘어나는 길이

물질	수은	물	글리세린	휘발유	에틸알코올	벤젠	아세톤
늘어나는 부피(mL)	0.18	0.2	0.5	0.95	1.2	1.24	1.49

처음 부피가 1000 mL인 여러 가지 액체의 온도를 1 ℃ 높일 때 늘어나는 부피

탐구 ➕ 액체의 열팽창

온도가 같은 물과 에탄올이 담긴 두 플라스크를 뜨거운 물에 담그면 유리관 속 액체의 높이가 높아진다.

① 유리관 속 액체의 높이 변화가 다르다. → 액체의 종류에 따라 열팽창 정도가 다르다.

② 유리관 속 액체의 높이는 물보다 에탄올이 더 높다. → 물보다 에탄올의 열팽창이 더 크다.

(2) 기체의 열팽창: 기체는 물질에 관계없이 온도가 높아질 때 부피가 늘어나는 정도가 모두 같다. 기체의 열팽창 정도는 고체와 액체에 비해 매우 크다. 과학 용어 사전 193쪽

풍선 속 공기의 열팽창

기체의 열팽창

기체는 종류에 관계없이 열팽창 정도가 같다. 압력이 일정할 때 기체의 온도가 1℃ 올라가면 0℃일 때 기체 부피의 $\frac{1}{273}$ 배만큼 부피가 증가한다. 기체의 온도와 부피 관계를 '샤를의 법칙'이라고 한다.

알면 비능과학

기체가 종류에 관계없이 열팽창 정도가 같은 까닭

고체와 액체에서 열팽창 정도는 물질의 특성으로 물질의 종류에 따라 다르다. 하지만 기체의 경우 입자와 입자 사이의 거리가 매우 멀어 입자들 사이에 상호작용이 거의 없다. 따라서 열을 가해도 입자가 가진 특성이 드러나지 않고 입자의 운동으로만 부피 변화가 나타난다.

3. 열팽창의 활용

(1) **바이메탈**: 열팽창 정도가 다른 두 금속을 붙여서 만든 바이메탈은 온도가 변하면 한쪽으로 휜다. 바이메탈은 전기 주전자나 전기 다리미 등에서 온도 조절 장치로 사용된다.

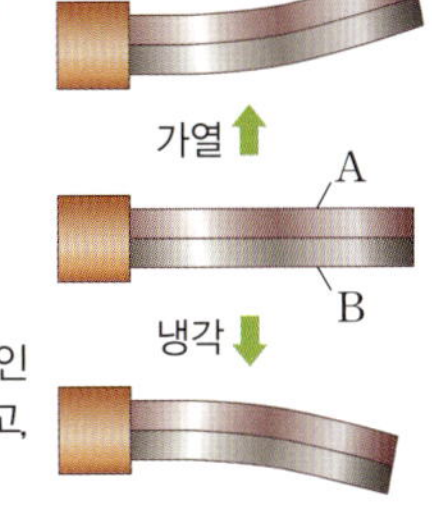

금속 A보다 금속 B의 열팽창 정도가 클 때 A와 B를 붙인 바이메탈을 가열하면 B가 더 많이 늘어나 A 쪽으로 휘고, 냉각하면 B가 더 수축되어 B 쪽으로 휘어진다.

열팽창으로 인한 현상
① 여름에는 전깃줄이 늘어지고, 겨울에는 팽팽해진다.
② 차가운 유리컵에 뜨거운 물을 부으면 유리컵이 깨진다.
③ 철로 만든 에펠탑의 높이는 여름철이 겨울철보다 높다.
④ 야외에서 공연하기 전 온도에 따라 길이가 변한 현악기의 줄을 조율한다.

탐구 ➕ 종이와 알루미늄의 열팽창 비교하기

종이와 알루미늄 포일을 겹쳐 붙인 조각을 반으로 접어 스탠드에 걸고 가열 장치로 가열하면 알루미늄 포일이 바깥쪽으로 접힌 조각은 오므라들고 종이가 바깥쪽으로 접힌 조각은 벌어진다.

① 알루미늄 포일이 바깥쪽으로 접혀 있을 때 가열하면 조각은 오므라들고 알루미늄 포일이 안쪽으로 접혀 있을 때 가열하면 조각은 벌어진다.
　↪ 알루미늄 포일이 종이보다 더 많이 늘어난다.
② 알루미늄이 종이보다 열팽창 정도가 크다.

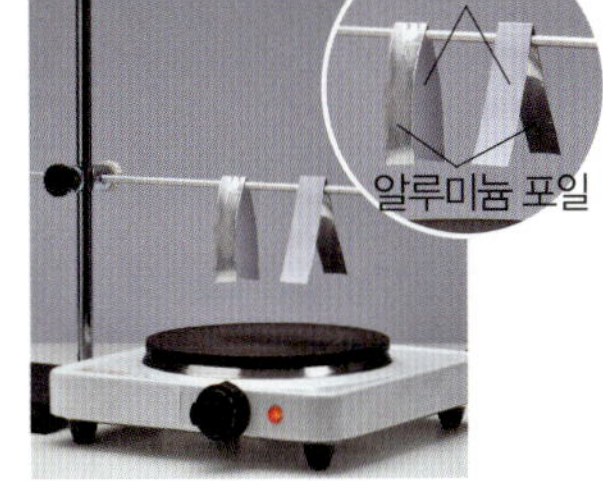

---

(2) 다리 이음매 부분에 틈을 두어 온도가 높아질 때 다리가 뒤틀리는 것을 막는다.

(3) 철도 레일을 길게 하나로 연결하지 않고 군데군데 틈을 두어 휘어지는 것을 막는다.

(4) 가스관이나 송유관에 ㄷ자형 관을 이어서 열팽창에 의한 사고를 막는다.

(5) 철근 콘크리트는 열팽창 정도가 거의 같은 철근과 콘크리트를 혼합하여 만든다.

(6) 치과에서 치아 충전재로 치아의 에나멜 성분과 열팽창 정도가 같은 물질을 사용한다.

(7) 꽉 끼인 금속 뚜껑을 열기 위해 금속 뚜껑을 따뜻하게 하면 쉽게 열린다.

(8) 알코올 온도계의 유리관 속에 들어 있는 에틸알코올은 온도 변화에 따라 팽창하는 정도가 크고 균일하여 온도를 측정할 수 있다.

다리 이음매의 틈

ㄷ자형 가스관

철근 콘크리트

정답과 해설 025쪽

개념 빌드업

1. **핵심개념** 온도에 따라 물체의 길이와 부피가 변하는 현상을 ________(이)라고 한다.

2. 온도가 높아지면 물질의 입자 운동이 ________해져서 입자 사이의 거리가 ________진다.

3. 일반적으로 고체가 액체보다 열팽창 정도가 (크다, 작다).

탐구 여러 가지 액체의 **비열** 비교하기

목표 | 질량이 같은 두 액체의 온도 변화를 관찰하여 두 액체의 비열을 비교할 수 있다.

과정

❶ 동일한 금속 비커 두 개에 물과 콩기름을 각각 100 g씩 넣는다.

❷ 두 금속 비커를 가열 장치에 올려놓고 무선 온도 센서를 장치한다.

❸ 가열 장치를 켜고 물과 콩기름의 온도 변화를 5분 정도 측정한다.

❹ 센서 분석 앱에 그려진 물과 콩기름의 온도 변화 그래프를 확인한다.

유의점 ✔ 질량에 따라 온도 변화가 달라질 수 있으므로 두 액체의 질량이 같아야 한다.

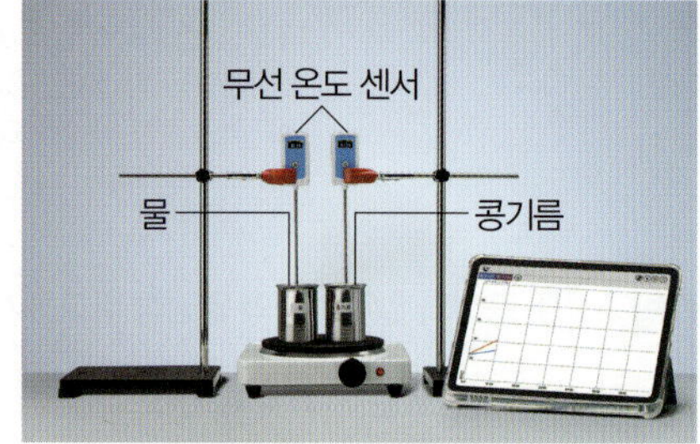

결과 및 정리

1 같은 가열 장치로 가열하였다. ⟶ 물과 콩기름에 가한 열량이 같다.

2 질량이 같은 물과 콩기름을 가열했을 때 콩기름의 온도 변화가 물의 온도 변화보다 크다. ⟶ 물의 비열이 콩기름의 비열보다 크다.

3 같은 온도만큼 올리는 데 물이 콩기름보다 많은 열량이 필요하다.
   ⟶ 질량이 같을 때 비열이 클수록 같은 온도만큼 변화시키는 데 더 많은 열량이 필요하다.

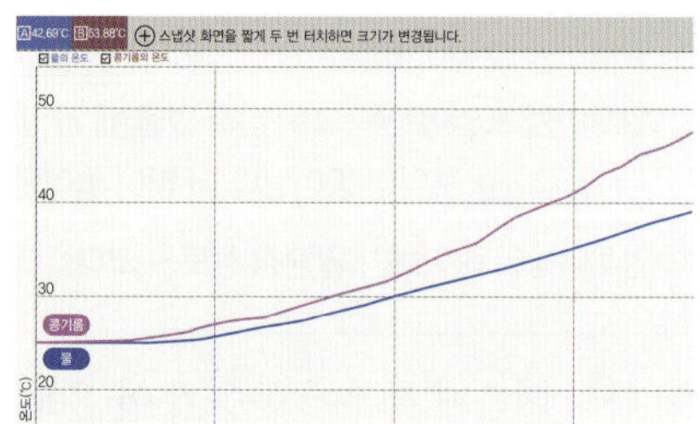

탐구 확인 문제

정답과 해설 026쪽

1 빈칸에 알맞은 말을 쓰시오.

(1) 어떤 물질 1 kg의 온도를 ________ ℃만큼 올리는 데 필요한 열량을 비열이라고 한다.

(2) 물질의 질량과 물질에 공급된 열량이 같을 때 비열이 작은 물질일수록 온도 변화가 (크다, 작다).

2 위 탐구에 대한 설명으로 옳은 것을 보기에서 모두 고른 것은?

보기

ㄱ. 5분 동안 물과 콩기름이 받은 열량은 같다.

ㄴ. 같은 질량을 같은 온도만큼 높이는 데 필요한 열량은 콩기름이 더 많다.

ㄷ. 5분 후 가열 장치를 끄고 실온에 두 액체를 그대로 두면 물이 더 빨리 식을 것이다.

① ㄱ   ② ㄴ   ③ ㄷ
④ ㄱ, ㄴ   ⑤ ㄱ, ㄷ

3 적용 그림은 질량이 같은 두 물질 A와 B를 같은 세기의 불꽃으로 동시에 가열할 때 온도 변화를 나타낸 그래프이다.

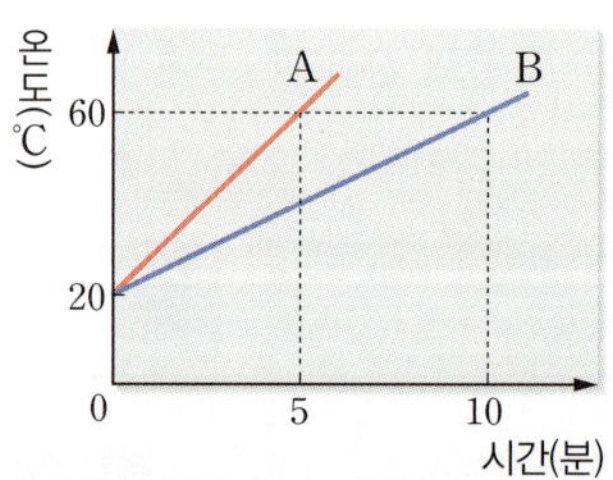

이에 대한 설명으로 옳은 것을 보기에서 모두 고른 것은?

보기

ㄱ. A의 비열이 B보다 크다.

ㄴ. 같은 시간 동안 A가 받은 열량이 B보다 많다.

ㄷ. 비열이 작은 물질일수록 온도가 빨리 올라간다.

① ㄱ   ② ㄷ   ③ ㄱ, ㄴ
④ ㄴ, ㄷ   ⑤ ㄱ, ㄴ, ㄷ

액체의 비열 그래프 분석하기

질량이 같은 여러 종류의 액체를 가열할 때 액체들의 온도 변화 그래프로부터 알 수 있는 사실을 정리하고 질량이 달라졌을 때 그래프는 어떻게 변하는지 그 방법을 익혀 보자.

정답과 해설 026쪽

① 그래프의 기울기와 비열의 크기

그림은 같은 질량의 에탄올, 콩기름, 물을 같은 세기로 가열하여 시간에 따른 온도 변화를 그래프로 나타낸 것이다. 비열의 크기를 비교하시오.

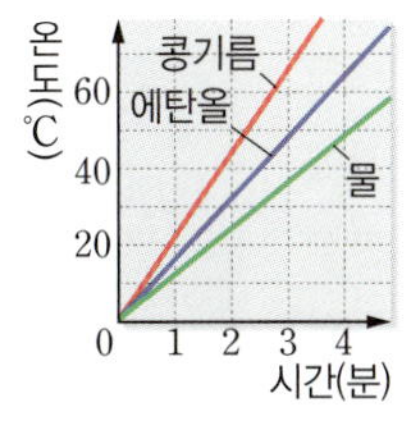

풀이 온도 변화가 클수록 비열이 작다. 따라서 그래프의 기울기가 큰 콩기름, 에탄올, 물 순으로 비열이 작다. ➝ 콩기름＜에탄올＜물

② 질량이 다른 물질을 가열할 때 온도 변화

그림은 같은 물질이지만 질량이 다른 C와 D를 같은 세기로 가열했을 때 온도 변화를 시간에 따라 나타낸 것이다. C와 D의 질량비 C : D를 구하시오.

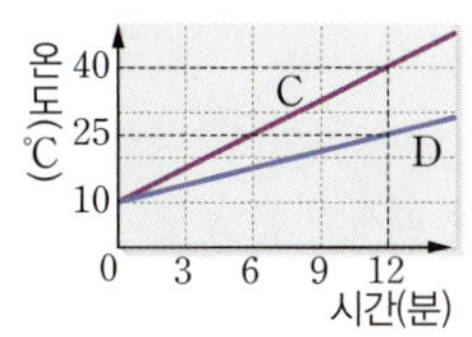

풀이 가한 열량이 같고 비열이 같을 때 온도 변화는 질량에 반비례한다. C의 온도 변화가 D의 2배이므로 질량은 D가 C의 2배이다. ➝ C : D = 1 : 2

③ 공급한 열량과 온도 변화

그림은 질량이 500 g인 물을 가열해 시간에 따른 온도 변화를 그래프로 나타낸 것이다. 10분까지 물이 받은 열량을 구하시오. (단, 물의 비열은 $1\,\text{kcal}/(\text{kg}\cdot{}^{\circ}\text{C})$ 이다.)

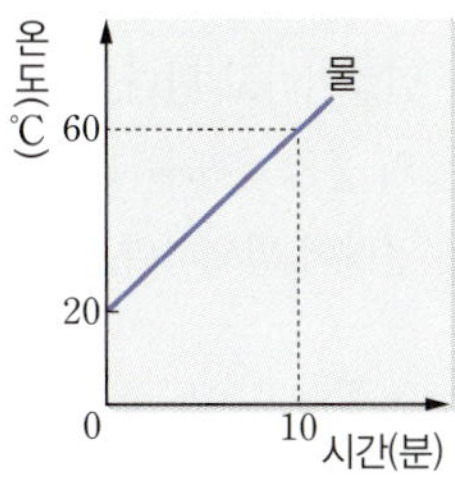

풀이 열량＝비열$(\text{kcal}/(\text{kg}\cdot{}^{\circ}\text{C}))×$질량$(\text{kg})×$온도 변화$({}^{\circ}\text{C})$이다. 질량은 0.5 kg, 온도 변화는 40 ℃이므로 물이 받은 열량은 $1×0.5×40＝20(\text{kcal})$이다.

연습 문제

① 그림은 같은 온도, 같은 질량의 두 액체 A와 B를 실온에 그대로 두고 시간에 따른 온도 변화를 측정한 결과를 그래프로 나타낸 것이다.

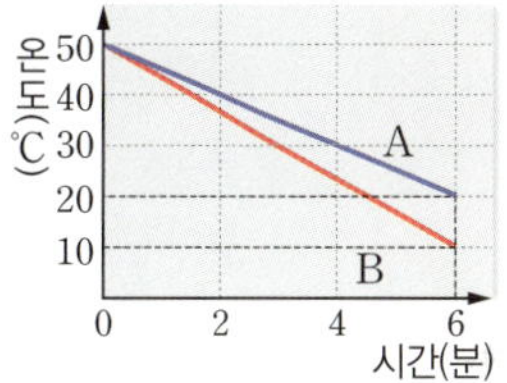

A와 B의 비열의 크기를 비교하시오.

연습 문제

② 그림은 질량이 다른 물 E와 F를 같은 온도에서 같은 세기로 가열하였을 때 시간에 따른 온도 변화를 그래프로 나타낸 것이다.

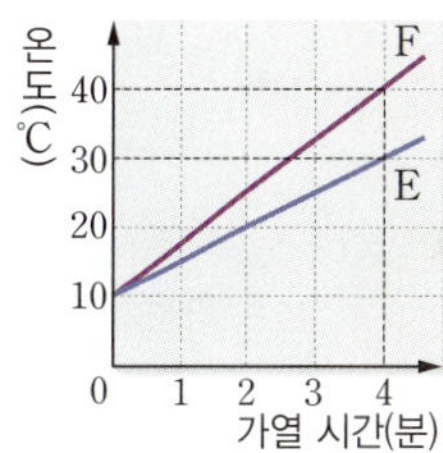

E와 F의 질량의 비 E : F를 구하시오.

연습 문제

③ 그림은 질량이 200 g으로 같은 콩기름과 물을 일정 시간 동안 같은 세기로 가열해 시간에 따른 온도 변화를 그래프로 나타낸 것이다.

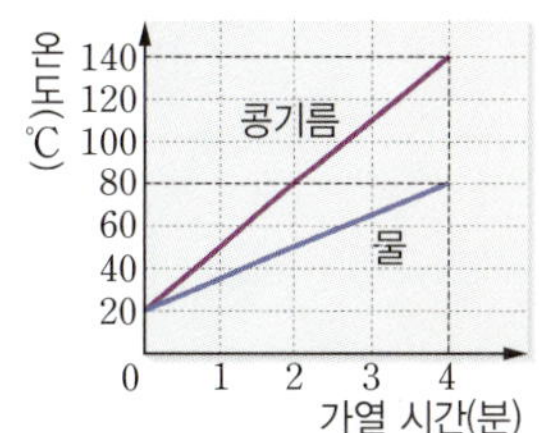

4분까지 두 액체가 받은 열량은 각각 얼마인지 구하시오. (단, 콩기름의 비열은 $0.5\,\text{kcal}/(\text{kg}\cdot{}^{\circ}\text{C})$, 물의 비열은 $1\,\text{kcal}/(\text{kg}\cdot{}^{\circ}\text{C})$이다.)

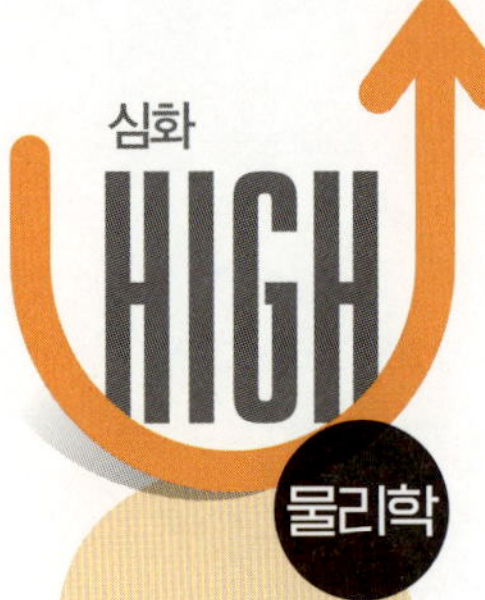

열평형 그래프와 열용량

온도가 다른 두 물질이 만날 때 시간에 따른 온도 변화 그래프로 다양한 정보를 알 수 있다. 열평형 그래프와 열용량 개념을 통해 열 단원에서 더 깊이 있는 내용을 다루어 보자.

1 열평형 그래프 분석

• 열평형 온도

열량계에 담긴 찬물과 금속 컵에 담긴 뜨거운 물의 열평형을 관찰하면 그래프와 같이 뜨거운 물의 온도는 낮아지고 찬물의 온도는 높아진다. 물의 온도 변화는 그 폭

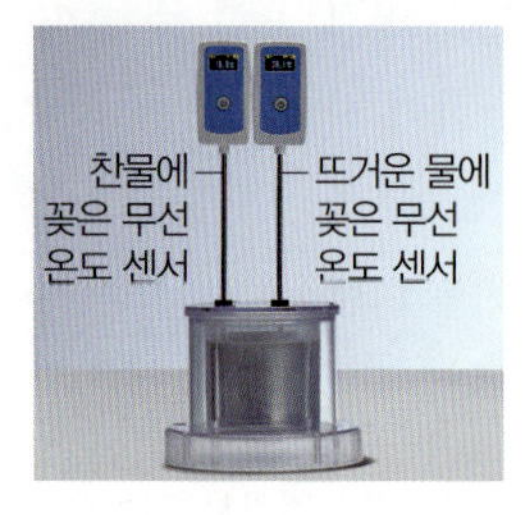

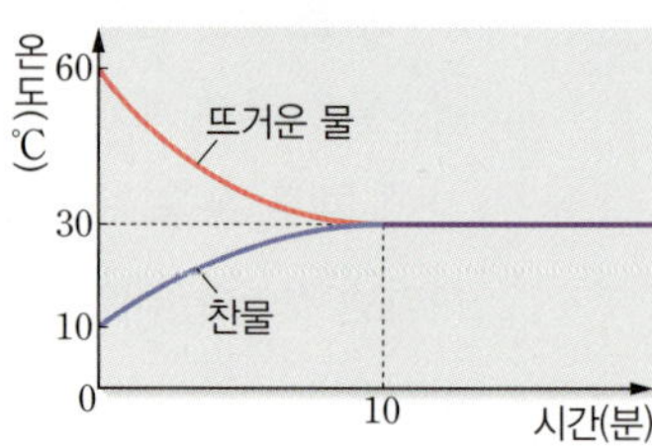

이 점점 작아지다가 시간이 충분히 지나면 두 물의 온도가 같아져 열평형 상태가 된다.

• 그래프의 기울기

온도가 다른 두 물이 접촉하면 두 물 사이에서 열이 이동하는데, 이때 이동하는 열의 양은 점점 줄어들기 때문에 그래프의 기울기가 점점 작아진다. 또한 열이 외부로 이동하지 않고 찬물과 뜨거운 물 사이에서만 이동한다면 뜨거운 물이 잃은 열량과 찬물이 얻은 열량은 같다.

• 비열과 질량

두 물이 접촉하고 10분이 지날 때까지 온도 변화는 뜨거운 물은 30 ℃이지만 찬물은 20 ℃이다. 비열은 물질의 고유한 특성이므로 찬물과 뜨거운 물의 비열은 거의 같다. 따라서 온도 변화가 다른 까닭은 찬물과 뜨거운 물의 질량이 다르기 때문이다. 비열이 같고 출입하는 열량이 같을 경우 물질의 질량과 온도 변화는 반비례하므로 물질의 질량이 클수록 온도 변화가 작다. 그래프에서 뜨거운 물의 온도 변화는 30 ℃이고 찬물의 온도 변화는 20 ℃이므로 뜨거운 물과 찬물의 질량비는 온도 변화비에 반비례하는 2 : 3이다. 따라서 찬물과 뜨거운 물 중 온도 변화가 큰 뜨거운 물의 질량이 찬물보다 작다는 것을 알 수 있다.

2 열량과 열용량 · 과학 용어 사전 194쪽

물체가 얻거나 잃은 열의 양을 열량이라고 한다. 열량은 에너지의 양이고 열과 관련된 현상에서 에너지 대신 사용한다. 1 cal는 1 g의 물의 온도를 1 ℃ 올리는 데 필요한 열량이다. 같은 물질이라도 온도를 더 많이 높이려면 더 많은 열량이 필요하다.

> 열량＝비열×질량×온도 변화 (단위: cal, 1 cal＝약 4.19 J)

물질의 열용량은 물질의 온도를 1 ℃ 올리기 위해 필요한 열량이다. 같은 물질이라도 물질의 질량이 클수록 열용량이 크다.

> 열용량＝비열×질량 (단위: J/℃ 또는 J/K)

비주얼 Visual 핵|심|정|리

❶-1 비열

① 비열
- 어떤 물질 1 kg의 온도를 1 ℃만큼 변화시키는 데 필요한 열량
- 비열은 **물질의 특성**으로 물질마다 고유한 값을 가진다.

② 비열과 온도 변화의 관계: 물질의 질량과 열량이 같으면 **비열이 작은 물질일수록 온도 변화가 크다.**

③ 질량과 온도 변화의 관계: 물질의 종류와 열량이 같으면 **질량이 작을수록 온도 변화가 크다.**

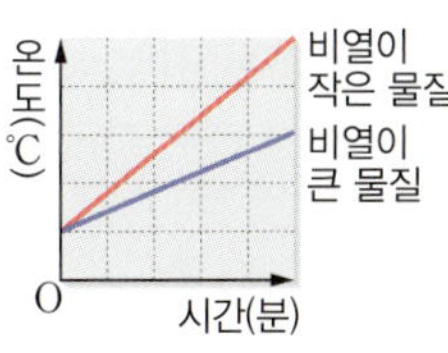

비열과 온도 변화의 관계

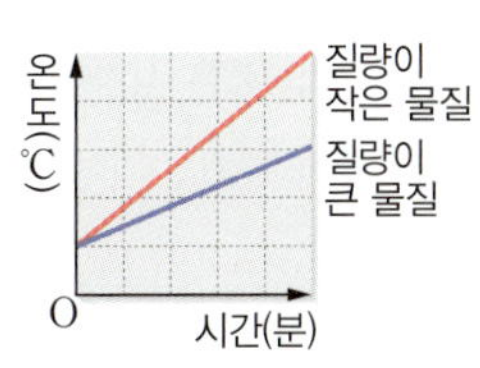

질량과 온도 변화의 관계

❶-2 비열과 관련된 현상과 사례

① 물과 관련된 현상과 사례
- 기상 현상, 생명 현상에 영향을 준다.
- 물을 이용하여 급격한 온도 변화를 막거나 열을 저장하는 데 이용한다.

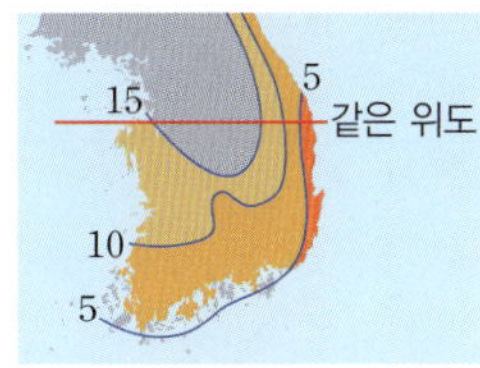

기온의 일교차

찜질팩

② 여러 가지 물질의 비열을 활용한 사례
- 돌솥, 뚝배기는 다른 그릇에 비해 비열이 커서 음식을 오랫동안 따뜻하게 먹을 수 있다.
- 금속 냄비는 비열이 작아 빠르게 요리할 때 사용한다.

❷-1 열팽창

① 열팽창: 온도에 따라 **물체의 길이와 부피가 변하는 현상**

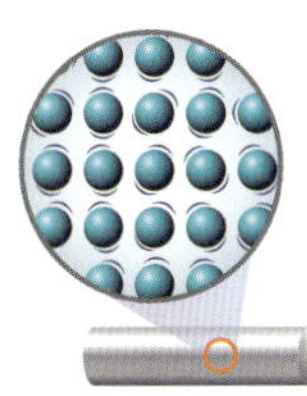

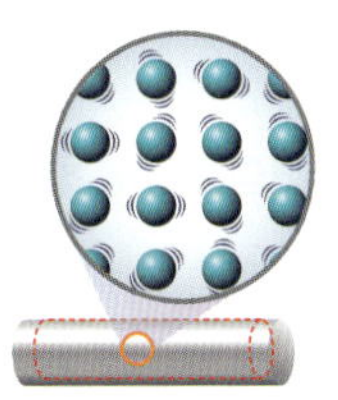

- 온도가 높아지면 물체의 부피가 커진다.
- 온도가 낮아지면 물체의 부피가 작아진다.

② 물질의 상태와 열팽창
- 고체와 액체는 물질에 따라 열팽창 정도가 다르다. 온도가 높아지면 팽창한다.
- 기체는 물질에 관계없이 온도가 높아질 때 부피가 늘어나는 정도가 모두 같다.

❷-2 열팽창의 활용

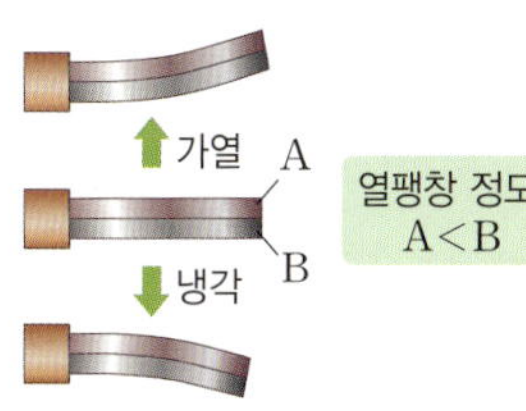

바이메탈

다리 이음매의 틈

ㄷ자형 관

철근 콘크리트

01 비열에 대한 설명으로 옳은 것을 보기에서 모두 고른 것은?

보기
ㄱ. 단위로는 kcal 또는 cal를 사용한다.
ㄴ. 같은 물질에 가해 준 열량이 같을 때 물질의 질량이 클수록 비열이 크다.
ㄷ. 물질의 질량과 가해 준 열량이 같을 때 물질의 비열이 클수록 온도 변화가 작다.

① ㄱ   ② ㄴ   ③ ㄷ
④ ㄱ, ㄴ   ⑤ ㄴ, ㄷ

02 표는 몇 가지 액체의 비열을 나타낸 것이다.

액체의 종류	A	B	C	D
비열(kcal/(kg·℃))	1.00	0.50	0.09	1.01

이에 대한 설명으로 옳은 것을 보기에서 모두 고른 것은?

보기
ㄱ. A와 B는 서로 다른 물질이다.
ㄴ. 질량이 같고, 같은 가열 장치로 가열할 때 B의 온도 변화는 A의 2배이다.
ㄷ. 질량이 같고, 같은 가열 장치로 가열할 때 온도 변화가 가장 큰 것은 C이다.

① ㄱ   ② ㄷ   ③ ㄱ, ㄴ
④ ㄴ, ㄷ   ⑤ ㄱ, ㄴ, ㄷ

03 비열에 의한 현상이 <u>아닌</u> 것은?

① 낮에는 해풍이 분다.
② 해안 지역은 내륙 지역보다 일교차가 작다.
③ 사람의 체온은 외부 온도에 따라 잘 변하지 않는다.
④ 뚝배기는 금속 냄비보다 데우는 데 시간이 오래 걸린다.
⑤ 유리병의 금속 뚜껑에 뜨거운 물을 부으면 쉽게 열린다.

[04~05] 그림은 질량이 같은 액체 A, B를 같은 가열 장치로 가열하면서 온도를 측정한 것을 그래프로 나타낸 것이다.

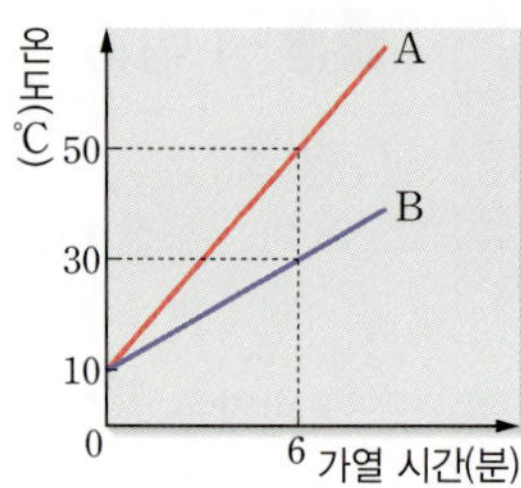

04 이에 대한 설명으로 옳은 것을 보기에서 모두 고른 것은?

보기
ㄱ. A의 비열이 B보다 크다.
ㄴ. 6분 동안 A에 가해진 열량은 B보다 크다.
ㄷ. 같은 시간 동안 A의 온도 변화는 B의 2배이다.

① ㄱ   ② ㄴ   ③ ㄷ
④ ㄱ, ㄴ   ⑤ ㄴ, ㄷ

중요
05 액체 A와 액체 B의 비열의 비 A : B는?

① 1 : 1   ② 1 : 2   ③ 2 : 1
④ 3 : 5   ⑤ 5 : 3

06 그림은 낮에 해안가에서 바람이 부는 방향을 나타낸 것이다.

이에 대한 설명으로 옳은 것은?

① 육지보다 바다의 비열이 작다.
② 밤에도 같은 방향으로 바람이 분다.
③ 위 그림처럼 부는 바람을 육풍이라고 한다.
④ 육지와 바다의 비열 차 때문에 바람이 분다.
⑤ 같은 원리로 해안 지방의 일교차가 내륙 지방보다 크다.

07 그림 (가)는 동일한 금속 컵에 물과 콩기름을 100 g씩 넣고 가열 장치로 가열하는 모습을, (나)는 두 액체의 시간에 따른 온도 변화를 그래프로 나타낸 것이다. A, B는 물과 콩기름을 순서 없이 표시한 것이다.

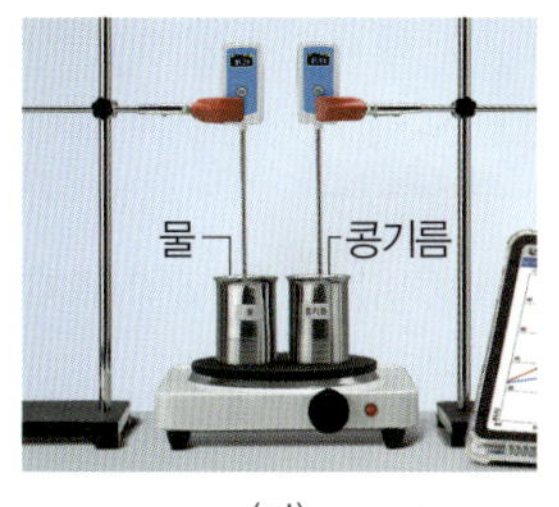

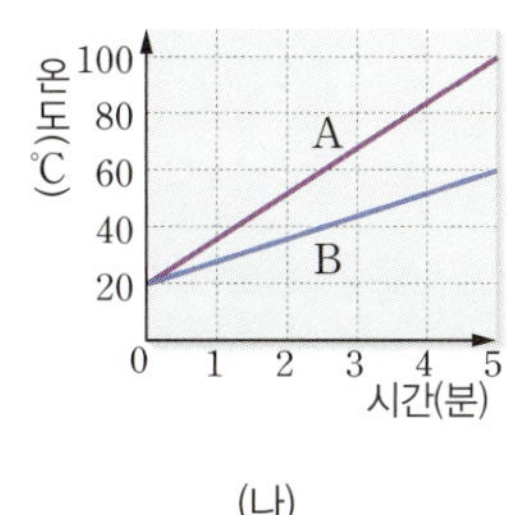

(가)   (나)

이에 대한 설명으로 옳은 것은? (단, 물의 비열은 콩기름보다 크며, 외부와의 열출입은 없다.)

① A는 물, B는 콩기름이다.

② A의 비열은 B의 비열의 2배이다.

③ 5분 동안 A가 받은 열량이 B보다 크다.

④ 같은 시간 동안 A의 온도 변화는 B의 2배이다.

⑤ A, B의 질량을 2배로 늘려 같은 실험을 하면 같은 시간 동안 온도 변화는 더 커진다.

중요

08 여름 한낮의 바닷가의 모래는 매우 뜨거운데 바닷물은 시원하다. 이에 대한 설명으로 옳은 것을 보기에서 모두 고른 것은?

보기

ㄱ. 모래의 비열이 물보다 작다.

ㄴ. 물보다 모래의 온도 변화가 작다.

ㄷ. 이와 같은 원리로 해안 지역의 일교차가 내륙 지역보다 크다.

① ㄱ   ② ㄷ   ③ ㄱ, ㄴ

④ ㄴ, ㄷ   ⑤ ㄱ, ㄴ, ㄷ

09 열팽창에 대한 설명으로 옳은 것을 보기에서 있는 대로 고른 것은?

보기

ㄱ. 기체는 물질에 관계없이 열팽창 정도가 같다.

ㄴ. 온도에 따라 물체의 길이와 부피가 변하는 현상이다.

ㄷ. 일반적으로 열팽창 정도는 기체 > 액체 > 고체 순이다.

① ㄱ   ② ㄷ   ③ ㄱ, ㄴ

④ ㄴ, ㄷ   ⑤ ㄱ, ㄴ, ㄷ

10 그림은 놋쇠와 철을 붙여 냉각했을 때 두 금속이 휘어지는 모습을 나타낸 것이다. 이에 대한 설명으로 옳은 것을 보기에서 모두 고른 것은?

보기

ㄱ. 놋쇠의 열팽창 정도가 철보다 크다.

ㄴ. 이 상태로 가열하면 철 쪽으로 휘어진다.

ㄷ. 가열하면 놋쇠보다 철을 이루는 입자 사이의 멀어진 거리가 더 크다.

① ㄱ   ② ㄴ   ③ ㄷ

④ ㄱ, ㄴ   ⑤ ㄴ, ㄷ

11 그림의 에펠탑의 높이는 여름 한낮에는 원래 높이보다 약 7 cm 높아진다고 한다. 여름 한낮의 에펠탑을 이루는 입자들의 변화로 옳은 것은?

① 입자의 크기가 커진다.

② 입자의 개수가 늘어난다.

③ 입자들의 밀도가 커진다.

④ 입사들의 움직임이 둔해진다.

⑤ 입자와 입자 사이의 거리가 멀어진다.

정답과 해설 026쪽

12 열팽창과 관련이 있는 현상의 예로 옳지 <u>않은</u> 것은?

① 철도 레일에 군데군데 틈을 둔다.

② 가스관에 ㄷ자형 관을 이어 만든다.

③ 한겨울에는 전신주의 전선이 팽팽해진다.

④ 계곡물에 수박을 넣어 두면 수박이 시원해진다.

⑤ 더운 여름철에 가스 수송관의 길이가 늘어난다.

13 그림은 같은 양의 물과 콩기름을 둥근 플라스크에 담고 뜨거운 물을 담은 수조에 넣어 오랫동안 두었더니 물과 콩기름의 높이가 처음과 달라진 모습을 나타낸 것이다. 이에 대한 설명으로 옳은 것을 보기에서 모두 고른 것은?

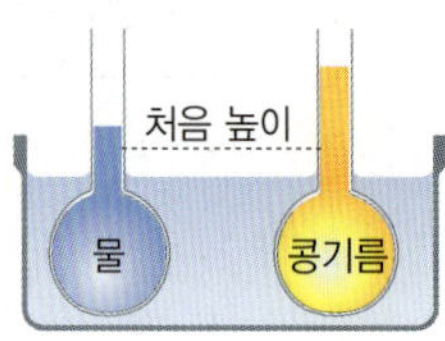

보기
ㄱ. 물질의 종류에 따라 열팽창하는 정도가 다르다.
ㄴ. 물과 콩기름을 이루는 입자 운동이 처음보다 둔해졌다.
ㄷ. 콩기름을 이루는 입자 사이의 거리는 처음보다 가까워졌다.

① ㄱ   ② ㄷ   ③ ㄱ, ㄴ
④ ㄴ, ㄷ   ⑤ ㄱ, ㄴ, ㄷ

중요

14 길이가 100 m인 금속 A~E의 온도를 10 °C 높였을 때 A~E가 늘어난 길이가 다음과 같았다.

금속	A	B	C	D	E
늘어난 길이(mm)	29	12	18	9	26

A~E 중 두 가지로 그림과 같은 바이메탈을 만들 때, 바이메탈이 열을 받아 휘어지는 방향이 나머지 넷과 다른 것은?

   위   아래   위   아래
① B   A   ② B   E
③ C   D   ④ D   B
⑤ C   A

중요

15 그림은 철, 구리, 알루미늄 막대를 동시에 가열해 늘어난 길이를 비교하는 장치를 나타낸 것이다.

늘어난 길이가 철<구리<알루미늄 순일 때, 이에 대한 설명으로 옳은 것을 보기에서 모두 고른 것은?

보기
ㄱ. 세 막대 모두 입자 운동이 둔해졌다.
ㄴ. 열팽창 정도는 알루미늄이 가장 크다.
ㄷ. 가열하면 철보다 구리를 이루는 입자 사이의 멀어진 거리가 더 크다.

① ㄱ   ② ㄷ   ③ ㄱ, ㄴ
④ ㄴ, ㄷ   ⑤ ㄱ, ㄴ, ㄷ

16 그림은 겹쳐져서 잘 빠지지 않는 그릇을 열팽창을 활용해 빼는 과정 (가)~(다)를 순서대로 나열한 것이다.

(가) 겹쳐져 빠지지 않는 그릇 안쪽에 얼음을 넣는다.
(나) 수조에 그릇을 넣고 뜨거운 물을 붓는다.
(다) 겹쳐진 그릇이 쉽게 빠진다.

이에 대한 설명으로 옳은 것을 보기에서 모두 고른 것은?

보기
ㄱ. (가)에서 안쪽 그릇은 수축한다.
ㄴ. (나)에서 수조의 물과 접촉한 그릇은 팽창한다.
ㄷ. (나)에서 안쪽 그릇에는 뜨거운 물을, 수조에는 차가운 얼음물을 넣어도 그릇은 잘 빠질 것이다.

① ㄱ   ② ㄷ   ③ ㄱ, ㄴ
④ ㄴ, ㄷ   ⑤ ㄱ, ㄴ, ㄷ

01 그림은 질량이 같은 두 액체 A, B가 받은 열량에 따른 온도 변화를 나타낸 그래프이다. 이에 대한 설명으로 옳은 것을 보기에서 모두 고른 것은? (단, 같은 가열 장치로 가열하며, 외부와의 열출입은 없다.)

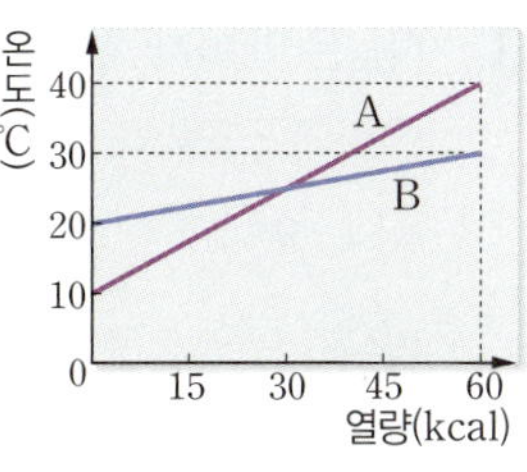

보기
ㄱ. A의 비열은 B의 2배이다.
ㄴ. 받은 열량이 15 kcal일 때 온도는 B가 A보다 높다.
ㄷ. 60 kcal의 열량을 공급할 때까지 온도 변화는 A가 B보다 크다.

① ㄱ   ② ㄷ   ③ ㄱ, ㄴ
④ ㄴ, ㄷ   ⑤ ㄱ, ㄴ, ㄷ

02 그림은 식용유, 물, 에탄올을 같은 양만큼 유리병에 넣은 후 뜨거운 물이 담긴 수조에 넣어 액체의 부피가 늘어난 것을 나타낸 것이다.

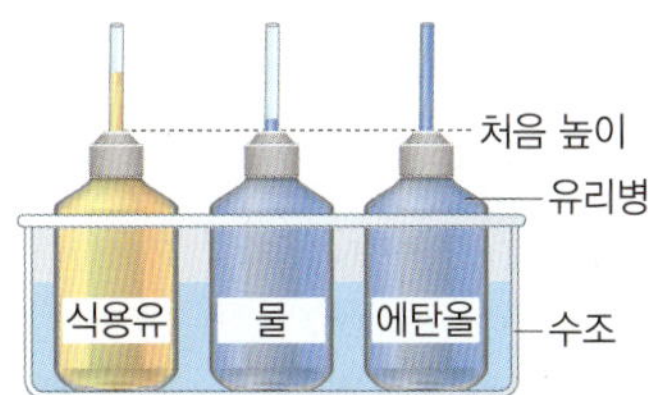

이에 대한 설명으로 옳은 것을 보기에서 모두 고른 것은?

보기
ㄱ. 물의 열팽창 정도가 가장 작다.
ㄴ. 입자와 입자 사이의 거리가 가장 많이 늘어난 것은 에탄올이다.
ㄷ. 다른 조건은 동일하게 하고 뜨거운 물 대신 얼음물을 넣으면 물의 부피가 가장 많이 줄어들 것이다.

① ㄱ   ② ㄷ   ③ ㄱ, ㄴ
④ ㄴ, ㄷ   ⑤ ㄱ, ㄴ, ㄷ

[03~04] 표 (가)는 처음 길이가 1000 m인 여러 가지 고체의 온도를 1 ℃ 높였을 때 늘어나는 길이를 나타낸 것이고, (나)는 다리 상판과 철도 레일의 틈을 나타낸 것이다.

물질	백금	강철	콘크리트	알루미늄	납
늘어나는 길이(mm)	9	11	11	23	29

(가)

(나)

03 처음 길이가 1 m인 납의 온도를 20 ℃ 높일 때 늘어난 길이로 옳은 것은?

① 0.09 mm   ② 0.29 mm   ③ 0.58 mm
④ 2.9 mm   ⑤ 5.8 mm

04 (가)와 (나)에 대한 설명으로 옳은 것을 보기에서 모두 고른 것은?

보기
ㄱ. 같은 조건이라면 여름철 콘크리트로 만들어진 다리와 강철로 만들어진 다리가 늘어나는 정도는 비슷하다.
ㄴ. 강철 대신 알루미늄으로 철도 레일을 만들면 겨울에 레일 사이의 틈은 강철 레일에 비해 적게 벌어진다.
ㄷ. 강철과 알루미늄을 붙인 바이메탈을 가열하면 강철 쪽으로 구부러질 것이다.

① ㄱ   ② ㄴ   ③ ㄱ, ㄷ
④ ㄴ, ㄷ   ⑤ ㄱ, ㄴ, ㄷ

☞ 제시된 Keyword를 이용하여 문제를 해결해 보자.

1 그림 (가)는 동일한 금속 컵에 물과 콩기름을 100 g씩 넣고 가열 장치로 동시에 가열하는 모습을, (나)는 두 액체의 시간에 따른 온도 변화를 그래프로 나타낸 것이다.

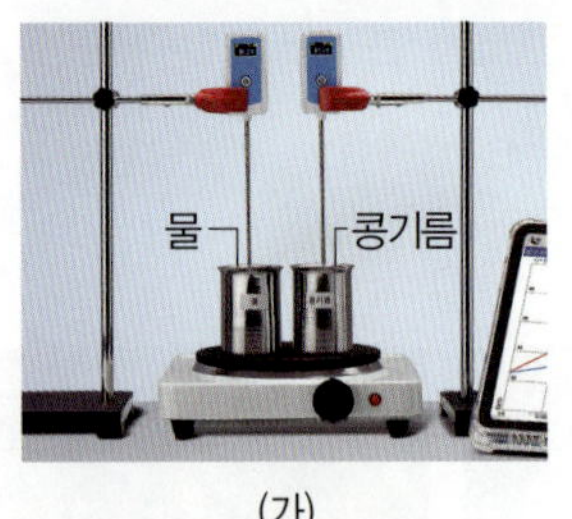

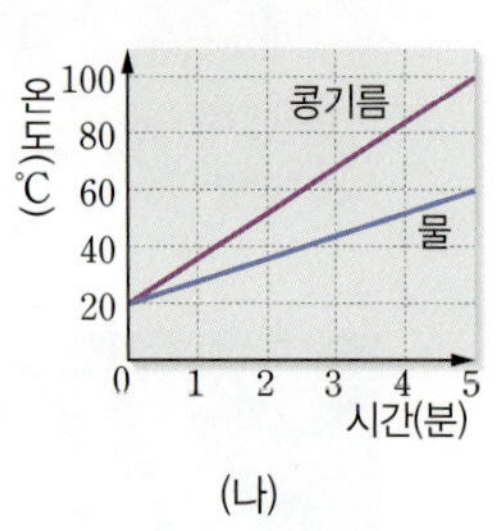

(가)　　　　　　　　　(나)

(나)에서 물과 콩기름의 온도 변화가 다른 까닭을 설명하시오.

Keyword 비열, 온도 변화

____

____

____

2 그림은 질량이 같은 두 물체 A, B가 접촉한 후 시간에 따른 온도 변화를 그래프로 나타낸 것이다.

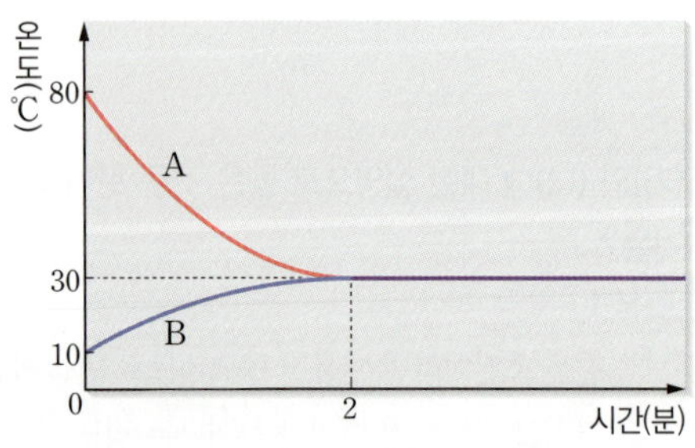

A, B의 비열의 비 A : B를 구하고 그 까닭을 설명하시오. (단, 외부와의 열출입은 없다.)

Keyword 온도 변화, 비열, 반비례

____

____

____

3 다음은 몇 가지 물질의 비열을 나타낸 것이다.

물질	철	모래	콩기름	물
비열(kcal/(kg·℃))	0.11	0.19	0.47	1.00

찜질팩 안에 물을 넣는 까닭을 위 자료를 이용하여 설명하시오.

Keyword 비열, 온도 변화, 열

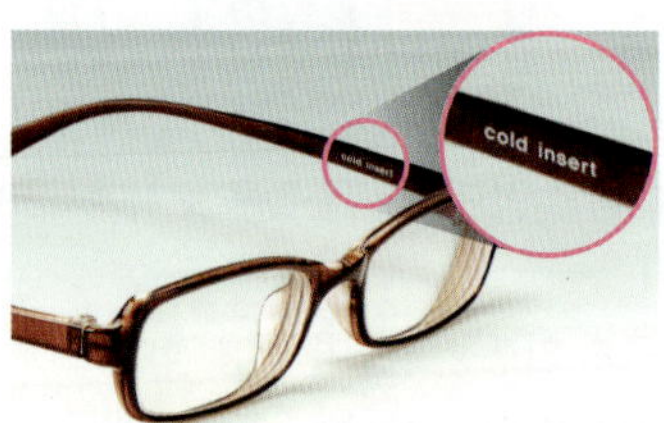

____

____

____

4 그림의 안경테 안쪽에는 'cold insert'라는 문구가 쓰여 있는데, 렌즈를 안경테에 끼울 때 차갑게 하여 끼우라는 뜻이다.

렌즈를 차갑게 하여 안경테에 끼우는 까닭을 설명하시오.

Keyword 렌즈, 부피

____

____

5 그림 (가)는 놋쇠와 미지의 금속 A를 서로 붙여 만든 바이메탈의 처음 상태를 나타낸 것이고, (나)는 처음 길이가 1000 m인 여러 가지 고체의 온도를 1 ℃ 높일 때 늘어나는 길이를 나타낸 것이다.

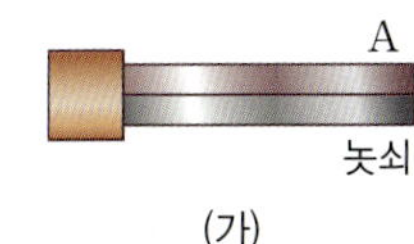

(가)

물질	백금	강철	놋쇠	알루미늄	납
늘어나는 길이(mm)	9	11	19	23	29

(나)

바이메탈을 가열하면 A 쪽으로 구부러지고 냉각하면 놋쇠 쪽으로 구부러지려면 A에 어떤 금속을 쓸지 (나)에서 고르고, 그 까닭을 설명하시오.

Keyword 열팽창

____

____

6 그림은 여름과 겨울에 전신주 전선의 모습을 나타낸 것이다.

여름   겨울

전신주에 전선을 설치할 때에는 계절에 따라 전선의 길이를 다르게 설치해야 한다고 한다. 여름에 전선을 설치할 때와 겨울에 전선을 설치할 때 어떤 차이점이 있을지 설명하시오.

Keyword 전선의 길이, 열팽창

____

____

____

7 다음은 금속 고리 A는 통과하지만 금속 고리 B는 통과하지 못하는 금속 구를 이용한 실험 과정을 나타낸 것이다.

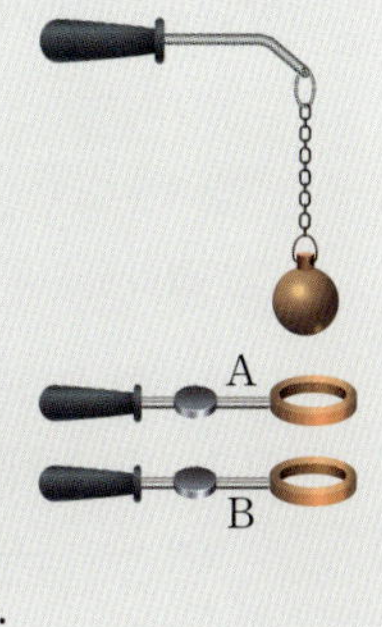

[실험 과정]
(가) 금속 구를 가열하여 고리 A, B에 통과시켰더니 A와 B 모두 통과하지 못하였다.
(나) (가)에서 가열한 금속 구를 식히고, 고리 A, B를 가열한 후 금속 구를 통과시켰더니 고리 A, B를 모두 통과하였다.

(1) **[자료 분석]** (가)에서 금속 구가 고리 A와 B를 통과하지 못하는 까닭을 설명하시오.

Keyword 금속 구, 열팽창

____

____

(2) **[문제 해결]** (나)에서 금속 구가 고리 A와 B를 통과한 까닭을 설명하시오.

Keyword 금속 구, 금속 고리, 열팽창

____

____

(3) **[가산점 줍줍!]** 그림은 가열 전 고리의 크기를 나타낸 것이다. (나)에서 고리를 가열한 후 고리의 크기를 그림에 실선으로 그리시오.

사고력을 키우는

최상위권 도전 문제

☞ 심화 HIGH 물리학(094쪽, 108쪽)에서 학습한 내용을 참고하여 문제를 해결해 보자.

1 그림과 같이 금속 컵 두 개에 물과 콩기름을 100 g씩 넣고 가열 장치를 이용해 가열했을 때 시간에 따른 온도를 측정하였더니 결과가 표와 같았다.

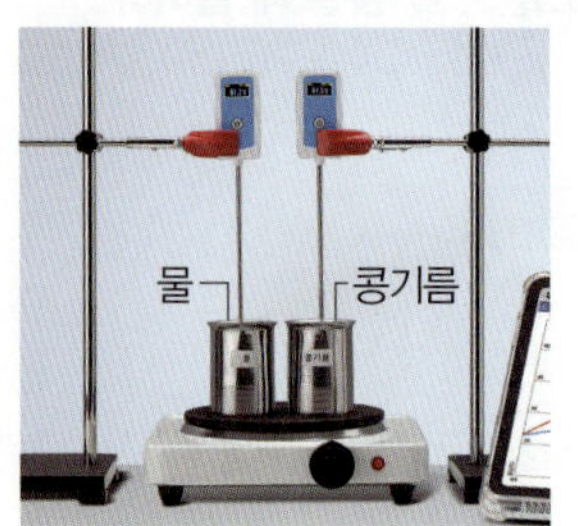

시간(분)	0	1	2	3	4	5
물의 온도(℃)	10	16	23	28	35	40
콩기름의 온도(℃)	10	22	35	48	60	73

이에 대한 설명으로 옳은 것을 보기에서 모두 고른 것은? (단, 물의 비열은 1 kcal/(kg·℃)이고, 가열 장치는 두 액체에 같은 열량을 공급하며, 용기 및 외부와의 열출입은 없다.)

> **보기**
>
> ㄱ. 5분 동안 물이 받은 총 열량은 3 kcal이다.
>
> ㄴ. 가열 장치는 콩기름에 분당 0.6 kcal의 열량을 공급한다.
>
> ㄷ. 콩기름의 비열은 약 0.48 kcal/(kg·℃)이다.

① ㄱ 　② ㄴ 　③ ㄱ, ㄷ

④ ㄴ, ㄷ 　⑤ ㄱ, ㄴ, ㄷ

2 그림은 질량이 각각 100 g, 200 g인 물체 A, B가 접촉한 후 시간에 따른 온도 변화를 그래프로 나타낸 것이다.

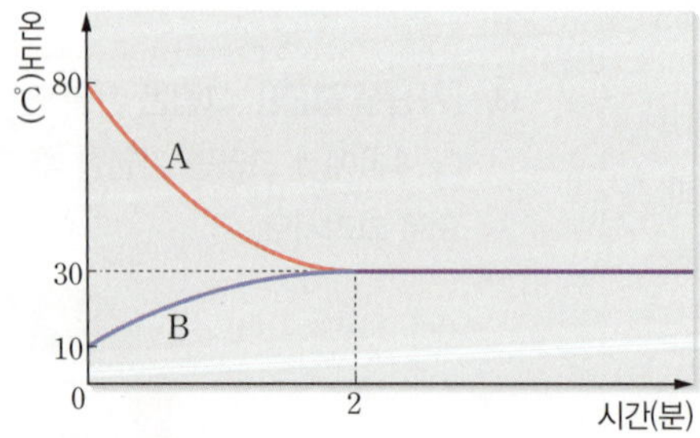

A의 비열은 c_A, B의 비열은 c_B라고 할 때, $\dfrac{c_A}{c_B}$는? (단, 외부와의 열출입은 없다.)

① $\dfrac{1}{2}$ 　② $\dfrac{2}{5}$ 　③ $\dfrac{4}{5}$ 　④ $\dfrac{5}{4}$ 　⑤ $\dfrac{5}{2}$

3 그림은 찬물과 뜨거운 물에 각각 잉크를 떨어뜨린 후 같은 시간이 지난 후의 모습을 나타낸 것이다.

(가) 찬물

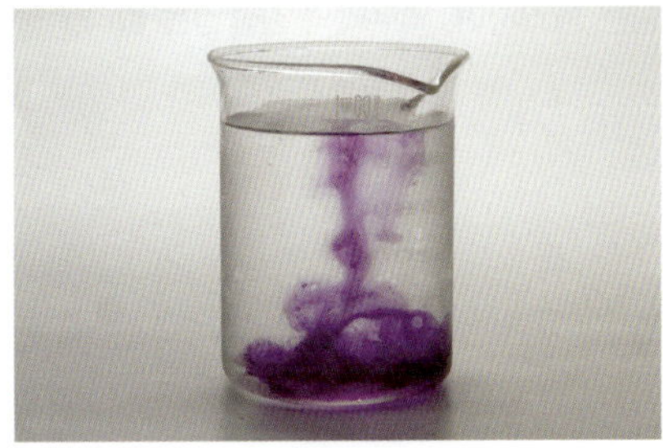

(나) 뜨거운 물

이에 대한 설명으로 옳은 것을 보기에서 모두 고른 것은?

보기
ㄱ. 찬물보다 뜨거운 물에서 입자의 운동이 활발하다.
ㄴ. 시간이 충분히 지나면 찬물과 잉크는 열평형을 이룬다.
ㄷ. 시간이 충분히 지나면 뜨거운 물 입자의 운동과 잉크 입자의 운동의 활발한 정도가 같아진다.

① ㄱ
② ㄷ
③ ㄱ, ㄴ
④ ㄴ, ㄷ
⑤ ㄱ, ㄴ, ㄷ

4 그림 (가)는 망치로 철사를 두드리기 전의 철사의 모습을, (나)는 망치로 철사를 두드린 후의 철사의 모습을 열화상 카메라로 촬영한 것이다.

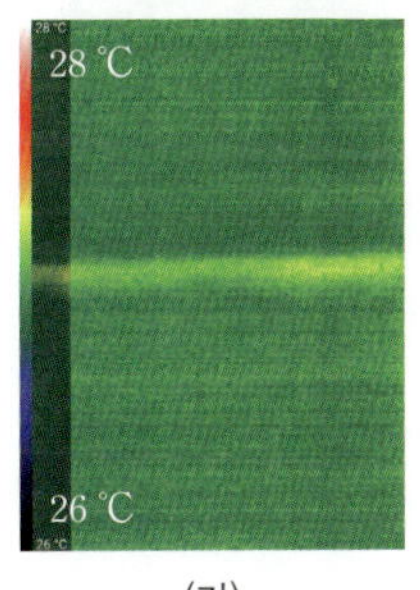

(가)

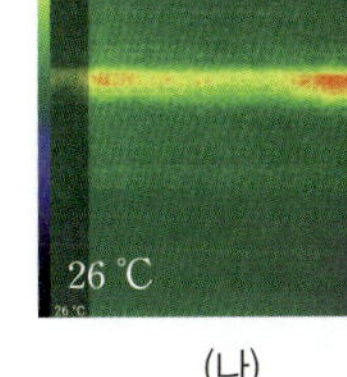

(나)

이에 대한 설명으로 옳은 것을 보기에서 모두 고른 것은?

보기
ㄱ. (가)보다 (나)에서 철사의 온도가 낮다.
ㄴ. 망치로 철사를 두드릴 때 철사를 이루는 입자의 운동이 활발해졌다.
ㄷ. 철사에서 망치로 두드린 부분의 입자 운동이 이웃한 입자에 전달된다.

① ㄱ
② ㄷ
③ ㄱ, ㄴ
④ ㄴ, ㄷ
⑤ ㄱ, ㄴ, ㄷ

5 그림 (가)는 200 g의 물과 400 g의 미지의 액체 A를 가열하는 모습을, (나)는 (가)의 실험 결과를 시간에 따른 온도 변화 그래프로 나타낸 것이다. (단, 물의 비열은 1 kcal/(kg·℃)이고, (가)에서 두 액체에 공급된 열량은 동일하며, 외부와의 열출입은 없다.)

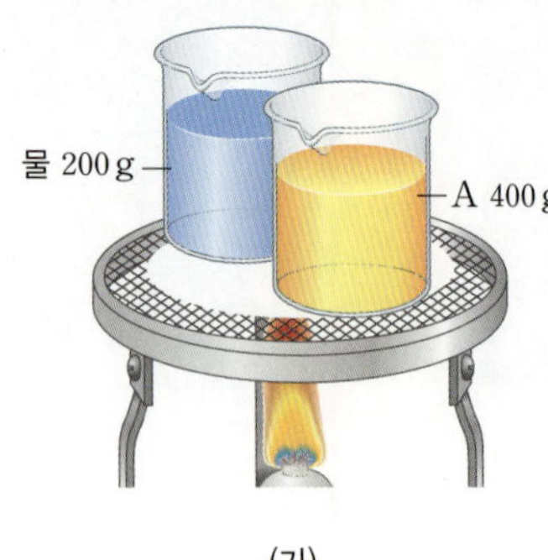

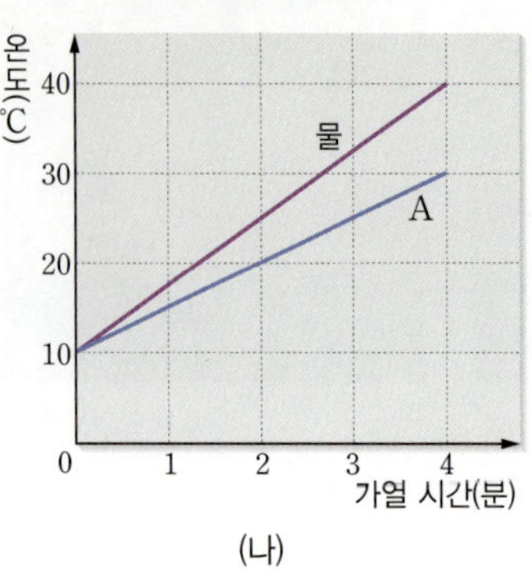

(1) 가열 후 4분 동안 물이 받은 총열량을 구하시오.

(2) 액체 A의 비열을 구하시오.

(3) 4분 후 가열을 멈추고 두 액체를 큰 용기에 같이 부었다. 시간이 충분히 지난 후 열평형을 이루었을 때 온도를 구하시오. (단, 용기와의 열출입은 없다.)

Solution Tip

같은 가열 장치로 동시에 가열한 두 물체가 같은 시간 동안 받은 열량은 같다. 또한 온도가 다른 두 물체를 섞으면 열평형에 도달할 때까지 두 물체가 주고받은 열량은 같다.

6 다음은 온도가 T_1로 유지되는 물체와 온도가 T_2로 유지되는 물체가 금속 막대로 연결되어 열이 금속 막대로 전달될 때 열의 양을 구하는 과정이다. 이때 $T_1 > T_2$이고 금속 막대의 길이는 l, 단면의 넓이는 A이다.

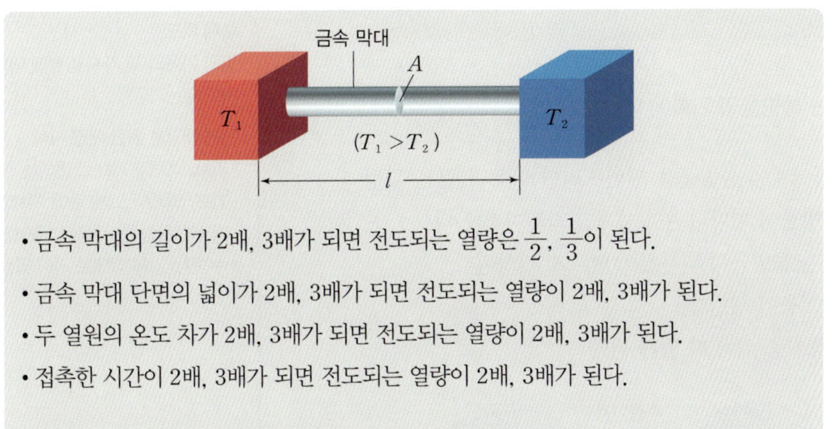

- 금속 막대의 길이가 2배, 3배가 되면 전도되는 열량은 $\frac{1}{2}$, $\frac{1}{3}$이 된다.
- 금속 막대 단면의 넓이가 2배, 3배가 되면 전도되는 열량이 2배, 3배가 된다.
- 두 열원의 온도 차가 2배, 3배가 되면 전도되는 열량이 2배, 3배가 된다.
- 접촉한 시간이 2배, 3배가 되면 전도되는 열량이 2배, 3배가 된다.

따라서 전도되는 열량은 다음과 같이 나타낼 수 있다.

전도되는 열량 $\propto$ | (가) |

(가)에 들어갈 식으로 옳은 것은? (단, 금속 막대로 열이 전도되는 시간을 t라고 한다.)

① $\dfrac{A(T_1 - T_2)}{l}t$ ② $\dfrac{l(T_1 - T_2)}{A}t$ ③ $\dfrac{AT_1T_2}{l}t$

④ $\dfrac{l}{A(T_1 - T_2)}t$ ⑤ $\dfrac{lT_1T_2}{A}t$

Solution **Tip**

열은 온도가 높은 곳에서 낮은 곳으로 이동한다. 한쪽의 양이나 수가 증가하는 만큼 이와 관련이 있는 다른 쪽의 양이나 수도 증가하면 비례 관계이고, 한쪽의 양이 커질 때 다른 쪽 양이 그와 같은 비로 작아지면 반비례 관계이다.

7 그림 (가)와 (나)는 촛불에 손을 가까이 가져가는 모습을 나타낸 것이다.

(1) (가)와 같이 촛불 주위에 손을 가까이 가져갈 때 손이 따뜻해지는 까닭을 열의 이동 방법과 관련지어 설명하시오.

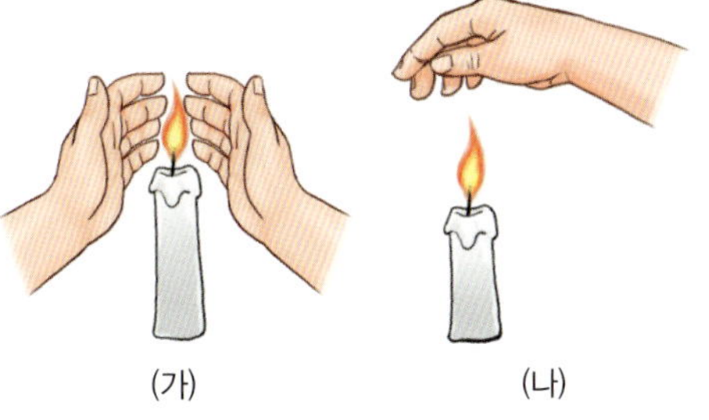

(2) (나)와 같이 촛불 위쪽에 손을 가까이 가져갈 때 손이 따뜻해지는 까닭을 열의 이동 방법과 관련지어 설명하시오.

Solution **Tip**

촛불 주위로는 복사에 의해 열이 전달된다. 그리고 촛불 위쪽은 대류와 복사에 의해 열이 전달된다.

과학 역량을 기르는

논술형 문제

예제

다음은 뜨거운 프라이팬 위에서 일어나는 물방울의 기화에 대한 설명이다.

> 온도가 200 ℃ 이상으로 가열된 프라이팬에 물방울을 떨어뜨리면 다음과 같은 과정에 의해 프라이팬 위에서 순간적으로 물방울이 떠다니면서 쉽게 기화되지 않는다.
>
> (가) 물방울이 뜨거운 표면에 닿는 순간 물방울의 밑부분이 빠르게 기화된다.
>
> (나) 물방울과 표면 사이에 얇은 수증기층이 생긴다.
>
> (다) 수증기층이 커지고 물방울이 수증기층 위에 떠 있게 된다.
>
> 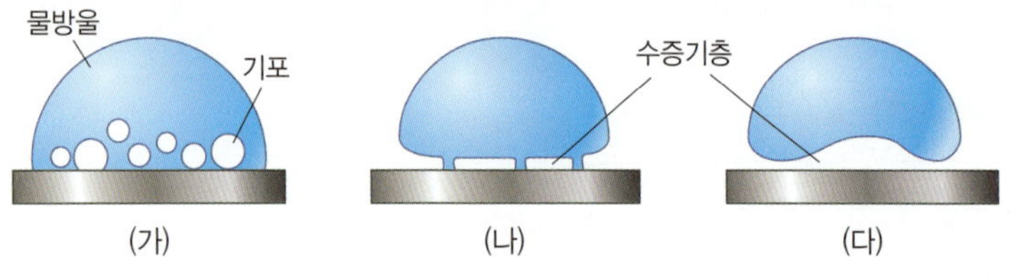
>

(1) (가) 과정에서 물방울이 기화되는 과정을 열의 이동 방법을 이용해 설명하시오.

(2) 뜨거운 프라이팬 위 물방울이 빨리 기화되지 않는 까닭을 열의 이동 방법 세 가지를 모두 사용하여 설명하시오.

🧭 해결 전략

전도, 대류, 복사가 어떤 방법으로 열을 전달하는지 기억하자.

❶ 전도는 물체를 이루는 입자의 운동이 이웃한 입자에 차례로 전달되는 열의 전달 방법이다.

❷ 대류는 기체나 액체를 이루는 입자가 직접 이동하는 열의 전달 방법이다.

❸ 복사는 열이 물질의 도움 없이 직접 이동하는 열의 전달 방법이다.

📝 모범 답안

(1) 프라이팬에 접촉한 물방울의 아래 부분이 전도에 의해 가열되어 기화된다.

(2) 전도에 의해 프라이팬에 접촉한 물이 가열되어 기화된다. 기화된 수증기 때문에 프라이팬과 물방울은 서로 닿지 않아 전도에 의한 열은 전달되지 않지만, 기화된 수증기가 프라이팬과 물방울 사이에서 대류하면서 물방울의 밑면을 천천히 가열한다. 또 데워진 프라이팬에서 복사로 열이 전달되면서 떠 있는 물방울은 서서히 데워지게 된다. 이와 같이 대류와 복사로 전달되는 열에 의해 물방울은 전도보다 느리게 데워지며 시간이 지나면 기화하게 된다.

출제 의도

열의 이동의 세 가지 방법에 대해 이해하고 있는가?

문제 해결을 위한 배경 지식

• **기화**: 액체가 기체로 변하는 현상

• **기포**: 액체나 고체 속에 기체가 들어가 거품처럼 둥그렇게 부풀어 있는 것

• **수증기**: 기체 상태로 되어 있는 물

Keyword

전도, 대류, 복사

완벽한 답안 작성을 위한 Tip

(1) 열의 전달 방법의 특징을 확실히 이해하고 각각의 단계에서 가장 적당한 열의 전달 방법을 찾아 설명한다.

(2) 열의 전달 방법의 중요한 특징(전도의 경우 접촉, 대류의 경우 액체와 기체의 이동, 복사의 경우 빛을 통한 전달)을 알고 이 과정을 모두 포함하여 설명한다.

1

가치·태도

다음은 열의 이동 방법에 따른 열전달 관련 소재와 이를 활용하는 예에 대한 글이다.

(가) 산에서 조난을 당했을 때나 체온이 급격하게 떨어질 때 체온이 떨어지는 것을 막기 위해 비상 생존 담요를 사용한다. 비상 생존 담요는 빛을 잘 반사하는 은박 재질로 만들며, 무게도 가벼워 휴대가 간편하여

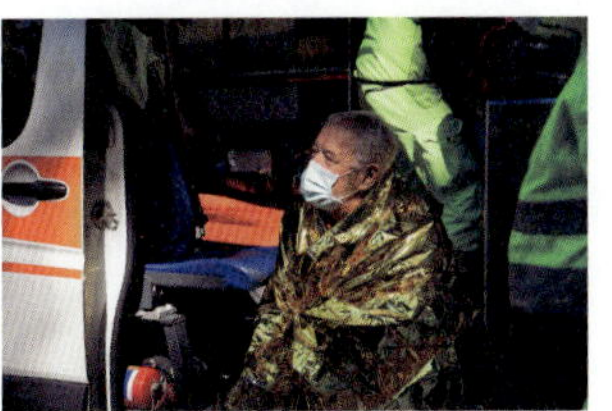

비상시에 유용하게 사용된다. 비슷한 원리로 소방관들이 화재를 진압할 때 뜨거운 열에 의한 부상을 막기 위해 입는 방열복의 방열 원단 위에도 알루미늄이 씌워져 있다.

(나) 실내의 온도를 잘 유지하려면 건물의 창에서 실내와 실외의 열의 이동을 잘 차단해야 한다. 건물의 창은 채광을 위해 필수적이지만 실내와 실외로 열이 잘 이동한다. 이런 단점을 보완하기 위해 건물의 창은 두꺼운 이중창을 이용하기도 한다.

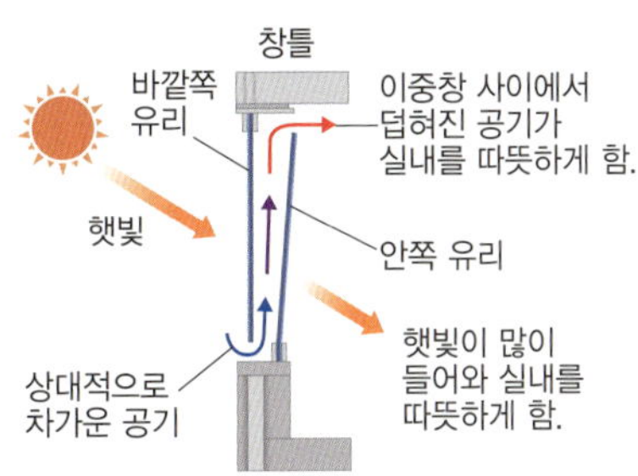

최근에는 문을 열고 닫을 수 있는 이중창이 개발되었다. 열고 닫는 이중창은 바깥쪽 하단의 틈은 항상 열려 있고 안쪽 상단에는 열고 닫을 수 있는 틈이 있다. 겨울철 차가운 공기가 창 하단의 틈으로 들어오면 햇빛에 의해 공기가 가열되어 실내로 들어오므로 실내 공기를 환기하면서 실내의 온도 조절에 유리하다.

(1) (가)에서 비상 생존 담요가 체온이 떨어지는 것을 막아 주는 원리를 열의 이동 방법 중 한 가지 방법을 사용해 설명하시오.

(2) (나)에서 일부를 열고 닫는 유리창이 겨울철 난방에 유리한 점을 열의 이동 방법 세 가지를 모두 사용하여 서술하시오.

Solution **Tip**

사람의 몸에서는 열이 복사의 형태로 방출된다.

Keyword

(1) 사람의 몸, 복사, 반사

(2) 복사, 대류, 전도

2 [과정·기능]

다음은 샌드위치를 만드는 과정이다.

> (가) 프라이팬을 달구어 소시지를 굽는다.
> (나) 물을 끓여 감자와 달걀을 삶는다.
> (다) 찬물에 깨끗이 씻은 양상추를 한 장씩 떼어 낸다.
> (라) 토스터로 빵을 안쪽까지 따뜻하게 굽는다.
> (마) 구워진 빵 사이에 소시지와 으깬 감자, 달걀, 양상추를 넣는다.

(1) (가), (나), (라) 과정에서 일어나는 열의 이동 방법을 설명하시오.

(가)

(나)

(라)

(2) (나)에서 감자를 삶을 때 열평형이 일어나는 과정을 열의 이동 방향을 고려하여 설명하시오.

Solution Tip

열의 이동 방법에는 전도, 대류, 복사가 있다. 온도가 다른 두 물체가 접촉하면 두 물체 사이에서 열이 이동하고 시간이 충분히 지나면 두 물체의 온도가 같아지는 열평형 상태가 된다.

Keyword
(1) 전도, 대류, 복사
(2) 열평형

3 [과정·기능]

그림 (가)~(다)는 같은 용기에 질량이 다른 물을 넣고 열량을 다르게 하여 가열했을 때 물의 온도 변화를 나타낸 것이다.

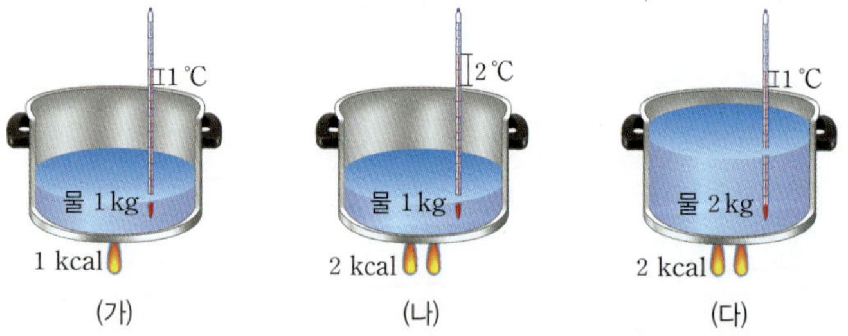

(1) 위 실험을 통해 비열의 단위를 추론하시오.

(2) 비열이 물질의 특성이 될 수 있는지 (가)~(다)의 결과를 이용해 설명하시오.

Solution Tip

열량은 물질의 비열, 물질의 질량, 물질의 온도 변화의 곱과 같다.

Keyword
(1) 온도 변화, 열량
(2) 비열, 물질의 특성

4 지식·이해

다음은 가열한 금속에 대한 글이다.

길게 선으로 만든 고체는 그림 (가)와 같이 가열하면 길이가 늘어난다. 그리고 사각형으로 만들어 가열하면 그림 (나)와 같이 넓이가 전체적으로 늘어난다. 만약 그림 (다)와 같이 사각형 안쪽에 구멍이 있을 때 가열하면 구멍을 감싸는 주위 입자 사이의 거리도 멀어지므로 마치 구멍도 커진 것과 같은 효과가 나타난다. 차원을 확장하여 3차원에서 고체를 가열하면 고체의 부피가 팽창하는 것을 설명할 수 있다.

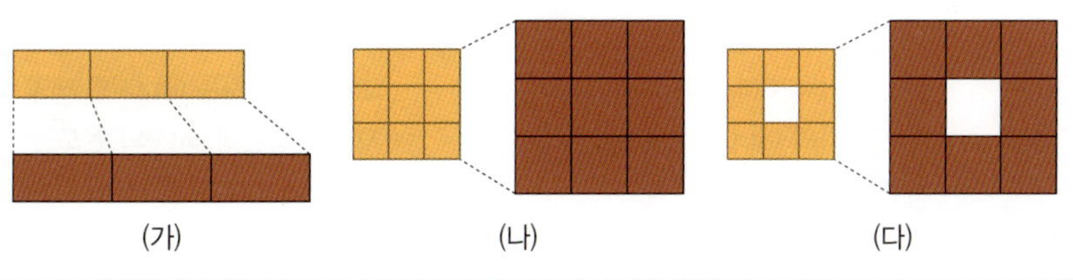

(1) 다음은 일부가 끊긴 원 모양의 금속 고리를 나타낸 것이다. 이 금속 고리를 가열하였을 때 금속 고리의 모양이 어떻게 변하는지 모양을 그리고 그 까닭을 설명하시오.

일부가 끊긴 원 모양의 금속 고리	가열하였을 때 금속 고리가 변화된 모양

(2) 그림과 같이 세 금속 A, B, C를 붙여서 만든 막대가 있다. 금속의 열팽창 정도는 A<B<C이다. 이 막대를 가열하였을 때 막대의 모양이 어떻게 변하는지 모양을 그리고 그 까닭을 설명하시오.

A, B, C를 붙여서 만든 막대	열을 가했을 때 변화된 모양

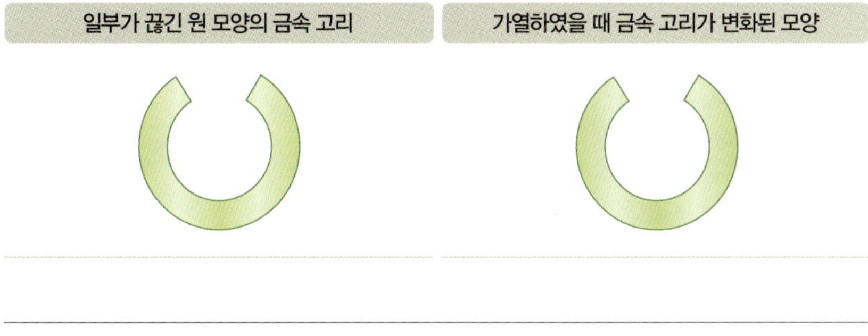

Solution Tip

물체를 가열하면 물체가 열팽창하여 부피가 늘어난다. 바이메탈은 가열하면 금속의 열팽창 정도가 작은 쪽으로 휘어지고 냉각하면 금속의 열팽창 정도가 큰 쪽으로 휘어진다.

Keyword

(1) 가열, 열팽창
(2) 열팽창, 휘어진다.

미리 만나는 통합과학

지구 환경과 에너지의 근원, 태양

태양의 열은 지구에서 일어나는 다양한 생명 활동에 영향을 준다. 그렇다면 태양에서는 어떻게 열이 생기고 지구에 어떤 영향을 줄까? 고등학교에서 배우게 될 『통합과학2』의 '환경과 에너지' 단원의 내용을 미리 살펴보자.

중1

온도가 다른 두 물체 사이에서 이동하는 에너지를 열이라고 하며, 열의 이동 방법에는 전도, 대류, 복사가 있다.

햇빛이 비추면 따스함을 느낀다. 이것은 태양의 에너지가 복사 형태로 지구에 전달되기 때문이다.

통합과학

태양이 방출하는 에너지를 태양 에너지라고 하는데, 지구의 온도는 태양 에너지에 의해 일정하게 유지된다.

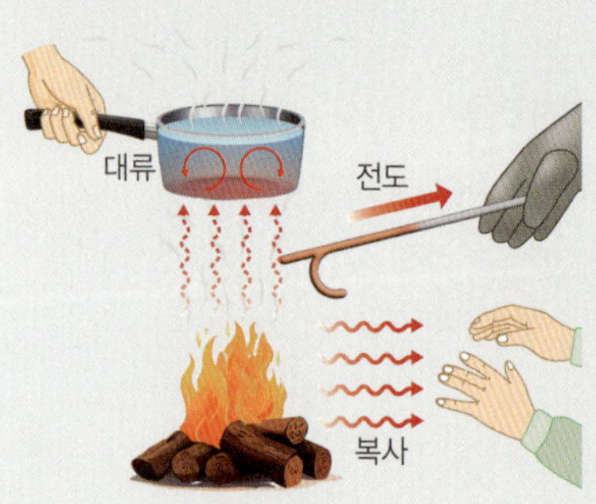

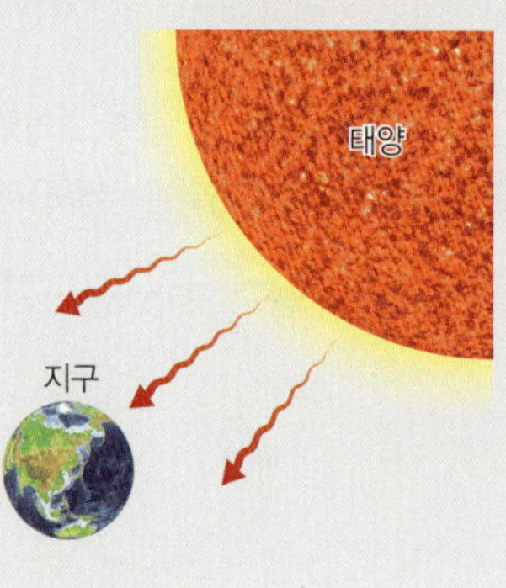

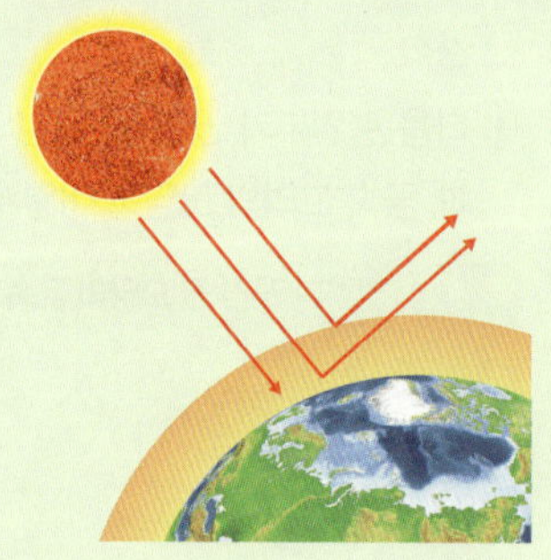

태양 에너지는 지구의 대기와 해수가 순환하는 데 영향을 주고, 식물이 광합성을 이용해 산소와 영양분을 만드는 데 이용되어 지구의 생명 활동에 중요한 역할을 한다. 또한 태양의 빛에너지나 열에너지를 이용하여 전기 에너지를 만들기도 하므로, 태양 에너지는 지구에서 사용하는 거의 모든 에너지의 근원이 된다.

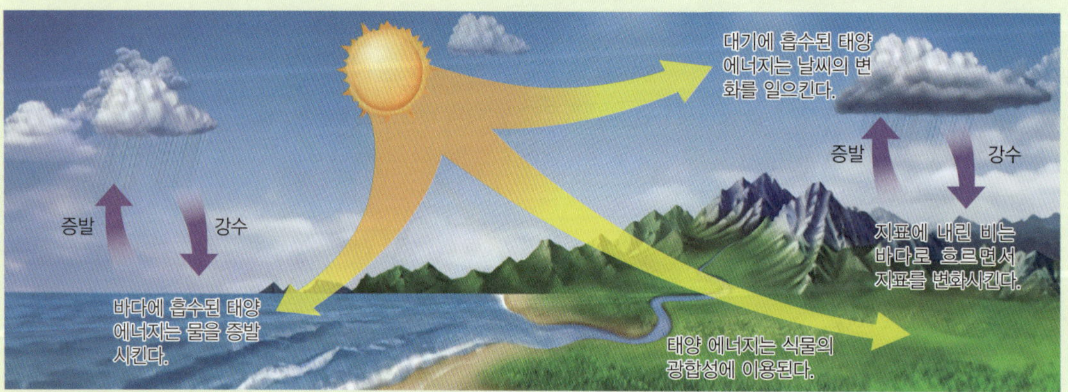

에너지 전환

물체 또는 시스템이 일을 할 수 있는 능력을 에너지라고 한다. 에너지는 역학적 에너지, 화학 에너지, 전기 에너지 등 다양한 형태로 존재한다. 에너지는 한 형태에서 다른 형태로 바뀌기도 하는데 이를 에너지 전환이라고 한다. 물질이 연소할 때는 화학 에너지가 빛에너지와 열에너지로 전환되며, 식물이 광합성을 하는 과정에서 태양의 빛에너지가 화학 에너지로 전환된다.

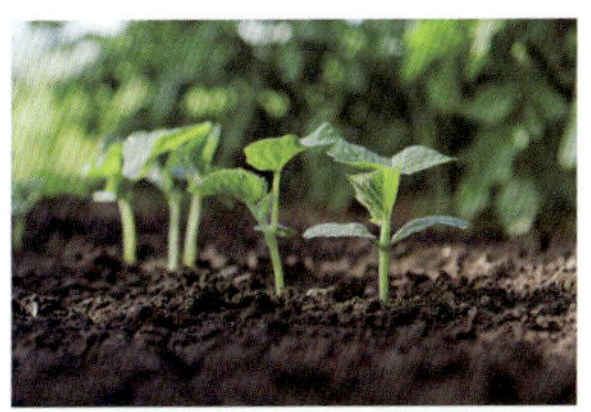

우리가 이용하는 대부분의 에너지의 근원은 태양이다. 그렇다면 태양에서 에너지는 어떻게 생길까? 초고온 상태인 태양 중심부에서는 수소 원자핵들이 융합하여 무거운 헬륨 원자핵으로 변하는 과정에서 막대한 양의 에너지를 방출한다. 이 과정을 핵융합 반응이라고 한다.

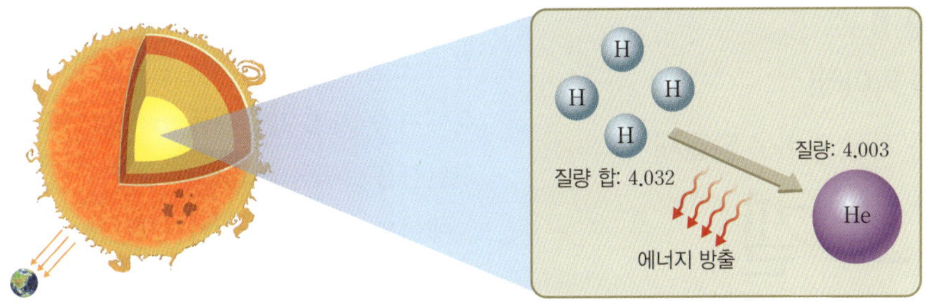

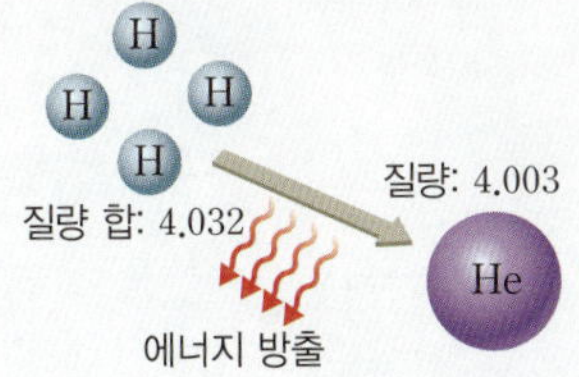

그림은 태양에서 일어나는 핵융합 반응을 나타낸 것이다. 이에 대한 설명으로 옳은 것을 보기에서 모두 고르시오.

보기
ㄱ. 핵융합 반응 과정에서 총 질량이 증가한다.
ㄴ. 핵융합 반응으로 생성된 에너지는 태양 표면에서 복사의 형태로 방출된다.
ㄷ. 태양 복사 에너지의 일부가 지구에 도달하여 지구의 에너지 흐름을 일으킨다.

정답 ㄴ, ㄷ

풀이
ㄱ. 수소 핵융합 반응에서 생성된 헬륨 원자핵 한 개의 질량은 반응에 참여한 수소 원자핵 네 개의 질량의 합보다 작으며, 이때 감소한 질량만큼 에너지가 방출된다.
ㄴ. 태양 중심부에서 수소 원자핵들이 융합하여 무거운 원자핵으로 변하며 막대한 양의 에너지를 복사의 형태로 방출한다.
ㄷ. 태양에서 방출된 에너지는 복사하여 지구에 도달하고, 이 에너지가 역학적 에너지, 화학 에너지 등으로 전환되어 지구의 에너지 흐름을 일으킨다.

열의 이동을 막아라!

인류가 만든 가장 가벼운 단열재

에어로 겔

세상에서 가장 가벼운 고체가 있다. 99.8 %가 공기로 되어 있고, 밀도는 공기의 3배에 불과한 $0.003\ \mathrm{g/cm^3}$이지만 놀랍게도 매우 딱딱하다. 마치 유리처럼 약한 힘에는 끄떡없지만 강한 힘에는 쉽게 부서지며, 충격에 쉽게 깨지기도 한다. 거품 유리라는 별명을 갖고 있는 이 물질은 어떻게 만들까?

에어로 겔이라 불리는 이 고체는 미국의 화학공학자 스티븐 키슬러가 개발한 것으로 액체로 거품을 만든 후 거품이 굳어버린 공간에 공기를 채워 만든다. 그래서 내부에 수많은 작은 공간들이 있다. 에어로 겔의 내부는 대부분이 공기이기 때문에 아주 가볍지만, 거품 조각들의 구조는 잘 부서지지 않고 단단함을 유지한다.

에어로 겔은 공기로 가득 차 있어 열이 잘 전달되지 못한다. 고체의 경우 일반적으로 전도에 의해 열이 전달되는데 고체 입자가 차지하고 있는 공간이 매우 적어 입자의 열이 잘 전도되지 못한다. 또한 에어로 겔의 구조에 갇힌 공기는 대류할 수 없어 대류에 의해 열이 전달되지 못한다. 따라서 에어로 겔은 우수한 단열재로 사용된다.

특히 에어로 겔은 우주 산업에 자주 이용된다. 우주의 온도는 매우 낮으므로 우주에서 프로젝트를 진행하려면 단열이 아주 중요하다. 우주복의 소재로 에어로 겔을 섬유와 조합하여 단열이 잘되는 우주복을 만들기도 한다. 로켓이 지구로 복귀하면서 진입할 때 공기와의 마찰로 인한 열이 많이 발생하는데 이때 생긴 열이 로켓 내부로 전달되는 것을 막기 위해 로켓 표면에 에어로 겔로 만든 타일이나 페인트를 바르기도 한다.

에어로 겔은 미세한 구멍으로 아주 작은 물질을 흡수할 수 있기 때문에 물질을 흡착시키는 도구로 사용할 수 있다. 2006년에 미국 우주탐사선 '스타더스트'는 혜성의 물질을 채집하기 위해 에어로 겔로 만든 장치를 사용하였고, 기름 유출 사고가 일어나 물속의 오염 물질을 걸러낼 때도 에어로 겔로 오염 물질과 기름 등을 빨아들였다.

이처럼 쓸모가 많은 에어로 겔이지만 상용화되기 위해서는 아직 갈 길이 멀다. 잘 부서지는 성질과 높은 가격, 인체 유해성 등을 아직 해결하지 못했기 때문이다. 만약 이러한 단점을 해결한다면 가까운 미래에 아주 가볍고 따뜻한 패딩과 단열이 잘 되는 얇은 벽을 가진 집, 가벼우면서도 튼튼한 보온병 등을 만날 수 있을 것이다.

IV

물질의 상태 변화

1 입자의 운동과 상태 변화

2 상태 변화와 열에너지

01 입자의 운동과 상태 변화

벌과 나비는 멀리 떨어진 곳에서도 꽃향기를 맡고 날아든다. 꽃향기가 멀리 퍼져 나가는 까닭은 무엇일까?

☐ **물의 세 가지 상태**: 얼음, 물, 수증기 중에서 눈으로는 볼 수 있지만, 손으로는 잡을 수 없는 특징을 가진 것은 __________이다.

☐ **물이 증발할 때와 끓을 때의 공통점**: 물이 (얼음, 수증기)(으)로 상태가 변하여 공기 중으로 흩어진다.

1 입자의 운동

1. 입자의 운동

(1) **물질을 구성하는 입자**: 물, 공기를 포함한 우리 주변의 물질은 매우 작은 입자로 이루어져 있다.

(2) **입자의 운동**: 물질을 구성하는 입자는 가만히 정지해 있지 않고 스스로 끊임없이 모든 방향으로 운동한다. 이러한 입자의 운동은 증발과 확산을 통해 확인할 수 있다.

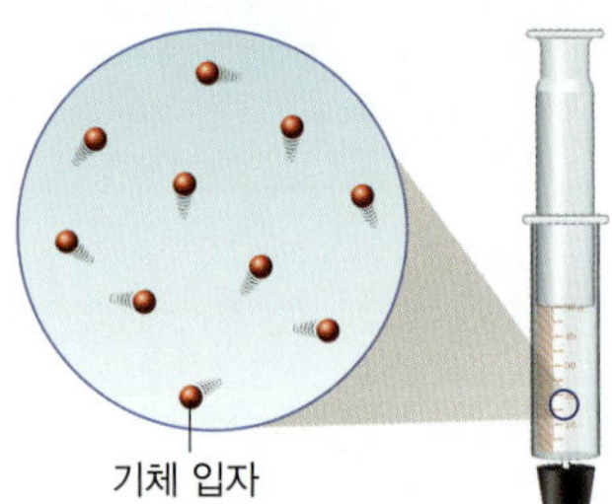

기체 입자

주사기 속 기체의 입자 모형

(3) **입자의 운동에 영향을 미치는 요인**: 입자의 운동에 영향을 미치는 요인으로는 온도, 물질의 상태, 입자의 질량 등이 있다.

① 온도: 온도가 높을수록 입자의 운동이 활발해진다. 예 0 ℃ 물 < 20 ℃ 물

② 물질의 상태: 고체 < 액체 < 기체의 순으로 물질을 구성하는 입자의 운동이 활발해진다. 예 얼음 < 물 < 수증기

③ 입자의 질량: 온도와 물질의 상태가 같을 때 물질을 구성하는 입자의 질량이 작을수록 입자의 운동이 빠르다.

2. 증발

거름종이에 향수를 뿌리면 시간이 지나면서 거름종이에 묻은 향수의 흔적이 점점 사라진다. 이것은 액체 상태의 향수 표면에 있던 향수 입자가 기체로 되어 공기 중으로 날아갔기 때문이다. 이와 같이 물질을 구성하는 입자가 스스로 운동하여 액체 표면에서 기체로 변하는 현상을 증발이라고 한다. 과학 용어 사전 194쪽

용어 입자 모형

물질을 구성하는 입자는 크기가 매우 작아서 눈으로 직접 관찰하기 어렵다. 따라서 눈에 보이지 않는 입자를 표현하거나 설명하기 위해 간단한 모형을 사용하는데, 이것을 입자 모형이라고 한다.

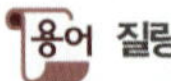

용어 질량

물질이 가지고 있는 고유한 양으로, 단위는 g, kg 등을 사용한다.

증발과 끓음의 공통점과 차이점

· 공통점: 액체가 기체로 변하는 현상이다.

· 차이점: 증발은 액체 표면에서 액체가 기체로 변하는 현상이지만, 끓음은 액체 표면과 내부에서 액체가 기체로 변하는 현상이다. 또한, 증발은 모든 온도에서 일어나지만, 끓음은 액체가 끓기 시작하는 온도 이상에서 일어난다.

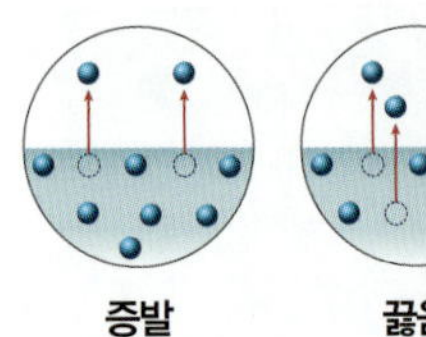

증발   끓음

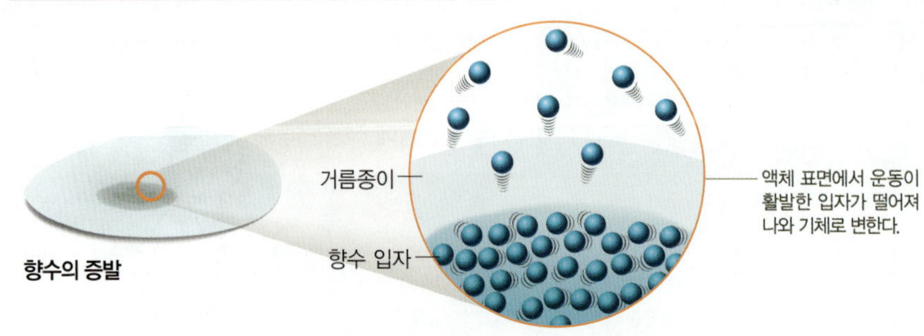

향수의 증발

전자저울에 거름종이를 올린 페트리 접시를 놓고 영점을 맞춘다. 거름종이에 손 소독제를 2~3방울 떨어뜨린 후 손 소독제의 흔적과 질량의 변화를 관찰한다.

① 시간이 지나면서 거름종이에 묻은 손 소독제의 흔적이 점점 사라지고, 거름종이에 묻은 손 소독제의 질량이 점점 감소한다.

② 거름종이에 묻은 손 소독제의 흔적과 질량이 변하는 까닭은 손 소독제 표면의 입자가 스스로 운동하여 증발하기 때문이다.

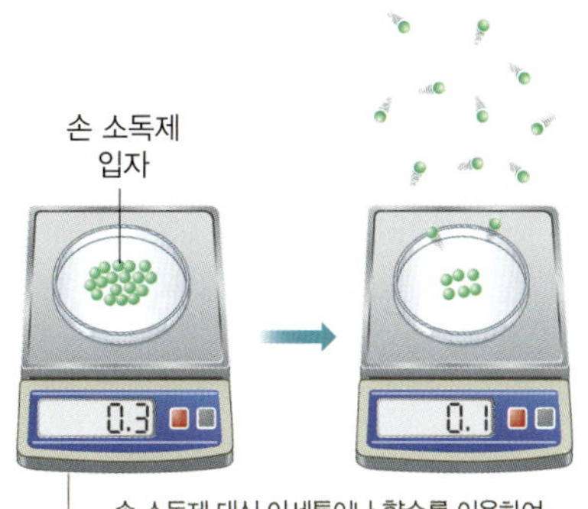

손 소독제 대신 아세톤이나 향수를 이용하여 증발 현상을 관찰할 수도 있다.

---

(1) **생활 속 증발의 예**: 증발 현상은 우리 주변에서 쉽게 관찰할 수 있으며, 생활에 유용하게 이용하기도 한다.

① 염전에서 물을 증발시켜 소금을 얻는다.

② 껍질을 벗긴 감의 물을 증발시켜 곶감을 만든다.

③ 젖은 빨래를 널어놓으면 물이 증발하여 빨래가 마른다.

④ 고추나 오징어를 오래 보관하기 위해 물을 증발시킨다.

⑤ 비가 온 뒤 생긴 물웅덩이는 시간이 지나면서 물이 증발하여 마른다.

염전에서 소금 얻기

곶감 만들기

고추 말리기

(2) **증발이 잘 일어나는 조건**: 액체의 증발에 영향을 미치는 요인으로는 온도, 습도, 바람, 표면적 등이 있다.
└ 젖은 빨래가 잘 마를 수 있는 조건과 같다.

① 온도: 온도가 높을수록 입자의 운동이 활발해지므로 증발이 잘 일어난다.

⟮예⟯ 그늘진 곳보다 햇볕이 잘 드는 곳에서 젖은 빨래가 더 잘 마른다.

② 습도: 습도가 낮을수록 공기 중 수증기의 양이 적으므로 증발이 잘 일어난다.

⟮예⟯ 습한 날보다 건조한 날에 젖은 빨래가 더 잘 마른다.

③ 바람: 바람이 강할수록 액체 표면의 입자가 공기 중으로 날아가기 쉬우므로 증발이 잘 일어난다.

⟮예⟯ 바람이 약한 날보다 강한 날에 젖은 빨래가 더 잘 마른다.

④ 표면적: 액체의 표면에서 증발이 일어나므로 액체의 표면적이 넓을수록 증발이 잘 일어난다. ⟮예⟯ 젖은 빨래를 뭉쳐 놓을 때보다 펼쳐 놓을 때 빨래가 더 잘 마른다.

다양한 증발의 예
- 젖은 우산이 마른다.
- 어항 속의 물이 점점 줄어든다.
- 동물의 젖은 털을 바람으로 말린다.
- 물걸레로 닦아 둔 교실 바닥이 마른다.
- 풀잎에 맺힌 이슬이 한낮이 되면 사라진다.

알면 뾰족 과학

'자리끼'에도 과학이 숨어 있다고?

밤에 자다가 깨었을 때 마실 수 있도록 머리맡에 준비해 두는 물을 '자리끼'라고 한다. 자리끼는 목마름을 해소해 줄 뿐만 아니라, 밤새 물이 증발하면서 방 안의 습도를 조절해 주는 역할을 한다.

Check 이전에 배웠어요
- ☐ 물
- ☐ 수증기

3. 확산 방 안에서 향수병 뚜껑을 열어 두면 잠시 후 방 전체에서 향수 냄새를 맡을 수 있다. 이것은 향수 입자가 스스로 운동하여 멀리 퍼져 나가기 때문이다. 이와 같이 물질을 구성하는 입자가 스스로 운동하여 모든 방향으로 퍼져 나가는 현상을 확산이라고 한다. → 확산은 물질을 구성하는 입자가 스스로 운동하기 때문에 일어나는 현상으로, 기체나 액체에서만 일어나는 것이 아니라 공기가 없는 진공에서도 일어난다. 과학 용어 사전 195쪽

향수의 확산 향수 입자가 공기 중에서 스스로 운동하여 방 안 전체로 퍼져 나간다.

(1) 생활 속 확산의 예 – 기체에서의 확산 탐구 140쪽

① 울창한 숲길을 걸으면 피톤치드 냄새를 맡을 수 있는 것은 피톤치드 냄새 입자가 스스로 운동하여 퍼져 나가기 때문이다.

② 부엌이나 급식실 근처에서 음식 냄새를 맡을 수 있는 것은 음식 냄새를 가진 입자가 스스로 운동하여 공기 중으로 퍼져 나가기 때문이다.

③ 마약 탐지견이 냄새를 맡아 마약을 찾을 수 있는 것은 마약 냄새를 가진 입자가 스스로 운동하여 공기 중으로 퍼져 나가기 때문이다.

④ 전자 모기향을 피우면 모기를 쫓을 수 있는 것은 모기향에 들어 있는 살충 성분 입자가 스스로 운동하여 공기 중으로 퍼져 나가기 때문이다.

피톤치드 냄새가 나는 숲길

마약 탐지견

전자 모기향

(2) 생활 속 확산의 예 – 액체에서의 확산

① 뜨거운 물에 차 티백을 넣고 흔들지 않아도 차가 우러난다.

② 설탕 덩어리를 물에 넣고 저어 주지 않아도 설탕 덩어리가 물에 녹으면서 설탕 입자와 물 입자가 고르게 섞이기 때문에 물 전체에서 단맛이 난다.

뜨거운 물에 차 우리기

③ 물에 잉크를 떨어뜨리고 저어 주지 않아도 잉크 입자가 스스로 운동하여 물속으로 퍼져 나가면서 물과 고르게 섞이기 때문에 물 전체가 잉크 색으로 변한다.

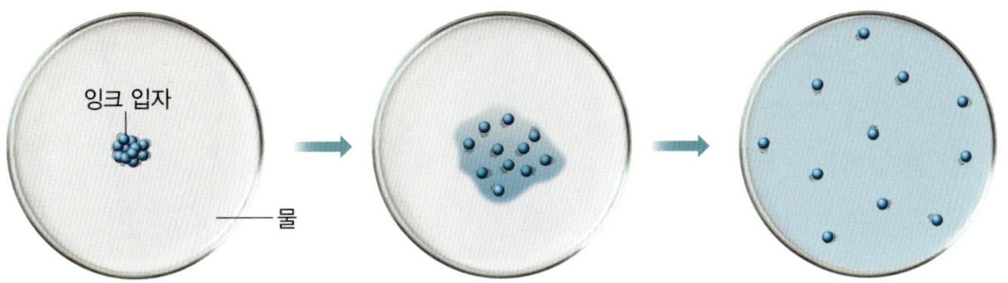

잉크의 확산 잉크 입자뿐만 아니라 물 입자도 스스로 운동하여 퍼져 나가 물과 잉크가 고르게 섞인다.

탐구 ➕ 아세트산의 확산 관찰하기

페트리 접시에 BTB 용액을 일정한 간격으로 1방울씩 떨어뜨린 뒤, 중앙에 식초를 1~2방울 떨어뜨리고 뚜껑을 덮는다. 페트리 접시 안에서 나타나는 변화를 관찰한다.

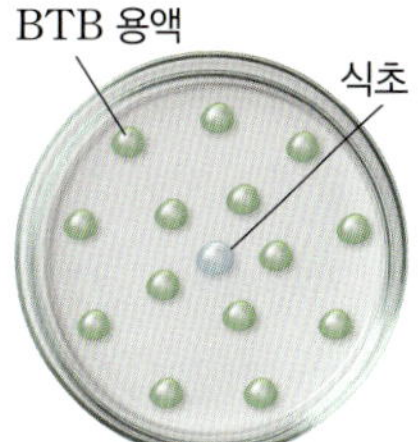

① 중앙의 식초 방울에 가까이 있는 BTB 용액부터 차례대로 노란색으로 변한다.
  └ 식초의 주성분인 아세트산은 산성을 나타낸다.

② 식초에 들어 있는 아세트산 입자가 스스로 운동하여 모든 방향으로 확산하므로, 식초 방울에서 같은 거리에 있는 BTB 용액의 색이 거의 동시에 변한다.

(3) **확산이 빠르게 일어나는 조건**: 확산의 빠르기에 영향을 미치는 요인으로는 온도, 물질의 상태, 입자의 질량, 매질의 종류 등이 있다.

① 온도: 온도가 높을수록 입자의 운동이 활발해지므로 확산이 빠르게 일어난다.
  예 찬물보다 따뜻한 물에서 잉크가 더 빠르게 확산한다.

② 물질의 상태: 고체<액체<기체의 순으로 입자의 운동이 활발해지므로, 고체<액체<기체의 순으로 확산이 빠르게 일어난다.
  예 물보다 수증기가 더 빠르게 확산한다.

③ 입자의 질량: 온도와 물질의 상태가 같을 때 물질을 구성하는 입자의 질량이 작을수록 입자의 운동이 빠르므로 확산이 빠르게 일어난다.
  예 암모니아는 염화 수소보다 입자의 질량이 작아서 더 빠르게 확산한다.

④ 매질의 종류: 다른 입자와의 충돌로 인한 방해를 적게 받을수록 확산이 빠르게 일어난다. 따라서 액체 속<기체 속<진공 속의 순으로 확산이 빠르게 일어난다.
  예 향수 냄새는 공기 속에서보다 진공 속에서 더 빠르게 확산된다.

용어 BTB 용액

산성에서는 노란색, 중성에서는 초록색, 염기성에서는 파란색을 나타내는 지시약

용어 매질

물리적 작용을 한 곳에서 다른 곳으로 옮겨 주는 매개물

염화 수소 기체와 암모니아 기체가 만나서 생성된 염화 암모늄이다. ┐
염화 수소와 암모니아의 확산

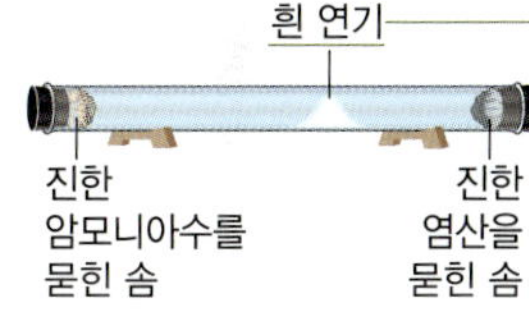

유리관의 양쪽 끝에 각각 진한 암모니아수와 진한 염산을 묻힌 솜을 동시에 넣고 고무마개로 막으면, 잠시 후 진한 염산을 묻힌 솜 가까이에 흰 연기가 생긴다. 이것은 암모니아 입자가 염화 수소 입자보다 질량이 작아서 더 빠르게 확산하기 때문이다.

정답과 해설 032쪽

개념 빌드업

1. **핵심 개념** ▶ 물질을 구성하는 입자가 스스로 운동하여 액체 표면에서 기체로 변하는 현상을 ________(이)라고 한다.

2. **핵심 개념** ▶ 물질을 구성하는 입자가 스스로 운동하여 퍼져 나가는 현상을 ________(이)라고 한다.

3. 증발과 확산은 물질을 구성하는 입자가 스스로 ________ 하기 때문에 일어나는 현상이다.

1. 물질의 세 가지 상태   우리 주변에는 다양한 물질이 있으며, 이 물질들은 고체, 액체, 기체의 세 가지 상태로 구분할 수 있다. 과학 용어 사전 195쪽

예 컵에 얼음을 넣은 탄산음료가 담겨 있을 때 컵 안의 물질 중 얼음은 고체, 음료는 액체, 기포는 기체에 해당한다.

2. 물질의 상태에 따른 특징   물질의 상태에 따라 나타나는 특징이 다르다.

(1) 고체 상태: 플라스틱, 얼음과 같은 고체는 흐르는 성질이 없고, 단단하며, 담는 용기에 관계없이 모양과 부피가 일정하다.

(2) 액체 상태: 물, 주스와 같은 액체는 흐르는 성질이 있고, 담는 용기에 따라 모양이 달라지지만 부피는 일정하다.

(3) 기체 상태: 공기, 수증기와 같은 기체는 담는 용기에 따라 모양과 부피가 달라진다. 또한, 기체는 흐르는 성질이 있으며, 스스로 운동하여 퍼져 나가 공간을 채운다.

고체 상태

액체 상태

기체 상태

3. 물질의 상태에 따른 입자 모형과 특징 과학 용어 사전 195쪽

(1) 물질의 상태에 따라 특징이 다른 까닭: 물질의 상태에 따라 입자 사이의 상대적 거리, 입자 배열의 불규칙한 정도, 입자의 운동성 등이 다르기 때문이다.

(2) 물질의 상태에 따른 입자 모형과 특징

구분	고체	액체	기체
입자 모형			
입자 사이의 거리	매우 가깝다.	비교적 가깝다.	매우 멀다.
입자 배열의 불규칙한 정도	규칙적이다.	불규칙하다.	매우 불규칙하다.
입자의 운동성	자유롭지 않고 제자리에서 진동한다.	비교적 자유롭게 운동한다.	매우 자유롭고 활발하게 운동한다.

가루 물질의 상태

소금, 설탕, 밀가루와 같은 가루 물질은 담는 용기에 따라 모양이 달라지는 것처럼 보인다. 하지만 가루 물질은 알갱이 하나하나의 모양이 변하지 않기 때문에 고체 상태이다.

 **용어 진동**

물체가 한 점을 중심으로 반복적으로 왔다 갔다 하면서 움직이는 상태

주사기에 같은 부피의 주스와 공기를 각각 넣고 주사기의 끝을 고무마개로 막은 뒤 피스톤을 눌렀을 때 각 물질의 부피가 변하는 정도를 비교한다.

① 주스는 압력을 가해도 부피가 거의 변하지 않지만, 공기는 압력을 가하면 부피가 쉽게 변한다.

② 공기는 주스보다 입자 사이의 거리가 멀어서 입자 사이에 빈 공간이 많기 때문에 압력을 가하면 부피가 쉽게 변한다.

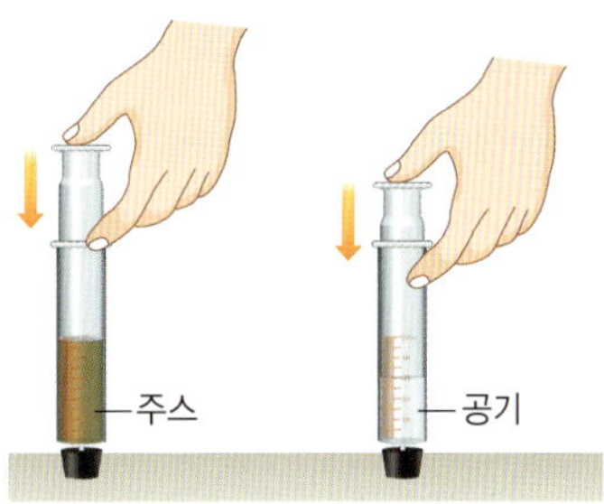

Link

압력에 따른 기체의 부피 변화는 2권 058쪽~059쪽을 보면 자세히 알 수 있어요.

4. 물질의 세 가지 상태를 우리 주변의 물체를 이용하여 표현하거나 상황에 비유하여 설명하기

구분	고체	액체	기체
초콜릿 과자를 입자로 가정하여 표현한 모형			
구슬을 입자로 가정하여 표현한 모형			
학생들의 모습을 입자에 비유하여 표현한 경우	수업 시간	쉬는 시간	하교 시간

물질의 상태에 따른 특징 비교

입자 사이의 상대적 거리	고체 < 액체 < 기체
입자 배열의 불규칙한 정도	고체 < 액체 < 기체
입자의 운동성	고체 < 액체 < 기체

학생들의 모습을 입자에 비유하여 물질의 세 가지 상태를 표현한 경우

• 수업 시간: 줄이 잘 맞추어진 책상에 학생들이 규칙적으로 앉아 있는 모습은 고체 상태에 비유할 수 있다.

• 쉬는 시간: 학생들이 교실 안에서 비교적 자유롭게 움직이므로 액체 상태에 비유할 수 있다.

• 하교 시간: 학생들이 교실을 벗어나 매우 자유롭게 움직이므로 기체 상태에 비유할 수 있다.

정답과 해설 032쪽

개념 빌드업

1. 물질의 세 가지 상태 중 담는 용기에 따라 모양이 달라지지만 부피는 일정한 상태는 ________이다.

2. **핵심 개념** 물질의 세 가지 상태 중 입자들이 매우 규칙적으로 배열되어 있고, 입자의 운동이 자유롭지 않은 상태는 ________이다.

3. 주스와 공기 중 물질을 구성하는 입자 사이의 거리가 매우 멀어서 압력을 가하면 부피가 쉽게 변하는 물질은 ________이다.

③ 물질의 상태 변화와 입자 배열의 변화

1. 물질의 상태 변화

(1) **상태 변화**: 얼음이 녹으면 물이 되고, 물이 증발하면 수증기가 되는 것처럼 물질은 어느 한 가지 상태로만 존재하는 것이 아니라 다른 상태로 변할 수 있다. 이와 같이 물질의 상태가 변하는 것을 상태 변화라고 한다. 과학 용어 사전 196쪽

(2) **상태 변화의 원인**: 물질의 상태는 온도와 압력에 따라 변하는데, 주로 온도에 따라 변한다.

(3) **상태 변화의 종류**: 물질을 가열할 때는 융해, 기화, 승화(고체 → 기체)가 일어나고, 물질을 냉각할 때는 응고, 액화, 승화(기체 → 고체)가 일어난다.

① 융해와 응고: 고체에서 액체로 상태가 변하는 현상을 융해, 액체에서 고체로 상태가 변하는 현상을 응고라고 한다.

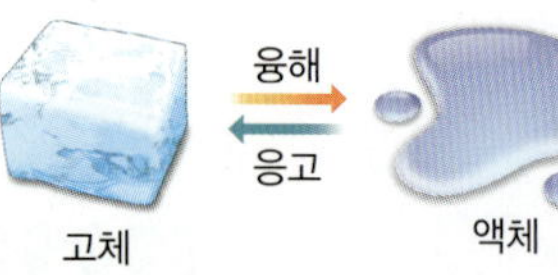

융해의 예	응고의 예
• 고드름이 녹는다.	• 흘러내린 촛농이 굳는다.
• 아이스크림이 녹아 흘러내린다.	• 냉동실에 주스를 넣어 얼린다.
• 용광로에서 철이 녹아 쇳물이 된다.	• 쇳물이 식어 단단한 철이 된다.
• 불을 붙인 양초에서 촛농이 흘러내린다.	• 겨울철 처마 끝에 고드름이 생긴다.
• 뜨거운 프라이팬 위에서 버터가 녹는다.	• 뜨거운 고깃국이 식으면 기름이 굳는다.

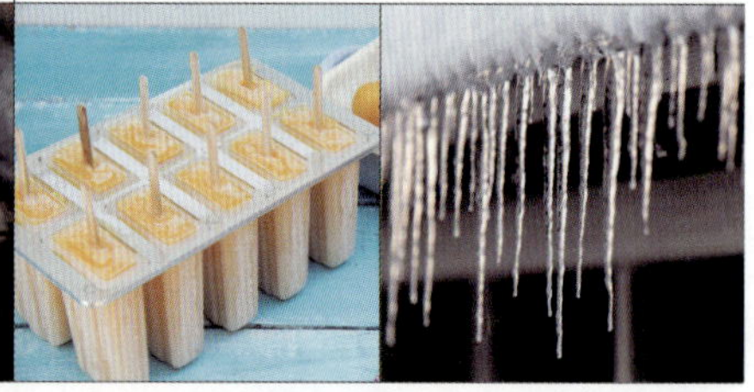

② 기화와 액화: 액체에서 기체로 상태가 변하는 현상을 기화, 기체에서 액체로 상태가 변하는 현상을 액화라고 한다.

기화의 예	액화의 예
• 젖은 빨래가 마른다.	• 호수 주변에 안개가 생긴다.
• 물이 끓어 수증기가 된다.	• 이른 새벽 풀잎에 이슬이 맺힌다.
• 손에 바른 손 소독제가 사라진다.	• 차가운 컵 표면에 물방울이 맺힌다.
• 점토로 빚은 도자기의 수분을 말린다.	• 목욕탕 거울에 뿌옇게 김이 서린다.
• 젖은 머리카락을 머리 말리개로 말린다.	• 겨울철 따뜻한 실내로 들어가면 안경이 뿌옇게 흐려진다.

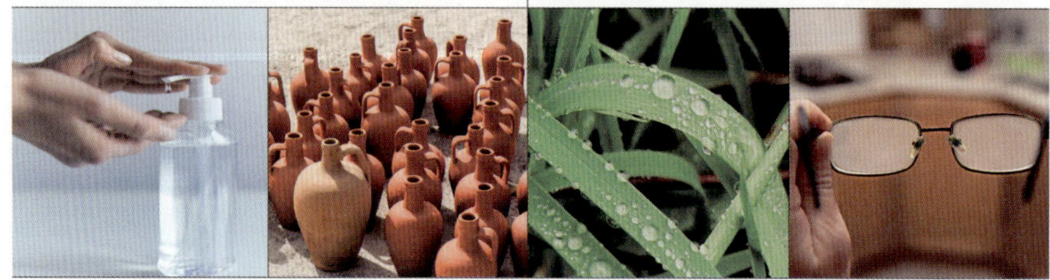

용어 용광로

높은 온도에서 금속을 녹여 액체 상태로 만드는 가마

융해와 용해

융해는 고체에서 액체로 물질의 상태가 변하는 현상이고, 용해는 설탕(용질)이 물(용매)에 녹아 설탕물(용액)이 되는 것처럼 용질이 용매에 녹아 고르게 섞이는 현상이다.

알면 베스과학

수증기와 김은 상태가 다르다고?

물이 끓으면 기체 상태인 수증기가 되는데, 수증기는 우리 눈에 보이지 않는다. 하지만 수증기가 공기 중에서 냉각되면 일부가 작은 물방울로 액화한다. 이것이 우리 눈에 하얗게 보이는 김이다.

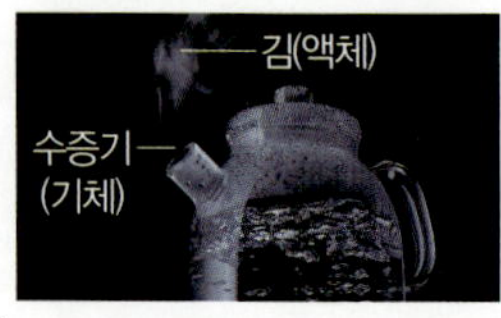

③ 승화: 고체에서 액체를 거치지 않고 바로 기체로 상태가 변하거나, 기체에서 액체를 거치지 않고 바로 고체로 상태가 변하는 현상을 승화라고 한다.

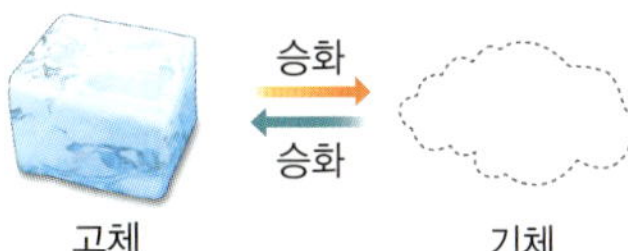

승화(고체 → 기체)의 예	승화(기체 → 고체)의 예
• 냉동실에 넣어 둔 얼음이 점점 작아진다. • 영하의 온도에서 얼어 있던 명태가 마른다. • 겨울철 그늘에 있던 눈사람의 크기가 작아진다. • 아이스크림 포장에 사용된 드라이아이스가 사라진다.	• 나뭇잎에 서리가 생긴다. • 냉동실 벽면에 성에가 생긴다. • 겨울철 유리창에 성에가 생긴다. • 겨울철 높은 산에서 수증기가 나무나 풀에 얼어붙어 상고대가 생긴다.

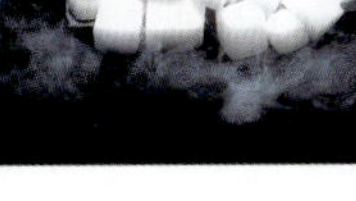

승화성 물질

물질을 구성하는 입자 사이에 작용하는 힘이 다른 물질에 비해 상대적으로 약하여 실온(25 ℃)에서도 고체에서 기체로 쉽게 승화하는 물질이다. 이러한 승화성 물질에는 드라이아이스, 나프탈렌, 아이오딘 등이 있다.

용어 상고대

나무나 풀에 내려 눈처럼 된 서리

자료 + 양초가 연소할 때의 상태 변화

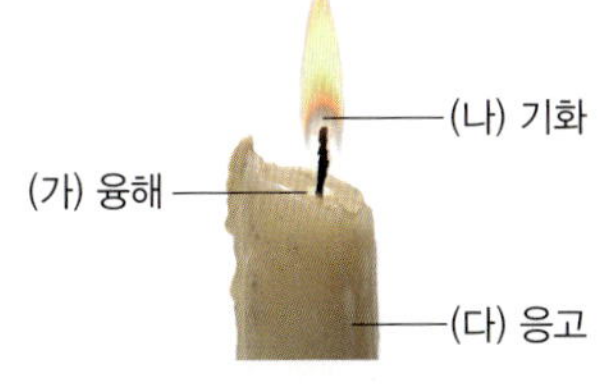

양초가 연소하는 동안 양초의 각 부분에서는 융해, 기화, 응고의 상태 변화가 동시에 일어난다.

• (가): 고체 양초가 액체로 융해한다.
• (나): 액체 양초가 심지를 타고 올라가 기체로 기화하면서 연소한다.
• (다): 액체 양초가 흘러내리면서 냉각되어 고체로 응고한다.

---

(4) 상태 변화의 이용

① 금속 캔의 재활용: 철 캔이나 알루미늄 캔을 분리수거하여 높은 온도에서 융해하여 액체 상태로 만든다. 액체 상태로 변한 금속을 원하는 모양의 틀에 부어 식히면 응고하여 새로운 금속 제품이 만들어진다.

② 와카 워터 탑을 이용한 물 모으기: 와카 워커 탑은 아프리카의 물 부족 문제를 해결하기 위해 만들어진 장치이다. 와카 워터 탑을 낮과 밤의 기온 차가 큰 곳에 세워 놓으면 공기 중의 수증기가 액화하여 그물 사이에 물방울이 맺히는데, 이 물을 모아 사용한다.

③ 동결 건조 식품의 제조: 식품의 온도를 급격하게 낮추어 얼린 다음, 압력을 낮추어 식품에 포함된 얼음을 수증기로 승화시켜 식품을 건조하는 방법을 동결 건조라고 한다. 동결 건조 식품에는 라면 스프, 인스턴트커피, 우주 식품 등이 있다.

와카 워터 탑

액화 천연가스(LNG)

기체 상태의 천연가스는 부피가 커서 운반과 저장이 어렵다. 따라서 천연가스의 온도를 낮추어 액화시키는데, 이 액화 천연가스는 기체 상태의 천연가스에 비해 부피가 매우 작으므로 운반과 저장이 편리하다.

LNG 운반선

2. 상태 변화와 입자 배열의 변화

(1) 물질의 상태가 변할 때 질량과 성질 변화: 상태 변화가 일어날 때 물질을 구성하는 입자의 종류와 개수, 크기 등은 변하지 않으므로 물질의 질량과 성질은 변하지 않는다. 탐구 141쪽

예 초콜릿을 가열하면 녹아서 액체가 되고, 녹은 초콜릿이 식으면 굳어서 고체가 된다. 이때 초콜릿의 상태가 변하기 전과 후에 초콜릿의 질량과 성질은 같다.

초콜릿의 상태 변화

(2) 물질의 상태가 변할 때 부피 변화: 상태 변화가 일어날 때 물질을 구성하는 입자의 배열이 달라지므로 물질의 부피가 변한다. 탐구 142쪽

① 융해와 응고: 융해가 일어날 때는 입자들이 불규칙하게 배열되고 입자 사이의 거리가 멀어지므로 부피가 늘어난다. 반대로, 응고가 일어날 때는 입자들이 규칙적으로 배열되고 입자 사이의 거리가 가까워지므로 부피가 줄어든다.

> **탐구⊕ 올리브유의 상태 변화 시 질량과 부피 변화 관찰하기**
>
> 유리병에 담긴 올리브유를 얼리기 전과 얼린 후의 질량을 각각 측정하고, 부피를 표시하여 비교한다.
>
> 
>
>
> ① 올리브유가 응고할 때 입자의 종류와 개수, 크기 등이 변하지 않으므로 질량은 변하지 않는다.
> ② 올리브유가 응고할 때 입자의 배열이 달라져 입자 사이의 거리가 가까워지므로 부피가 줄어든다.

② 기화와 액화: 기화가 일어날 때는 입자들이 매우 불규칙하게 배열되고 입자 사이의 거리가 매우 멀어지므로 부피가 크게 늘어난다. 반대로, 액화가 일어날 때는 입자들이 비교적 규칙적으로 배열되고 입자 사이의 거리가 비교적 가까워지므로 부피가 크게 줄어든다.

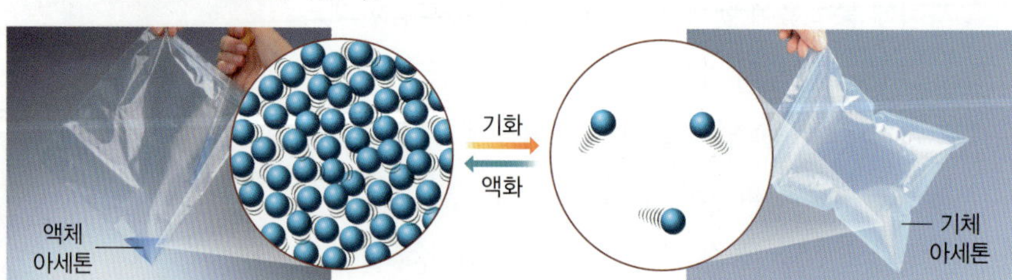

아세톤의 기화와 액화가 일어날 때 입자 배열의 변화

물을 제외한 물질이 응고할 때의 부피 변화

- 녹인 초콜릿을 모양 틀에 가득 부어 굳히면 부피가 줄어들어 초콜릿이 모양 틀의 크기보다 작아진다.
- 액체 양초가 굳으면 부피가 줄어들어 양초의 가운데가 약간 오목하게 들어간다.

액체 양초　　**고체 양초**

물이 응고할 때의 부피 변화

대부분의 물질과 달리 물은 응고할 때 내부에 빈 공간이 많은 구조로 입자들이 배열되면서 입자 사이의 거리가 멀어지므로 부피가 늘어난다.

예 페트병에 물을 가득 넣고 얼리면 페트병이 팽팽하게 부푼다.

물이 얼기 전　　**물이 언 후**

③ 승화: 고체에서 기체로의 승화가 일어날 때는 입자들이 매우 불규칙하게 배열되고 입자 사이의 거리가 매우 멀어지므로 부피가 크게 늘어난다. 반대로, 기체에서 고체로의 승화가 일어날 때는 입자들이 매우 규칙적으로 배열되고 입자 사이의 거리가 매우 가까워지므로 부피가 크게 줄어든다.

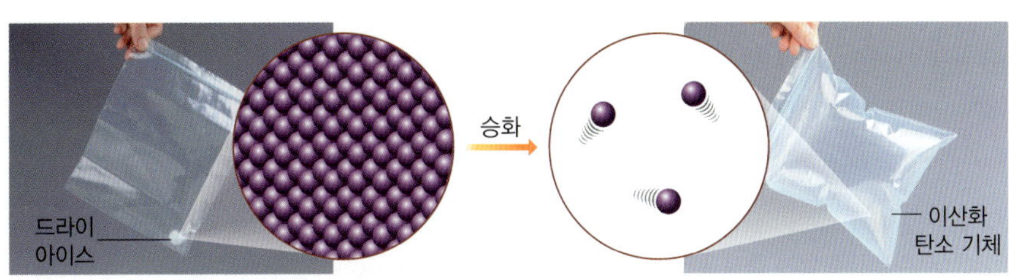

드라이아이스가 승화할 때 입자 배열의 변화

(3) 물질의 상태 변화와 입자 배열의 변화: 일반적으로 융해, 기화, 고체에서 기체로의 승화가 일어날 때는 입자의 운동이 활발해지고 입자들이 불규칙하게 배열되며 입자 사이의 거리가 멀어지므로 부피가 늘어난다. 반대로, 응고, 액화, 기체에서 고체로의 승화가 일어날 때는 입자의 운동이 둔해지고 입자들이 규칙적으로 배열되며 입자 사이의 거리가 가까워지므로 부피가 줄어든다.

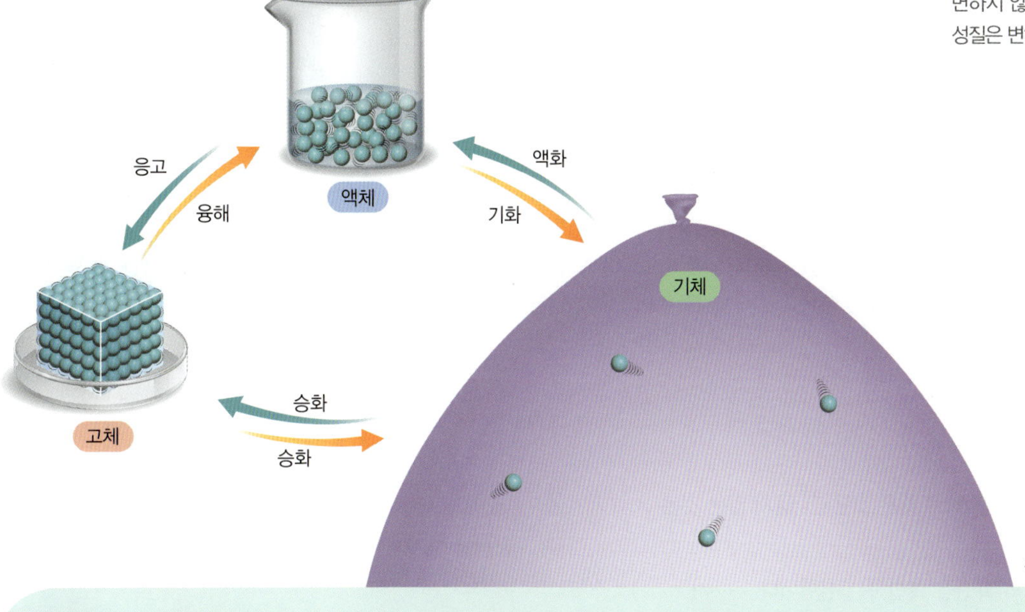

상태 변화에 따른 부피 변화
· 대부분의 물질은 같은 질량일 때 고체<액체≪기체의 순으로 부피가 증가한다.
  → 융해, 기화, 승화(고체 → 기체)가 일어날 때 부피가 증가하고, 응고, 액화, 승화(기체 → 고체)가 일어날 때 부피가 감소한다.
· 물은 같은 질량일 때 액체(물)<고체(얼음)≪기체(수증기)의 순으로 부피가 증가한다.

상태 변화가 일어날 때 변하는 것과 변하지 않는 것
· 변하는 것: 물질을 구성하는 입자의 배열이 변해 입자 사이의 거리가 달라지므로 물질의 부피가 변한다.
· 변하지 않는 것: 물질을 구성하는 입자의 종류, 개수, 크기 등이 변하지 않으므로 물질의 질량과 성질은 변하지 않는다.

정답과 해설 032쪽

개념 빌드업

1. **핵심개념** 물질의 상태 변화를 나타낸 오른쪽 그림에서 ㉠~㉢에 알맞은 상태 변화의 종류를 각각 쓰시오.

2. **핵심개념** 물질의 상태가 변할 때 물질의 질량은 (변하고, 변하지 않고), 물질의 부피는 (변한다, 변하지 않는다).

3. 일반적으로 ________, ________, 기체에서 고체로의 승화가 일어날 때는 입자 사이의 거리가 가까워지면서 부피가 줄어든다.

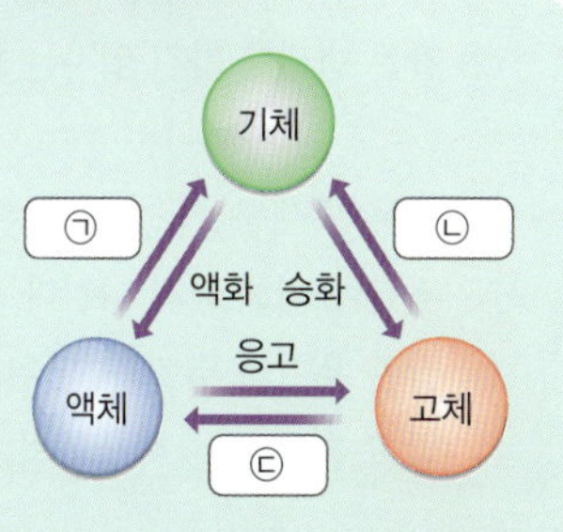

확산 현상 관찰하기

목표 | 확산 현상을 관찰하고, 이를 입자의 운동으로 설명할 수 있다.

 **과정**

❶ 앉아 있는 학생들은 눈을 감고, 교실의 학생 모두를 한 화면에 담는 영상 촬영을 시작한다.

유의점 ✓ 실험 중에는 창문과 문을 모두 닫아 바람의 영향을 받지 않도록 한다.

❷ 학생 1명이 교실의 한 지점에서 팝콘이 담긴 밀폐 용기의 뚜껑을 열고, 나머지 학생들은 팝콘 냄새를 맡는 즉시 손을 든다.

❸ 촬영한 영상을 함께 보면서 학생들이 손을 든 순서를 확인한다.

 **결과 및 정리**

1 팝콘 용기와 가까이 있는 학생들부터 차례대로 손을 들고, 시간이 지나면 모든 학생이 손을 든다. 이로부터 팝콘 냄새가 모든 방향으로 퍼져 나간다는 것을 알 수 있다.

2 팝콘 냄새를 가진 입자가 스스로 운동하여 공기 중으로 확산하므로 팝콘 냄새가 교실 전체에 퍼진다.

 같은 **주제** 다른 **탐구**

과정 만능 지시약 종이를 넣은 빨대의 한쪽 끝을 마개로 막은 다음, 다른 마개에 암모니아수를 묻힌 솜을 넣고 빨대의 반대쪽 끝을 막는다. 시간이 지남에 따라 만능 지시약 종이의 색 변화를 관찰한다.

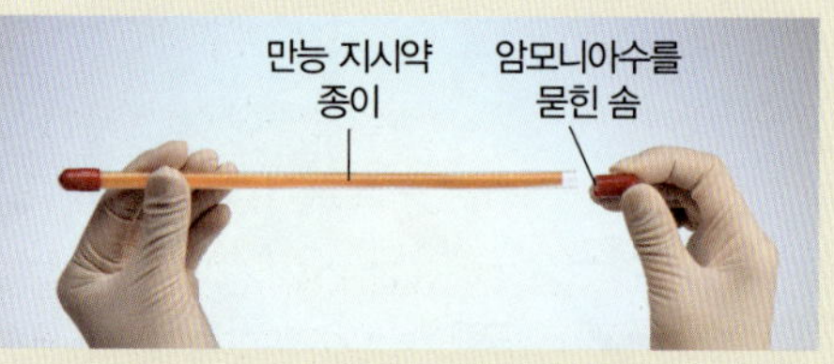

결과 및 정리 암모니아수를 묻힌 솜에서 나온 암모니아 입자가 빨대 속으로 확산하므로, 암모니아수를 묻힌 솜과 가까운 쪽에서부터 먼 쪽으로 만능 지시약 종이의 색이 변한다.

탐구 확인 문제

정답과 해설 032쪽

1 위 탐구에 대한 설명으로 옳은 것은 ○, 옳지 <u>않은</u> 것은 ×로 표시하시오.

(1) 팝콘 냄새의 확산을 확인하는 실험이다. ······· (   )

(2) 팝콘 냄새를 가진 입자는 모든 방향으로 운동한다.
·· (   )

(3) 팝콘 냄새를 가진 입자는 스스로 움직이지 못하고, 바람에 의해 퍼져 나간다. ························· (   )

(4) 팝콘 용기의 뚜껑을 연 위치가 달라져도 팝콘 냄새를 맡고 손을 드는 학생들의 순서는 같을 것이다.
·· (   )

2  물질을 구성하는 입자가 스스로 운동하기 때문에 나타나는 현상을 보기에서 모두 고른 것은?

보기
ㄱ. 젖은 우산이 마른다.
ㄴ. 이른 아침 풀잎에 이슬이 맺힌다.
ㄷ. 꽃 가게 앞을 지날 때 꽃향기가 난다.
ㄹ. 물에 설탕을 넣고 가만히 두어도 물 전체에서 단맛이 난다.

① ㄱ, ㄴ　　　② ㄱ, ㄷ　　　③ ㄴ, ㄹ
④ ㄱ, ㄷ, ㄹ　　⑤ ㄴ, ㄷ, ㄹ

탐구 물질의 상태 변화 관찰하기

목표 | 물질의 상태 변화를 관찰하고, 상태 변화가 일어날 때 성질의 변화를 설명할 수 있다.

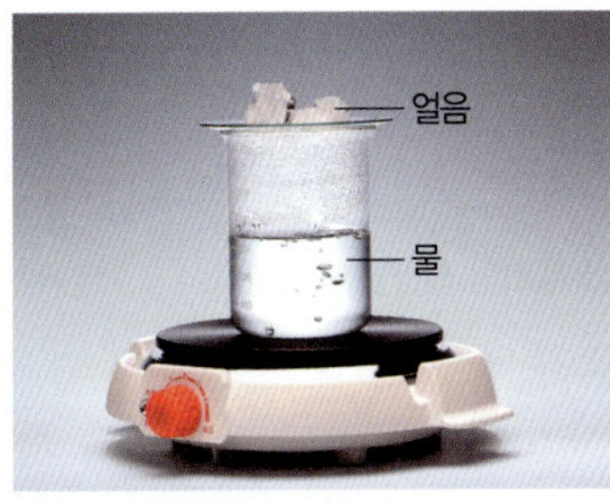

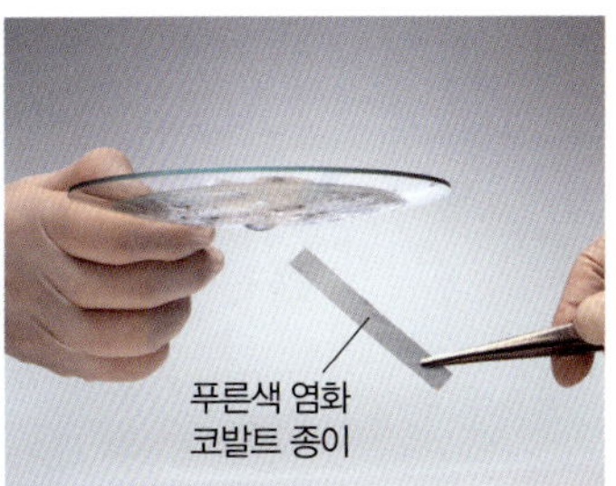

❶ 물을 묻힌 유리 막대를 푸른색 염화 코발트 종이에 대어 색 변화를 관찰한다.

⤷ 푸른색 염화 코발트 종이가 붉은색으로 변한다.

❷ 물이 들어 있는 비커 위에 얼음이 담긴 시계 접시를 올려놓고 비커를 가열하면서 변화를 관찰한다.

⤷ 비커 안의 물이 기화하여 수증기로 되었다가, 시계 접시 아랫면에서 액화하여 물이 된다.

❸ 시계 접시 아랫면에 맺힌 액체 방울에 푸른색 염화 코발트 종이를 대어 색 변화를 관찰한다.

⤷ 푸른색 염화 코발트 종이가 붉은색으로 변한다.

정리

1 시계 접시 윗면에서는 얼음이 융해하여 물이 되고, 시계 접시 아랫면에서는 수증기가 액화하여 물이 된다.

2 시계 접시 아랫면에 맺힌 액체 방울에 푸른색 염화 코발트 종이를 대면 붉은색으로 변하므로, 이 액체 방울은 물이라는 것을 알 수 있다.

3 과정 ❶과 ❸에서 푸른색 염화 코발트 종이가 모두 붉은색으로 변하므로, 물질의 상태가 변해도 물질의 성질은 변하지 않는다는 것을 알 수 있다.

⤷ 물질의 상태가 변해도 물질을 구성하는 입자의 종류가 변하지 않으므로 물질의 성질은 변하지 않는다.

Tip

염화 코발트 종이

푸른색 염화 코발트 종이는 물과 만나면 붉은색으로 변하므로, 물을 확인하는 데 사용한다.

탐구 확인 문제

정답과 해설 032쪽

1 위 탐구에서 물이 든 비커 위에 얼음이 담긴 시계 접시를 올려놓고 가열할 때 시계 접시 윗면의 얼음과 시계 접시 아랫면에서 일어나는 상태 변화를 옳게 짝 지은 것은?

	시계 접시 윗면	시계 접시 아랫면
①	응고	융해
②	융해	응고
③	융해	액화
④	기화	응고
⑤	기화	액화

2 위 탐구를 통해 알 수 있는 사실을 모두 고르면? (정답 2개)

① 상태 변화가 일어날 때 물질의 질량은 변하지 않는다.

② 상태 변화가 일어날 때 물질의 부피는 변하지 않는다.

③ 상태 변화가 일어날 때 물질의 성질은 변하지 않는다.

④ 상태 변화가 일어날 때 물질을 구성하는 입자의 종류는 변하지 않는다.

⑤ 상태 변화가 일어날 때 물질을 구성하는 입자의 배열은 변하지 않는다.

상태 변화 시 질량과 부피 변화 측정하기

목표 | 물질의 상태가 변할 때 질량과 부피의 변화를 설명할 수 있다.

실험 영상

과정 및 결과

❶ 드라이아이스를 넣은 비닐봉지를 감압 용기에 넣고, 감압 용기의 공기를 뺀다.

유의점 ✔ 비닐봉지의 입구를 막기 전에 비닐봉지 속 공기를 최대한 뺀다.

❷ 전자저울로 ❶의 감압 용기의 질량을 측정한다.

유의점 ✔ 감압 용기의 질량을 측정하기 전에 전자저울의 영점을 맞춘다.

→ 측정한 질량: 377.6 g

❸ 비닐봉지 속 드라이아이스가 보이지 않을 때까지 기다린 뒤 질량을 측정한다.

→ 드라이아이스가 고체에서 기체로 승화한다.

→ 측정한 질량: 377.6 g

❹ 감압 용기에 들어 있는 비닐봉지의 부피 변화를 관찰한다.

→ 비닐봉지가 팽팽하게 부풀어 오른다.

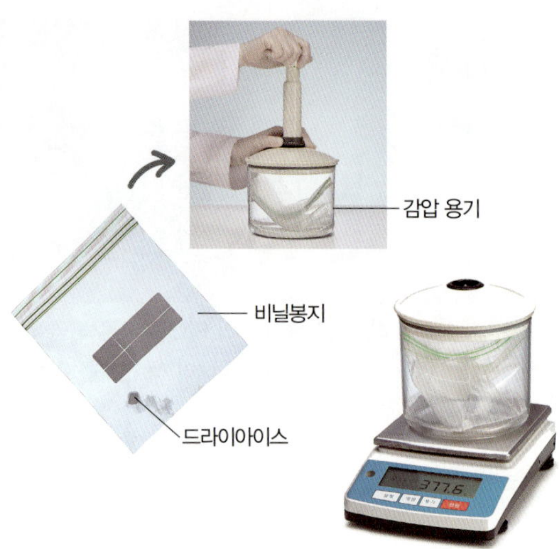
감압 용기
비닐봉지
드라이아이스

정리

1 드라이아이스가 고체에서 기체로 승화할 때 질량은 변하지 않고, 부피는 크게 늘어난다.

2 물질의 상태가 변할 때 물질을 구성하는 입자의 종류와 개수, 크기 등은 변하지 않으므로 물질의 질량은 변하지 않는다. 하지만 물질을 구성하는 입자의 배열이 변해 입자 사이의 거리가 달라지므로 물질의 부피는 변한다.

탐구 확인 문제

정답과 해설 033쪽

1 위 탐구에서 드라이아이스의 상태 변화로 옳은 것은?

① 고체에서 액체로 변하는 융해

② 고체에서 기체로 변하는 승화

③ 액체에서 기체로 변하는 기화

④ 기체에서 액체로 변하는 액화

⑤ 기체에서 고체로 변하는 승화

2 위 탐구에 대한 설명으로 옳은 것은 ○, 옳지 <u>않은</u> 것은 ×로 표시하시오.

(1) 비닐봉지 속 드라이아이스가 보이지 않게 되는 것은 드라이아이스를 구성하는 입자의 개수가 줄어들기 때문이다. ……………………………………… (   )

(2) 드라이아이스의 상태가 변할 때 질량은 변하지 않는다. ……………………………………… (   )

(3) 드라이아이스의 상태가 변할 때 부피는 변하지 않는다. ……………………………………… (   )

3 위 탐구에서 드라이아이스의 상태 변화가 일어날 때 변하는 것을 모두 고르면? (정답 2개)

① 입자의 종류

② 입자의 배열

③ 입자의 개수

④ 입자의 크기

⑤ 입자 사이의 거리

4 적용

그림은 드라이아이스가 고체에서 기체로 승화할 때 입자 배열의 변화를 나타낸 것이다. 원 안에 기체 상태의 입자 배열을 그리시오.

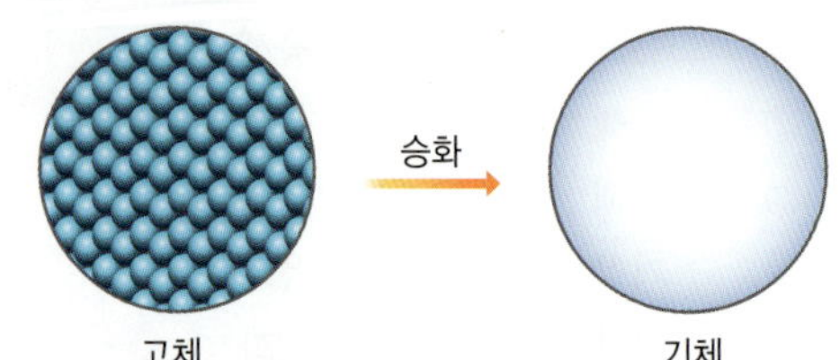

입자의 운동

물질을 구성하는 입자는 스스로 끊임없이 운동한다. 물질을 구성하는 입자의 운동 유형과 입자의 운동으로 나타나는 현상인 확산과 분출에 관해 더 깊이 알아보자.

1 입자의 운동 유형

고체 상태의 입자는 진동 운동만 하지만, 액체와 기체 상태의 입자는 진동 운동, 회전 운동, 병진 운동을 모두 한다.

구분	진동 운동	회전 운동	병진 운동
정의	고정된 위치에서 물질을 구성하는 입자들 사이에 떨림이 일어나 결합 길이가 늘었다 줄었다 하는 운동	입자의 질량 중심이 이동하지 않고, 한 점을 중심으로 회전하여 움직이는 운동	물질을 구성하는 입자들이 한 위치에서 다른 위치로 넓은 공간을 불규칙하게 직선 이동하는 운동
모형			

2 확산과 분출

입자들의 운동으로 인해 나타나는 현상 중에는 확산과 분출이 있다. 확산은 물질을 구성하는 입자가 액체나 기체 속으로 퍼져 나가는 현상으로, 농도 차가 있는 경우에는 농도가 높은 곳에서 낮은 곳으로 입자들이 더 많이 이동하여 농도 차를 감소시킨다. 예를 들어 대기나 해수가 일정한 조성을 가지는 것은 확산에 의한 것이다.

확산은 물질이 퍼져 나가는 현상인 반면, 분출은 기체 입자가 작은 구멍을 통해 빠져나가는 현상이다. 풍선을 불어둔 뒤 시간이 지나면 풍선의 크기가 작아지는데, 이는 풍선 안의 기체 입자가 풍선의 작은 틈 사이로 분출되기 때문이다. 이러한 확산과 분출은 입자의 운동에 의존하므로, 온도가 높을수록 확산 속도와 분출 속도가 빨라진다.

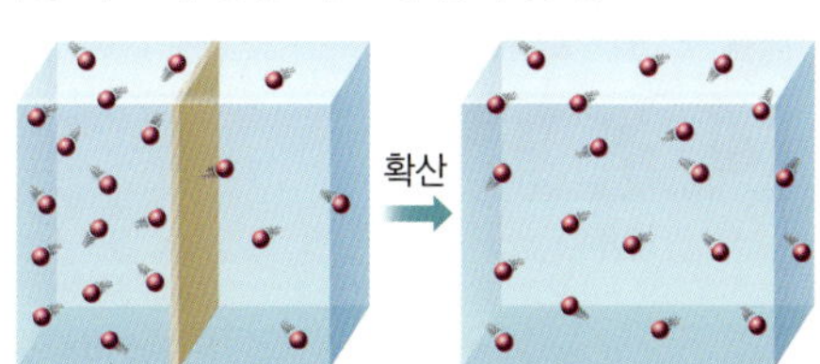

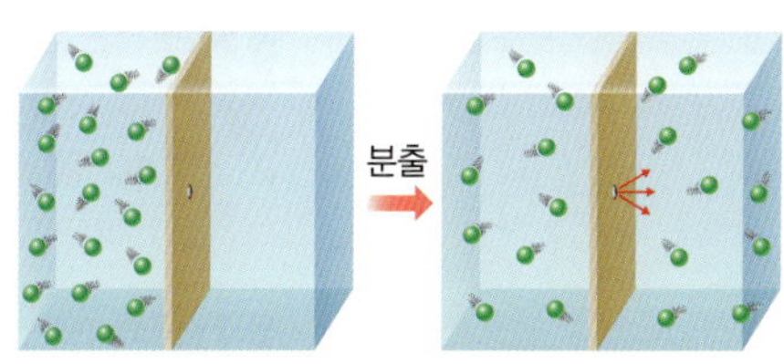

물질의 상평형과 물의 부피 변화

물과 이산화 탄소의 상평형 그림을 분석하여 온도와 압력에 따른 각 물질의 상태 변화에 대해 알아보자. 그리고 물과 얼음의 구조는 어떻게 다르며, 온도에 따라 물의 부피는 어떻게 달라지는지 알아보자.

1 상평형 그림

물질의 상태를 상(phase)이라고 하며, 두 가지 이상의 상이 평형을 이루는 상태를 상평형이라고 한다. 물질의 상태는 온도와 압력에 따라 달라지는데, 온도와 압력에 따른 물질의 상태를 나타낸 그림을 상평형 그림이라고 한다. 상평형 그림은 고체와 액체가 함께 존재하는 점을 연결한 융해 곡선(—), 고체와 기체가 함께 존재하는 점을 연결한 승화 곡선(—), 액체와 기체가 함께 존재하는 점을 연결한 증기 압력 곡선(—)으로 이루어져 있다. 이때 세 가지 상이 함께 존재하는 지점을 삼중점이라고 한다.

물의 상평형 그림	이산화 탄소의 상평형 그림

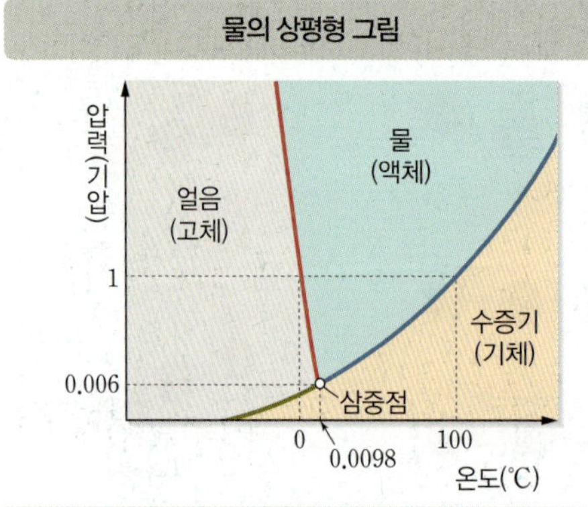

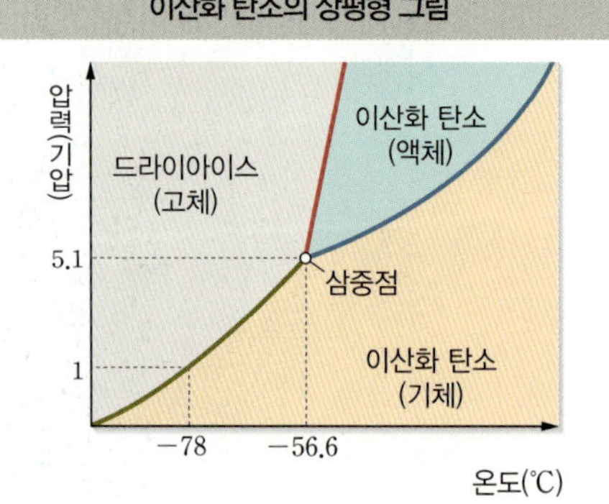

1 기압에서 얼음을 가열하면 0 ℃에서 얼음이 물로 융해하고, 100 ℃에 이르면 물이 끓어 수증기로 기화한다.

드라이아이스는 1 기압에서 −78 ℃ 이상으로 온도를 높여 주면 기체 상태인 이산화 탄소로 승화한다.

2 물과 얼음의 구조와 부피 변화

물이 얼어 얼음이 되면 물 입자들이 육각형 모양의 결정을 이루어 내부에 빈 공간이 생기므로 부피가 늘어난다. 반대로, 얼음이 녹아 물이 되면 육각형 모양의 결정을 이루고 있던 결합의 일부가 끊어지면서 육각형 고리가 허물어져 부피가 줄어든다.

0 ℃의 물을 가열하면 4 ℃가 될 때까지는 육각형 고리가 허물어져 부피가 줄어드는데, 4 ℃에서 부피는 최소가 된다. 온도가 4 ℃ 이상이 되면 육각형 고리가 거의 파괴되므로 부피가 늘어난다.

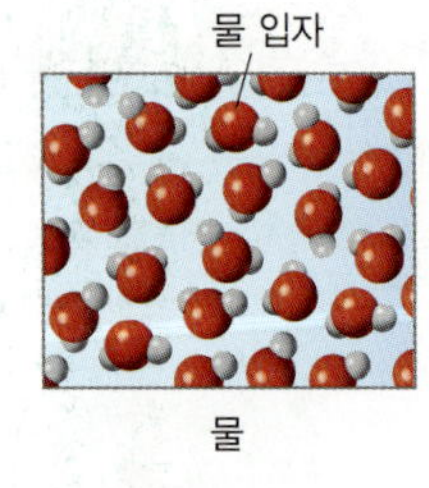

물과 얼음의 구조

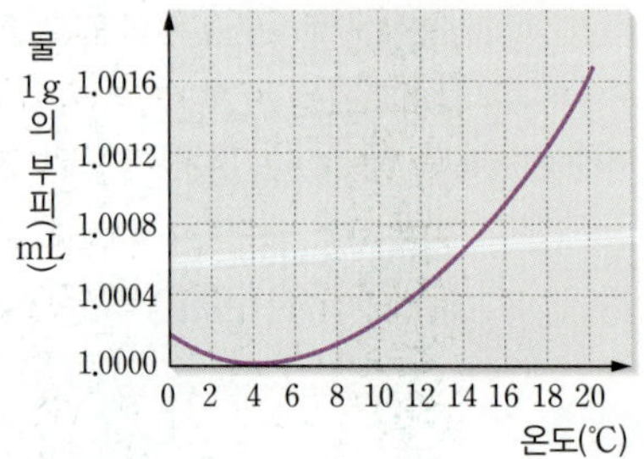

온도에 따른 물의 부피 변화

비주얼 Visual 핵|심|정|리

1 입자의 운동

① 증발: 물질을 구성하는 **입자가 스스로 운동하여 액체 표면에서 기체로 변하는 현상**
- 예 물컵에 담긴 물이 점점 줄어드는 것, 젖은 빨래가 마르는 것

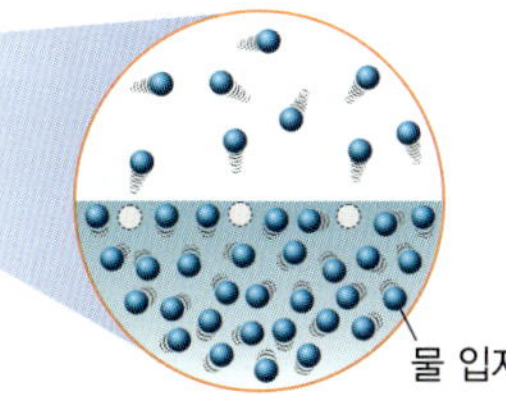

② 확산: 물질을 구성하는 **입자가 스스로 운동하여 모든 방향으로 퍼져 나가는 현상**
- 예 물에 잉크를 떨어뜨린 뒤 시간이 지나면 물 전체가 잉크 색으로 변하는 것, 꽃 가게 앞을 지날 때 꽃향기를 맡을 수 있는 것

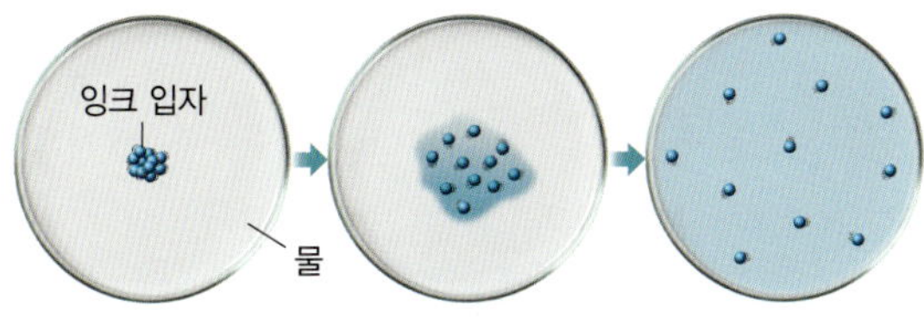

2 물질의 세 가지 상태

① 물질의 세 가지 상태: 물질은 고체, 액체, 기체의 세 가지 상태로 구분할 수 있다.

② 물질의 상태에 따른 입자 모형과 특징: 물질의 상태에 따라 입자 사이의 상대적 거리, 입자 배열의 불규칙한 정도, 입자의 운동성 등이 다르기 때문에 세 가지 상태의 특징이 다르다.

고체	• 입자 사이의 거리가 매우 가깝다. • 입자의 배열이 규칙적이다. • 입자의 운동이 자유롭지 않고 제자리에서 진동한다.
액체	• 입자 사이의 거리가 비교적 가깝다. • 입자의 배열이 불규칙하다. • 입자들이 비교적 자유롭게 운동한다.
기체	• 입자 사이의 거리가 매우 멀다. • 입자의 배열이 매우 불규칙하다. • 입자들이 매우 자유롭고 활발하게 운동한다.

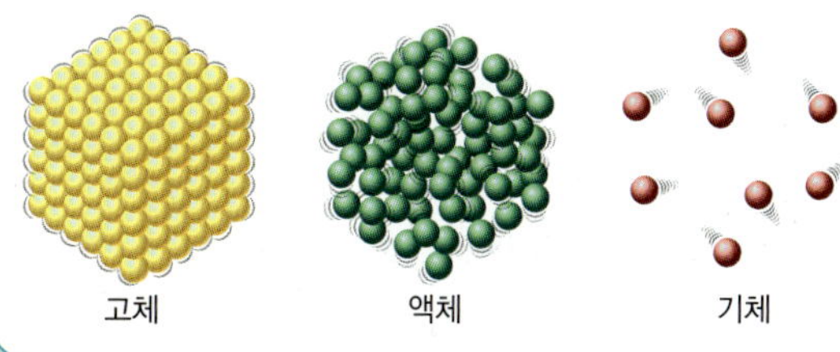

3 물질의 상태 변화와 입자 배열의 변화

① 물질의 상태 변화: 물질의 상태가 변하는 것

② 상태 변화의 종류
- **융해**: 고체 → 액체
- **응고**: 액체 → 고체
- **기화**: 액체 → 기체
- **액화**: 기체 → 액체
- **승화**: 고체 → 기체, 기체 → 고체

③ 상태 변화와 입자 배열의 변화
- 상태 변화가 일어날 때 물질을 구성하는 입자의 종류와 개수, 크기 등은 변하지 않으므로 **물질의 질량과 성질은 변하지 않는다.**
- 상태 변화가 일어날 때 물질을 구성하는 입자의 배열이 달라지므로 물질의 부피가 변한다.

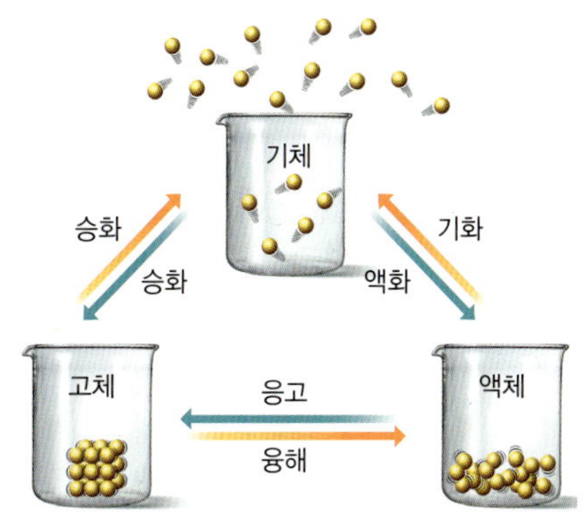

중요
01 그림은 액체에서 일어나는 어떤 현상을 입자 모형으로 나타낸 것이다.

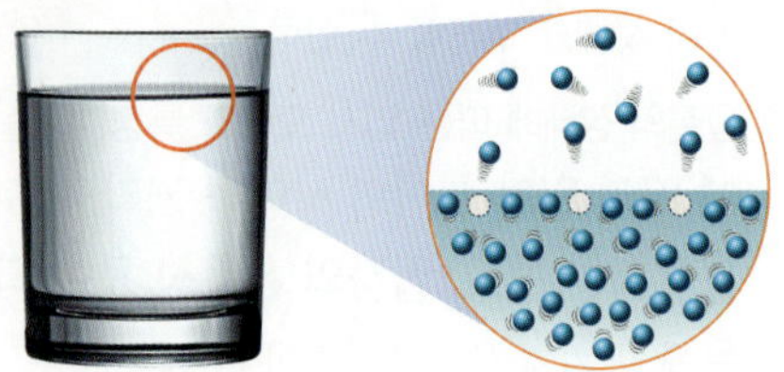

이에 대한 설명으로 옳은 것을 모두 고르면? (정답 2개)

① 액체가 기체로 변하는 현상이다.

② 액체 표면과 내부에서 모두 일어난다.

③ 액체 내부의 입자는 운동하지 않는다.

④ 시간이 지나도 액체의 양은 변하지 않는다.

⑤ 액체 표면에서 운동이 활발한 입자가 떨어져 나온다.

중요
02 오른쪽 그림과 같이 전자저울 위에 거름종이를 올린 페트리 접시를 놓고 영점을 맞춘 다음, 거름종이에 손 소독제를 몇 방울 떨어뜨렸다. 이에 대한 설명으로 옳은 것을 보기에서 모두 고른 것은?

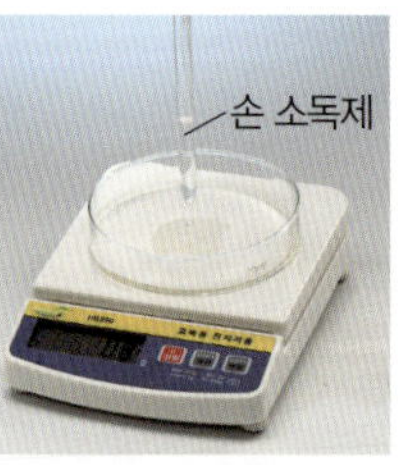

보기

ㄱ. 시간이 지날수록 저울의 숫자가 커진다.

ㄴ. 손 소독제 입자는 스스로 운동하여 공기 중으로 날아간다.

ㄷ. 시간이 지나도 거름종이에 남아 있는 손 소독제 입자의 개수는 변하지 않는다.

① ㄱ   ② ㄴ   ③ ㄱ, ㄷ

④ ㄴ, ㄷ   ⑤ ㄱ, ㄴ, ㄷ

03 그림과 같이 수평을 이룬 윗접시저울의 양쪽에 거름종이를 올려놓은 뒤, 한쪽에만 에탄올을 몇 방울 떨어뜨렸다.

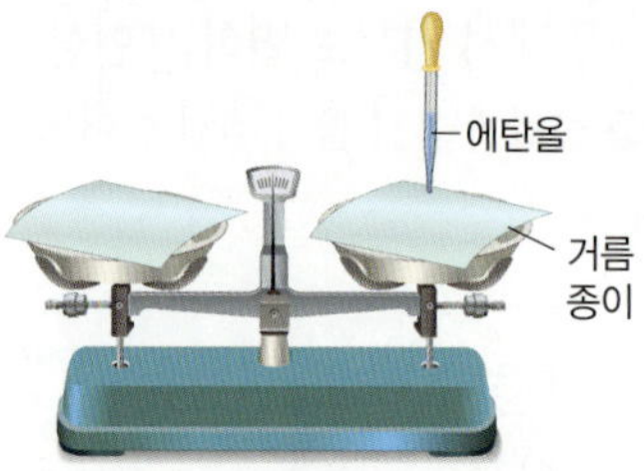

다음은 이 실험에 대한 학생들의 대화이다. 제시한 내용이 옳은 학생을 모두 고른 것은?

- 하준: 저울이 한쪽으로 기울어진 뒤, 그 상태가 계속 유지돼.
- 연아: 시간이 지나면 거름종이에 묻은 에탄올의 흔적이 사라져.
- 선우: 에탄올 입자는 거름종이 위에서 움직이지 않고 그대로 있어.

① 하준   ② 연아   ③ 선우

④ 하준, 선우   ⑤ 연아, 선우

04 오른쪽 그림과 같이 껍질을 벗긴 감을 말려 곶감을 만드는 과정에 이용된 원리로 설명할 수 있는 현상이 <u>아닌</u> 것은?

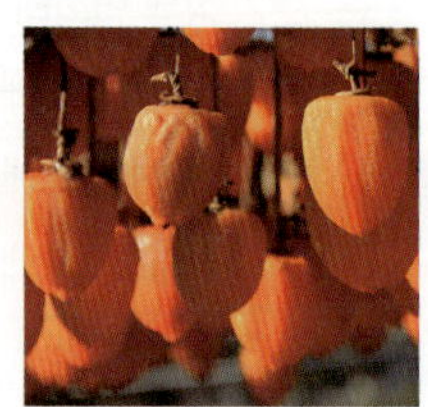

① 물휴지로 닦은 책상이 마른다.

② 어항 속의 물이 점점 줄어든다.

③ 빵 가게 앞을 지날 때 빵 냄새가 난다.

④ 풀잎에 맺힌 이슬이 한낮이 되면 사라진다.

⑤ 비가 온 뒤 생긴 물웅덩이는 시간이 지나면서 물이 마른다.

05 확산에 대한 설명으로 옳은 것은?

① 어느 한 방향으로만 일어난다.

② 바람이 불 때만 일어나는 현상이다.

③ 온도가 높을수록 느리게 일어난다.

④ 공기가 없는 진공에서는 일어나지 않는다.

⑤ 입자가 스스로 운동하기 때문에 일어나는 현상이다.

[중요]

06 그림은 공기 중에서 향수병 뚜껑을 열어 두었을 때 향수 냄새가 퍼져 나가는 모습을 입자 모형으로 나타낸 것이다.

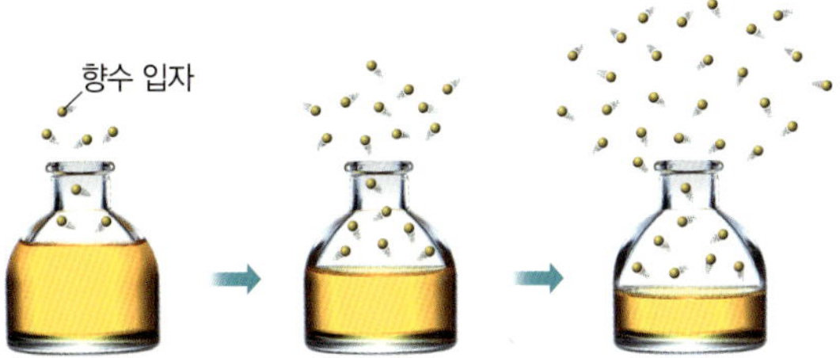

이에 대한 설명으로 옳지 <u>않은</u> 것은?

① 향수 입자는 스스로 운동한다.

② 시간이 지나면 향수의 양은 줄어든다.

③ 향수 입자는 모든 방향으로 퍼져 나간다.

④ 향수 입자가 퍼져 나가면서 입자의 크기가 커진다.

⑤ 온도가 높아지면 향수 냄새가 더 빨리 퍼져 나간다.

07 오른쪽 그림은 물에 잉크 방울을 떨어뜨렸을 때 잉크가 물속으로 퍼져 나가는 모습을 나타낸 것이다. 이에 대한 설명으로 옳은 것을 보기에서 모두 고른 것은?

보기

ㄱ. 잉크 입자는 물 표면에서만 운동한다.

ㄴ. 물속에 있는 잉크 입자의 개수가 많아진다.

ㄷ. 잉크 입자가 스스로 운동하기 때문에 나타나는 현상이다.

① ㄱ   ② ㄷ   ③ ㄱ, ㄴ

④ ㄴ, ㄷ   ⑤ ㄱ, ㄴ, ㄷ

08 그림과 같이 만능 지시약 종이를 넣은 빨대의 한쪽 끝을 마개로 막고, 암모니아수를 묻힌 솜을 다른 마개에 넣은 후 빨대의 반대쪽 끝을 막았다.

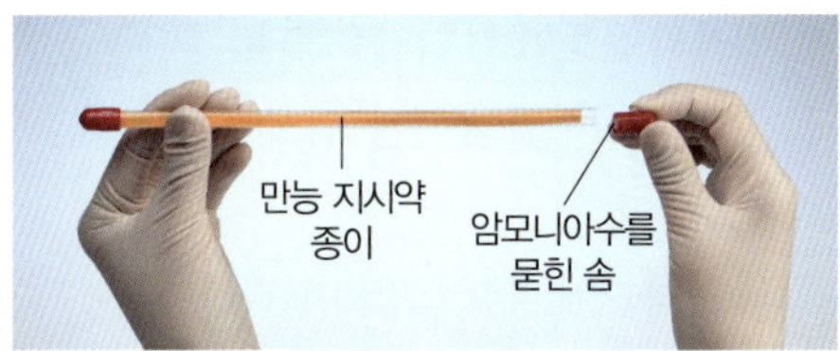

이 실험에 대한 설명으로 옳은 것을 보기에서 모두 고르시오.

보기

ㄱ. 만능 지시약 종이 전체가 동시에 색이 변한다.

ㄴ. 암모니아 입자가 스스로 운동한다는 것을 알 수 있다.

ㄷ. 마약 탐지견이 냄새를 맡아 마약을 찾는 것과 같은 원리이다.

[중요]

09 다음 사례에서 이용한 원리를 증발과 확산으로 구분하여 기호를 쓰시오.

(가) 염전에서 소금을 얻는다.

(나) 전자 모기향을 피워 모기를 쫓는다.

(다) 동물의 젖은 털을 바람으로 말린다.

(라) 뜨거운 물에 차 티백을 넣어 두면 차가 우러난다.

• 증발: _______________

• 확산: _______________

10 물질의 세 가지 상태에 대한 설명으로 옳은 것을 모두 고르면? (정답 2개)

① 고체는 흐르는 성질이 있다.

② 액체는 모양과 부피가 일정하다.

③ 기체는 퍼져 나가 공간을 채운다.

④ 입자의 운동이 가장 활발한 상태는 액체이다.

⑤ 입자의 배열이 가장 규칙적인 상태는 고체이다.

11 오른쪽 그림은 물질의 세 가지 상태 중 한 가지를 입자 모형으로 나타낸 것이다. 이에 대한 설명으로 옳은 것은?

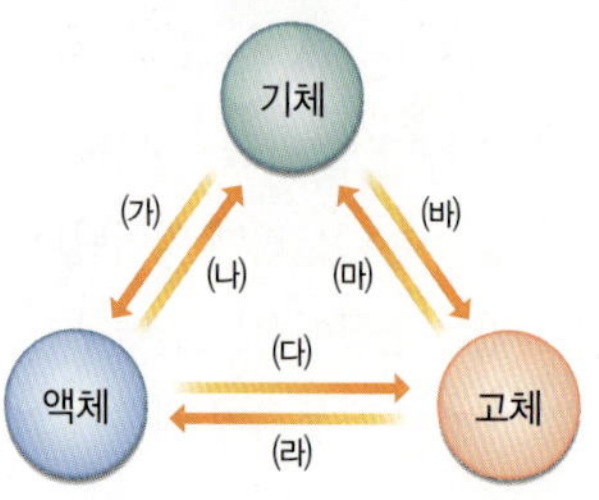

① 입자의 운동이 매우 자유롭다.
② 압력을 가하면 부피가 쉽게 변한다.
③ 담는 용기에 따라 모양이 달라진다.
④ 담는 용기에 관계없이 부피가 일정하다.
⑤ 입자들이 매우 불규칙하게 배열되어 있다.

[12~13] 그림은 물질의 세 가지 상태를 입자 모형으로 나타낸 것이다.

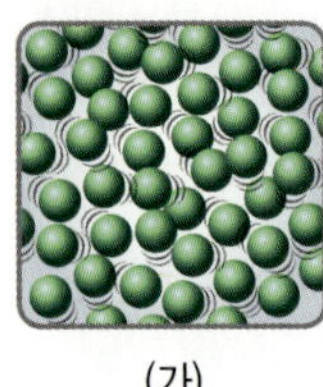 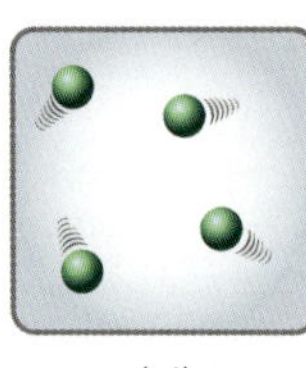 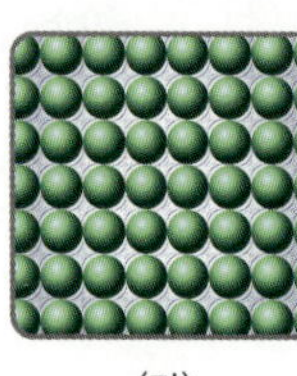

(가) (나) (다)

12 실온(25℃)에서 (가)~(다)의 모형으로 나타낼 수 있는 물질을 옳게 짝 지은 것은?

	(가)	(나)	(다)
①	암석	공기	에탄올
②	공기	암석	에탄올
③	공기	에탄올	암석
④	에탄올	암석	공기
⑤	에탄올	공기	암석

13 오른쪽 그림과 같이 불을 붙인 양초의 ㉠ 부분에서 흘러내리던 촛농이 굳을 때의 상태 변화를 (가)~(다)의 모형을 이용하여 옳게 나타낸 것은?

① (가) → (나)
② (가) → (다)
③ (나) → (가)
④ (나) → (다)
⑤ (다) → (가)

[14~15] 그림은 물질의 상태 변화를 나타낸 것이다.

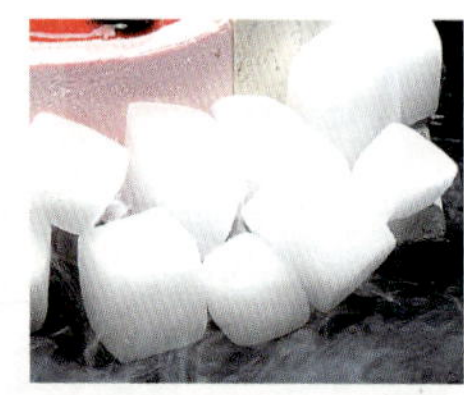

14 각 과정에 해당하는 상태 변화의 예를 옳게 짝 지은 것은?

① (가) – 호수 주변에 안개가 생긴다.
② (나) – 아이스크림이 녹는다.
③ (다) – 젖은 우산이 마른다.
④ (라) – 처마 끝에 고드름이 생긴다.
⑤ (마) – 유리창에 성에가 생긴다.

15 물질의 상태가 변할 때 입자의 배열이 불규칙해지는 과정을 모두 고른 것은?

① (가), (다), (바)   ② (가), (라), (마)
③ (나), (다), (바)   ④ (나), (라), (마)
⑤ (나), (라), (바)

16 오른쪽 그림은 아이스크림 포장에 사용된 드라이아이스의 모습을 나타낸 것이다. 드라이아이스의 크기가 점점 작아질 때 일어나는 상태 변화와 같은 변화가 일어나는 현상을 보기에서 모두 고른 것은?

보기

ㄱ. 나뭇잎에 서리가 생긴다.
ㄴ. 영하의 온도에서 얼어 있던 명태가 마른다.
ㄷ. 겨울철 실내로 들어가면 안경이 뿌옇게 흐려진다.
ㄹ. 냉동실에 넣어 둔 얼음의 크기가 조금씩 작아진다.

① ㄱ, ㄷ   ② ㄴ, ㄹ   ③ ㄷ, ㄹ
④ ㄱ, ㄴ, ㄹ   ⑤ ㄴ, ㄷ, ㄹ

중요

17 그림 (가)는 용광로에서 철이 녹아 쇳물이 되는 모습을 나타낸 것이고, (나)는 점토로 빚은 도자기의 수분을 말리는 모습을 나타낸 것이다.

(가)   (나)

(가)와 (나)에 대한 설명으로 옳은 것을 보기에서 모두 고른 것은?

보기
ㄱ. (가)에서 일어나는 상태 변화는 응고이다.
ㄴ. (나)에서는 액체가 기체로 되는 상태 변화가 일어난다.
ㄷ. (가)와 (나)에서 물질의 상태가 변할 때 모두 입자 사이의 거리가 멀어진다.

① ㄱ   ② ㄷ   ③ ㄱ, ㄴ
④ ㄴ, ㄷ   ⑤ ㄱ, ㄴ, ㄷ

18 그림은 물질의 상태 변화를 입자 모형으로 나타낸 것이다.

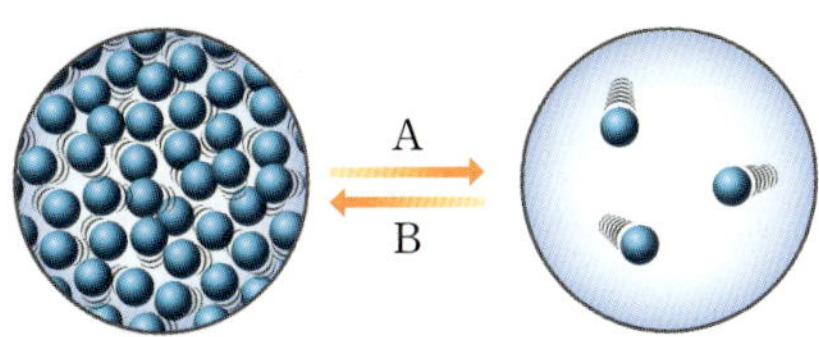

이에 대한 설명으로 옳은 것은?

① A 과정은 액화에 해당한다.
② B 과정에서 입자의 운동이 둔해진다.
③ A 과정에서 입자 사이의 거리가 가까워진다.
④ A와 B 과정에서 모두 입자의 종류가 변한다.
⑤ 겨울철 높은 산에서 나무에 상고대가 생기는 현상은 B 과정에 해당한다.

19 그림과 같이 1 기압, 실온에서 비닐봉지에 각각 얼음과 드라이아이스를 넣고 입구를 막은 뒤 변화를 관찰하였다.

 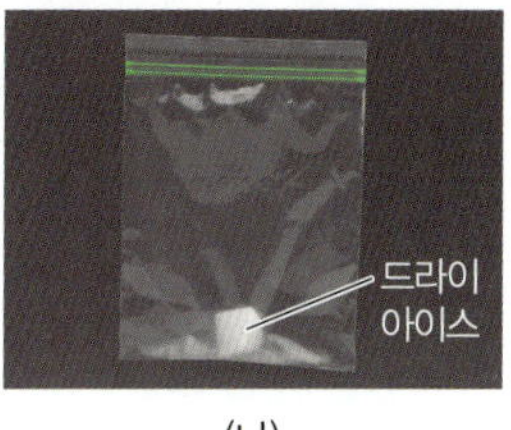

(가)   (나)

이에 대한 설명으로 옳은 것은?

① (가)에서 얼음이 승화한다.
② (나)에서 드라이아이스는 액체 상태로 변한다.
③ (가)와 (나)에서 비닐봉지 속 물질의 질량은 모두 변하지 않는다.
④ (가)와 (나)에서 비닐봉지 속 물질의 부피는 모두 변하지 않는다.
⑤ (가)와 (나)에서 비닐봉지 속 물질을 구성하는 입자의 개수가 모두 많아진다.

중요

20 그림은 올리브유를 얼렸을 때의 변화를 나타낸 것이다.

이와 같이 올리브유의 상태가 변할 때 변하지 <u>않는</u> 것을 보기에서 모두 고르시오.

보기
ㄱ. 물질의 질량   ㄴ. 물질의 부피
ㄷ. 물질의 성질   ㄹ. 입자의 종류
ㅁ. 입자의 개수   ㅂ. 입자의 배열

01 그림은 온도가 다른 액체 X에서 입자의 운동을 모형으로 나타낸 것이다.

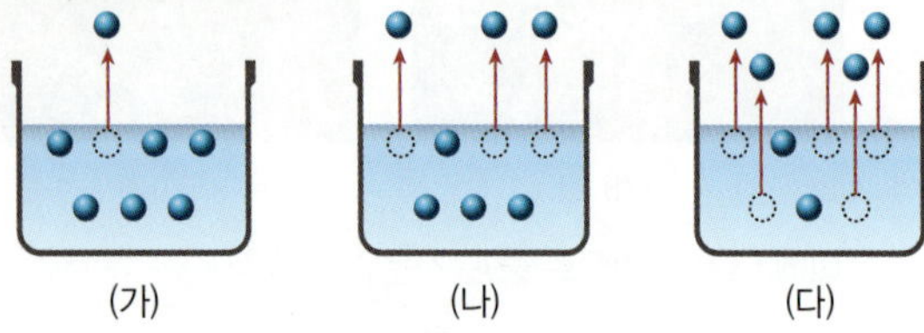

(가)~(다)에 대한 설명으로 옳은 것은?

① (가)는 (나)보다 온도가 높다.

② 입자의 운동이 가장 활발한 것은 (나)이다.

③ (다)에서만 액체가 기체로 변하는 현상이 일어난다.

④ (가)~(다)에서 모두 액체 X의 양이 줄어든다.

⑤ (가)~(다)는 모두 특정 온도 이상에서만 일어난다.

02 그림과 같이 전자저울 위에 거름종이를 올린 페트리 접시를 놓고 영점을 맞춘 다음, 거름종이에 향수를 뿌리고 변화를 관찰하였다.

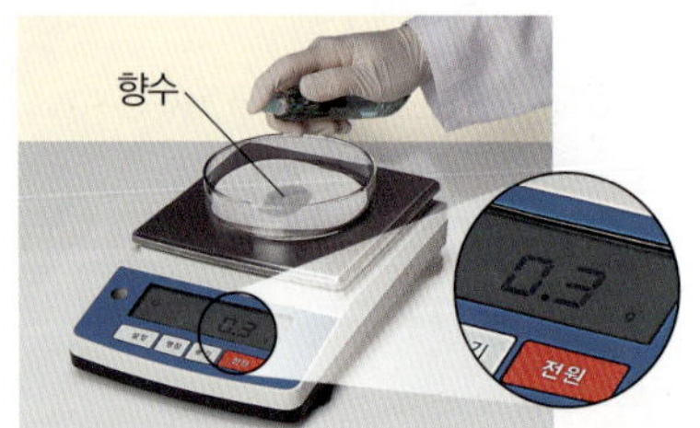

이에 대한 설명으로 옳지 <u>않은</u> 것은?

① 향수 입자가 스스로 운동하는 것을 알 수 있다.

② 시간이 지나면서 저울의 숫자가 점점 작아지다가 0이 된다.

③ 온도가 높을수록 거름종이에 묻은 향수의 흔적이 빠르게 사라진다.

④ 습도가 높을수록 거름종이에 묻은 향수의 흔적이 빠르게 사라진다.

⑤ 향수 입자가 모든 방향으로 퍼져 나가 주변에서 향수 냄새를 맡을 수 있다.

03 그림과 같이 유리관의 양쪽에 각각 진한 암모니아수와 진한 염산을 묻힌 솜을 동시에 넣고 마개로 막았더니 잠시 후 유리관 안에 흰 연기가 생겼다.

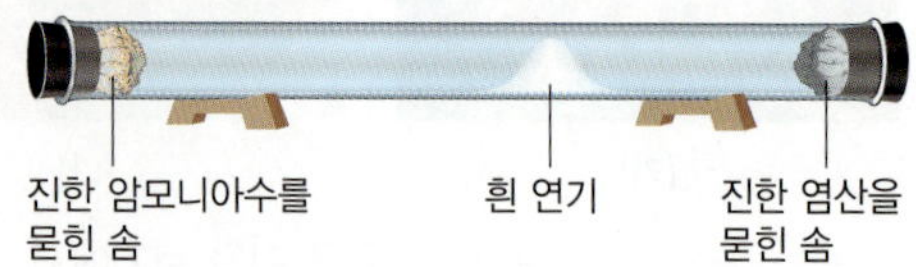

이에 대한 설명으로 옳은 것은? (단, 진한 암모니아수에서는 암모니아 기체가 나오고, 진한 염산에서는 염화 수소 기체가 나온다.)

① 흰 연기는 액화로 생성된 것이다.

② 기체 입자의 질량은 염화 수소가 암모니아보다 크다.

③ 기체의 확산 속도는 염화 수소가 암모니아보다 빠르다.

④ 유리관 안을 진공으로 만들면 흰 연기가 생기지 않을 것이다.

⑤ 유리관 안의 온도를 높이면 진한 암모니아수를 묻힌 솜 가까이에 흰 연기가 생길 것이다.

04 오른쪽 그림은 일정한 온도에서 기체가 들어 있는 주사기의 피스톤을 눌렀을 때의 변화를 입자 모형으로 나타낸 것이다. (가)와 (나)에서 주사기 속 기체 입자에 대한 설명으로 옳은 것을 보기에서 모두 고르시오.

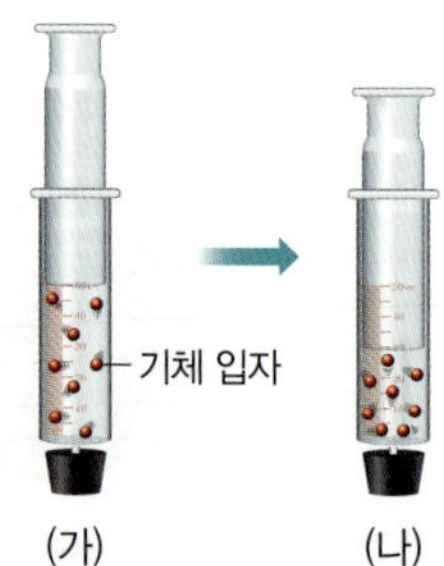

보기

ㄱ. 입자의 크기는 (가) > (나)이다.

ㄴ. 입자 사이의 거리는 (나) > (가)이다.

ㄷ. 입자의 종류는 (가)와 (나)에서 같다.

ㄹ. (가)와 (나)에서 입자는 모두 끊임없이 운동한다.

05 물이 담긴 비커 (가)와 (나)에 얼음과 드라이아이스를 각각 넣었더니 얼음과 드라이아이스의 크기가 작아지면서 다음과 같은 변화가 일어났다.

(가)   (나)

(가)와 (나)에서 일어나는 상태 변화 두 가지를 각각 쓰시오.

- (가): ___________________________

- (나): ___________________________

06 그림은 물이 순환하는 과정을 나타낸 것이다.

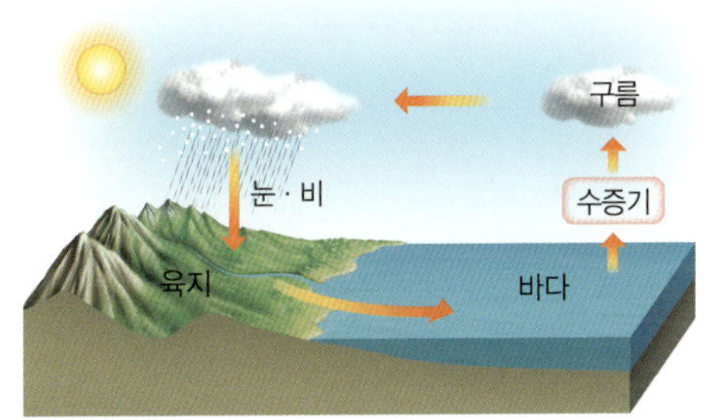

이에 대한 설명으로 옳은 것은?

① 눈과 비는 물질의 상태가 같다.

② 바다에서 물이 증발할 때 입자 사이의 거리가 멀어진다.

③ 구름과 바다를 구성하고 있는 물은 서로 다른 성질을 가진다.

④ 공기 중의 수증기가 액화하여 구름이 될 때 입자의 개수가 줄어든다.

⑤ 육지에서 바다로 물이 이동할 수 있는 까닭은 물이 고체 상태이기 때문이다.

07 다음은 동결 건조 방법을 이용하여 과일칩을 만드는 과정에 대한 설명이다.

과일을 급속으로 ㉠ 냉동한 뒤, 진공 건조기 안에 넣어 과일에 들어 있는 ㉡ 수분을 제거하는 방법을 이용한다.

이에 대한 설명으로 옳은 것을 모두 고르면? (정답 2개)

① ㉠에서 얼음이 융해한다.

② ㉡에서 얼음이 승화한다.

③ ㉠에서 물의 부피가 늘어난다.

④ ㉡에서 물 입자의 배열이 규칙적으로 변한다.

⑤ 동결 건조 방법으로 만든 과일칩에는 고체 상태의 물이 들어 있다.

08 다음은 일상생활에서 볼 수 있는 현상들이다.

(가) 손에 바른 손 소독제가 사라졌다.
(나) 갓 구운 빵 위에 올려놓은 버터가 녹았다.
(다) 영하의 온도에서 그늘에 있던 눈사람의 크기가 작아졌다.

(가)~(다)에서 일어나는 공통적인 변화로 옳은 것을 보기에서 모두 고른 것은?

보기

ㄱ. 물질의 부피가 늘어난다.
ㄴ. 물질의 질량이 증가한다.
ㄷ. 입자의 배열이 불규칙해진다.
ㄹ. 입자 사이의 거리가 가까워진다.

① ㄱ, ㄷ   ② ㄱ, ㄹ   ③ ㄴ, ㄹ

④ ㄱ, ㄴ, ㄷ   ⑤ ㄴ, ㄷ, ㄹ

☞ 제시된 Keyword를 이용하여 문제를 해결해 보자.

1 다음 현상이 일어나는 공통적인 까닭을 입자의 운동과 관련지어 설명하시오. (단, 각 현상의 종류를 같이 쓰시오.)

> (가) 물걸레로 닦아 둔 교실 바닥이 마른다.
> (나) 주유소 근처에서는 독특한 기름 냄새를 맡을 수 있다.
> (다) 냉면에 식초를 몇 방울 넣으면 국물 전체에서 신맛이 난다.

Keyword 증발, 확산, 입자의 운동

____

____

2 오른쪽 그림과 같이 페트리 접시에 BTB 용액을 일정한 간격으로 1방울씩 떨어뜨린 뒤, 중앙에 식초를 1~2방울 떨어뜨리고 뚜껑을 덮었다.

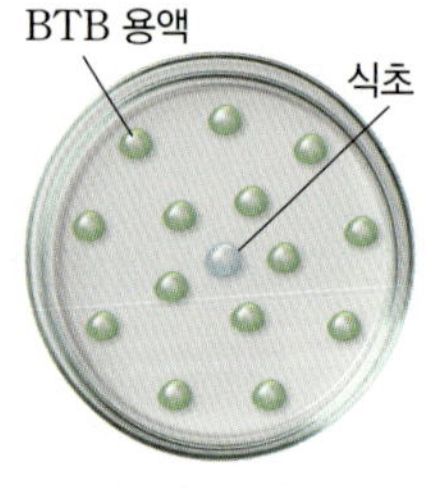

(1) BTB 용액의 색이 변하는 방향을 설명하시오. (단, 식초의 주성분인 아세트산은 BTB 용액을 노란색으로 변화시킨다.)

Keyword 모든 방향

____

____

(2) 위 (1)과 같이 색이 변하는 까닭을 입자의 운동과 관련지어 설명하시오.

Keyword 입자의 운동, 모든 방향

____

____

3 그림과 같이 액체 양초를 천천히 식혔더니 가운데 부분이 오목하게 들어갔다.

(1) 이 실험에서 양초의 상태가 변할 때 질량과 부피의 변화를 설명하시오.

Keyword 질량, 부피

____

____

(2) 위 (1)과 같은 변화가 일어나는 까닭을 입자의 종류와 개수 및 입자의 배열과 관련지어 설명하시오.

Keyword 입자의 종류, 입자의 개수, 입자의 배열(입자 사이의 거리)

____

____

4 그림은 유리병에 물을 가득 넣어 얼렸을 때 유리병이 깨진 모습을 나타낸 것이다.

이러한 현상이 일어나는 까닭을 상태 변화와 입자의 배열 및 부피와 관련지어 설명하시오.

Keyword 응고, 입자의 배열, 부피

____

____

5 그림은 아세톤을 조금 넣은 삼각 플라스크의 입구에 풍선을 씌운 뒤 삼각 플라스크를 가열했을 때의 모습을 나타낸 것이다.

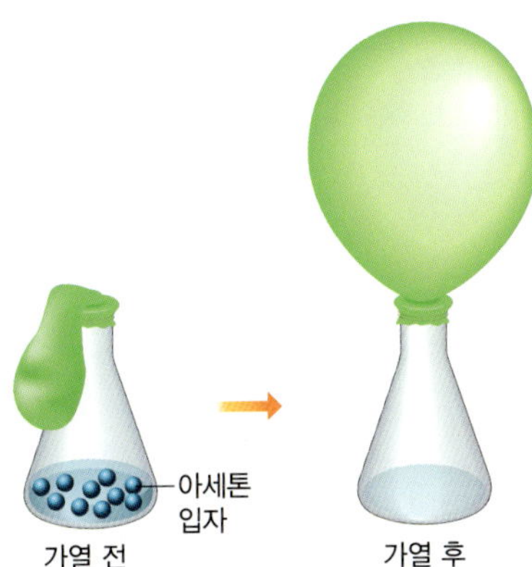

(1) 가열 후 아세톤 입자의 배열이 어떻게 변하는지 위 그림에 입자 모형으로 나타내시오. (단, 아세톤 입자는 총 10개 이다.)

(2) 실험 결과 풍선이 크게 부풀어 오르는 까닭을 상태 변화와 입자의 배열 및 부피와 관련지어 설명하시오.

Keyword 기화, 입자의 배열(입자 사이의 거리), 부피

---

6 그림은 물을 제외한 물질의 상태 변화를 나타낸 것이다.

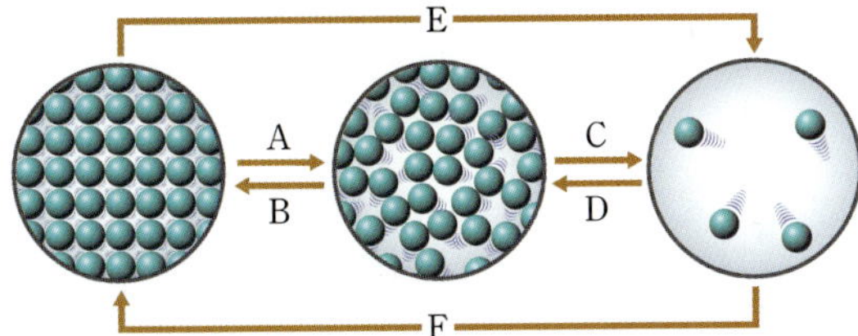

A~F 중 물질의 부피가 줄어드는 과정을 모두 고르고, 그 까닭을 입자의 배열과 관련지어 설명하시오.

Keyword 입자의 배열(입자 사이의 거리)

 단계적 서술형

7 다음은 물의 상태 변화와 관련된 실험이다.

> (가) 물을 묻힌 유리 막대를 푸른색 염화 코발트 종이에 대어 본다.
> (나) 물이 들어 있는 비커 위에 얼음이 담긴 시계 접시를 올려놓고 비커를 가열하면서 변화를 관찰한다.
> (다) 시계 접시 아랫면에 맺힌 액체 방울에 푸른색 염화 코발트 종이를 대어 본다.

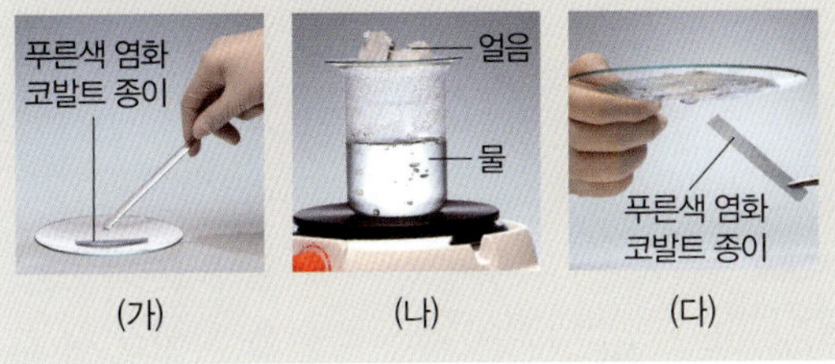

(1) **[자료 분석]** 시계 접시 아랫면에 맺힌 액체 방울은 어떻게 생성된 것인지 상태 변화를 이용하여 설명하시오.

Keyword 기화, 액화

(2) **[문제 이해]** (가)와 (다)에서 푸른색 염화 코발트 종이의 색 변화를 설명하시오.

Keyword 푸른색, 붉은색

(3) **[문제 해결]** 위 (2)의 결과를 통해 알 수 있는 사실을 설명하시오.

Keyword 상태 변화, 성질

02 상태 변화와 열에너지

코끼리가 진흙탕에서 놀면서 몸에 진흙을 바르는 것은 체온을 낮추기 위한 행동이라고 한다.
이처럼 코끼리가 몸에 진흙을 발라 체온을 낮출 수 있는 까닭은 무엇일까?

☐ **열의 이동**: 온도가 다른 두 물질이 접촉하면 열이 이동하므로 물질의 ___________이/가 변한다.

☐ **물의 상태 변화를 이용한 예**: 음식을 찌거나 가습기를 이용하는 것은 (물, 수증기)이/가 (물, 수증기)로 상태가 변하는 예이다.

① 열에너지를 흡수하는 상태 변화

1. 열에너지　과학 용어 사전 196쪽

(1) **열에너지**: 물체의 온도나 물질의 상태를 변화시키는 에너지의 한 형태를 열에너지라고 한다.

(2) **열에너지의 이동**: 온도가 다른 두 물질이 접촉하면 온도가 높은 물질에서 온도가 낮은 물질로 열에너지가 이동한다. 이때 열에너지를 얻은 물질은 온도가 높아지고, 열에너지를 잃은 물질은 온도가 낮아진다.

2. 물질을 가열할 때의 온도 변화　탐구 159쪽

(1) **고체를 가열할 때의 온도 변화**: 고체를 가열하면 열에너지를 흡수하여 온도가 높아지다가, 고체가 녹는 동안에는 온도가 더 이상 높아지지 않고 일정하게 유지된다. 고체가 모두 녹아 액체로 된 후 계속 가열하면 액체의 온도는 다시 높아진다.

① 고체가 녹을 때 입자 배열의 변화: 고체가 열에너지를 흡수하면 입자의 운동이 활발해지고, 규칙적으로 배열되어 있던 입자들이 흐트러지면서 액체로 변한다.

② 고체가 녹는 동안 온도가 일정하게 유지되는 까닭: 흡수한 열에너지가 물질의 온도를 높이는 데 사용되지 않고, 입자의 배열을 변화시켜 상태 변화(융해) 하는 데 사용되기 때문이다.

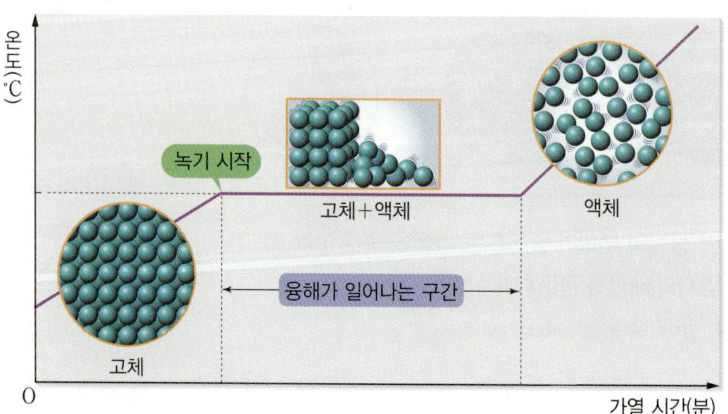

고체의 가열 곡선과 열에너지를 흡수하는 상태 변화

Link

열의 이동은 1권 088쪽~091쪽을 보면 자세히 알 수 있어요.

열에너지의 크기

· 온도: 온도가 높을수록 물질이 가지는 열에너지가 크다.
· 물질의 상태: 물질이 고체 → 액체 → 기체 상태로 될수록 열에너지가 크다.
예 0 ℃ 얼음<0 ℃ 물<50 ℃ 물

용어 가열 곡선

물질에 일정한 열에너지를 공급하면서 시간에 따른 물질의 온도 변화를 나타낸 그래프

(2) 액체를 가열할 때의 온도 변화: 액체를 가열하면 열에너지를 흡수하여 온도가 높아
지다가, 액체가 끓는 동안에는 온도가 더 이상 높아지지 않고 일정하게 유지된다.
액체가 모두 끓어 기체로 된 후 계속 가열하면 기체의 온도는 다시 높아진다.

① 액체가 끓을 때 입자 배열의 변화: 액체가 열에너지를 흡수하면 입자의 운동이
매우 활발해지고, 입자들이 매우 불규칙하게 배열되면서 기체로 변한다.

② 액체가 끓는 동안 온도가 일정하게 유지되는 까닭: 흡수한 열에너지가 입자의
배열을 변화시켜 상태 변화(기화) 하는 데 사용되기 때문이다.

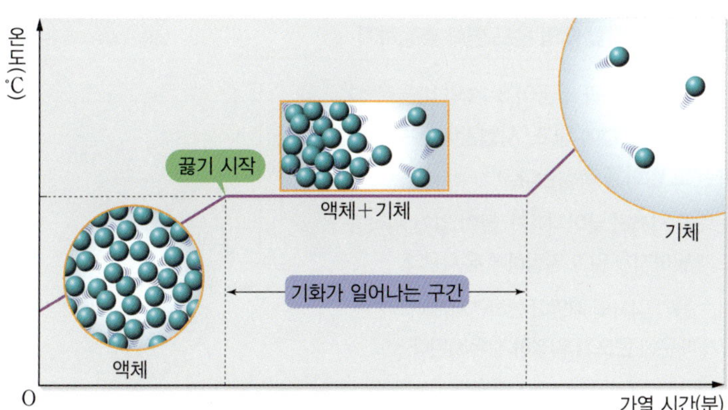

액체의 가열 곡선과 열에너지를 흡수하는 상태 변화

탐구 ➕ 물을 가열할 때의 온도 변화 측정하기

물을 가열하면서 온도를 측정하여 오른쪽 그림과 같
은 결과를 얻었다.

① 물의 온도가 서서히 높아지다가, 물이 끓기 시작하면
온도가 높아지지 않고 일정하게 유지된다.

② 물이 끓는 동안 흡수한 열에너지가 입자의 배열을 변
화시켜 상태 변화(기화) 하는 데 사용되기 때문에 온
도가 일정하게 유지된다.

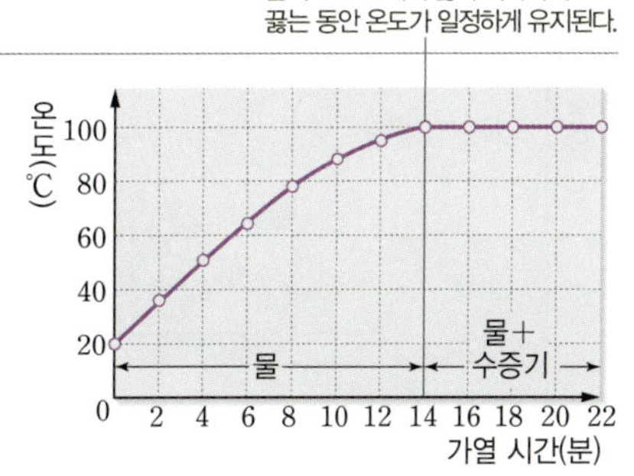

---

3. **열에너지의 흡수와 입자 배열의 변화** 물질이 열에너지를 흡수하면 입자의 운동이
활발해지고 입자의 배열이 불규칙해진다. 또한, 입자 사이의 거리가 멀어지면서
융해, 기화, 고체에서 기체로의 승화와 같은 상태 변화가 일어난다. 과학 용어 사전  197쪽

물을 가열할 때는 물이 갑자기 끓
어오르는 것을 막기 위해 끓임쪽
을 넣어 준다. 끓임쪽에는 아주 작
은 구멍이 많이 있어서 액체가 끓
을 때 이 구멍 속에 있던 공기들이
조금씩 기포로 되어 나오므로 액
체가 갑자기 끓어오르는 것을 막
아 준다.

정답과 해설 039쪽

개념 빌드업

1. 핵심개념 물질을 가열하여 융해나 기화가 일어나는 동안 물질의 온도는 (낮아진다, 일정하다,
높아진다).

2. 융해, 기화, 고체에서 기체로의 승화가 일어날 때는 열에너지를 (흡수, 방출)하며, 입자의 배
열이 (규칙적, 불규칙적)으로 변한다.

Check 이전에 배웠어요

☐ 온도
☐ 물, 수증기

② 열에너지를 방출하는 상태 변화

1. 물질을 냉각할 때의 온도 변화 물질을 냉각하면 열에너지를 잃어 온도가 낮아지다가, 기체가 액체로 액화하거나 액체가 고체로 응고하는 동안에는 온도가 더 이상 낮아지지 않고 일정하게 유지된다. → 액화나 응고와 같은 상태 변화가 일어나는 동안 입자의 배열이 변하면서 열에너지를 방출하기 때문에 온도가 일정하게 유지된다. 탐구 160쪽

얼음과 소금을 3 : 1의 비율로 섞는 까닭

얼음과 소금을 섞으면 얼음이 녹으면서 열에너지를 흡수하므로 주변의 온도가 낮아진다. 또한, 얼음이 녹은 물에 소금이 녹으면서 열에너지를 흡수하므로 −20 ℃ 정도까지 온도를 낮출 수 있다.

탐구⊕ 물을 냉각할 때의 온도 변화 측정하기

물이 든 시험관을 얼음과 소금이 3 : 1의 비율로 섞여 있는 스타이로폼 컵에 넣고, 시험관에 온도계를 설치한 뒤 온도 변화를 측정한다.

① 물의 온도가 서서히 낮아지다가, 물이 얼기 시작하면 온도가 낮아지지 않고 일정하게 유지된다.

② 물이 어는 동안 입자의 배열이 변하면서 열에너지를 방출하기 때문에 온도가 일정하게 유지된다.

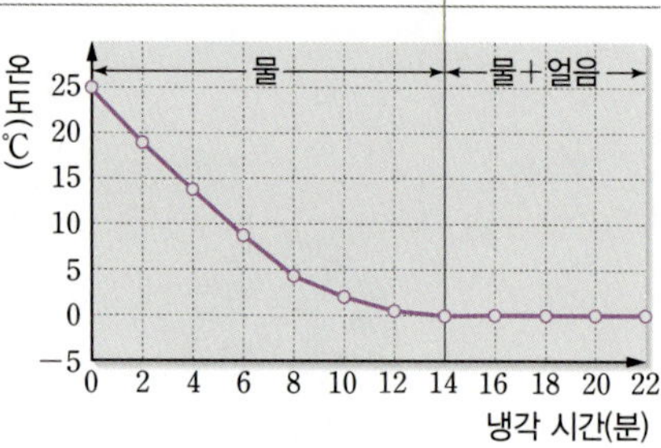

---

2. 열에너지의 방출과 입자 배열의 변화 물질이 열에너지를 방출하면 입자의 운동이 둔해지고 입자의 배열이 규칙적으로 변한다. 이때 입자 사이의 거리가 가까워지면서 응고, 액화, 기체에서 고체로의 승화가 일어난다. 과학 용어 사전 197쪽

상태 변화가 일어나는 온도

· 같은 물질인 경우 물질의 양과 관계없이 물질이 녹기(얼기) 시작하는 온도와 끓기 시작하는 온도는 일정하다.

· 물질의 양이 많을수록 물질이 녹기(얼기) 시작하거나 끓기 시작하는 데 걸리는 시간이 길어진다.

· 열원(불)의 세기가 강할수록 물질이 녹기 시작하거나 끓기 시작하는 데 걸리는 시간이 줄어든다. 하지만 물질이 녹기 시작하는 온도와 끓기 시작하는 온도는 일정하다.

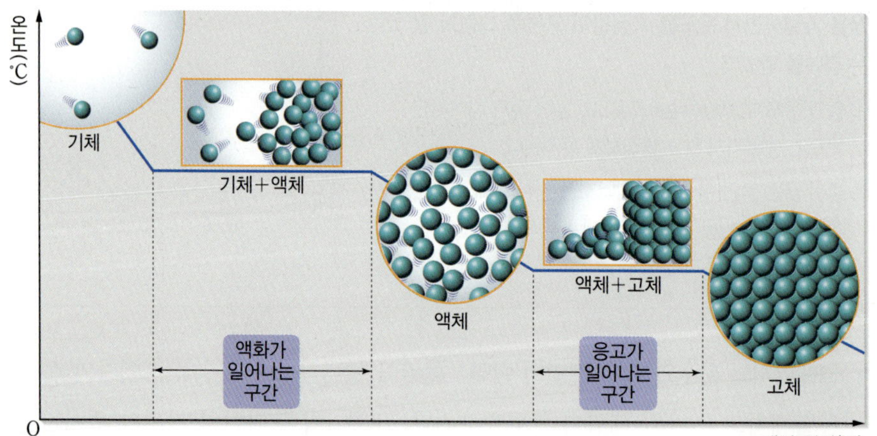

기체의 냉각 곡선과 열에너지를 방출하는 상태 변화

용어 냉각 곡선

물질을 냉각시키면서 시간에 따른 물질의 온도 변화를 나타낸 그래프

정답과 해설 039쪽

개념 빌드업

1. **핵심 개념** 물질을 냉각할 때 상태 변화가 일어나는 동안에는 열에너지를 (흡수, 방출)하므로 온도가 일정하게 유지된다.

2. 물질이 열에너지를 방출하면 입자의 운동이 (둔해, 활발해)지고, 입자의 배열이 (규칙적, 불규칙적)으로 변한다.

③ 상태 변화 시 출입하는 열에너지의 이용

1. 상태 변화와 열에너지의 출입 물질의 상태 변화가 일어날 때는 주변에서 열에너지를 흡수하거나 주변으로 열에너지를 방출한다.

2. 열에너지를 흡수하는 상태 변화 융해, 기화, 고체에서 기체로의 승화가 일어날 때는 주변에서 열에너지를 흡수하므로 주변의 온도가 낮아진다.

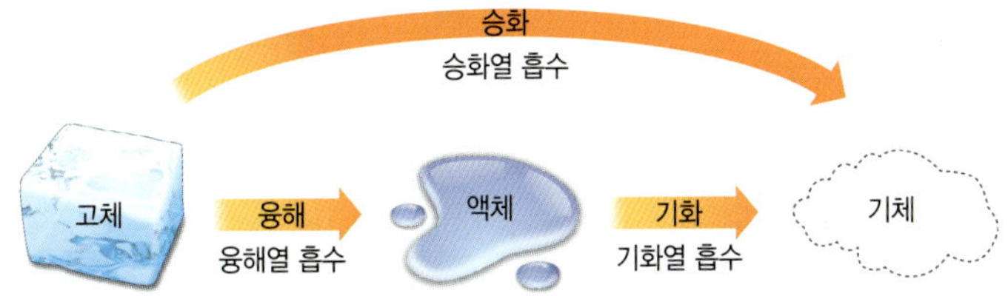

(1) **상태 변화 시 흡수하는 열에너지의 종류**: 고체가 액체로 융해할 때 흡수하는 열에너지를 융해열, 액체가 기체로 기화할 때 흡수하는 열에너지를 기화열, 고체가 기체로 승화할 때 흡수하는 열에너지를 승화열이라고 한다. 과학 용어 사전 197쪽

(2) **흡수하는 열에너지를 이용한 예** 집중분석 161쪽

융해열 흡수	• 미지근한 물에 얼음을 넣으면 얼음이 녹으면서 물이 시원해진다. • 시장에서 생선을 얼음과 함께 보관하여 생선이 상하지 않게 한다. • 냉장 식품을 포장할 때 얼음 팩을 함께 넣어 신선함을 유지한다. • 아이스박스에 얼음과 음료수를 함께 넣어 음료수를 시원하게 보관한다.
기화열 흡수	• 여름철 뜨거워진 도로나 선로에 물을 뿌리면 주변이 시원해진다. • 운동을 한 후 땀이 마를 때나 샤워를 한 후 몸에 묻은 물이 마를 때 시원함을 느낀다. • 열이 날 때 물수건으로 몸을 닦으면 몸에 묻은 물이 마르면서 열이 내린다. • 에어컨의 실내기(증발기)에서는 액체 상태의 냉매가 기화하면서 실내 온도를 낮춘다. • 휴대용 버너에 사용하는 뷰테인 가스통 안에는 액체 상태의 뷰테인이 들어 있어서 버너를 사용하면 가스통이 차가워진다. • 사막의 유목민들은 시원한 물을 마시기 위해 양가죽 물주머니를 사용한다. — 양가죽에는 아주 작은 구멍이 뚫려 있어 물이 스며 나오는데, 스며 나온 물이 기화하면서 열에너지를 흡수하므로 물이 시원해진다.
승화열 흡수	• 아이스크림을 포장할 때 드라이아이스를 함께 넣으면 아이스크림이 잘 녹지 않는다.

드라이아이스 주변에 흰 연기처럼 보이는 것은 공기 중의 수증기가 액화하여 물방울이 생성된 것이다.

자료⊕ 항아리 냉장고의 원리

항아리 냉장고는 전기를 사용하지 않고도 음식물을 시원하게 보관할 수 있다. 진흙으로 만든 항아리에는 눈에 보이지 않는 작은 구멍들이 많이 있다. 큰 항아리와 작은 항아리 사이에 젖은 모래를 넣고, 작은 항아리 안에 과일이나 채소를 담은 뒤 바람이 잘 통하는 곳에 두면 젖은 모래의 물이 기화하면서 열에너지를 흡수하므로 작은 항아리 안의 온도가 낮아진다.

3. 열에너지를 방출하는 상태 변화 응고, 액화, 기체에서 고체로의 승화가 일어날 때는 주변으로 열에너지를 방출하므로 주변의 온도가 높아진다.

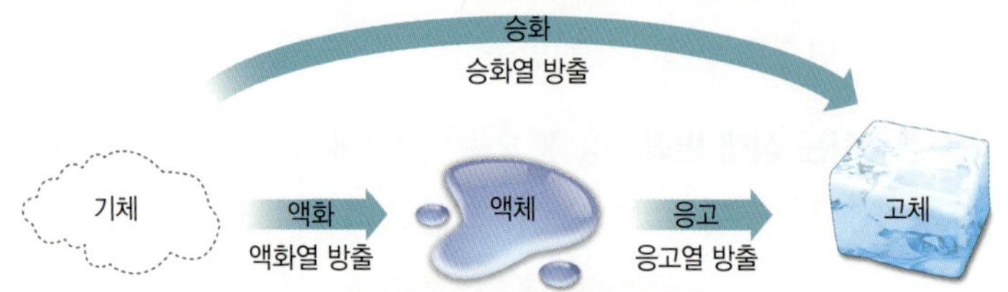

(1) 상태 변화 시 방출하는 열에너지의 종류: 액체가 고체로 응고할 때 방출하는 열에너지를 응고열, 기체가 액체로 액화할 때 방출하는 열에너지를 액화열, 기체가 고체로 승화할 때 방출하는 열에너지를 승화열이라고 한다. 과학 용어 사전 197쪽

(2) 방출하는 열에너지를 이용한 예 집중분석 161쪽

응고열 방출	• 액체 파라핀을 이용하여 온열 치료를 한다. • 얼음집 안쪽에 물을 뿌려 집 안을 따뜻하게 한다. • 겨울철 과일 창고 안에 물통을 놓아두어 과일이 얼지 않게 한다. • 날씨가 갑자기 추워질 때 과일나무에 물을 뿌려 냉해를 막는다.
액화열 방출	• 목욕탕 안이 습기로 후텁지근하다. • 비가 내리기 전에는 날씨가 후텁지근하다. • 추울 때 입 근처에 손을 대고 입김을 불면 손이 따뜻해진다. • 무더운 여름에 냉방이 잘 된 곳에서 밖으로 나오면 후텁지근하다. • 커피 전문점에서는 우유를 빠르게 데우기 위해 수증기를 이용한다. • 증기 난방기는 물을 끓여 만든 수증기를 이용하여 실내를 따뜻하게 한다. — 모두 수증기가 액화하면서 열에너지를 방출하기 때문에 일어나는 현상이다.
승화열 방출	• 눈이 내리는 날에는 날씨가 포근해진다.

자료 ➕ 파라핀 온열 치료의 원리

손이나 발을 다쳐 통증이 있는 경우, 액체 파라핀에 손이나 발을 담갔다가 꺼내면 손이나 발에 묻은 파라핀이 굳으면서 고체 상태로 응고한다. 이 과정을 반복하면 파라핀이 응고하는 동안 열에너지를 계속 방출하므로 통증 부위를 따뜻하게 하여 통증을 치료하는 데 도움이 된다.

정답과 해설 039쪽

개념 빌드업

1. **핵심 개념** 물질의 상태 변화가 일어날 때 주변에서 열에너지를 흡수하면 주변의 온도가 (낮아, 높아)지고, 주변으로 열에너지를 방출하면 주변의 온도가 (낮아, 높아)진다.

2. 커피 전문점에서 우유를 데울 때 수증기가 물로 ________ 하면서 (흡수, 방출)하는 열에너지를 이용한다.

용어 파라핀

석유에서 얻을 수 있는 흰색의 반투명한 고체 물질이다. 주로 양초, 연고, 화장품 등의 원료로 사용한다.

용어 냉해

농작물이 자라는 도중에 낮은 기온 때문에 입는 피해

눈이 내리는 날에 날씨가 포근해지는 까닭

눈은 대기 중의 얼음 알갱이에 수증기가 얼어붙어 승화하고, 이것이 커져 지상으로 떨어지는 것이다. 따라서 눈이 내리는 날에는 많은 양의 수증기가 얼음으로 승화하면서 열에너지를 방출하여 날씨가 포근해진다.

얼음이 녹을 때의 온도 변화 측정하기

목표 | 얼음이 녹을 때의 온도 변화를 측정하고, 그 결과를 해석할 수 있다.

과정

Tip

무선 온도 센서

온도를 측정하여 전기 신호로 변환하는 전자 장치로, 온도 센서가 측정한 온도는 센서 끝부분의 온도이다.

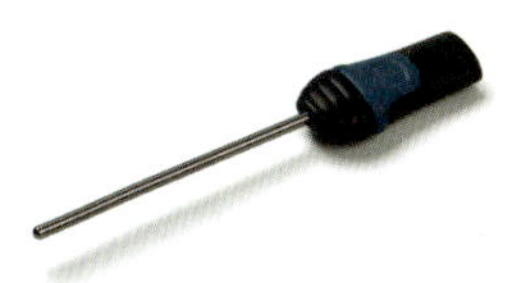

| 미리 준비하기 | 플라스틱 컵에 물을 $\frac{1}{4}$ 정도 넣고, 무선 온도 센서의 끝부분이 가운데 위치하도록 꽂아 얼려 둔다.

❶ 스마트 기기에서 센서 분석 앱을 작동한다.

> **유의점** ✔ 측정 시간은 수동 또는 20분 이상으로 설정한다.

❷ 얼음이 담긴 컵을 뜨거운 물이 든 수조에 넣고 자료 수집을 시작한다.

❸ 얼음이 모두 녹고 3분 정도 지난 뒤에 자료 수집을 종료하고, 시간에 따른 온도 변화 그래프를 확인한다.

결과 및 정리

얼음이 녹을 때의 온도 변화 그래프를 해석하면 다음과 같다.

(가) 구간	• 열에너지를 얻어 얼음의 온도가 높아진다. • 고체인 얼음으로 존재한다.
(나) 구간	• 얼음이 녹는 동안 온도가 일정하게 유지된다. └→ 흡수한 열에너지가 입자의 배열을 변화시켜 상태 변화(융해)하는 데 사용되기 때문 • 고체인 얼음과 액체인 물이 함께 존재한다.
(다) 구간	• 열에너지를 얻어 물의 온도가 높아진다. • 액체인 물로 존재한다.

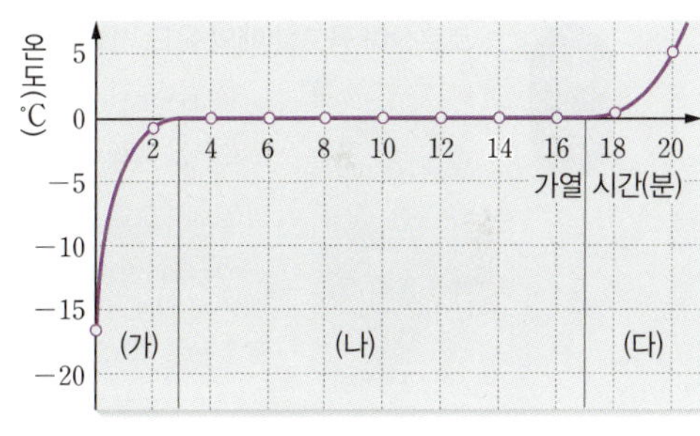

얼음이 녹을 때의 온도 변화 그래프

탐구 확인 문제

정답과 해설 039쪽

1 위 탐구에 대한 설명으로 옳은 것은 ○, 옳지 <u>않은</u> 것은 × 로 표시하시오.

(1) 얼음이 녹는 동안 온도는 계속 높아진다. ······ (   )

(2) 얼음이 물로 상태 변화 하면서 열에너지를 방출한다.
··· (   )

(3) 얼음이 녹는 동안 흡수한 열에너지가 입자의 배열을 변화시키는 데 사용된다. ························· (   )

(4) 얼음이 모두 녹은 뒤 온도가 다시 높아진다. (   )

2 얼음이 녹을 때의 온도 변화 그래프의 (나) 구간에서는 온도가 일정하게 유지된다. 이 구간에서 존재하는 물질의 상태로 옳은 것은?

① 고체

② 액체

③ 고체＋액체

④ 액체＋기체

⑤ 고체＋액체＋기체

탐구 | 로르산이 응고할 때의 온도 변화 측정하기

실험 영상

목표 | 액체 로르산이 응고할 때의 온도 변화를 측정하고, 그 결과를 해석할 수 있다.

과정

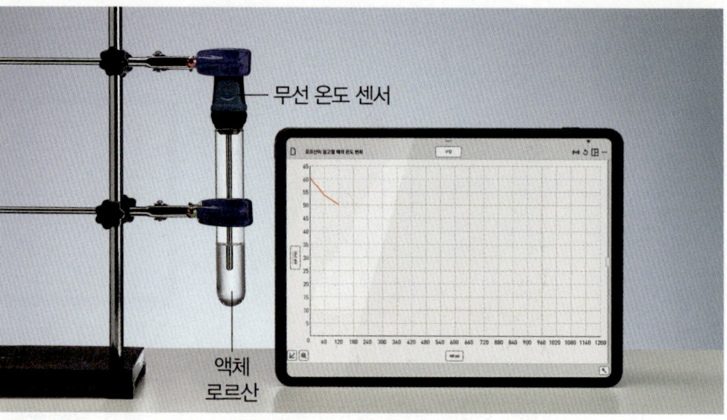

❶ 고체 로르산을 $\frac{1}{2}$ 정도 넣은 시험관을 뜨거운 물이 든 비커에 넣어 로르산을 모두 녹인다.

유의점 ✔ 화상을 입지 않도록 조심한다.

❷ 무선 온도 센서를 액체 로르산이 든 시험관에 넣고 그림과 같이 고정한다.

❸ 스마트 기기에서 센서 분석 앱을 작동하고 온도 자료를 수집한다.

유의점 ✔ 측정 시간은 수동 또는 20분 이상으로 설정한다.

❹ 액체 로르산이 모두 응고하고 3분 정도 지난 뒤에 자료 수집을 종료하고, 시간에 따른 온도 변화 그래프를 확인한다.

결과 및 정리

로르산이 응고할 때의 온도 변화 그래프를 해석하면 다음과 같다.

(가) 구간	• 열에너지를 잃으므로 로르산의 온도가 서서히 낮아진다. • 로르산은 액체 상태로 존재한다.
(나) 구간	• 로르산이 어는 동안 온도가 일정하게 유지된다. └→ 로르산이 상태 변화(응고) 하는 동안 입자의 배열이 변하면서 열에너지를 방출하기 때문 • 로르산은 액체와 고체 상태가 함께 존재한다.

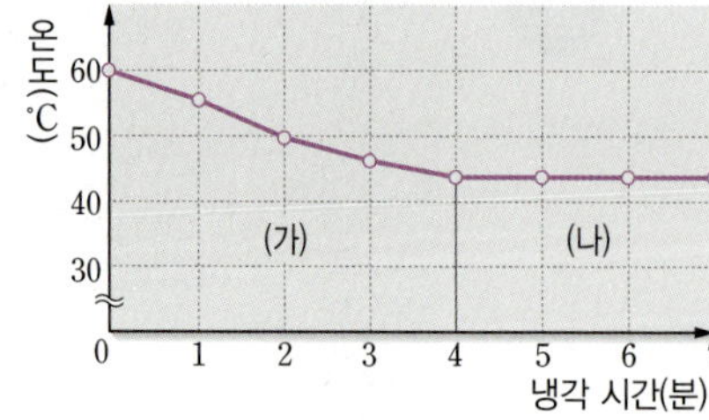

로르산이 응고할 때의 온도 변화 그래프

탐구 확인 문제

정답과 해설 039쪽

1 위 탐구에 대한 설명에서 빈칸에 알맞은 말을 쓰시오.

> 액체 로르산이 고체로 (㉠)하는 동안에는 열에너지를 (㉡)하므로 냉각해도 온도가 낮아지지 않고 일정하게 유지된다.

2  로르산이 응고하는 동안 입자의 변화에 대한 설명으로 옳은 것을 보기에서 모두 고르시오.

보기
ㄱ. 입자의 운동이 활발해진다.
ㄴ. 입자 사이의 거리가 가까워진다.
ㄷ. 입자의 배열이 규칙적으로 변한다.

상태 변화 시 출입하는 열에너지를 이용한 제품

물질이 상태 변화 할 때 출입하는 열에너지를 이용한 제품에는 에어컨, 냉장고, 증기 난방기 등이 있다. 이들 제품에 이용된 원리를 자세히 알아보자.

❶ 무더운 여름철 실내 온도를 낮추는 에어컨의 원리

집 안에 설치된 에어컨 실내기의 증발기에서는 액체 냉매가 기체로 변하면서 열에너지(기화열)를 흡수하여 실내 공기의 온도를 낮춘다. 이때 차가워진 공기가 실내로 퍼지면서 집 안을 시원하게 한다. 실내기에서 나온 기체 냉매는 실외에 설치된 응축기로 들어가 액체로 변하면서 열에너지(액화열)를 방출하고, 방출한 열에너지는 실외기를 통해 더운 바람으로 나온다.

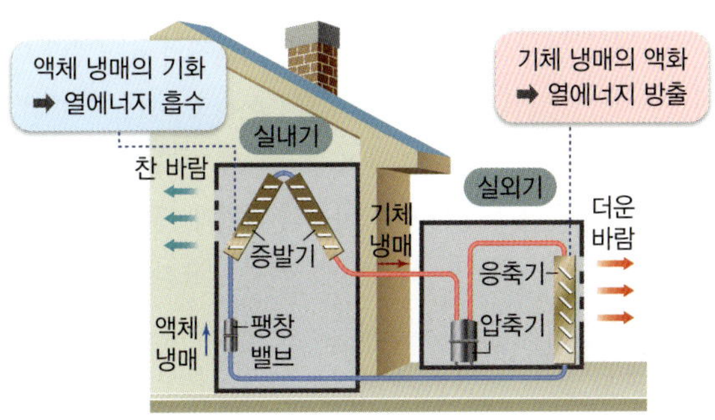

❷ 음식물을 시원하게 보관하는 냉장고의 원리

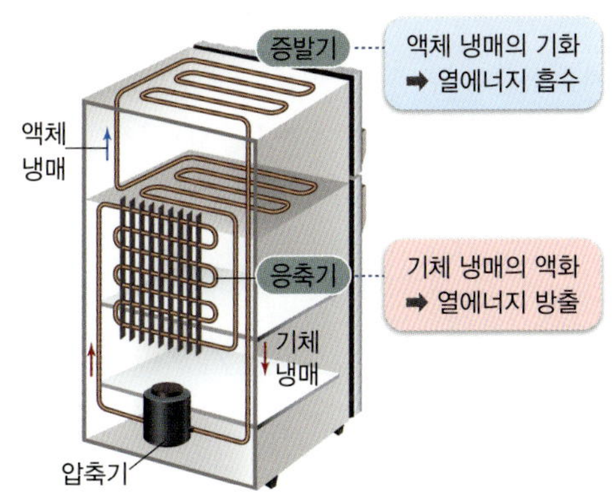

냉장고는 증발기와 응축기로 구성되어 있다. 증발기에서는 액체 냉매가 기체로 변하면서 열에너지(기화열)를 흡수하므로 냉장고 안의 온도가 낮아진다. 증발기에서 나온 기체 냉매는 응축기로 들어가 액체로 변하는데, 이때 열에너지(액화열)를 방출하므로 주변의 온도가 높아진다. 따라서 증발기가 있는 냉장고 내부는 차가운 상태를 유지할 수 있고, 응축기가 있는 냉장고의 옆 부분이나 뒷부분은 방출한 열에너지에 의해 따뜻해진다.

❸ 추운 겨울철 실내 온도를 높이는 증기 난방기의 원리

보일러에서 버너로 물을 가열하면 물이 수증기로 변하면서 열에너지(기화열)를 흡수한다. 보일러에서 나온 수증기는 집 안에 설치된 방열기로 들어가 관을 따라 이동하면서 다시 물로 변하는데, 이때 열에너지(액화열)를 방출한다. 방출한 열에너지는 실내 온도를 높이는 데 사용되어 집 안을 따뜻하게 한다.

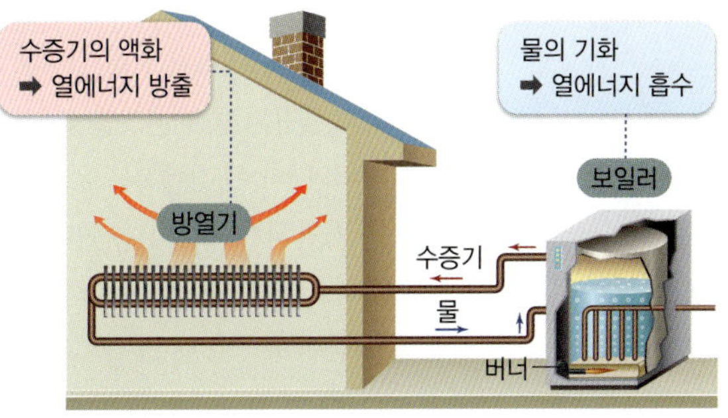

가열 곡선의 해석

물질의 끓는점이 입자 사이의 인력과 외부 압력에 따라 어떻게 달라지는지 알아보고, 가열 곡선에서 물질의 온도를 높이는 데 필요한 열에너지의 크기와 물질이 상태 변화 하는 동안 흡수한 열에너지의 크기를 비교해 보자.

1 끓는점의 변화

액체를 가열하면 액체의 표면뿐만 아니라 액체 내부에서도 기포가 생기면서 기화가 일어나는데, 이러한 현상을 끓음이라고 하며, 이때의 온도를 끓는점이라고 한다. 이러한 물질의 끓는점은 입자 사이의 인력과 외부 압력에 따라 달라진다.

- **입자 사이의 인력과 끓는점**: 입자 사이의 인력이 강할수록 입자 사이의 인력을 끊고 상태 변화 하는 데 큰 에너지가 필요하므로 끓는점이 높아진다. 예를 들어 물의 끓는점은 100 ℃, 에탄올의 끓는점은 약 78 ℃인데, 이는 에탄올이 물보다 입자 사이에 작용하는 인력이 약하여 더 작은 에너지로 입자 사이의 인력을 끊고 기화할 수 있기 때문이다.
- **외부 압력과 끓는점**: 액체가 끓으려면 외부 압력을 이길 수 있을 만큼 액체 입자의 운동이 활발해져서 기포가 생겨야 한다. 따라서 외부 압력이 커지면 그 압력을 이길 수 있을 만큼 액체 입자들이 더 활발하게 운동해야 하므로 끓는점이 높아진다. 예를 들어 압력이 대기압보다 커진 압력솥에서는 100 ℃보다 높은 온도에서 물이 끓기 때문에 쌀이 빨리 익는다.

2 가열 곡선의 해석

그림은 얼음에 단위 시간당 일정한 열에너지를 공급할 때 시간에 따른 온도 변화를 나타낸 것이다. 각 구간에서 존재하는 물질은 (가) 구간에서 얼음, (나) 구간에서 얼음과 물, (다) 구간에서 물, (라) 구간에서 물과 수증기, (마) 구간에서 수증기이다.

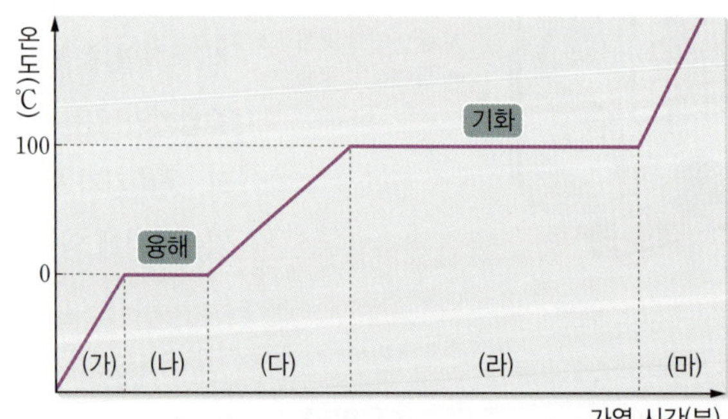

(가)와 (다) 구간에서는 온도가 높아지는데, 그래프의 기울기가 작을수록 같은 양의 물질의 온도를 높이는 데 더 큰 열에너지가 필요하다. (다) 구간에서의 기울기가 (가) 구간에서의 기울기보다 작으므로 같은 양의 얼음과 물의 온도를 높일 때 물이 얼음보다 더 큰 열에너지가 필요하다.

또한, (나)와 (라) 구간에서는 온도가 일정하게 유지되는데, 이는 흡수한 열에너지가 물질이 상태 변화 하는 데 사용되기 때문이다. 이때 각 구간의 길이가 길수록 물질의 상태가 변하는 데 더 큰 열에너지가 필요하다. (라) 구간의 길이가 (나) 구간의 길이보다 길므로 물이 기화할 때 흡수한 열에너지(기화열)가 얼음이 융해할 때 흡수한 열에너지(융해열)보다 크다.

비주얼 Visual 핵|심|정|리

1 열에너지를 흡수하는 상태 변화

① 물질을 가열할 때의 온도 변화: 융해나 기화가 일어나는 동안에는 온도가 일정하게 유지된다.

→ 흡수한 열에너지가 입자의 배열을 변화시켜 상태 변화 하는 데 사용되기 때문

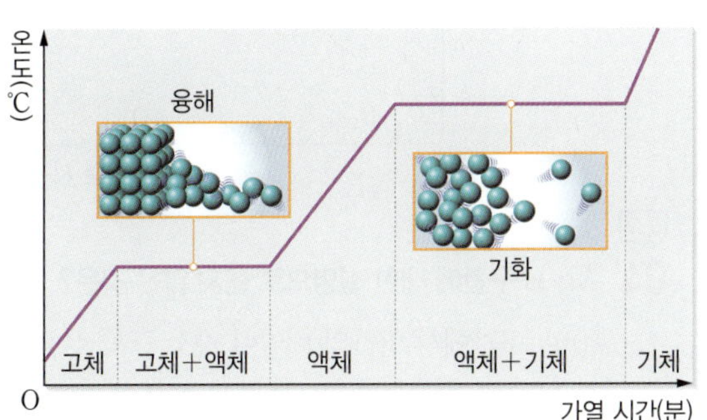

② 열에너지의 흡수와 입자 배열의 변화: 물질이 열에너지를 흡수하면 입자의 운동이 활발해지고 입자의 배열이 불규칙해지면서 융해, 기화, 고체에서 기체로의 승화와 같은 상태 변화가 일어난다.

2 열에너지를 방출하는 상태 변화

① 물질을 냉각할 때의 온도 변화: 액화나 응고가 일어나는 동안에는 온도가 일정하게 유지된다.

→ 상태 변화가 일어나는 동안 입자의 배열이 변하면서 열에너지를 방출하기 때문

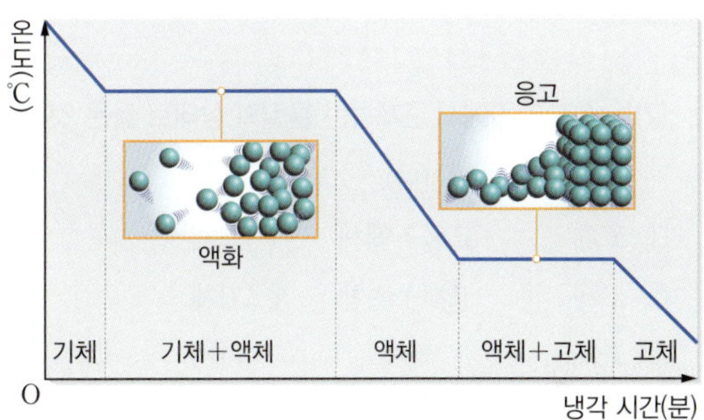

② 열에너지의 방출과 입자 배열의 변화: 물질이 열에너지를 방출하면 입자의 운동이 둔해지고 입자의 배열이 규칙적으로 변하면서 응고, 액화, 기체에서 고체로의 승화와 같은 상태 변화가 일어난다.

3 상태 변화 시 출입하는 열에너지의 이용

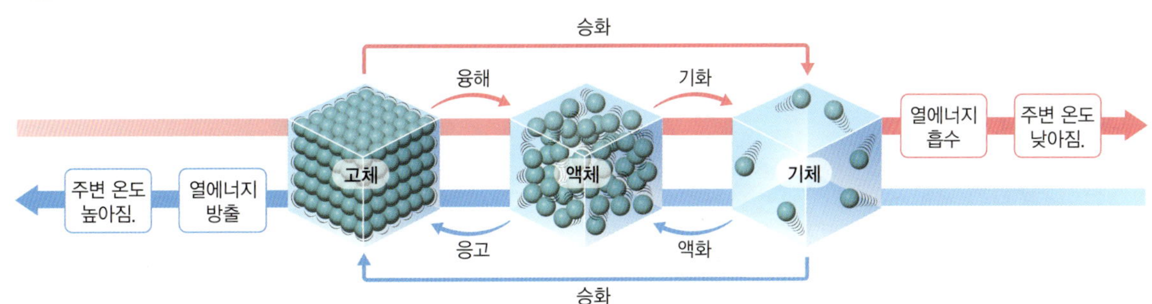

① 열에너지를 흡수하는 상태 변화가 일어날 때 주변의 온도가 낮아진다.

예 얼음을 채운 아이스박스, 실내 온도를 낮추는 에어컨, 아이스크림 상자 속 드라이아이스 등

② 열에너지를 방출하는 상태 변화가 일어날 때 주변의 온도가 높아진다.

예 액체 파라핀을 이용한 온열 치료, 실내 온도를 높이는 증기 난방기 등

[01~02] 오른쪽 그림은 어떤 액체 물질을 가열할 때 시간에 따른 온도 변화를 나타낸 것이다.

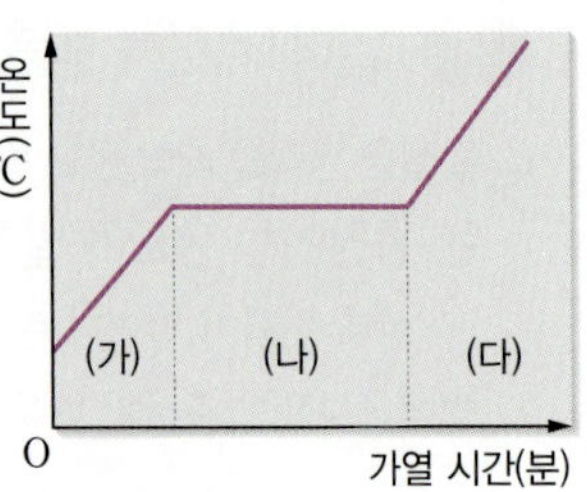

중요
01 (가)~(다) 구간에서 존재하는 물질의 상태로 옳은 것은?

	(가)	(나)	(다)
①	고체	고체＋액체	액체
②	고체	고체＋기체	기체
③	고체	액체	기체
④	액체	액체＋기체	기체
⑤	액체	기체	기체

02 (가)~(다) 중 상태 변화가 일어나는 구간과 그 구간에서 일어나는 상태 변화의 종류를 옳게 짝 지은 것은?

① (가) – 융해　　② (가) – 승화　　③ (나) – 융해
④ (나) – 기화　　⑤ (다) – 기화

03 그림은 어떤 물질을 가열할 때의 변화를 입자 모형으로 나타낸 것이다.

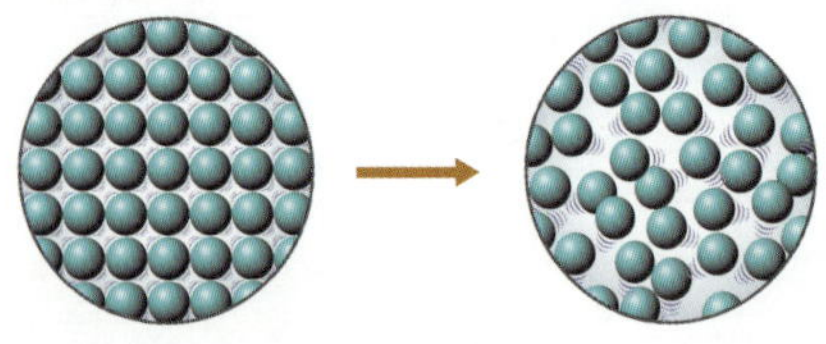

이에 대한 설명으로 옳은 것을 모두 고르면? (정답 2개)

① 입자의 운동이 둔해진다.
② 입자의 배열이 불규칙해진다.
③ 고체가 녹을 때 일어나는 변화이다.
④ 액체가 끓을 때 일어나는 변화이다.
⑤ 물질이 열에너지를 방출할 때 일어난다.

[04~06] 그림은 −50 ℃의 얼음을 일정한 조건으로 가열할 때 시간에 따른 온도 변화를 나타낸 것이다.

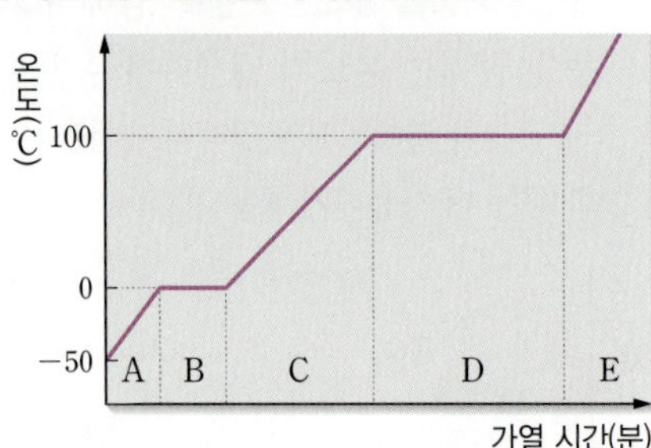

중요
04 A~E 구간에 대한 설명으로 옳지 **않은** 것은?

① A 구간에서 입자의 배열이 가장 규칙적이다.
② B 구간에서는 입자의 운동이 활발해진다.
③ C 구간에서는 물과 수증기가 함께 존재한다.
④ D 구간에서는 물의 기화가 일어난다.
⑤ E 구간에서 입자 사이의 거리가 가장 멀다.

05 B와 D 구간의 공통점으로 옳은 것을 보기에서 모두 고른 것은?

　보기
ㄱ. 입자의 운동이 활발해진다.
ㄴ. 물질이 두 가지 상태로 존재한다.
ㄷ. 흡수한 열에너지가 물질의 온도를 높이는 데 사용된다.

① ㄱ　　　　② ㄴ　　　　③ ㄷ
④ ㄱ, ㄴ　　　⑤ ㄴ, ㄷ

06 A~E 구간 중 다음 현상에서 이용한 열에너지가 출입하는 구간을 쓰시오.

여름철 뜨거워진 도로의 온도를 낮추기 위해 도로에 물을 뿌린다.

07 오른쪽 그림과 같이 얼음이 담긴 컵을 뜨거운 물이 든 수조에 넣고 일정한 시간 간격으로 온도를 측정하여 표와 같은 결과를 얻었다.

시간(분)	0	1	2	3	4	5
온도(℃)	−17.0	−4.0	−1.0	0	0	0

이 실험에 대한 설명으로 옳은 것을 보기에서 모두 고르시오.

> **보기**
> ㄱ. 0분~3분 사이에는 얼음이 열에너지를 방출한다.
> ㄴ. 3분~5분 사이에는 얼음과 물이 함께 존재한다.
> ㄷ. 3분~5분 사이에 온도가 일정한 까닭은 흡수한 열에너지가 입자의 배열을 변화시키는 데 사용되기 때문이다.

08 오른쪽 그림과 같이 장치하고 액체 상태의 로르산을 냉각하면서 일정한 시간 간격으로 온도를 측정하였다. 실험 결과로 얻은 냉각 곡선으로 적절한 것은? (단, 로르산이 얼기 시작하는 온도는 약 44 ℃이다.)

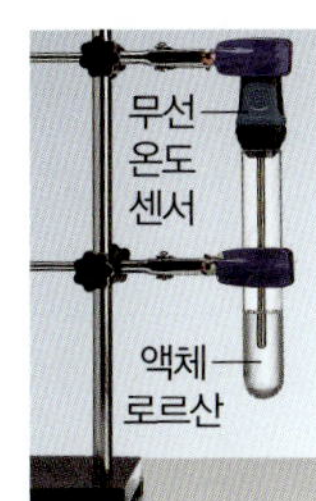

① 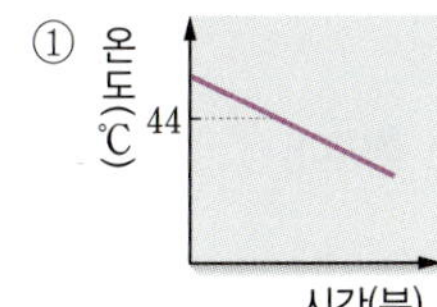
② 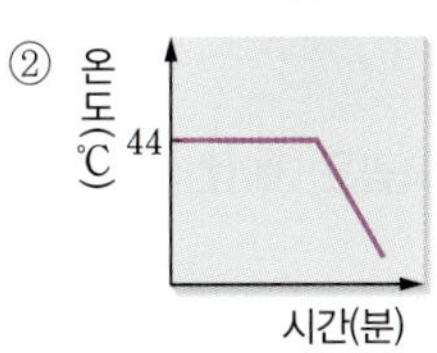
③ 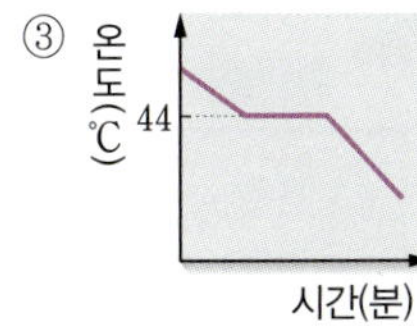
④ 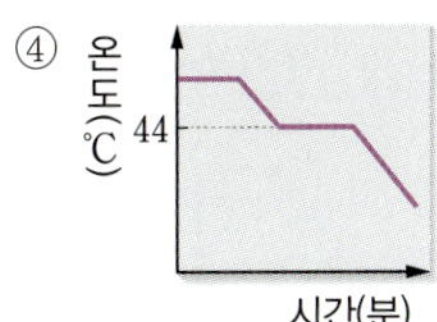
⑤ 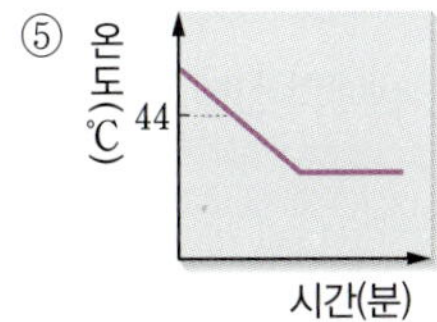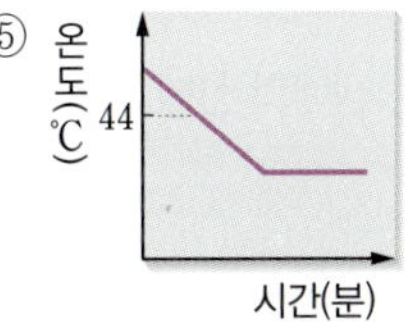

[09~10] 오른쪽 그림은 물을 냉각할 때 시간에 따른 온도 변화를 나타낸 것이다.

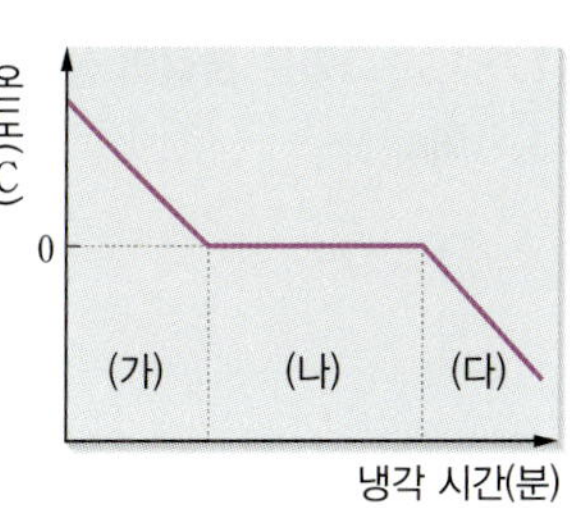

09 (가)~(다)에 대한 설명으로 옳은 것을 보기에서 모두 고른 것은?

> **보기**
> ㄱ. (가) 구간에서 입자들은 제자리에서 진동한다.
> ㄴ. (나) 구간에서는 입자의 배열이 규칙적으로 변한다.
> ㄷ. (다) 구간에서는 고체 상태인 얼음으로 존재한다.

① ㄱ ② ㄴ ③ ㄱ, ㄴ
④ ㄱ, ㄷ ⑤ ㄴ, ㄷ

10 (나) 구간에서 일어나는 변화와 같은 종류의 상태 변화가 일어나는 경우는?

① 고드름이 녹는다.
② 손에 바른 손 소독제가 사라진다.
③ 겨울철 자동차 유리창에 성에가 생긴다.
④ 얼음물이 든 컵의 표면에 물방울이 맺힌다.
⑤ 용광로에서 녹인 쇳물이 굳어 단단한 철이 된다.

11 상태 변화가 일어날 때 열에너지를 흡수하는 예를 보기에서 모두 고르시오.

> **보기**
> ㄱ. 눈이 내리는 날에는 날씨가 포근해진다.
> ㄴ. 열이 날 때 물수건으로 몸을 닦아 열을 내린다.
> ㄷ. 미지근한 물에 얼음을 넣으면 물이 시원해진다.
> ㄹ. 날씨가 갑자기 추워질 때 과일나무에 물을 뿌려 냉해를 막는다.

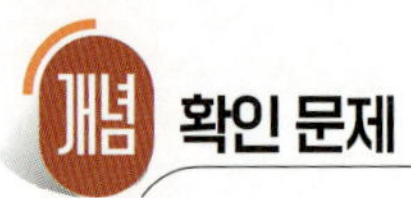

[12~13] 그림은 물질의 상태 변화를 입자 모형으로 나타낸 것이다.

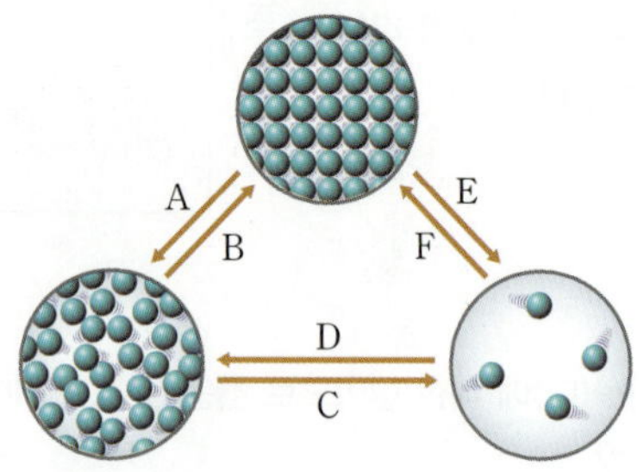

중요

12 A~F 중 열에너지를 방출하는 상태 변화를 모두 고른 것은?

① A, C, E   ② A, D, E   ③ A, D, F
④ B, C, E   ⑤ B, D, F

13 A~F 중 다음 현상과 관련 있는 상태 변화를 각각 고르시오.

> (가) 운동을 한 후 땀이 마를 때 시원함을 느낀다.
> (나) 아이스크림을 포장할 때 드라이아이스를 함께 넣는다.
> (다) 겨울철 과일 창고 안에 물통을 놓아두어 과일이 얼지 않게 한다.

14 오른쪽 그림은 전기가 들어오지 않는 더운 지역에서 사용하는 항아리 냉장고를 나타낸 것이다. 두 항아리 사이의 모래에 물을 뿌렸을 때 일어나는 변화로 옳은 것을 모두 고르면? (정답 2개)

① 모래에 뿌린 물이 액화한다.
② 물이 상태 변화 할 때 열에너지를 방출한다.
③ 물이 상태 변화 할 때 주변의 온도가 낮아진다.
④ 물이 상태 변화 할 때 입자 사이의 거리가 가까워진다.
⑤ 냉장고의 증발기에서 일어나는 냉매의 상태 변화와 같은 상태 변화가 일어난다.

15 비가 내리기 전에는 날씨가 후텁지근하게 느껴진다. 이와 같은 종류의 열에너지가 출입하는 현상이 <u>아닌</u> 것은?

① 목욕탕 안이 습기로 후텁지근하다.
② 얼음집 안쪽에 물을 뿌려 집 안을 따뜻하게 한다.
③ 무더운 여름에 냉방이 잘 된 곳에서 밖으로 나오면 후텁지근하다.
④ 커피 전문점에서는 우유를 빠르게 데우기 위해 수증기를 이용한다.
⑤ 증기 난방기는 물을 끓여 만든 수증기를 이용하여 실내를 따뜻하게 한다.

16 오른쪽 그림은 액체 파라핀을 이용하여 온열 치료를 하는 모습이다. 손에 묻은 파라핀에서 일어나는 상태 변화에 대한 설명으로 옳은 것을 보기에서 모두 고르시오.

> **보기**
> ㄱ. 주변의 온도가 높아진다.
> ㄴ. 입자의 운동이 둔해진다.
> ㄷ. 입자 사이의 거리가 멀어진다.
> ㄹ. 주변에서 열에너지를 흡수한다.

17 그림은 에어컨의 구조를 나타낸 것이다.

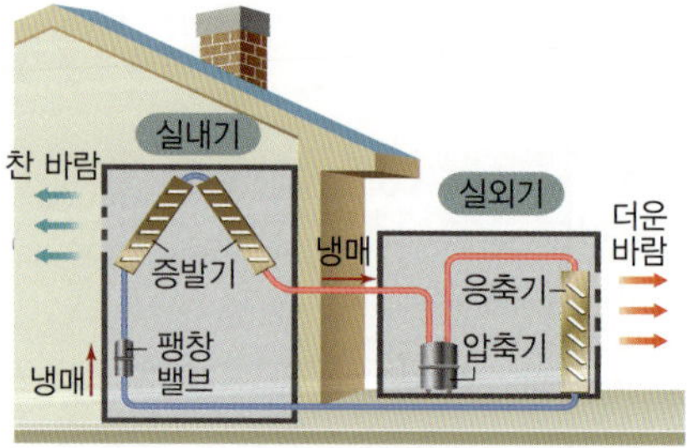

실내기의 증발기에서 일어나는 냉매의 상태 변화와 열에너지 출입을 각각 쓰시오.

[01~03] 그림은 어떤 고체 물질을 가열할 때 시간에 따른 온도 변화를 나타낸 것이다.

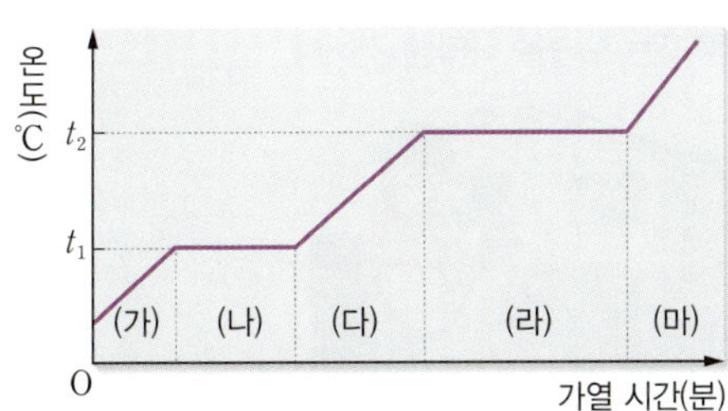

01 (가)~(마)에 대한 설명으로 옳은 것은?

① t_1 ℃는 물질이 끓기 시작하는 온도이다.
② 물질의 양이 많아지면 t_2 ℃가 높아진다.
③ 고체와 액체가 함께 존재하는 구간은 (다)이다.
④ 액체가 존재하는 구간은 (나)와 (다) 두 구간이다.
⑤ (가)에서 (마)로 갈수록 입자의 배열이 불규칙해진다.

02 (가)~(마) 중 상태 변화가 일어나는 구간을 모두 고르고, 그 구간에서 입자 배열의 변화를 A~F에서 각각 고르시오.

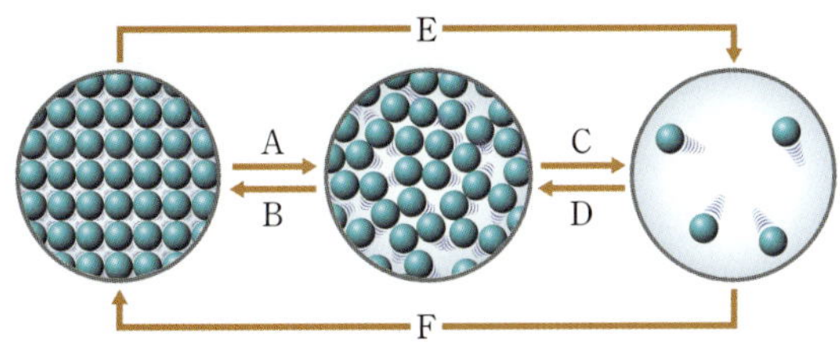

03 (가)~(마) 중 다음 현상과 관련 있는 구간을 고르고, 그 구간에서 열에너지의 출입을 쓰시오.

> 사막의 유목민들은 물을 시원하게 마시기 위해 아주 작은 구멍이 뚫려 있는 양가죽 물주머니에 물을 담는다.

04 그림 (가)와 같이 장치하고 물을 냉각시키면서 온도를 측정하여 (나)와 같은 결과를 얻었다.

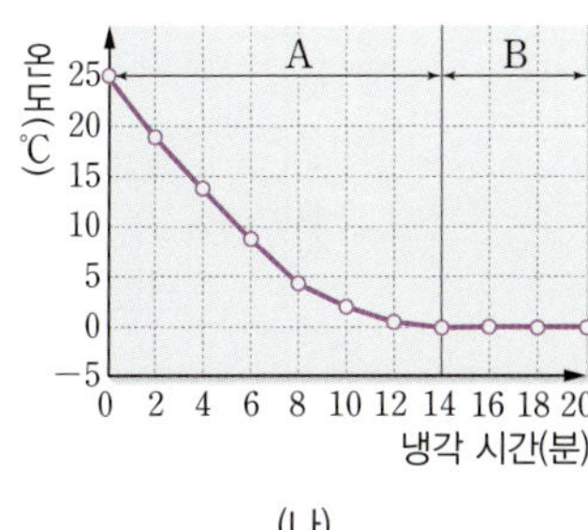

이에 대한 설명으로 옳지 <u>않은</u> 것은?

① (가)에서 얼음이 녹으면서 열에너지를 흡수한다.
② (가)에서 얼음과 소금을 일정한 비율로 섞으면 온도를 0 ℃보다 낮출 수 있다.
③ (나)의 A 구간에서 물은 액체 상태이다.
④ (나)의 B 구간에서 물이 열에너지를 흡수한다.
⑤ (나)에서 0 ℃가 되면 물이 얼기 시작한다.

05 그림은 어떤 고체 물질을 가열하여 모두 녹인 뒤 다시 냉각할 때의 온도 변화를 나타낸 것이다.

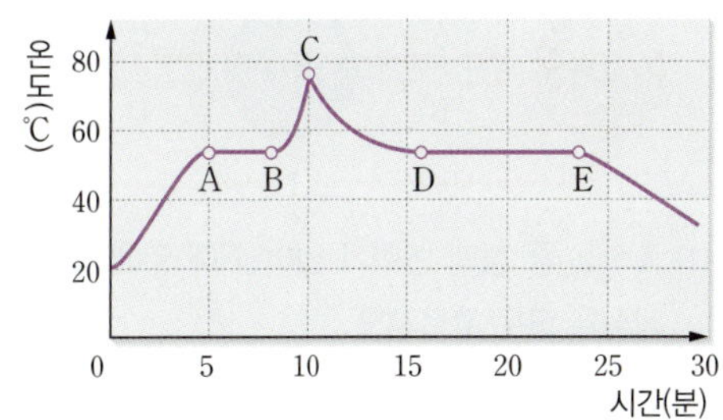

이에 대한 설명으로 옳은 것을 모두 고르면? (정답 2개)

① C에서는 기체 상태로 존재한다.
② AB 구간에서는 고체와 액체가 함께 존재한다.
③ DE 구간에서는 열에너지를 방출한다.
④ AB 구간과 DE 구간에서 출입하는 열에너지의 종류는 같다.
⑤ BC 구간에서는 가한 열에너지가 물질이 상태 변화하는 데 사용된다.

1 그림은 액체 상태의 로르산을 냉각할 때 시간에 따른 온도 변화를 나타낸 것이다.

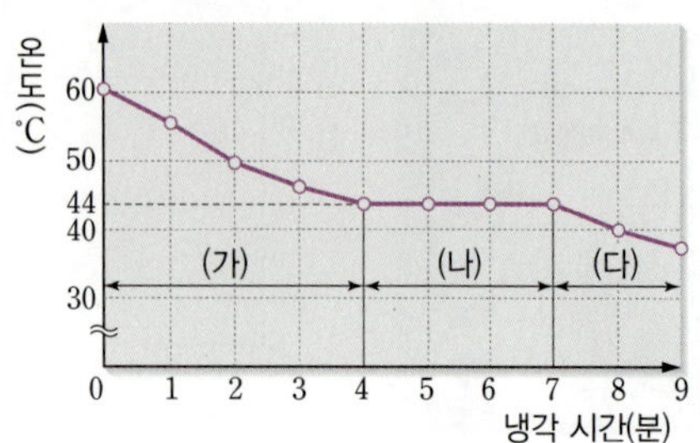

(1) (가)~(다) 중 로르산의 상태가 변하는 구간을 고르시오.

____

(2) 로르산의 온도가 일정하게 유지되는 구간이 나타나는 까닭을 열에너지의 출입과 관련지어 설명하시오.

Keyword 응고, 열에너지 방출

____

____

2 그림은 물질의 상태 변화를 나타낸 것이다.

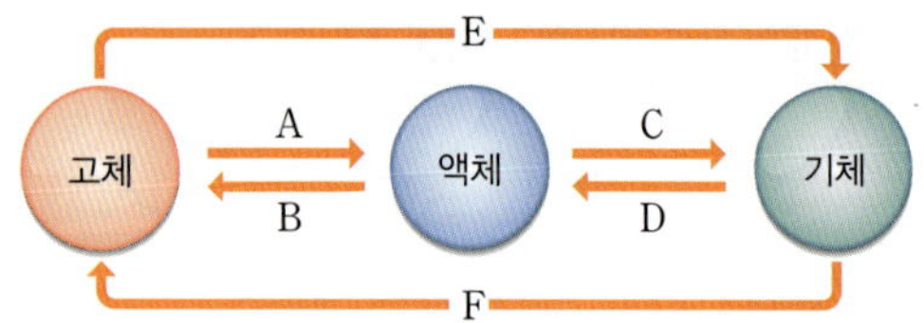

(1) A~F 중 상태 변화가 일어날 때 열에너지를 흡수하는 과정을 모두 고르시오.

____

(2) 위 (1)의 과정에서 공통적으로 일어나는 변화를 다음 용어를 모두 이용하여 설명하시오.

입자의 운동	입자의 배열
입자 사이의 거리	입자의 크기

Keyword 입자의 운동, 입자의 배열, 입자 사이의 거리, 입자의 크기

3 그림 (가)는 무더운 여름철 마당에 물을 뿌리는 모습을 나타낸 것이고, (나)는 추운 지역에서 얼음집 안쪽에 물을 뿌리는 모습을 나타낸 것이다.

(가)   (나)

(가)와 (나)에서 물이 상태 변화 할 때 출입하는 열에너지를 어떻게 이용한 것인지 각각 설명하시오.

Keyword 기화, 응고, 열에너지 흡수, 열에너지 방출

____

____

____

4 휴대용 버너에 사용하는 뷰테인 가스통 안에는 뷰테인이 액체 상태로 들어 있다. 버너를 한참 사용한 뒤에는 가스통이 차가워지는데, 그 까닭을 열에너지의 출입과 관련지어 설명하시오.

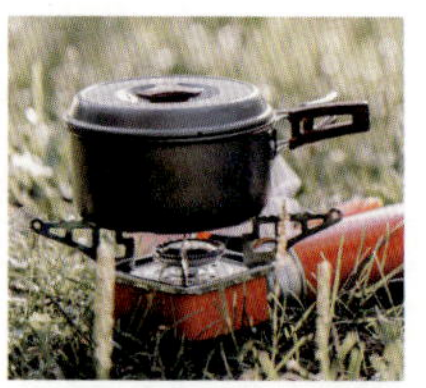

Keyword 기화, 열에너지 흡수

____

____

____

5 다음은 마트에서 식품을 배송할 때 포장하는 방법을 설명한 것이다.

> (가) 냉동식품을 포장할 때 드라이아이스를 함께 넣어 냉동식품이 잘 녹지 않게 한다.
> (나) 냉장 식품을 포장할 때 물을 얼려 만든 얼음 팩을 함께 넣어 냉장 식품이 신선한 상태를 유지할 수 있게 한다.

(1) (가)와 (나)에서 이용한 상태 변화를 각각 쓰시오.

(2) (가)와 (나)에서 일어나는 현상의 공통점을 열에너지의 출입과 관련지어 설명하시오.

Keyword 열에너지 흡수, 주변의 온도

6 그림은 증기 난방기의 구조를 나타낸 것이다.

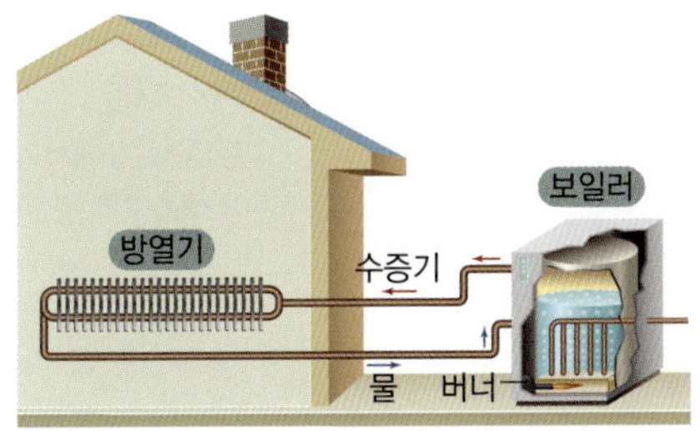

(1) 보일러와 방열기에서 일어나는 상태 변화를 각각 쓰시오.

(2) 보일러와 방열기 중 실내 온도를 높이는 것과 직접적으로 관련 있는 장치를 고르고, 실내 온도를 높이는 원리를 상태 변화 시 출입하는 열에너지를 이용하여 설명하시오.

Keyword 액화, 열에너지 방출

도전! 단계적 서술형

7 그림은 얼음을 가열할 때 시간에 따른 온도 변화를 나타낸 것이다.

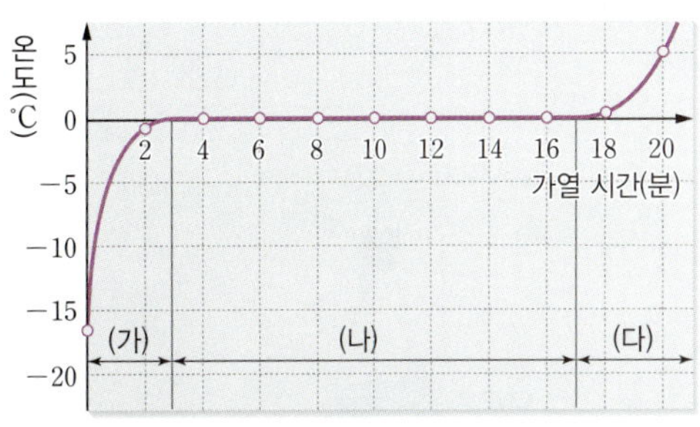

(1) **[자료 분석]** (가)~(다)에서 물은 어떤 상태로 존재하는지 각각 쓰시오.

(2) **[문제 이해]** (가)~(다) 중 상태 변화가 일어나는 구간을 고르고, 상태 변화의 종류를 쓰시오.

(3) **[문제 해결]** (나) 구간에서 온도가 일정하게 유지되는 까닭을 설명하시오.

Keyword 열에너지, 융해

(4) **[가산점 줍줍!]** (가)~(다) 중 입자의 배열이 가장 규칙적인 구간을 고르고, 그 까닭을 설명하시오.

Keyword 고체, 입자의 배열

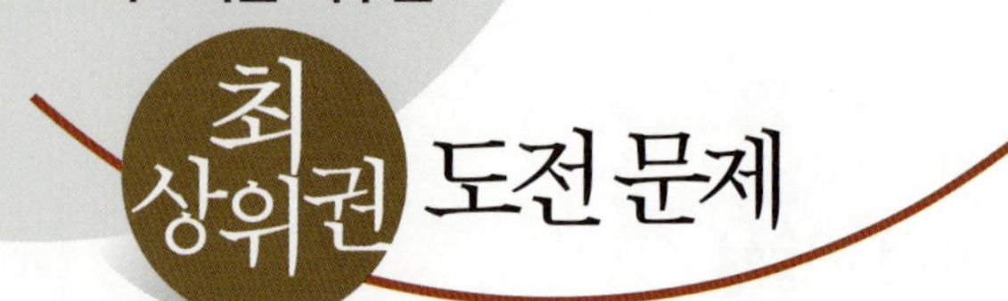

Ⅳ 물질의 상태 변화

☞ 심화 HIGH 화학(143쪽~144쪽, 162쪽)에서 학습한 내용을 참고하여 문제를 해결해 보자.

1 2개의 삼각 플라스크에 같은 양, 같은 온도의 액체 **A**와 **B**를 각각 넣고 그림과 같이 장치한 뒤, 2개의 꼭지를 동시에 열었더니 액체 **A**와 가까운 곳에 흰 연기가 생성되었다.

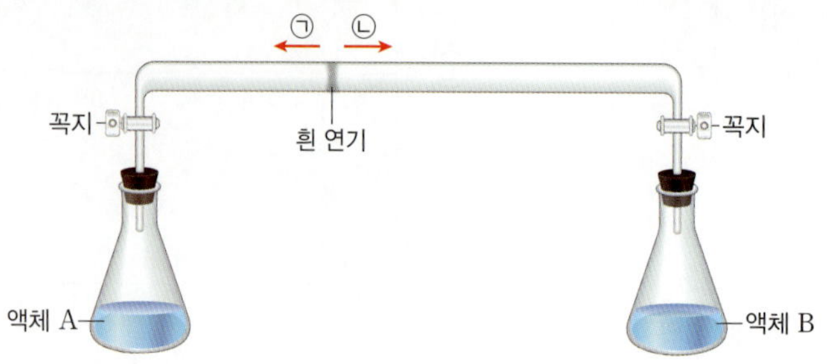

이에 대한 설명으로 옳은 것을 보기에서 모두 고른 것은?

보기

ㄱ. 액체 A와 B에서 모두 증발이 일어난다.

ㄴ. 입자의 질량은 A가 B보다 크다.

ㄷ. 액체 A가 담긴 플라스크를 가열하면 흰 연기는 ㉡ 쪽에서 생성될 것이다.

① ㄱ   ② ㄴ   ③ ㄱ, ㄷ

④ ㄴ, ㄷ   ⑤ ㄱ, ㄴ, ㄷ

2 25 ℃에서 그림과 같이 크기가 같은 용기 A와 B에 각각 1 기압의 질소 기체와 산소 기체를 넣은 후 온도를 일정하게 유지하면서 꼭지를 열었다.

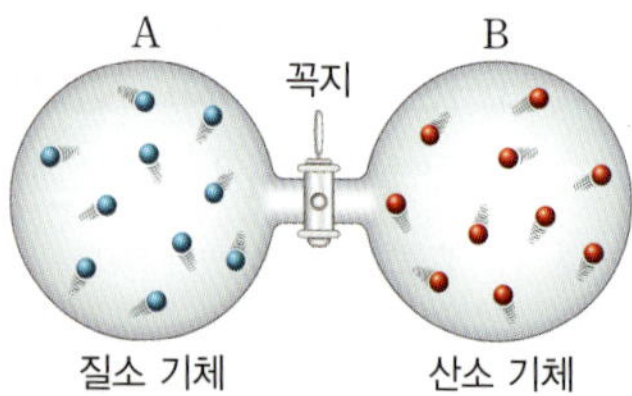

이에 대한 설명으로 옳은 것을 보기에서 모두 고른 것은? (단, 질소 기체와 산소 기체는 서로 반응하지 않으며, 입자의 질량은 질소 기체< 산소 기체이다.)

보기

ㄱ. 꼭지를 열면 산소 기체 입자는 이동하지 않고 질소 기체 입자만 이동한다.

ㄴ. 꼭지를 열고 잠시 후에는 A보다 B에 들어 있는 기체 입자의 개수가 많다.

ㄷ. 꼭지를 열고 충분한 시간이 흐르면 A와 B에 들어 있는 질소 기체 입자와 산소 기체 입자의 개수는 각각 같아진다.

① ㄱ   ② ㄴ   ③ ㄱ, ㄷ

④ ㄴ, ㄷ   ⑤ ㄱ, ㄴ, ㄷ

3 그림 (가)와 (나)는 온도만 다른 조건에서 액체 X의 입자 운동을 모형으로 나타낸 것이고, (다)는 액체 X의 가열 곡선을 나타낸 것이다.

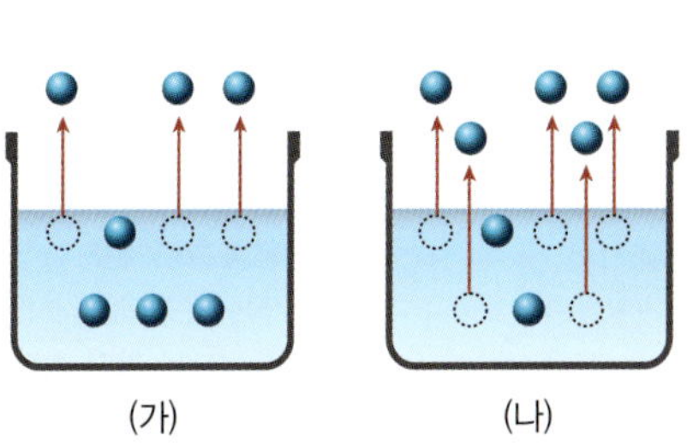

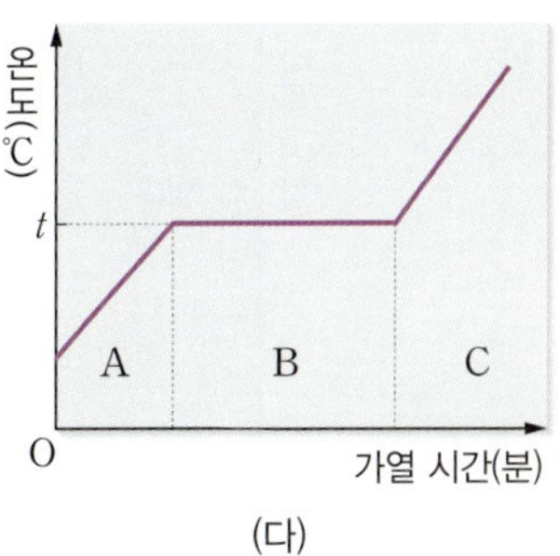

(가)　　　　(나)　　　　(다)

이에 대한 설명으로 옳은 것을 보기에서 모두 고른 것은?

> **보기**
> ㄱ. (가)에서 X의 온도는 t ℃보다 낮다.
> ㄴ. (나)에서 X는 (다)의 C 구간에 해당한다.
> ㄷ. (가)와 (나)에서 모두 열에너지를 흡수하는 상태 변화가 일어난다.

① ㄱ　　　　② ㄴ　　　　③ ㄱ, ㄷ
④ ㄴ, ㄷ　　　　⑤ ㄱ, ㄴ, ㄷ

Solution Tip
액체 표면에서 액체가 기체로 변하는 현상을 증발이라고 하고, 액체 표면과 내부에서 액체가 기체로 변하는 현상을 끓음이라고 한다.

4 그림 (가)는 −4 ℃의 얼음을 가열할 때 온도에 따른 부피 변화를 나타낸 것이고, (나)는 물이 얼어 얼음이 될 때 물 입자의 배열 변화를 나타낸 것이다.

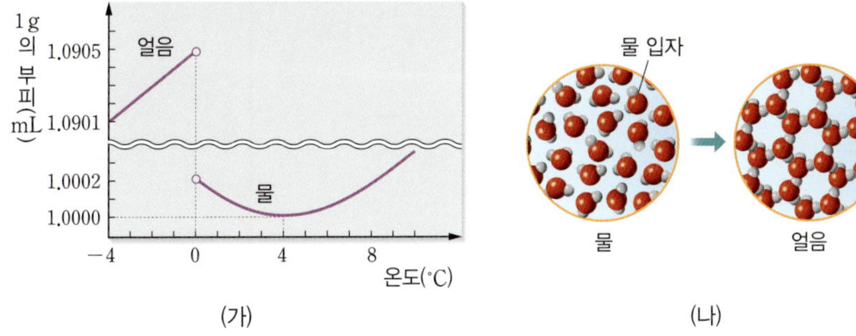

(가)　　　　　　　　(나)

이에 대한 설명으로 옳은 것을 모두 고르면? (정답 2개)

① (나)의 변화는 4 ℃에서 일어난다.

② 0 ℃ 얼음 1 g의 부피는 1 mL보다 작다.

③ 물 1 g의 부피는 4 ℃에서가 0 ℃에서보다 크다.

④ 얼음이 융해할 때 부피는 줄어들지만, 질량은 변하지 않는다.

⑤ 페트병에 물을 가득 넣고 뚜껑을 닫아 얼리면 페트병이 팽팽하게 부푸는 현상을 설명할 수 있다.

Solution Tip
물은 4 ℃에서 부피가 가장 작으며, 물이 얼어 얼음이 될 때는 물 입자들이 빈 공간이 많은 구조를 이루어 부피가 늘어난다.

5 그림 (가)는 이산화 탄소의 상평형 그림을 나타낸 것이고, (나)는 물의 상평형 그림을 나타낸 것이다.

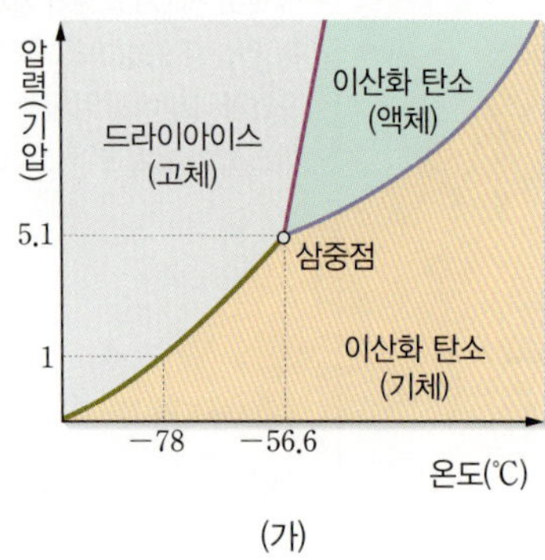

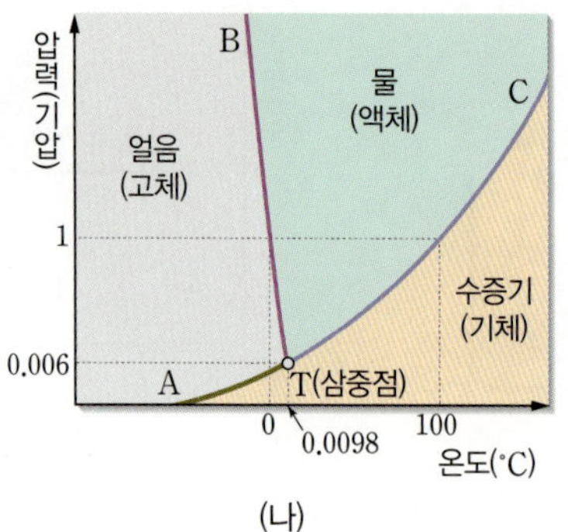

Solution Tip

상평형 그림에서 주어진 압력과 온도가 만나는 지점을 찾으면 물질이 어떤 상태로 존재하는지 알 수 있다.

상평형 그림과 삼중점
• 상평형 그림: 온도와 압력에 따른 물질의 상태를 나타낸 그림
• 삼중점: 세 가지 상태의 물질이 모두 존재할 수 있는 온도와 압력

⑴ (가)에 대한 설명에서 빈칸에 알맞은 말을 쓰시오.

> 5.1 기압, −60 ℃에서 이산화 탄소는 (㉠) 상태로 존재하고, 같은 압력에서 온도가 −50 ℃로 높아지면 이산화 탄소는 (㉡) 상태로 존재한다.

⑵ (나)에 대한 설명으로 옳은 것을 보기에서 모두 고른 것은?

보기

ㄱ. 1.1 기압, 0 ℃에서 물은 액체 상태이다.
ㄴ. T점에서는 얼음, 물, 수증기가 함께 존재한다.
ㄷ. 물에 가하는 압력이 커지면 더 낮은 온도에서 끓는다.
ㄹ. 얼음에 가하는 압력이 커지면 더 낮은 온도에서 녹는다.

① ㄱ, ㄴ ② ㄴ, ㄷ ③ ㄷ, ㄹ
④ ㄱ, ㄴ, ㄹ ⑤ ㄴ, ㄷ, ㄹ

⑶ (나)의 CT 곡선으로 설명할 수 있는 현상은?

① 겨울철 수도관이 얼어서 터진다.
② 겨울철 유리창에 성에가 생긴다.
③ 얼음판에서 스케이트를 탈 수 있다.
④ 압력솥으로 밥을 하면 쌀이 빨리 익는다.
⑤ 동결 건조 방법을 이용하여 라면 스프를 만든다.

6 그림 (가)는 드라이아이스를 물에 넣었을 때 물속에서 기포가 발생하고 비커 주변에 흰 연기가 생긴 모습을 나타낸 것이고, (나)는 물질의 상태 변화를 입자 모형으로 나타낸 것이다.

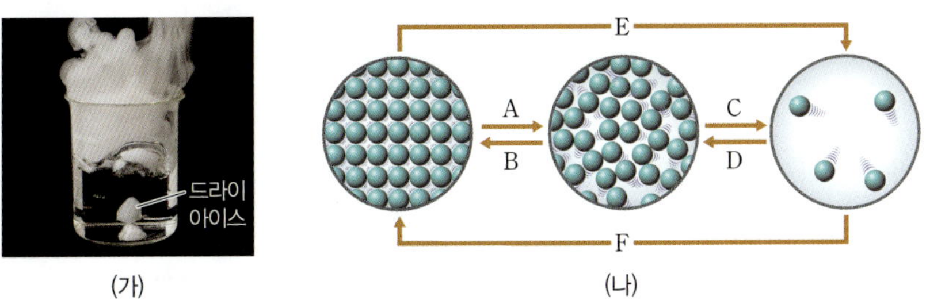

이에 대한 설명으로 옳은 것을 보기에서 모두 고른 것은?

보기

ㄱ. (가)에서 물속에 기포가 발생할 때 주변의 온도가 높아진다.

ㄴ. (가)에서 비커 주변에 흰 연기가 생긴 것은 (나)에서 D 과정과 관련이 있다.

ㄷ. (가)에서 물속의 기포와 비커 주변의 흰 연기는 같은 종류의 입자로 구성된 물질이다.

① ㄱ　　　　　　　② ㄴ　　　　　　　③ ㄷ

④ ㄱ, ㄴ　　　　　　⑤ ㄴ, ㄷ

Solution **Tip**

드라이아이스는 고체 상태의 이산화 탄소로, 드라이아이스가 기체로 승화할 때 주변에서 열에너지를 흡수한다.

7 그림은 질량이 같은 두 액체 A와 B를 같은 조건으로 가열할 때 시간에 따른 온도 변화를 나타낸 것이다.

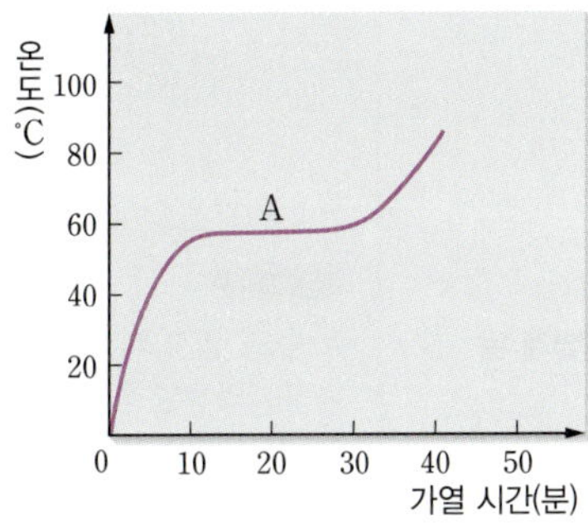

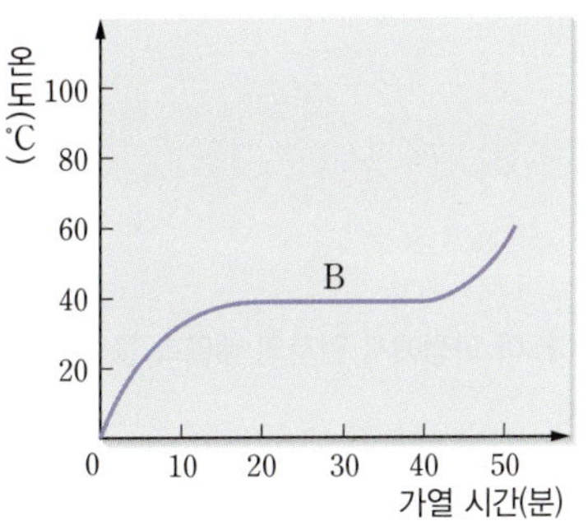

이에 대한 설명으로 옳은 것을 보기에서 모두 고른 것은?

보기

ㄱ. A와 B는 같은 종류의 액체이다.

ㄴ. 기화열은 B가 A보다 크다.

ㄷ. 입자 사이의 인력은 A가 B보다 강하다.

ㄹ. 50 ℃에서 A와 B는 모두 기체 상태이다.

① ㄱ, ㄴ　　　　　　② ㄴ, ㄷ　　　　　　③ ㄷ, ㄹ

④ ㄱ, ㄴ, ㄹ　　　　　⑤ ㄴ, ㄷ, ㄹ

Solution **Tip**

액체의 가열 곡선에서 온도가 일정하게 유지되는 구간의 온도를 끓는점이라고 한다. 온도가 일정하게 유지되는 구간이 길수록 그 액체가 기화하는 데 더 큰 열에너지(기화열)가 필요하다.

과학 역량을 기르는 논술형 문제

예제

다음은 세계 최초의 금속 활자본인 '직지심체요절'이 만들어진 과정을 설명한 것이다.

> (가) *밀랍에 글자를 볼록하게 새겨 밀랍 활자를 만든다.
> (나) 밀랍 활자에 황토와 모래를 섞은 반죽을 감싸서 거푸집을 만들고 열을 가하여 밀랍을 녹인다.
> (다) 거푸집에 청동을 녹인 쇳물을 부은 뒤 식힌다.
> (라) 거푸집을 깨뜨리고 금속 활자를 떼어 내어 다듬는다.
> (마) 인쇄할 내용에 맞추어 금속 활자를 배열한다.
> (바) 금속 활자 면에 먹물을 바른 뒤 그 위에 한지를 올려 인쇄한다.
> *밀랍: 벌집을 만들기 위해 꿀벌이 분비하는 물질로, 실온에서 단단하게 굳어지는 성질이 있다.

(1) (다)에서 일어나는 상태 변화를 다음 용어를 모두 이용하여 설명하시오.

| 입자의 개수 | 입자의 크기 | 입자의 배열 | 입자 사이의 거리 |

(2) (나)에서 거푸집의 활자 크기와 (라)에서 거푸집에서 꺼낸 금속 활자의 크기를 비교하고, 그 까닭을 물질의 상태 변화와 관련지어 설명하시오.

해결 전략

액체 상태의 쇳물을 식히면 고체로 상태가 변한다. 이 과정에서 입자의 배열과 물질의 부피가 어떻게 달라지는지 다음과 같은 답안 요령으로 접근해 보자.

❶ 쇳물이 굳을 때의 상태 변화를 파악한다.
❷ 상태 변화가 일어날 때 입자의 배열과 입자 사이의 거리 변화를 알아본다.
❸ 상태 변화가 일어날 때 입자의 배열과 입자 사이의 거리 변화로부터 물질의 부피 변화를 파악한다.

모범 답안

(1) 쇳물이 식으면서 액체가 고체로 변하는 상태 변화(응고)가 일어난다. 이와 같이 물질이 응고할 때 입자의 개수와 크기는 변하지 않고, 입자의 배열이 매우 규칙적으로 변하면서 입자 사이의 거리가 매우 가까워진다.
(2) 거푸집의 활자 크기보다 거푸집에서 꺼낸 금속 활자의 크기가 더 작다. 금속 활자를 만드는 과정에서 거푸집에 부은 쇳물이 응고할 때 입자 사이의 거리가 가까워지면서 부피가 줄어들기 때문이다.

출제 의도

금속 활자를 만드는 데 이용하는 상태 변화를 설명할 수 있는가?

문제 해결을 위한 배경 지식

• **온도에 따른 물질의 상태 변화:** 물질을 가열할 때는 융해, 기화, 승화(고체 → 기체)가 일어나고, 물질을 냉각할 때는 응고, 액화, 승화(기체 → 고체)가 일어난다.
• **물질의 상태가 변할 때 부피 변화:** 물질을 구성하는 입자의 배열이 달라지므로 물질의 부피가 변한다.

Keyword

(1) 응고, 입자의 개수, 입자의 크기, 입자의 배열, 입자 사이의 거리
(2) 응고, 부피

완벽한 답안 작성을 위한 Tip

(1) 상태 변화가 일어날 때 입자의 개수, 입자의 크기, 입자의 배열, 입자 사이의 거리 변화를 모두 언급하면 완벽한 답안이 될 수 있다.
(2) 거푸집의 활자 크기보다 거푸집에서 꺼낸 금속 활자의 크기가 더 작은 까닭을 상태 변화가 일어날 때의 부피 변화로 설명하면 완벽한 답안이 될 수 있다.

1 가치·태도

다음은 실험실 안전 수칙 중 일부이다.

실험실에서 냄새가 강하고 독성이 있는 유해 물질을 사용하는 경우에는 실험하는 사람의 안전을 위해 후드 안에서 실험해야 한다. 후드 안쪽에는 환풍기가 달려 있어서 유해 물질에서 나온 기체를 빨아들여 외부로 내보냄으로써 유해한 기체가 실험실 내부의 공기 중으로 퍼져 나가는 것을 막을 수 있다.

위 글에서 유해 물질이 기체로 변하는 현상과 유해한 기체가 공기 중으로 퍼져 나가는 현상을 입자의 운동과 관련지어 설명하시오.

____

____

____

Solution Tip

후드 안에서 실험하면 외부로 연결된 관을 통해 기체가 밖으로 빠져나갈 수 있다.

Keyword

입자의 운동, 증발, 확산

2 가치·태도

오른쪽 그림은 야외에서 많이 이용하는 종이 냄비를 나타낸 것이다. 종이 냄비에 물을 담아 가열하면 물이 끓어도 종이 냄비는 불에 타지 않는다.

(1) 종이 냄비가 불에 타지 않는 까닭을 다음 〈조건〉에 맞게 설명하시오.

┌─ 조건 ─

• 물이 끓을 때의 온도와 관련지어 설명할 것
• 상태 변화와 열에너지를 모두 언급하여 설명할 것

____

____

____

(2) 종이 냄비에 물을 넣지 않고 가열하면 어떻게 될지 설명하시오.

____

____

Solution Tip

물을 가열하면 온도가 높아지다가 물이 끓는 동안에는 온도가 높아지지 않고 일정하게 유지된다.

Keyword

(1) 기화, 열에너지 흡수, 온도
(2) 열에너지, 온도

3 지식·이해

다음 (가)와 (나)를 읽고 물음에 답하시오.

(가) 라면 스프와 인스턴트커피는 식품의 온도를 급격하게 낮추어 식품을 얼린 다음, 압력을 낮추어 식품에 포함된 수분을 제거하는 동결 건조 방법을 이용하여 만든다. 이러한 동결 건조 방법을 이용하면 식품을 가열하지 않고 수분만 제거하므로 식품의 맛과 영양을 보존할 수 있다.

(나) 북극 땅 가운데 1년 내내 계절과 관계없이 지층의 온도가 0 ℃ 이하로 얼어 있는 땅을 '영구 동토층'이라고 한다. 영구 동토층은 지하 100 m에 이를 정도로 매우 두꺼운 상태를 유지하고 있으며, 이산화 탄소, 메테인 등의 온실 기체를 저장하고 있다. 그런데 지구 온난화에 따라 2007년부터 2017년까지 10년간 기온이 약 0.29 ℃ 높아지면서 영구 동토층이 감소하였고, 이로 인해 많은 양의 온실 기체가 대기 중으로 빠져나올 수 있어 환경 문제가 우려되고 있다.

동결 건조 방법으로 만든 라면 스프

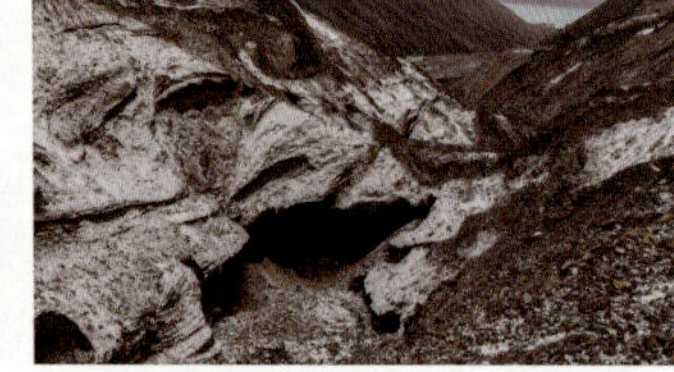

영구 동토층

(1) (가)에서 식품의 수분을 어떻게 제거하는지 오른쪽의 물의 상평형 그림을 이용하여 설명하시오.

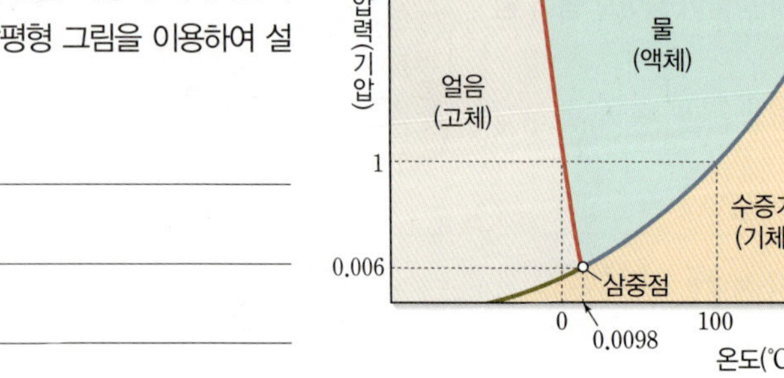

____

____

____

(2) (나)에서 밑줄 친 현상이 일어나는 까닭을 다음 〈조건〉에 맞게 설명하시오.

조건

• 상태 변화와 관련지어 설명할 것

• 상태 변화 시 입자의 운동 변화를 설명할 것

____

____

____

Solution Tip

• 동결 건조는 식품을 −70 ℃ ∼ −50 ℃ 정도의 저온에서 급속 냉동한 다음, 진공 건조기에 넣어 식품에 들어 있는 수분을 제거하는 방법이다.

• 영구 동토층은 지하의 수분이 얼어붙은 것으로, 기온이 높아짐에 따라 영구 동토층이 녹아 감소한다.

Keyword

(1) 응고, 승화

(2) 융해, 입자의 운동

4
다음은 상태 변화와 열에너지에 관한 자료와 상태 변화 시 출입하는 열에너지를 이용한 사례를 나타낸 것이다.

[자료]
- 고체, 액체, 기체는 물질의 세 가지 상태이다. 각 상태는 입자의 배열, 입자의 운동, 그리고 입자 사이에 작용하는 인력에 따라 구분된다. 고체는 규칙적인 입자의 배열과 입자 사이에 작용하는 강한 인력으로 인해 단단하고 움직임이 제한적이다. 액체는 고체보다 입자의 배열이 불규칙해서 입자들이 어느 정도 움직일 수 있지만, 입자 사이에 작용하는 인력으로 인해 일정한 부피를 유지한다. 기체는 입자의 배열이 매우 불규칙해져 입자들이 매우 자유롭게 움직이고, 용기에 담으면 그 공간을 가득 채울 수 있다.
- 물질은 주변에서 열에너지를 흡수하거나 주변으로 열에너지를 방출하면서 상태가 변할 수 있다. 물질이 고체에서 액체로, 액체에서 기체로 될수록 더 많은 열에너지를 가지게 된다.

[사례]
(가) 열이 날 때 물수건으로 몸을 닦으면 체온이 낮아진다.
(나) 추울 때 입 근처에 손을 대고 입김을 불면 손이 따뜻해진다.
(다) 여름철 안개처럼 물을 뿌려 주는 장치 옆에 있으면 시원해진다.
(라) 날씨가 갑자기 추워질 때 과일나무에 물을 뿌려 냉해를 막는다.

(1) 위 자료의 내용을 바탕으로 사례 (가)~(라)를 열에너지의 출입에 따라 어떻게 분류할 수 있는지 설명하시오.

____

____

____

(2) 위 자료의 내용을 바탕으로 사례 (가)~(라)의 공통점을 다음 용어를 모두 이용하여 설명하시오.

상태 변화	입자의 배열	열에너지

____

____

____

Solution Tip
물질은 상태가 변할 때 열에너지를 흡수하거나 방출한다.
융해, 기화, 승화(고체 → 기체)가 일어날 때는 열에너지를 흡수하고, 응고, 액화, 승화(기체 → 고체)가 일어날 때는 열에너지를 방출한다.

Keyword
(1) 상태 변화, 열에너지 흡수, 열에너지 방출
(2) 상태 변화, 입자의 배열, 열에너지

물질 변화에서 에너지의 출입

얼음이 융해하여 물이 될 때는 열에너지를 흡수하고, 수증기가 액화하여 물이 될 때는 열에너지를 방출한다. 이러한 물질의 상태 변화 외에도 우리 주변의 다양한 현상에서 에너지가 출입한다. 그 까닭은 무엇일까? 고등학교에서 배우게 될 『통합과학2』의 '변화와 다양성' 단원의 내용을 미리 살펴보자.

중3

물질 변화에는 물리 변화와 화학 변화가 있다.

통합과학

물리 변화나 화학 변화가 일어날 때 주변으로부터 에너지를 흡수하거나 주변으로 에너지를 방출한다. 이때 에너지를 흡수하면 주변의 온도가 낮아지고, 에너지를 방출하면 주변의 온도가 높아진다.

주변으로부터 에너지를 흡수하는 반응을 흡열 반응, 주변으로 에너지를 방출하는 반응을 발열 반응이라고 한다.

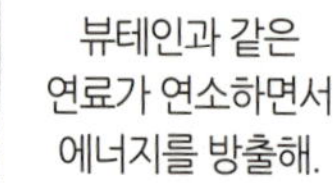

우리는 물질 변화가 일어날 때 흡수하거나 방출하는 에너지를 생활에서 다양하게 이용한다.

가열 장치 없이 물과 산화 칼슘을 이용한 음식 조리 방법 설계하고 실험하기

과정

❶ 물과 산화 칼슘이 반응할 때 방출하는 에너지를 이용한 발열 장치를 조사한다.

예 포장 용기, 음식 용기, 발열 주머니로 구성되어 있다. 포장 용기에 발열 주머니와 밀봉한 음식 용기를 순서대로 넣고 물을 넣으면 에너지가 방출되어 음식이 조리된다.

❷ 음식을 조리하기 위해 필요한 물과 산화 칼슘의 양을 조사한다.

예 물 500 g과 산화 칼슘 20 g이 반응하면 약 80 ℃까지 온도가 높아진다.

❸ 앞의 ❶과 ❷를 바탕으로 음식을 조리할 수 있는 발열 장치를 설계한다.

• 조리할 음식: 삶은 달걀
• 조리 방법: 외부 용기에 물 500 g과 산화 칼슘 20 g을 넣은 뒤 물과 달걀이 담긴 내부 용기를 외부 용기 안에 겹쳐 넣는다. 이때 열 손실을 막기 위해 내부 용기의 뚜껑을 덮는다.

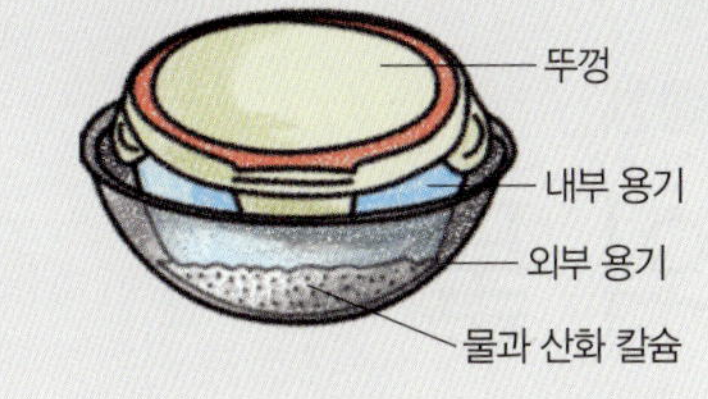

결과 및 정리

• 산화 칼슘과 물이 반응할 때 방출하는 에너지를 이용하여 가열 장치 없이 음식을 조리할 수 있다.

• 물질 변화가 일어날 때 출입하는 에너지를 우리 생활에서 다양하게 이용한다.

학교 시험 맛보기

다음은 생활 속 여러 가지 현상이다.

(가) 손 소독제를 피부에 바르면 시원해진다.
(나) 냉찜질 팩 속의 질산 암모늄이 물에 녹으면서 차가워진다.
(다) 발열 조리 기구에서 산화 칼슘과 물이 반응하면 뜨거워진다.

(가)~(다) 중 흡열 반응이 일어난 경우를 모두 고른 것은?

① (가) ② (다) ③ (가), (나)
④ (가), (다) ⑤ (나), (다)

정답 ③

풀이

(가) 손 소독제의 에탄올이 기화하면서 에너지를 흡수하므로 시원해진다. ➞ 흡열 반응
(나) 냉찜질 팩 속의 질산 암모늄이 물에 녹으면서 에너지를 흡수하므로 주변이 차가워진다. ➞ 흡열 반응
(다) 산화 칼슘과 물이 반응하면 에너지를 방출하므로 뜨거워진다. ➞ 발열 반응

화성은 대기가 지구의 1 % 정도에 불과하고, 물도 거의 존재하지 않는 행성이다. 하지만 약 40억 년 전 화성은 두꺼운 대기로 둘러싸여 있었고, 호수와 강이 있었으며, 수심 100 m ~ 1500 m의 바다가 존재했을 것으로 추정된다. 이는 대서양의 거의 절반에 해당하는 많은 양의 물이다.

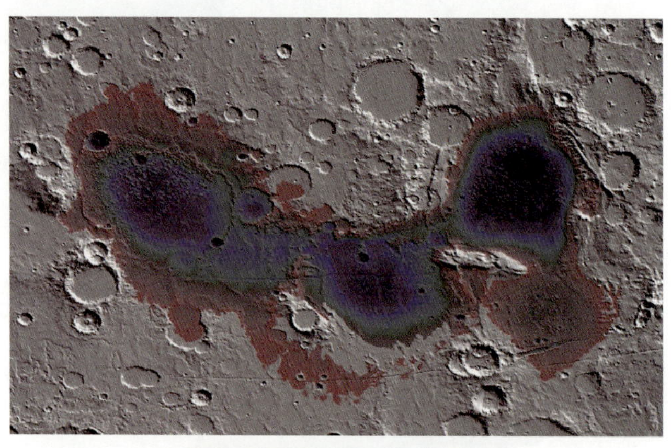

과거 화성의 저수지 상상도(출처: 미국항공우주국)

화성의 물은 시간이 흐르면서 사라졌으며, 미국항공우주국(NASA)의 화성 탐사선이 촬영한 화성 표면 사진을 보아도 대지의 표면에는 수분이 존재하지 않는다.

화성의 물이 사라진 까닭에 대한 가설 중 하나는 '대기에 수증기로 포함되어 있던 수분이 약한 중력과 태양풍으로 대기와 함께 우주 공간으로 사라졌다.'는 것이다. 이 가설에 따르면 화성 남반구가 여름일 때 국소적으로 대지의 물이 기화하여 수증기가 되어 대기권 상층으로 이동하는데, 이때 일부 수증기의 물 입자가 분해되어 먼지 폭풍과 함께 우주로 이동하게 되었다는 것이다.

또 다른 가설은 '극지에 가까운 고위도 지역의 화성 지하에서 얼음 상태의 물이 존재한다.'는 것이다. NASA 연구팀은 화성에서 사라진 물의 존재를 밝히기 위해서 화성 탐사선 데이터와 운석에서 수집한 데이터를 바탕으로 분석을 진행하였다.

연구팀은 물의 증거를 찾기 위해 수증기, 액체 물, 얼음 등의 형태로 화성에 존재하는 물의 양, 대기와 표면의 화학 조성 등을 확인하였고, 조사 결과를 토대로 화성의 물이 우주로 사라진 것뿐만 아니라 지각의 광물에 얼음의 형태로 함께 묻혀 있을 것이라고 주장하였다. 연구팀의 시뮬레이션에 따르면 물의 30 % ~ 99 %가 지각 내 광물에 얼음의 형태로 갇혀 있을 가능성이 있다.

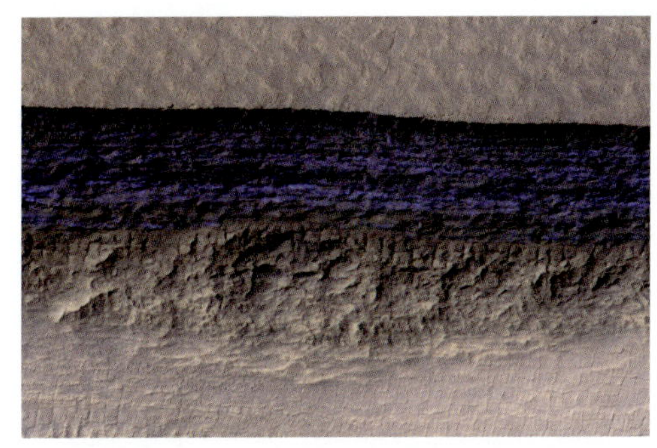

화성 탐사선이 지표에 노출된 얼음을 고해상도로 촬영한 사진
(출처: 미국항공우주국)

　광물이 물과 반응하여 광물 내에 물이 갇히는 현상은 화성에만 국한된 것이 아니고 지구에도 존재한다. 지구에서는 화산 활동 등으로 물이 대기 중으로 방출되어 순환하지만, 화성은 화산 활동이 없어서 광물에 갇힌 물이 그대로 유지된다. 따라서 더 폭넓은 화성 탐사를 통해 화성에 존재하는 물의 존재를 찾을 수 있는 가능성이 열려 있다.

화성 탐사차인 퍼서비어런스와 화성의 모습(출처: 미국항공우주국)

HIGH TOP 부록

과학 탐구

본문 개념 학습 012쪽

탐구는 궁금한 점을 해결하거나 어떤 문제를 해결하기 위하여 깊이 있게 조사하고 생각하여 원리나 관계를 밝혀내는 활동이다. 과학 탐구는 자연에서 일어나는 사건이나 현상, 사물들 사이의 관계를 밝히고 설명하기 위하여 수행되는 체계적인 조사 및 활동이다. 이를 위해 과학 탐구에서는 관찰, 측정, 분류, 예상, 추리, 조사, 실험, 모형 활용, 자료 해석 등의 활동을 한다. 과학 탐구의 방법에는 연역법과 귀납법이 있다. 연역법은 가설을 설정하고 이를 검증하여 결론을 도출하는 방법이며, 귀납법은 여러 가지 사실이나 현상으로부터 일반적인 결론을 이끌어 내는 방법이다.

첨단 과학기술

본문 개념 학습 014쪽

과학기술은 과학이나 공학을 적용하여 인간 생활에 유용한 새로운 제품을 만들거나 제품의 질을 높이는 수단을 말하며, 첨단 기술은 현재까지 존재하지 않았던 기능을 부여하는 기술을 말한다. 따라서 첨단 과학기술은 아직 널리 사용되지 않고, 미래 사회에 기능과 역할이 더욱 강조되는 과학기술이다. 첨단 과학기술에는 인공지능을 포함한 정보 통신 기술(IT), 나노 기술(NT), 생명공학기술(BT), 우주항공 기술(ST) 등이 있다.

정보 통신 기술

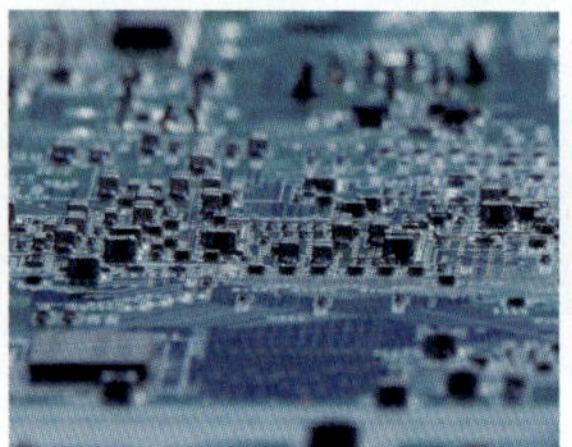

나노 기술

생명공학기술

우주항공 기술

지속가능발전

본문 개념 학습 015쪽

지속가능이란 어떤 과정이나 상태가 유지되는 것을 말한다. 지속가능발전이란 현재 세대가 발전하면서도 미래 세대가 이용할 환경과 자연을 훼손하지 않는 발전이다. 지속가능발전에는 세 가지 중요한 요소가 있다. 첫째, 환경 영역에서 기후 변화, 온실 기체 배출, 생물다양성 감소와 같은 환경 문제에 대응하여 공기, 물, 동물, 식물 등 자연을 아끼고 보호해야 한다. 둘째, 사회 영역에서 사람들이 성별, 부, 인종에 따른 불평등이 생기지 않도록, 어떤 사람도 소외되지 않고 함께 참여할 수 있도록 하는 것이 중요하다. 셋째, 경제 영역에서 가난하고 배고픈 사람들이 없도록 모두가 함께 노력해야 한다.

세포

세포는 모든 생물의 구조적, 기능적 기본 단위이다. 1665년에 영국의 과학자 로버트 훅(Hooke, R., 1635~1703)이 코르크 조각을 현미경으로 관찰하고 수도원의 수도사들이 살던 작은 방과 닮았다고 하여 세포(cell)라는 이름을 붙였다.

세포는 세포막으로 둘러싸여 있으며, 단백질이나 핵산과 같은 여러 가지 물질을 포함하고 있다. 세균이나 효모와 같이 하나의 세포가 개체인 생물을 단세포생물이라 하고, 장미나 사람과 같이 여러 세포가 모여 개체가 되는 생물을 다세포생물이라고 한다. 사람은 수십조 개의 세포로 이루어진 것으로 추산하고 있다.

하나의 세포 핵에는 개체를 구성할 수 있는 전체 유전정보가 담겨 있고, 이 유전정보에 따라 필요한 단백질이 합성된다. 세포질에는 단백질을 합성하는 데 필요한 라이보솜, 소포체, 골지체 등 다양한 세포소기관이 있다. 세포를 둘러싸는 세포막은 세포 내부와 외부를 구분하여 물질의 출입을 조절하므로 세포는 생명활동이 일어나는 하나의 단위로 분리될 수 있다.

세포의 크기가 커지면 세포막을 통한 물질 교환 효율이 떨어지기 때문에 세포의 크기는 어느 정도 이상 자라지 않는다. 다세포생물의 몸집이 커지는 것은 세포의 수가 늘어나기 때문이다. 세포분열이 일어나면 원래의 세포(모세포)는 크기가 작은 두 개의 세포가 되고, 새로 만들어진 세포(딸세포)는 차츰 일정한 크기로 자란다. 세포가 분열할 때는 핵에 있는 유전물질이 복제되어 새로 만들어지는 세포에도 동일한 유전정보가 전달된다.

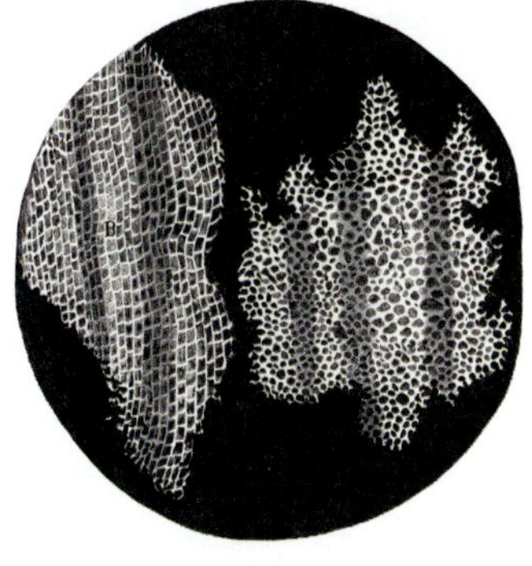

훅이 관찰한 코르크 조각

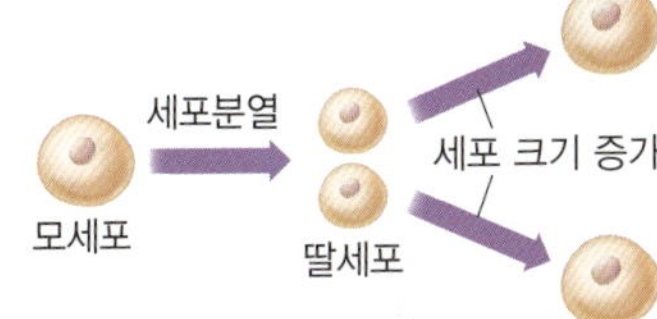

광합성

광합성은 빛에너지를 이용해 포도당과 같은 화학 에너지가 담긴 영양분을 합성하는 과정으로, 이 과정에 이산화 탄소와 물이 사용되고 산소가 만들어진다.

광합성은 세포에 있는 엽록체에서 일어난다. 엽록체에는 빛에너지를 흡수하는 광합성 색소가 있다. 광합성 색소에는 초록색을 띠는 엽록소, 노란색이나 붉은색을 띠는 카로틴, 노란색을 띠는 잔토필 등이 있다. 광합성 색소 중 가장 많은 양을 차지하는 것이 엽록소이므로 식물의 잎은 대부분 초록색을 띠는데, 가을이 되어 기온이 떨어지면 엽록소가 파괴되어 카로틴이나 잔토필의 색이 드러나기 때문에 단풍 현상이 나타난다.

동물은 식물의 광합성으로 만들어진 영양분을 섭취하여 에너지를 얻고, 광합성 과정에서 나오는 산소를 이용하여 호흡을 한다. 세포의 마이토콘드리아에서는 산소를 이용하여 영양분을 분해하는 세포호흡이 일어나 생명활동에 필요한 에너지를 만들기 때문에 산소는 생물에게 꼭 필요한 기체이다.

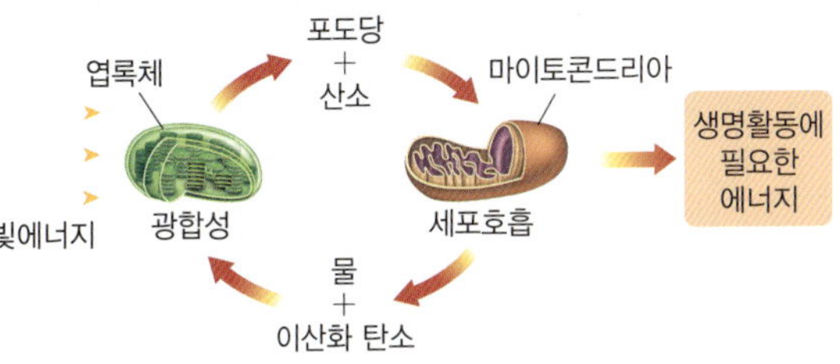

공변세포

식물의 잎을 덮고 있는 표피조직에는 식물체 안의 기체 성분이 빠져나오거나 대기의 기체 성분이 식물체 안으로 들어가기 위한 통로가 있는데, 이 통로를 기공이라고 한다. 기공은 식물의 광합성이 활발하게 일어나는 낮에는 주로 열려 있고, 수분이 많이 부족하거나 광합성이 일어나지 않는 밤에는 주로 닫혀 있다.

기공의 열림과 닫힘은 기공 주변에 있는 공변세포가 조절한다. 공변세포는 빛을 받으면 다양한 이온이 축적되어 삼투압이 증가한다. 공변세포는 기공 쪽 세포벽이 더 두껍다. 증가한 삼투압 때문에 주변의 물이 유입되어 공변세포가 팽창하면 기공 반대쪽으로 당겨져서 마주 보는 두꺼운 세포벽 사이가 벌어지고 기공이 열린다. 반대로 수분이 매우 부족한 조건이거나 빛이 없는 밤에는 공변세포에 이온

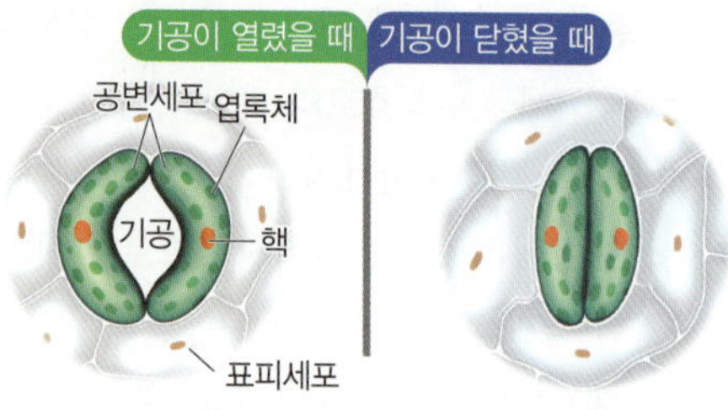

이 축적되지 않아 삼투압이 감소하고, 공변세포에서 물이 외부로 빠져나가 공변세포가 수축하면서 기공이 닫힌다.

기공과 공변세포는 잎의 위쪽과 아래쪽에 모두 있지만, 위쪽의 기공은 비가 올 때 기능하기 어렵고 맑은 날 과도한 증산 작용이 일어날 수 있어 잎의 위쪽보다 아래쪽에 주로 분포한다. 하지만 수생식물 중 물 위에 떠서 생활하는 부유 식물은 잎의 아래쪽이 물과 맞닿아 있어 기공과 공변세포가 주로 잎의 위쪽에 있다.

기관계

동물의 구성 단계에는 비슷한 기능을 하는 기관이 모여 이루어진 기관계가 있다. 사람의 기관계에는 영양분의 소화와 흡수 기능을 담당하는 소화계, 물질의 순환 기능을 담당하는 순환계, 기체 교환을 담당하는 호흡계, 노폐물의 배설을 담당하는 배설계, 신호 전달과 반응을 담당하는 신경계, 몸을 지탱하는 골격계 등이 있다.

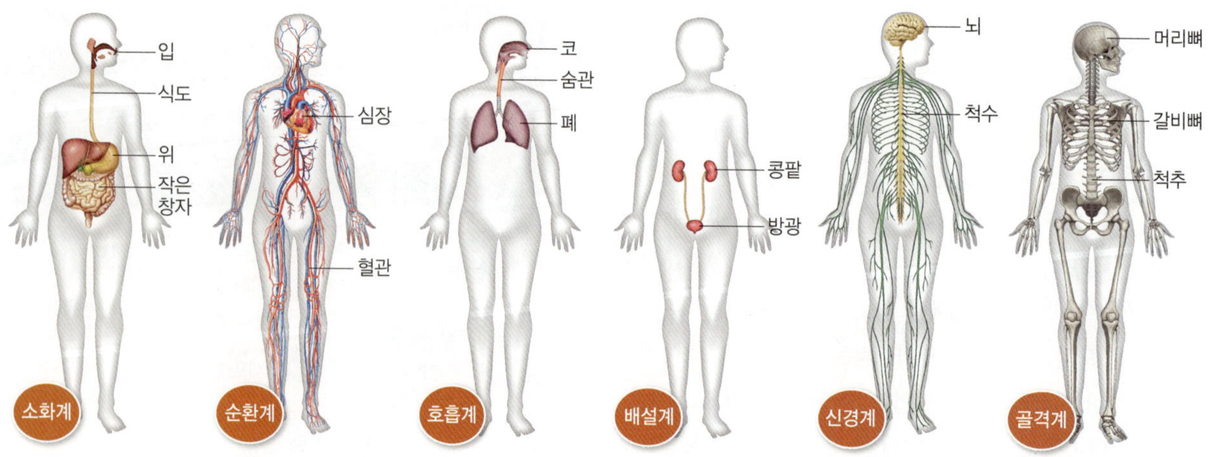

생물다양성

생물다양성이란 생물의 다양한 정도를 뜻하며, 생물종의 다양성, 생물이 서식하는 생태계의 다양성, 동일 종의 생물이 가진 유전자의 다양성을 총체적으로 가리킨다. 종다양성은 한 지역에 서식하는 생물종의 다양한 정도를 뜻하는 것으로, 종의 수가 많고 각 종의 개체수 비율이 고를수록 종다양성이 높다고 할 수 있다. 생태계 다양성은 일정한 지역에 형성된 생태계의 다양한 정도를 뜻하며, 각 생태계에 속하는 모든 생물요소와 비생물요소의 상호작용에 관한 다양성을 포함한다. 생태계의 종류와 특성에 따라 서식하는 생물종이 다르기 때문에 생태계가 다양할수록 종다양성이 높다. 유전적 다양성은 동일한 종 안에서 나타나는

거피의 유전적 다양성

유전자 변이를 뜻한다. 한 종을 구성하는 개체의 수가 많을수록 유전자 변이가 나타날 확률이 높기 때문에 개체수가 많은 종에서 유전적 다양성도 높게 나타난다. 유전적 다양성이 높을수록 다양한 환경에 유리한 특성을 지닌 개체가 있을 가능성도 높기 때문에 유전적 다양성이 높은 종은 급격한 환경 변화나 전염병이 발생할 때 종을 보존할 가능성 또한 높다.

생태계

생태계는 생물요소와 비생물요소 사이에서 서로 영향을 주고받는 동시에 생물요소와 생물요소 사이에서 서로 영향을 주고받으면서 다양한 관계를 형성하고 있는 체계를 말한다. 생태계의 생물요소 사이에는 먹이사슬이라고 불리는 먹이 관계가 형성되어 있으며, 다양한 먹이사슬이 그물처럼 복잡하게 얽혀 먹이그물을 형성하고 있다. 이러한 먹이 관계는 생태계에서 물질이 순환하고 에너지가 흐르는 경로이다.

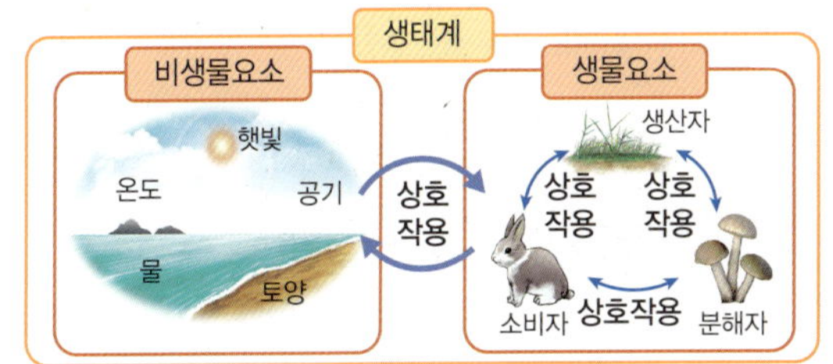

생태계구성요소 사이의 상호작용

생태계라는 용어는 1930년 로이 클라팸(Clapham, A. R., 1904~1990), 아서 탠슬리(Tansley, A., 1890~1955) 등의 생태학자에 의해서 고안되었으며, 이후 에블린 허친슨(Hutchinson, G. E., 1935~1991), 찰스 엘튼(Elton, C. S., 1900~1991) 등 생태학자들의 아이디어가 더해졌다. 생태계는 크게 해양 생태계, 연안 생태계, 육지 생태계로 나눌 수 있다. 지구 표면의 약 70 %를 차지하는 해양 생태계에는 물의 깊이와 수온, 해저 지형과 바닷물의 성분에 따라 다양한 생물이 서식하고 있다. 연안 생태계는 강 하구와 갯벌, 얕은 바닷가를 포함하며, 육지 생태계는 숲, 사막, 초원 등 육지에 형성된 생태계이다.

해양 생태계

연안 생태계

육지 생태계

생물을 여러 단계로 분류할 때 종은 가장 기본적인 단위이다. 두 생물이 같은 종인지 다른 종인지를 분류하기 위해서는 종을 구분하는 과학적인 기준이 있어야 하며, 이 기준은 관점과 목적에 따라 다를 수 있다. 18세기에 스웨덴의 린네는 주로 생물의 외형적 특징을 중심으로 종을 구분하였다. 하지만 외형적으로 크게 차이가 나는 생물이 생식적, 생태적, 진화적으로 한 집단을 구성하는 경우도 있고, 외형적으로 비슷한 생물 집단이 생식적, 생태적, 진화적으로 전혀 다른 집단을 구성하는 경우도 있다. 따라서 현대에는 자연 상태에서 상호 교배하여 자손을 만드는 집단을 종으로 규정하는 생물학적 종 개념, 생태적 지위를 공유하는 집단을 종으로 규정하는 생태학적 종 개념, 생물의 진화 과정에 따른 분화 과정을 이용하여 종을 규정하는 계통 발생학적 종 개념 등 다양한 종 개념을 사용하고 있다.

생김새가 다양하지만 모두 같은 종인 개

현미경의 발달로 미생물이 발견되면서 생물을 식물계, 동물계로만 분류하던 2계 분류체계가 원생생물계를 포함한 3계 분류체계로 변화되었고, 원생생물 중 세포에 핵막이 없는 생물을 원핵생물계로 분리하면서 원생생물은 핵막이 있는 단세포생물로 정의되었다. 그리고 광합성을 하지 않는 균류를 식물계에서 분리하여 5계 분류체계에 따라 생물을 분류하면서 원핵생물계를 제외한 진핵생물 중 식물계, 균계, 동물계가 아닌 생물을 통틀어 원생생물계로 분류하게 되었다. 따라서 원생생물계의 생물은 몸이 균사로 이루어져 있지 않고 기관 분화가 뚜렷하지 않다는 공통점이 있을 뿐, 일관된 특성이 없다. 아메바, 짚신벌레, 유글레나와 같은 단세포생물도 있고, 미역, 다시마, 우뭇가사리처럼 광합성을 하는 조류도 있다. 단세포생물은 세포가 둘로 나누어지는 분열법으로 번식하고, 조류와 같은 다세포생물은 포자로 번식한다. 그런가 하면 원생생물계에 속하는 점균류는 생활사 중 단세포일 때도 있고 다세포일 때도 있으며 포자로 번식한다. 과거에는 점균류가 곰팡이를 닮았다 하여 균류로 분류하기도 했으나 몸이 균사로 이루어져 있지 않아 현재는 원생생물계로 분류한다. 또 조류는 식물과 같이 광합성을 하여 식물계로 분류하기도 했지만 뿌리, 줄기, 잎의 구분이 명확하지 않아 현재는 원생생물계로 분류한다.

씨(종자)를 만들어 번식하는 식물을 종자식물이라고 한다. 종자식물에는 암술에 씨방이 형성되어 씨방 안에 씨가 들어 있는 속씨식물과 씨방이 형성되지 않아 씨가 밖으로 노출되어 있는 겉씨식물이 있다. 일반적으로 속씨식물의 잎은 넓은 반면, 겉씨식물의 잎은 좁다. 속씨식물에는 무궁화, 백합, 목련, 국화 등이 있으며, 겉씨식물에는 소나무, 잣나무, 은행나무, 소철 등이 있다.

속씨식물인 무궁화

겉씨식물인 소철

속씨식물은 씨가 발아할 때 형성되는 떡잎의 수를 기준으로 떡잎의 수가 2개 이상인 쌍떡잎식물과 떡잎의 수가 1개인 외떡잎식물로 구분할 수 있다. 쌍떡잎식물은 관다발이 동심원 모양으로 규칙적으로 배열되어 있지만, 외떡잎식물은 관다발이 불규칙하게 배열되어 있다. 또 쌍떡잎식물은 잎맥이 복잡하게 얽혀 있는 그물맥인 반면 외떡잎식물은 나란하게 배열되어 있는 나란히맥이다. 쌍떡잎식물의 꽃은 꽃잎 등이 4의 배수나 5의 배수인 경우가 많고, 외떡잎식물은 3의 배수인 경우가 많다. 무궁화, 해바라기, 사과나무, 민들레 등이 쌍떡잎식물이고, 백합, 옥수수, 보리, 강아지풀 등이 외떡잎식물이다.

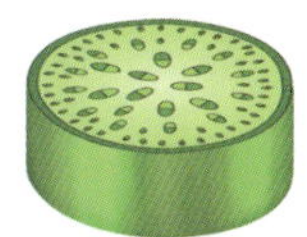

쌍떡잎식물의 관다발 · **외떡잎식물의 관다발**

쌍떡잎식물과 외떡잎식물의 관다발

동물은 다양한 기준에 따라 단계적으로 분류할 수 있다. 동물의 발생 과정에서 형성되는 분화된 세포 덩어리를 배엽이라고 하는데, 해면과 같은 동물은 배엽이 형성되지 않아 무배엽동물이라고 한다. 말미잘과 같은 동물은 외배엽과 내배엽만 형성되는 2배엽동물이고, 이외 대부분의 동물은 외배엽, 중배엽, 내배엽이 형성되는 3배엽동물이다.

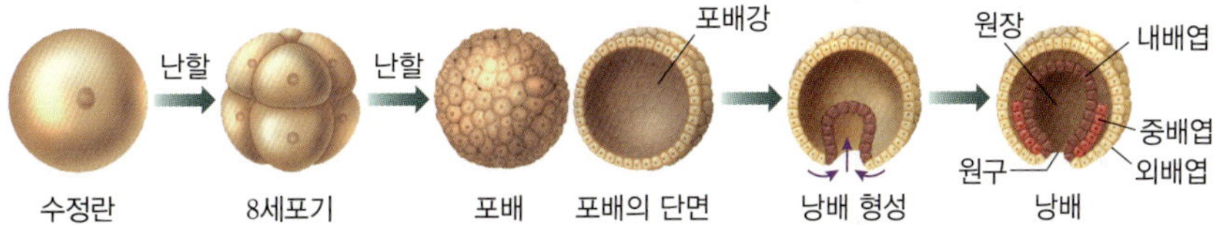

3배엽동물은 발생 과정에서 입과 항문이 형성되는데 입과 항문 중 입이 먼저 형성되는 동물을 선구동물이라 하고, 항문이 먼저 형성되는 동물을 후구동물이라고 한다. 대부분의 동물이 선구동물이여, 후구동물 중 등쪽의 중배엽에서 만들어지는 가늘고 긴 형태의 구조인 척삭이 형성되는 동물을 척삭동물이라 하고, 척삭이 형성되지 않는 동물을 극피동물이라고 한다. 불가사리, 성게, 해삼이 극피동물이다. 척삭동물에는 우렁쉥이와 같은 미삭동물과 창고기와 같은 두삭동물, 붕어, 개구리, 악어, 참새, 사람과 같은 척추동물이 있다. 미삭동물은 성체가 되면서 척삭이 사라지고, 두삭동물은 일생 동안 척삭이 있다. 척추동물은 발생 과정에서 척삭이 사라지고 척추가 형성된다.

우렁쉥이(미삭동물)

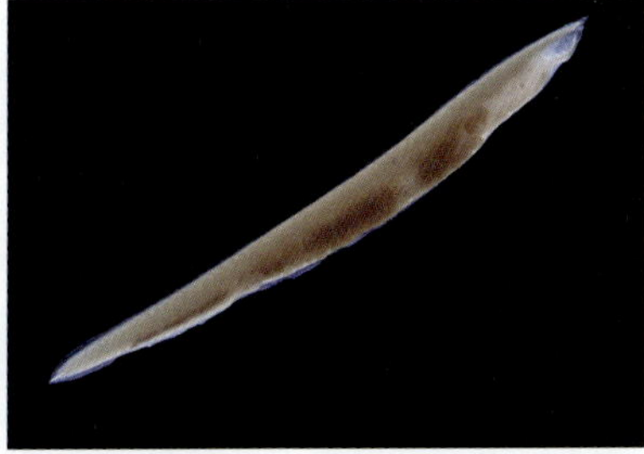

창고기(두삭동물)

도롱뇽(척추동물)

입자

입자(粒子)는 낱알 입(粒)과 아들 자(子)를 붙여 만든 단어로, '낱알 알갱이'를 뜻한다. 과학에서 입자는 물리적 또는 화학적 특성에 따라 나눈 작은 물체로, 물질을 구성하는 입자인 원자, 분자 등을 예로 들 수 있다.

원자는 물질을 구성하는 가장 기본적인 입자이다. 1803년 과학자 돌턴은 원자가 물질을 구성하는 가장 작은 입자라고 생각했지만, 이후 과학자들은 실험을 통해 원자는 더 작은 입자인 양성자, 중성자, 전자로 구성되어 있다는 사실을 알아냈다. 원자는 양성자와 중성자로 이루어진 원자핵과 전자로 구성되어 있으며, 원자 내부의 공간은 대부분 비어 있다.

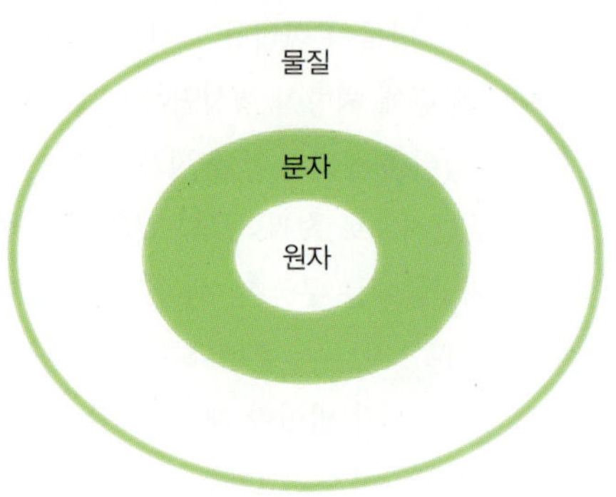

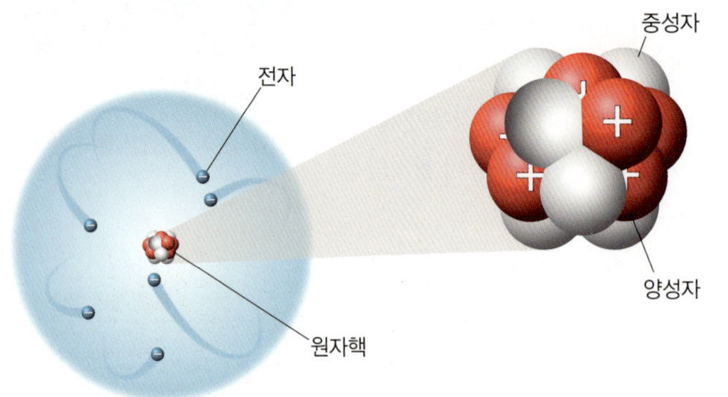

원자를 구성하는 입자

분자는 물질의 고유한 성질을 나타내는 가장 작은 입자이다. 분자는 대부분 2개 이상의 원자가 결합하여 생성되며, 분자를 더 작은 물질로 쪼개면 물질의 고유한 성질을 잃게 된다. 예를 들어 물 분자(H_2O)는 수소 원자(H) 2개와 산소 원자(O) 1개가 결합하여 만들어지는데, 물 분자를 분해하여 수소 원자와 산소 원자로 나누어지면 물의 성질을 잃게 된다.

열화상 사진

복사는 열을 가진 물질에서 빛이 나와 주변으로 퍼지는 것이다. 열을 가진 입자들이 진동할 때 빛이 방출된다. 방출되는 빛은 대체로 적외선이라고 부르는 빛인데, 열화상 카메라는 적외선을 감지하여 색깔을 입혀서 물체의 온도를 한눈에 볼 수 있게 한다.

유리, 알루미늄, 구리 막대의 한쪽 끝을 가열하는 모습을 열화상 사진으로 관찰하면 시간이 지나면서 막대 끝부분의 색이 다르게 관찰되는 것을 볼 수 있다. 이때 열화상 사진에서 보이는 서로 다른 색은 서로 다른 온도를 뜻한다. 화면에서 보이는 색은 연속된 색 띠를 통해 온도를 구분할 수 있다. 연속된 색 띠에는 최대 온도와 최소 온도가 표시된다.

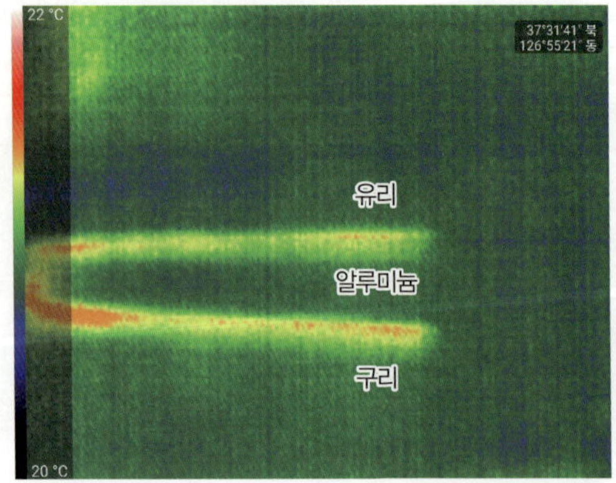

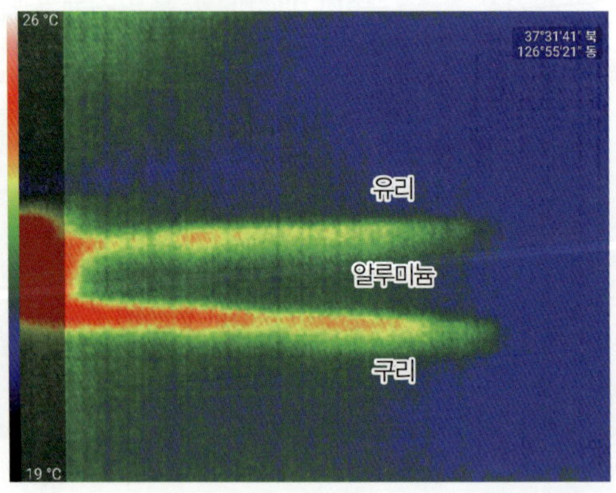

물체의 온도를 측정하려고 할 때 측정하려는 물체의 온도 범위와 특성, 분야에 따라 다른 온도계를 사용한다. 온도계에는 알코올 온도계, 탐침 온도계, 액정 온도계, 열화상 카메라, 고막 체온계 등이 있다.

알코올 온도계는 알코올이 온도에 따라 부피가 늘어나거나 줄어드는 성질을 이용하며, 주로 기체나 액체의 온도를 측정할 때 사용한다. 탐침 온도계는 가느다란 탐침을 물질에 넣어 내부 온도를 측정하며, 음식이 잘 익었는지 확인할 때 사용한다. 액정 온도계는 온도에 따라 색이 변하는 물질을 이용하여 만든 온도계로, 어항이나 프라이팬 등에 사용한다. 열화상 카메라는 물체로부터 나오는 열을 감지해 온도에 따라 여러 가지 색깔로 나타내는 카메라이다. 물체에 직접 접촉해서 온도를 측정하기 어려울 때 주로 사용한다. 고막 체온계는 고막과 고막 주위에서 발생하는 열을 감지해 체온을 측정한다. 병원이나 집에서 체온을 측정할 때 주로 사용한다.

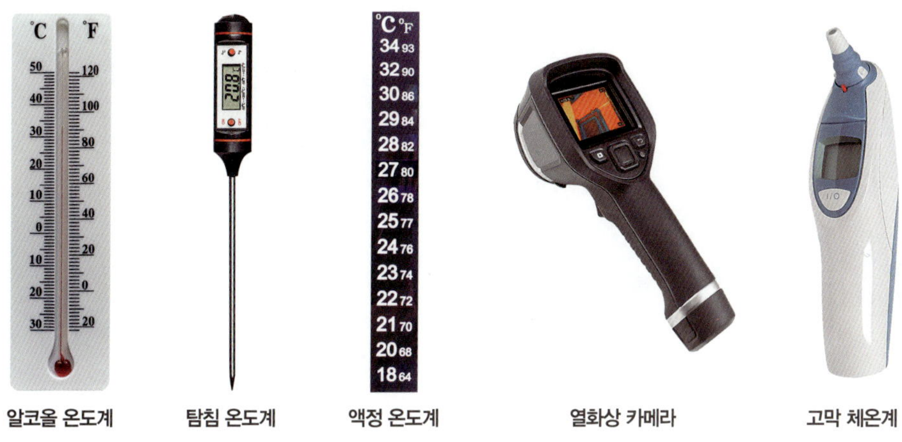

| 알코올 온도계 | 탐침 온도계 | 액정 온도계 | 열화상 카메라 | 고막 체온계 |

두 물체가 접촉하였을 때 온도가 높은 물체는 온도가 낮은 물체보다 입자들의 운동이 활발하다. 그래서 접촉면에서 온도가 높아 활발하게 움직이는 입자들이 온도가 낮아 상대적으로 천천히 움직이는 입자들과 충돌해 이웃한 입자에 입자 운동이 전달된다. 이러한 과정을 거치면서 입자들의 운동이 빨라지면서 열이 전달되는데, 이와 같은 열의 이동 방법을 전도라고 한다.

한편, 물질의 종류에 따라 열이 전도되는 빠르기가 다르다. 물질을 이루는 입자가 구리나 철 등의 금속 물질인 경우에는 입자들의 운동이 빠르게 전달되지만, 플라스틱, 고무와 같은 물체는 열이 매우 느리게 전달된다. 따라서 뜨거운 냄비를 들어 올릴 때 사용하는 오븐용 장갑은 열이 잘 전도되지 않는 플라스틱이나 고무와 같은 물질로 만들어진다. 반면 열을 잘 전달해야 하는 전자제품의 방열판은 구리와 같은 금속으로 만들어진다.

열이 물질의 도움 없이 빛의 형태로 직접 이동하는 방법을 복사라고 한다. 복사에 의한 열의 이동은 물질과 관계없이 이루어지므로 진공 속에서도 열이 이동하게 된다. 태양의 열에너지가 복사를 통해 진공인 우주 공간을 지나 지구까지 도달하는 것을 보면 복사가 물질의 도움 없이 전달되는 것을 알 수 있다.

일상생활에서는 복사로 인해 열이 전달되는 것을 막기 위해 빛의 반사에 의한 성질을 활용하기도 한다. 보온병 안쪽에 거울처럼 은도금을 한 까닭은 따뜻한 내용물에서 나온 빛이 밖으로 빠져나오지 않고 안으로 다시 반사되도록 하기 위한 것이다. 또한 비상 생존 담요를 은박 재질로 만들면 몸에서 나온 빛이 복사로 인해 외부로 빠져나가지 못하고 다시 반사되어 몸을 덥히게 되어 체온 조절에 유리하다.

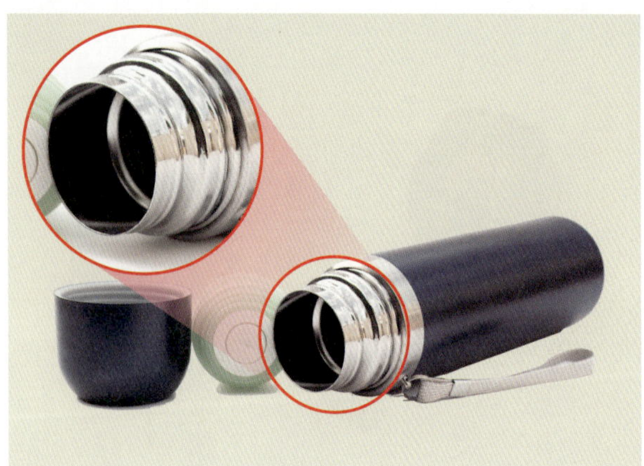 

대체로 열이 이동할 때는 한 가지 방법으로 이동하는 것이 아니라 전도, 대류, 복사의 여러 가지 방법을 통해 이동한다. 예를 들어 피자를 화덕에서 구울 때에도 전도, 대류, 복사를 모두 확인할 수 있다.

화덕에서 피자를 구울 때에는 깊은 안쪽에 불을 피워 놓고 불 앞쪽에 피자를 놓는데, 불꽃이 직접 닿지 않아도 잘 구워진다. 화덕 안쪽에서 불을 피우면 복사에 의해 화덕 바닥과 천장이 뜨거워진다. 뜨거워진 바닥에 피자를 놓으면 바닥의 열이 전도에 의해 피자에 전달되어 피자 아랫면이 바삭하게 구워진다. 또한, 천장과 불꽃에서 열이 복사에 의해 전달되어 피자 표면이 바삭하게 구워진다. 입구에서 화덕 안으로 들어온 공기는 대류에 의해 따뜻해진다. 화덕은 천장을 둥글게 만드는데, 입구에서 들어온 공기가 데워지면 위로 올라가 둥근 천장 쪽에 오랫동안 머물러 열이 피자로 고르게 전달되게 하기 위한 것이다. 이때 굴뚝은 입구 쪽으로 만들어 데워진 공기가 바로 빠져나가지 않을 수 있다.

온도가 높아질 때 물체의 길이나 부피가 늘어나는 것을 열팽창이라고 한다. 물체가 열팽창하는 까닭은 물체를 구성하는 입자의 운동이 활발해져서 입자 사이의 거리가 멀어지기 때문이다. 지구 온난화로 인한 기후 변화로 바닷물의 온도가 올라가면 바닷물의 부피도 팽창한다. 이는 빙하가 녹아 해수가 늘어나는 것과 함께 지구의 해수면 상승의 중요한 두 가지 원인이 된다.

투발루는 평균 해수면을 기준으로 측정한 평균 높이가 2 m 정도로 지형이 낮은 남태평양에 있는 섬나라이다. 해수의 열팽창과 빙하가 녹는 영향 등으로 투발루는 매년 해수면이 0.5 cm씩 높아지고 있어서 나라 전체가 물에 잠길 위기에 처해 있다. 만약 지금처럼 해수면이 계속 상승하면 투발루뿐만 아니라 해안 지역에 있는 도시나 농경지가 바닷물에 잠길 수도 있다.

온도는 물체를 이루는 입자의 운동이 활발한 정도로, 온도가 낮을수록 입자의 운동이 둔하고, 온도가 높을수록 입자의 운동이 활발하다. 따라서 물체의 온도가 낮아지면 물체를 이루는 입자의 운동이 둔해지면서 입자 사이의 거리가 가까워져 물체의 부피가 줄어든다. 반대로 물체의 온도가 높아지면 물체를 이루는 입자의 운동이 활발해지면서 입자 사이의 거리가 멀어져 물체의 부피가 늘어난다. 기체는 입자 사이에 잡아당기는 힘이 거의 작용하지 않기 때문에 고체나 액체에 비해 매우 활발하게 움직인다. 따라서 온도가 변할 때 부피 변화가 가장 크다. 풍선을 액체 질소에 넣으면 액체 질소의 낮은 온도에 의해 풍선 안의 기체 입자의 운동이 둔해지므로 입자 사이의 거리가 가까워져 부피가 줄어든다. 기체의 경우 물질에 관계없이 온도가 높아질 때 부피가 늘어나는 정도는 같다.

풍선을 액체 질소에 넣었을 때 풍선의 부피 변화

온도가 올라가면 기체의 부피가 일정하게 증가한다. 그 까닭은 기체의 온도가 높아질수록 입자의 운동이 활발하기 때문이다. 입자가 활발하게 움직일수록 용기의 벽면에 충돌하는 횟수가 증가하고 입자가 용기의 벽면에 충돌하는 힘이 커져 용기 내부의 압력이 높아진다. 따라서 용기 내부의 압력과 외부 압력이 같아질 때까지 용기 내부의 부피가 증가하게 된다. 1787년 프랑스의 과학자 샤를은 실험을 통해 '모든 기체는 압력이 일정할 때 온도가 높아지면 기체의 부피가 일정한 비율로 증가한다.'는 것을 밝혀내었다. 그래서 기체의 온도와 부피 사이의 관계를 나타낸 이 법칙을 샤를 법칙이라고 한다.

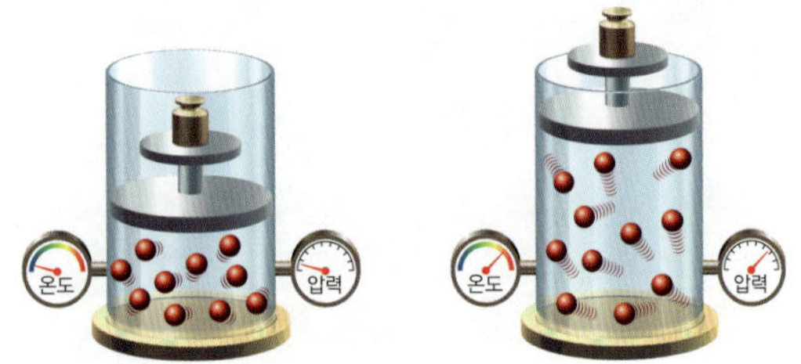

온도와 기체의 부피 변화를 나타낸 분자 모형

물의 온도가 60 ℃를 넘으면 우리 몸은 화상을 입는다. 그래서 대중목욕탕 온탕의 온도는 약 40 ℃ 정도이다. 그런데 건식 사우나의 온도는 70 ℃~100 ℃, 습식 사우나의 온도는 50 ℃~60 ℃ 정도이며, 건식 사우나나 습식 사우나에서는 화상을 입지 않는다. 그 까닭은 바로 물, 수증기, 공기의 비열과 관련이 있다.

물의 비열은 1 kcal/(kg · ℃)이고 수증기의 비열은 물의 약 $\frac{1}{2}$, 공기의 비열은 물의 약 $\frac{1}{4}$이다. 비열에 질량을 곱하면 어떤 물체의 온도를 1 ℃ 올리는 데 필요한 열량인 열용량이 되는데, 같은 열량을 받을 때 열용량이 클수록 온도 변화가 작다. 따라서 건식 사우나는 온도가 높아도 열용량이 작기 때문에 화상을 입지 않는 것이다. 여름철에 습도가 높으면 더 덥게 느껴지는 까닭도 바로 열용량 때문이다.

증발은 액체 표면에서 일어나는 기화 현상이다. 액체 표면에 있는 입자들은 주변의 다른 입자들과 충돌하여 에너지를 얻는데, 이때 충분한 에너지를 얻으면 액체 표면을 벗어나 기체 상태로 변한다. 모든 입자는 운동 에너지를 가지고 있는데, 이 에너지가 충분히 커지면 액체 표면을 벗어나 증발할 수 있다.

액체가 증발할 때는 열에너지(기화열)를 흡수하므로 증발하고 남은 액체는 열을 빼앗겨 온도가 낮아진다. 따라서 증발 과정에서 잃어버린 만큼의 열이 보충되어야 증발이 계속 일어날 수 있다.

물질을 구성하는 입자들이 스스로 운동하여 액체나 기체 속으로 퍼져 나가는 현상을 확산이라고 한다. 확산은 서로 다른 두 지점 사이에 농도 차가 있을 때 농도가 높은 곳에서 낮은 곳으로 입자들이 이동하여 균일하게 퍼지는 현상이다.

확산 현상은 기체의 확산, 액체의 확산, 생물학적 확산 등 다양한 형태로 일어난다. 예를 들면 꽃향기나 방향제의 향기가 퍼져 나가는 것, 대기나 해수가 일정한 조성을 가지는 것, 흙 속과 식물체 내의 농도 차에 의해 물이 이동하는 것(삼투 현상)도 확산이라고 할 수 있다.

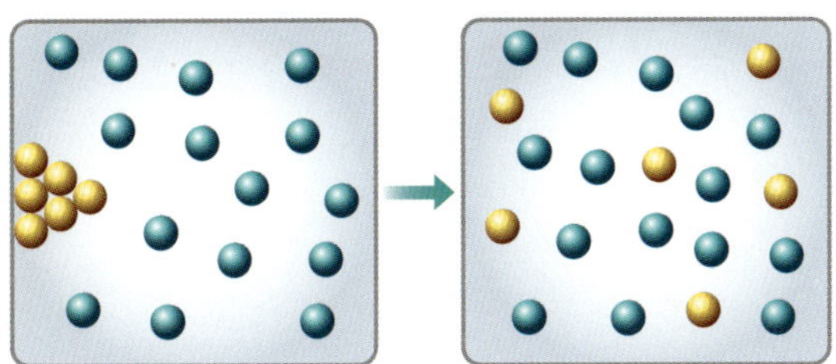

우리 주변의 물질은 고체, 액체, 기체의 세 가지 상태로 구분할 수 있으며, 각 상태에 따라 나타나는 특징이 다르다.

얼음이나 나무와 같이 일정한 모양과 부피를 가지고 있는 상태를 고체라고 하고, 물이나 식용유와 같이 담는 용기에 따라 모양이 달라지지만 부피는 일정하며, 흐르는 성질이 있는 상태를 액체라고 한다. 또한, 모양과 부피가 모두 일정하지 않으며, 한곳에 머물러 있지 않고 사방으로 퍼져 나가는 성질이 있는 상태를 기체라고 한다. 물질은 대부분 주어진 조건에서 고체, 액체, 기체 중 한 가지 상태로 존재한다.

물질은 입자로 구성되어 있으며, 물질의 상태에 따라 입자 배열이 다르다. 고체, 액체, 기체의 특징이 각각 다른 것은 물질의 상태에 따라 입자 배열이 다르기 때문이다. 고체 상태에서는 입자 사이의 인력이 강하게 작용하여 입자들이 규칙적으로 배열되고, 입자 사이의 거리가 매우 가깝다. 액체 상태에서는 입자 사이의 인력이 고체보다 약하게 작용하여 입자들이 약간 불규칙하게 배열되고, 입자 사이의 거리가 고체보다 멀다. 기체 상태에서는 입자 사이의 인력이 거의 작용하지 않으므로 입자들이 매우 불규칙하게 배열되고, 입자 사이의 거리가 매우 멀다.

상태 변화

본문 개념 학습 **136**쪽

물질의 상태가 온도, 압력 등 일정한 조건에 따라 한 상태에서 다른 상태로 변하는 현상을 상태 변화라고 한다.

고체는 녹아서 액체가 되고, 액체는 얼어서 고체가 되거나 증발하여 기체로 되며, 기체는 응축되어 액체로 되는 등의 변화가 일어난다. 이때 물질의 물리적인 모습만 변하고, 물질의 성질은 변하지 않으므로 화학 변화와는 구별된다.

주요 상태 변화로는 융해, 응고, 기화, 액화, 고체에서 기체로의 승화, 기체에서 고체로의 승화가 있다. 상태 변화는 자연에서 일어나는 다양한 현상과 관련이 있으며, 산업 공정에서 핵심적인 역할을 담당하기도 한다. 또한, 요리나 냉장, 난방 등과 같은 일상적인 활동에서도 상태 변화가 중요한 역할을 한다.

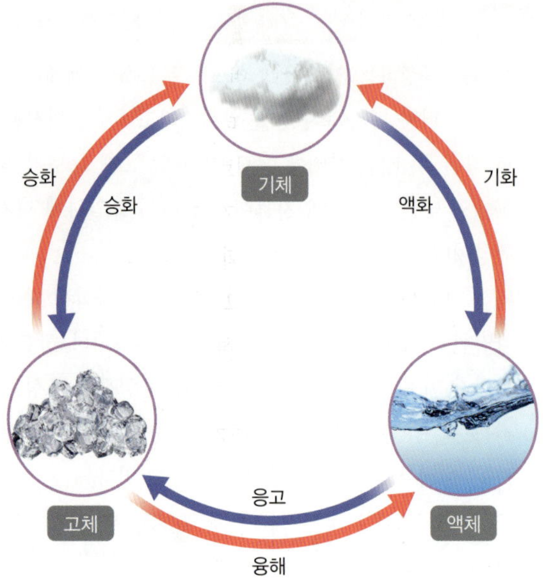

열에너지

본문 개념 학습 **154**쪽

열에너지는 물질을 구성하는 입자들의 무작위적인 운동에 의해 발생하는 에너지의 한 형태로, 물질의 온도를 변화시키고 물질의 상태를 변화시키는 데 중요한 역할을 한다. 열에너지는 물질 내부의 입자들이 가지는 운동 에너지의 총합으로, 입자들이 빠르게 움직일수록 열에너지가 커진다. 따라서 물질의 온도가 높아질수록 물질을 구성하는 입자의 운동이 활발해지며, 물질이 가지는 열에너지도 커진다.

온도가 서로 다른 두 물질이 접촉하고 있을 때 온도가 높은 물질에서 온도가 낮은 물질로 열에너지가 이동한다. 이때 열에너지를 얻은 물질은 온도가 높아지고, 열에너지를 잃은 물질은 온도가 낮아진다. 이후 두 물질의 온도가 같아지면 열에너지는 더 이상 이동하지 않는다. 예를 들어 실온의 물에 차가운 음료수 캔을 넣으면 물에서 음료수로 열에너지가 이동한다. 그 결과 음료수는 온도가 높아지고 물은 온도가 낮아지며, 충분한 시간이 지난 뒤에는 온도가 같아진다.

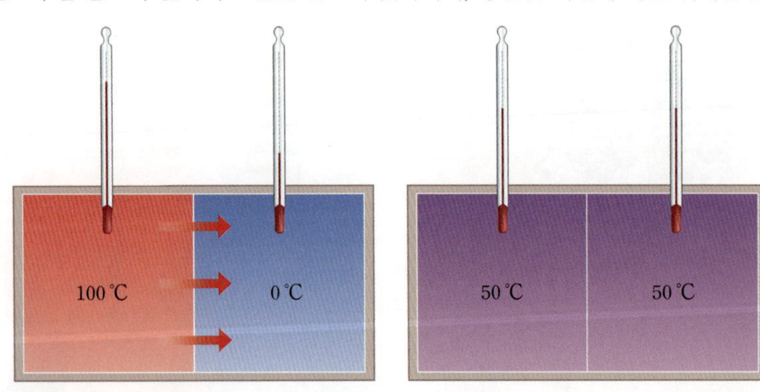

온도가 서로 다른 두 물질에서 열에너지의 이동

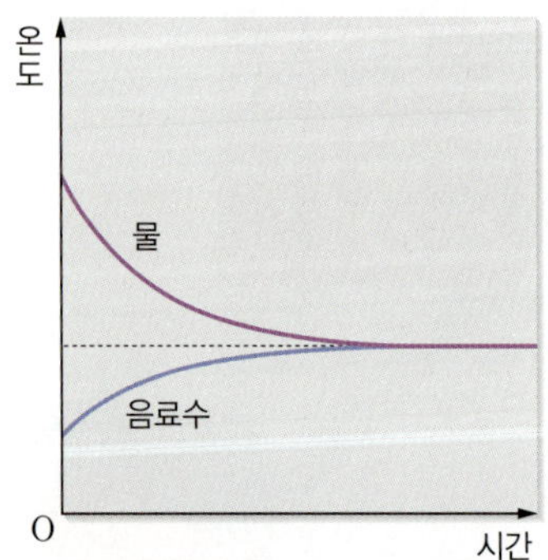

실온의 물에 차가운 음료수 캔을 넣었을 때
시간에 따른 물과 음료수의 온도 변화

열에너지를 흡수하는 상태 변화는 물질이 외부로부터 열에너지를 얻어 더 높은 에너지 상태로 옮겨 가는 과정이다. 이러한 변화는 물질이 고체에서 액체로 변하거나, 액체에서 기체로 변할 때 주로 일어난다. 융해, 기화, 고체에서 기체로의 승화가 대표적이며, 물질이 상태 변화 하는 동안 흡수한 열에너지는 입자 사이의 인력을 이겨 내고 더 자유로운 상태로 변하는 데 사용된다. 따라서 상태 변화 하는 과정에서 물질의 온도는 일정하게 유지된다. 이때 상태 변화를 위해 필요한 열에너지의 양은 물질의 특성에 따라 달라지며, 융해열이나 기화열로 측정할 수 있다.

한편, 열에너지를 방출하는 상태 변화는 물질이 내부의 열에너지를 외부로 내보내 더 낮은 에너지 상태로 옮겨 가는 과정이다. 이러한 변화는 물질이 기체에서 액체로 변하거나, 액체에서 고체로 변할 때 주로 일어난다. 액화, 응고, 기체에서 고체로의 승화가 대표적이며, 물질이 상태 변화 하는 동안 내부의 열에너지를 방출하여 입자 사이의 인력을 강화하고 더 안정적인 상태로 변한다. 따라서 상태 변화 하는 과정에서 물질의 온도는 일정하게 유지된다. 이때 상태 변화를 위해 방출하는 열에너지의 양은 물질의 특성에 따라 달라지며, 액화열이나 응고열로 측정할 수 있다.

융해열은 고체가 액체로 변할 때 물질이 흡수하는 열에너지로, 보통 일정한 온도에서 1 g의 고체가 융해하는 데 필요한 열량으로 나타낸다. 한편, 기화열은 액체가 기체로 변할 때 물질이 흡수하는 열에너지로, 증발열이라고도 한다. 기화열은 보통 일정한 온도에서 1 g의 액체가 기화하는 데 필요한 열량으로 나타낸다. 융해열과 기화열은 물질마다 고유한 값을 가지며, 입자 사이의 인력이 강할수록 융해열과 기화열이 크다.

응고열은 액체가 고체로 변할 때 물질이 방출하는 열에너지로, 보통 일정한 온도에서 1 g의 액체가 응고할 때 발생하는 열량으로 나타낸다. 응고열은 반대 방향의 상태 변화가 일어날 때 출입하는 열에너지인 융해열과 같은 값을 가진다.

한편, 액화열은 기체가 액체로 변할 때 물질이 방출하는 열에너지로, 보통 일정한 온도에서 1 g의 기체가 액화할 때 발생하는 열량으로 나타낸다. 액화열은 반대 방향의 상태 변화가 일어날 때 출입하는 열에너지인 기화열과 같은 값을 가진다.

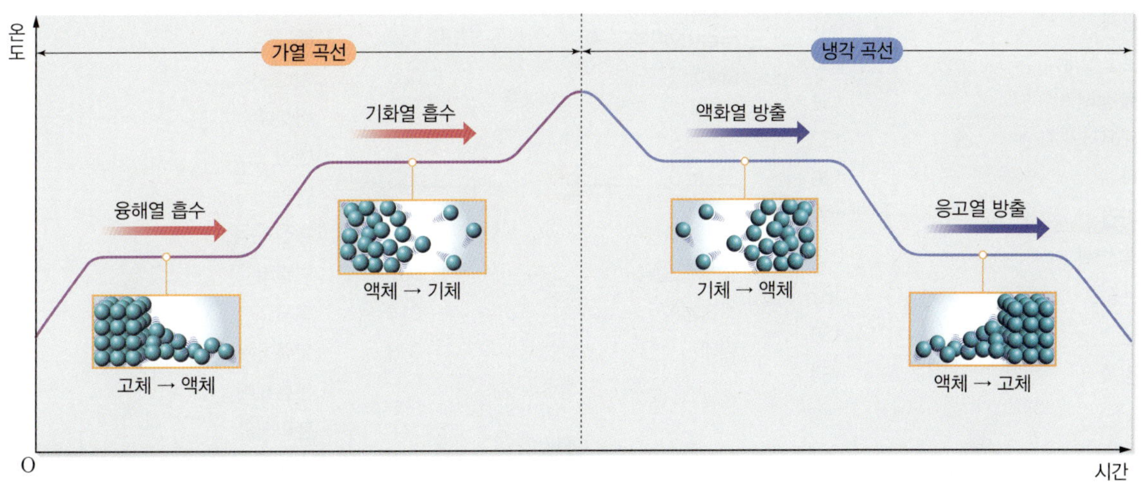

고체 물질의 가열·냉각 곡선

정답과 해설 049쪽

01 보기는 과학 탐구의 과정을 나타낸 것이다.

> 보기
> ㄱ. 탐구 설계 및 수행
> ㄴ. 결론 도출 및 일반화
> ㄷ. 문제 인식 및 가설 설정
> ㄹ. 자료 수집·분석 및 해석

과학 탐구의 과정을 순서대로 옳게 나열한 것은?

① ㄱ - ㄴ - ㄷ - ㄹ
② ㄱ - ㄷ - ㄴ - ㄹ
③ ㄷ - ㄱ - ㄹ - ㄴ
④ ㄷ - ㄹ - ㄱ - ㄴ
⑤ ㄹ - ㄷ - ㄱ - ㄴ

02 다음은 A와 B가 궁금한 점을 해결하는 탐구 과정에서 나눈 대화이다.

> A: 설탕은 찬물보다 더운물에 잘 녹을까?
> B: ㉠물의 온도가 높을수록 더 많이 녹을 거야.
> A: 그럼 (㉡)을/를 같게 하고 (㉢)을/를 다르게 하면서 설탕을 녹여 보자.
> B: 실험하면서 결과를 하나씩 ㉣기록하자.

이 탐구에 대한 설명으로 옳지 <u>않은</u> 것은?

① ㉠은 가설에 해당한다.
② '물의 양'은 ㉡에 알맞은 조건이다.
③ '녹이는 시간'은 ㉢에 알맞은 조건이다.
④ ㉣은 자료 수집에 해당한다.
⑤ 의도적으로 변화시켜야 할 조건은 물의 온도이다.

03 다음 중 탐구 계획서에 들어갈 내용이 <u>아닌</u> 것은?

① 가설
② 탐구 문제
③ 탐구 장소
④ 실험 준비물
⑤ 실험 결과를 정리한 표

04 탐구 문제를 정할 때 고려해야 할 내용으로 옳은 것을 보기에서 모두 고른 것은?

> 보기
> ㄱ. 궁금한 점이 분명하게 드러나야 한다.
> ㄴ. 실험을 통해 의문점을 확인할 수 있어야 한다.
> ㄷ. 관련된 의문들을 모두 한꺼번에 해결할 수 있어야 한다.

① ㄱ
② ㄷ
③ ㄱ, ㄴ
④ ㄴ, ㄷ
⑤ ㄱ, ㄴ, ㄷ

05 탐구 계획서에서 탐구 문제에 대한 잠정적인 해답에 해당하는 것으로 탐구 문제와 실험 과정 사이에 들어가야 할 내용은 무엇인지 쓰시오.

06 과학의 발전이 인류 문명에 미친 영향에 대한 설명으로 옳은 것은?

① 과학 개념이나 원리는 다른 분야와 관련이 적다.
② 과학의 발전은 생각하는 방식에도 변화를 일으켰다.
③ 문자의 사용으로 인류 문명의 발전 속도가 느려졌다.
④ 도구의 빈번한 사용으로 두뇌 사용 기회가 감소하였다.
⑤ 과학의 발전과 기술의 발달은 각각 독립적으로 이루어져 서로 영향을 주지 못하였다.

07 보기는 과학 개념이나 원리가 적용된 예와 적용된 원리 또는 관련 분야를 설명한 것이다.

> **보기**
> ㄱ. 인체 해부학은 미술과 관련하여 발달하였다.
> ㄴ. 수학은 과학 원리를 이해하거나 표현하는 데 도움을 준다.
> ㄷ. 불꽃놀이에는 금속 원소마다 다른 색의 빛을 내면서 연소하는 불꽃 반응 원리가 이용된다.

적용된 원리와 관련 분야에 대한 설명이 옳은 것을 모두 고른 것은?

① ㄱ   ② ㄷ   ③ ㄱ, ㄴ
④ ㄴ, ㄷ   ⑤ ㄱ, ㄴ, ㄷ

08 과학이 우리의 삶에 가져온 변화에 대한 설명으로 옳은 것을 보기에서 모두 고른 것은?

> **보기**
> ㄱ. 백신 개발로 전염병에 걸릴 확률이 높아졌다.
> ㄴ. X선의 발견으로 인체의 내부를 절개한 뒤 들여다볼 수 있게 되었다.
> ㄷ. 인터넷의 개발로 멀리 떨어져 있는 상대와도 정보를 빠르게 주고받을 수 있게 되었다.
> ㄹ. 철을 제련하는 기술이 발달하여 철을 우리 생활의 다양한 분야에 이용할 수 있게 되었다.

① ㄱ, ㄴ   ② ㄱ, ㄷ   ③ ㄴ, ㄷ
④ ㄴ, ㄹ   ⑤ ㄷ, ㄹ

09 첨단 기술이 가져올 미래 사회의 변화 모습 중 생명공학과 관련이 가장 적은 것은?

① 농업 생산성이 증가할 것이다.
② 인간의 수명이 증가할 것이다.
③ 질병의 진단이 더 정확해질 것이다.
④ 우주 자원의 불균등한 이용 문제가 발생할 것이다.
⑤ 유전자조작에 따른 생명윤리 문제기 발생할 것이다.

10 다음은 우리나라의 지속가능발전 전략교 4가지로 구분하여 나타낸 것이다.

> • 사람이 사람답게 살 수 있는 포용 사회
> • 혁신적 성장을 통한 국민의 삶의 질 향상
> • 미래 세대가 함께 누리는 깨끗한 환경
> • 지구촌 평화와 협력 강화

아래의 지속가능발전목표들은 위의 전략 중 어디에 해당하는지 쓰시오.

> [목표 6] 건강하고 안전한 물 관리
> [목표 7] 에너지의 친환경적 생산과 소비
> [목표 13] 기후 변화와 대응
> [목표 14] 해양 생태계 보전

11 다음은 인류 문명의 발달 과정에서 나타난 환경오염과 자원 고갈 문제에 대한 대처 방법 중 일부이다.

> • 화석연료의 이용으로 증가하는 온실 기체 배출을 줄이기 위하여 친환경 에너지를 개발할 수 있다.
> • 자원 고갈 문제를 해결하기 위하여 신소재를 개발할 수 있다.

위에서 나타난 문제와 과학기술의 관계에 대한 설명으로 옳은 것을 보기에서 모두 고른 것은?

> **보기**
> ㄱ. 과학기술은 다양한 문제에 대안을 제시할 수 있다.
> ㄴ. 과학기술은 인류의 삶을 지속가능하게 하는 데 중요한 역할을 한다.
> ㄷ. 과학기술은 계속해서 새로운 문제를 발생시켜 지속가능한 삶을 위협할 뿐이다.

① ㄱ   ② ㄷ   ③ ㄱ, ㄴ
④ ㄴ, ㄷ   ⑤ ㄱ, ㄴ, ㄷ

서술형 문제

12 다음은 바람직하지 않은 탐구 문제의 예를 나타낸 것이다.

> (가) 종이비행기를 어떻게 만들면 가장 잘 날까?
>
> (나) 먼 곳으로 순간 이동하려면 어떻게 해야 할까?

(가), (나)의 탐구 문제는 어떤 점이 바람직하지 않은지 각각 설명하시오.

____

____

13 다음은 첨단 과학기술로 변화할 미래 사회의 모습을 예상하여 나타낸 것이다.

> (가) 우주 탐사나 수술에 첨단 로봇이 이용된다.
>
> (나) 자율주행 자동차가 주변 환경을 인지하고 스스로 길을 안내한다.
>
> (다) 글로벌 인터넷 연결에 위성이 널리 이용된다.

미래 사회의 모습 (가)~(다)는 다음의 첨단 과학기술 분야 중 각각 어떤 분야와 관련이 있는지 설명하시오.

> • 우주항공 • 인공지능 • 로봇공학 • 생명공학

14 그림은 UN의 지속가능발전목표들을 나타낸 것이다.

지속가능발전이란 무엇인지 설명하시오.

____

____

15 그림 (가)는 지속가능발전목표 12번인 지속가능한 생산과 소비를, (나)는 지속가능발전목표 13번인 기후 변화와 대응을 나타낸 것이다.

(가) (나)

(가)와 (나)를 위한 개인의 실천 사항을 각각 한 가지 이상 쓰시오.

____

____

정답과 해설 050쪽

01 그림은 세포 X에 들어 있는 세포소기관 (가)와 (나)를 나타낸 것이다. (가)와 (나)는 각각 마이토콘드리아와 핵 중 하나이다.

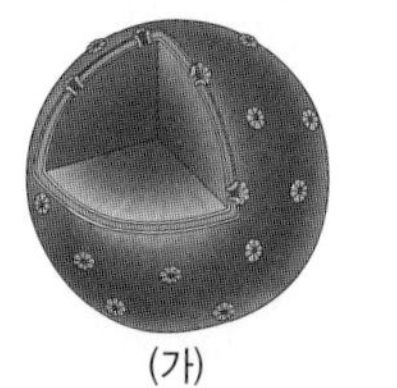
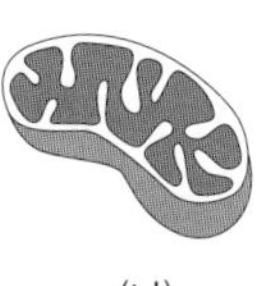

(가) (나)

이에 대한 설명으로 옳은 것을 보기에서 모두 고른 것은?

보기

ㄱ. (가)는 핵이다.

ㄴ. (가)에는 유전물질이 들어 있다.

ㄷ. (나)에서 영양분이 분해된다.

① ㄱ   ② ㄴ   ③ ㄱ, ㄷ

④ ㄴ, ㄷ   ⑤ ㄱ, ㄴ, ㄷ

02 그림은 식물 세포에 들어 있는 세포소기관 A~E를 나타낸 것이다. A~E는 각각 마이토콘드리아, 엽록체, 세포벽, 세포질, 핵 중 하나이다.

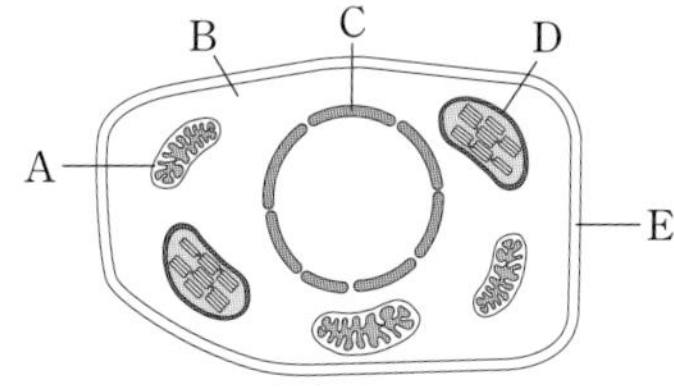

이에 대한 설명으로 옳은 것은?

① A는 동물 세포에 없다.

② B에서는 생명활동이 일어나지 않는다.

③ C는 세포벽이다.

④ D에서 광합성이 일어난다.

⑤ E는 세포의 안쪽을 채우는 부분이다.

03 표는 세포 ㉠과 ㉡에 세포소기관 A와 B의 유무를 나타낸 것이다. ㉠과 ㉡은 각각 동물 세포와 식물 세포 중 하나이며, A와 B는 각각 엽록체와 핵 중 하나이다.

구분	㉠	㉡
A	없음.	있음.
B	있음.	있음.

이에 대한 설명으로 옳지 <u>않은</u> 것은?

① ㉠은 동물 세포이다.

② ㉠에 세포벽이 있다.

③ ㉡에 마이토콘드리아가 있다.

④ A는 엽록체이다.

⑤ B는 생명활동을 조절한다.

04 동물 몸의 구성 단계로 옳은 것은?

① 개체 → 세포 → 기관계 → 조직 → 기관

② 세포 → 기관 → 기관계 → 조직 → 개체

③ 세포 → 조직 → 기관 → 기관계 → 개체

④ 세포 → 조직 → 조직계 → 기관 → 개체

⑤ 세포 → 조직 → 기관계 → 개체 → 기관

05 그림은 사람의 기관계 A~D를 나타낸 것이다. A~D는 각각 배설계, 소화계, 순환계, 호흡계 중 하나이다.

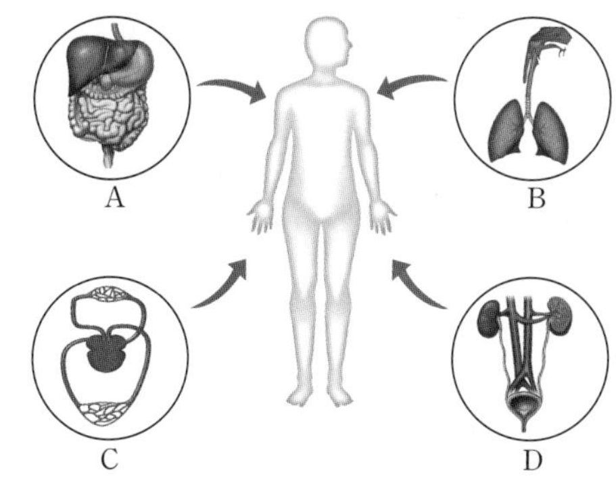

이에 대한 설명으로 옳지 <u>않은</u> 것은?

① A는 소화계이다.   ② 폐는 B에 속한다.

③ C는 순환계이다.   ④ 콩팥은 C에 속한다.

⑤ D는 배설계이다.

06 그림은 사람 몸의 구성 단계와 예를 나타낸 것이다. (가)~(다)는 각각 기관, 기관계, 조직 중 하나이다.

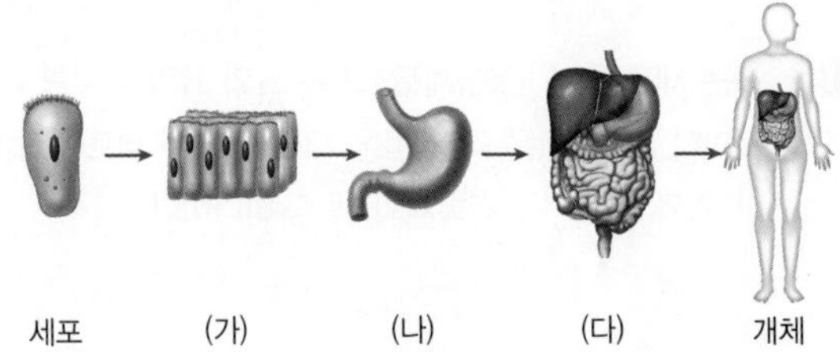

세포   (가)   (나)   (다)   개체

이에 대한 설명으로 옳은 것을 보기에서 모두 고른 것은?

> **보기**
>
> ㄱ. (가)는 조직이다.
> ㄴ. 큰창자는 (나)에 해당한다.
> ㄷ. 식물 몸의 구성 단계에도 (다)가 있다.

① ㄱ   ② ㄴ   ③ ㄷ
④ ㄱ, ㄴ   ⑤ ㄴ, ㄷ

07 그림은 동물의 조직 (가)~(다)를 나타낸 것이다. (가)~(다)는 각각 근육조직, 상피조직, 신경조직 중 하나이다.

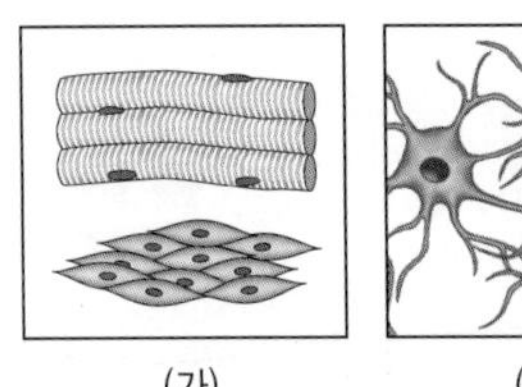
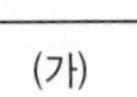
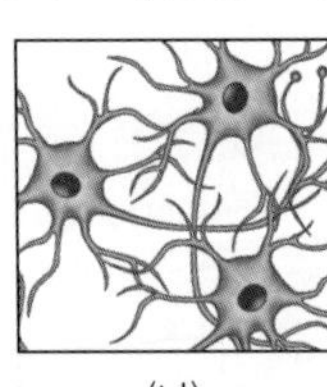
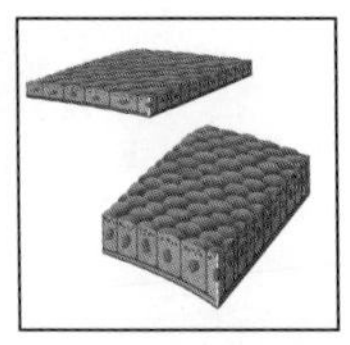

(가)   (나)   (다)

이에 대한 설명으로 옳은 것을 보기에서 모두 고른 것은?

> **보기**
>
> ㄱ. (가)는 근육조직이다.
> ㄴ. (나)는 신호를 전달한다.
> ㄷ. (다)는 몸을 보호하고 물질 출입을 조절한다.

① ㄱ   ② ㄴ   ③ ㄱ, ㄷ
④ ㄴ, ㄷ   ⑤ ㄱ, ㄴ, ㄷ

08 그림은 식물 잎의 단면을 나타낸 것이다. A~C는 각각 물관 조직, 울타리조직, 표피조직 중 하나이다.

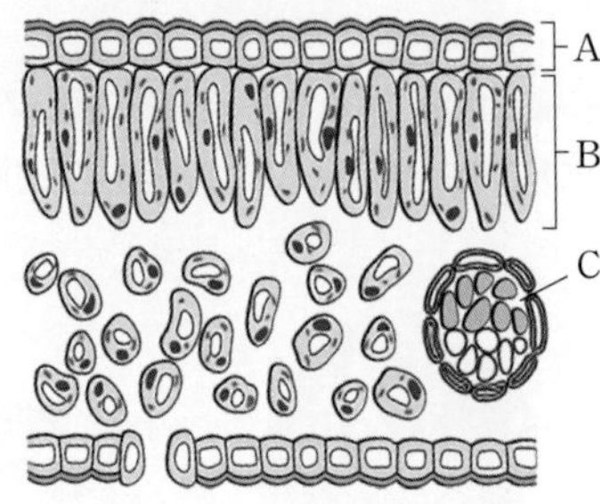

이에 대한 설명으로 옳은 것을 보기에서 모두 고른 것은?

> **보기**
>
> ㄱ. A는 표피조직이다.
> ㄴ. B는 분열조직에 해당한다.
> ㄷ. 뿌리로 흡수한 물은 C를 통해 잎에 공급된다.

① ㄱ   ② ㄴ   ③ ㄱ, ㄷ
④ ㄴ, ㄷ   ⑤ ㄱ, ㄴ, ㄷ

09 그림 (가)는 동물의 위를, (나)는 식물의 잎을 나타낸 것이다.

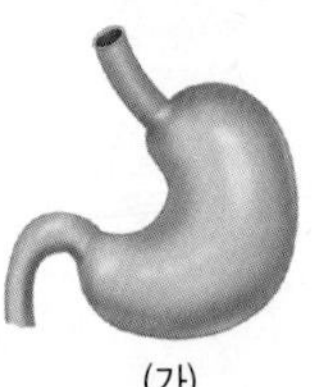
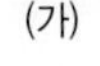

(가)   (나)

이에 대한 설명으로 옳은 것을 보기에서 모두 고른 것은?

> **보기**
>
> ㄱ. (가)는 소화계에 속한다.
> ㄴ. (나)에 해면조직이 있다.
> ㄷ. (가)와 (나)는 모두 기관에 해당한다.

① ㄱ   ② ㄴ   ③ ㄱ, ㄷ
④ ㄴ, ㄷ   ⑤ ㄱ, ㄴ, ㄷ

10 다음은 생물다양성에 대한 설명이다.

> (가) 같은 종류의 생물이라도 색, 크기, 모양 등의 특징
> 이 개체마다 다르게 나타난다.
> (나) 한 지역에 다양한 종의 생물이 살고 있다.

(가), (나)와 관련이 깊은 것을 옳게 짝 지은 것은?

	(가)	(나)
①	유전적 다양성	생태계다양성
②	유전적 다양성	종다양성
③	생태계다양성	유전적 다양성
④	종다양성	생태계다양성
⑤	종다양성	유전적 다양성

11 그림은 생태계 (가)와 (나)의 식물 분포를 나타낸 것이다.

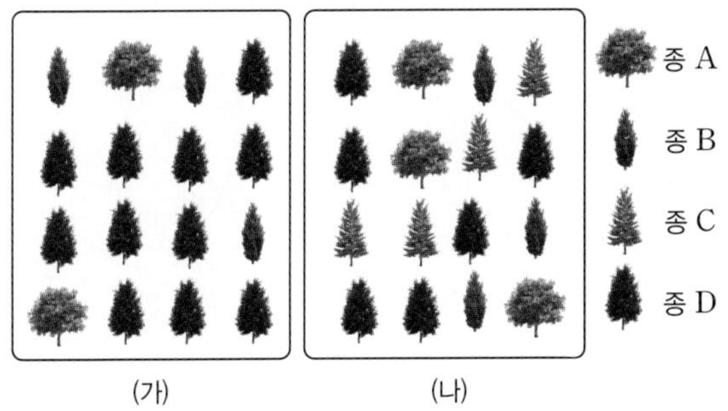

이에 대한 설명으로 옳은 것을 보기에서 모두 고른 것은?

> **보기**
> ㄱ. A의 개체수는 (가)에서가 (나)에서보다 많다.
> ㄴ. 식물종의 수는 (나)에서가 (가)에서보다 많다.
> ㄷ. 식물의 종다양성은 (가)에서가 (나)에서보다 높다.

① ㄱ ② ㄴ ③ ㄱ, ㄷ
④ ㄴ, ㄷ ⑤ ㄱ, ㄴ, ㄷ

12 변이에 대한 설명으로 옳지 <u>않은</u> 것은?

① 유전정보에 의해 나타난다.
② 변이는 생물의 생존과 번식에 영향을 미친다.
③ 돌연변이는 변이가 나타나게 하는 원인 중 하나이다.
④ 같은 생물종에서도 서로 다른 특징이 나타나는 것이다.
⑤ 변이가 다양할수록 환경 변화에 따라 멸종할 확률이 높다.

13 다음은 어떤 두 섬에서 한 종의 새 X가 여러 종의 새로 다양해지는 과정을 나타낸 것이다.

> (가) 큰 섬에는 선인장이 풍부하고 작은 섬에는 식물의
> 씨앗이 풍부하다.
> (나) 부리 모양이 다양한 한 종의 새 집단 X가 육지에
> 서 두 섬으로 이주하였다.
> (다) 큰 섬에서는 부리 모양이 가늘고 긴 새의 비율이
> 증가하고 작은 섬에서는 부리 모양이 굵고 짧은
> 새의 비율이 증가했다.
> (라) 현재 부리 모양이 다양한 여러 종의 새가 살고 있다.

이에 대한 설명으로 옳지 <u>않은</u> 것은?

① X에는 변이가 있다.
② X에서 자연선택이 일어났다.
③ 생태계다양성이 높을수록 종다양성이 높게 나타난다.
④ 굵고 짧은 부리는 씨앗보다 선인장을 먹는 데 적합하다.
⑤ 자연선택은 지구에 다양한 생물이 출현한 요인 중 하나이다.

14 다음은 생물의 분류체계를 나타낸 것이다.

계 > (㉠) > (㉡) > 목 > 과 > (㉢) > 종

㉠~㉢에 알맞은 말을 옳게 짝 지은 것은?

	㉠	㉡	㉢		㉠	㉡	㉢
①	강	문	속	②	강	속	문
③	문	강	속	④	문	속	강
⑤	속	강	문				

15 생물분류에 대한 설명으로 옳지 <u>않은</u> 것은?

① 식용 여부로 분류하는 것은 자연 분류이다.

② 광합성 여부로 분류하는 것은 자연 분류이다.

③ 생물분류의 주된 목적은 생물들 사이의 유연관계를 밝히는 것이다.

④ 분류체계에는 하위 분류 단위에서 상위 분류 단위로 여러 단계가 있다.

⑤ 겉모습뿐 아니라 속 구조나 발생 과정 등의 특성을 모두 고려하여 분류한다.

16 그림은 각각 다른 계에 속하는 생물 (가)~(다)를 나타낸 것이다. (가)~(다)는 각각 개구리, 유글레나, 폐렴균 중 하나이다.

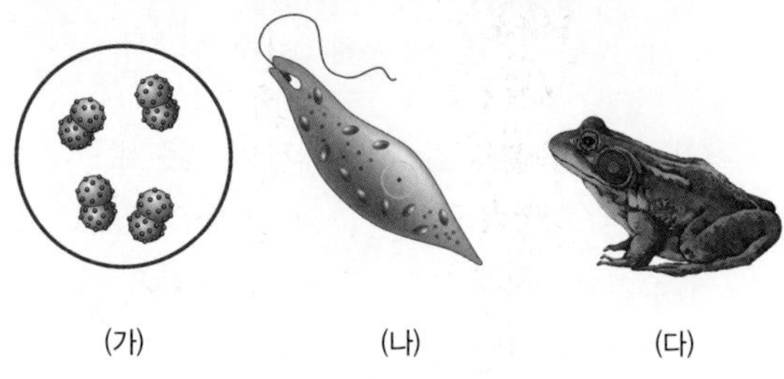

(가)   (나)   (다)

이에 대한 설명으로 옳은 것은?

① (가)에는 핵막이 있다.

② (나)는 원생생물계에 속한다.

③ (나)는 다세포생물이다.

④ (다)의 세포에는 세포벽이 있다.

⑤ (다)는 광합성을 하여 영양분을 얻는다.

17 그림 (가)는 계 A~E에 속하는 생물을, (나)는 고사리를 나타낸 것이다.

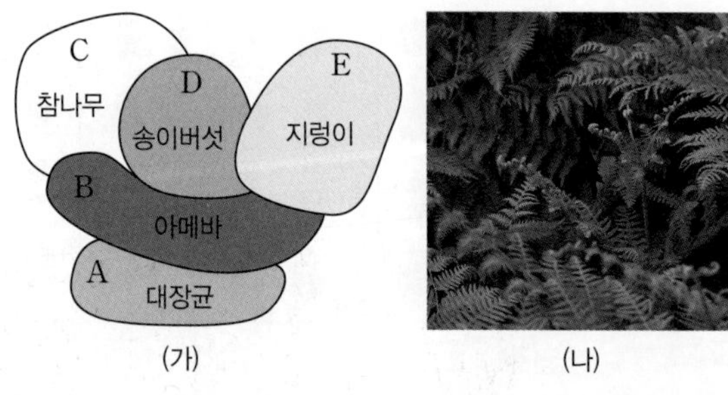

(가)   (나)

이에 대한 설명으로 옳은 것은?

① A는 원생생물계이다.

② 아메바는 다세포생물이다.

③ D에 속한 생물은 광합성을 하여 영양분을 얻는다.

④ E에 속한 생물은 몸이 균사로 이루어져 있다.

⑤ (나)와 참나무의 유연관계는 (나)와 송이버섯의 유연관계보다 가깝다.

18 표는 4가지 생물의 계명, 과명, 속명을 나타낸 것이다.

생물종	계명	과명	속명
호랑이	동물계	고양이과	표범속
장미	㉠	장미과	장미속
사자	동물계	㉡	표범속
토끼풀	식물계	콩과	㉢

이에 대한 설명으로 옳지 <u>않은</u> 것은?

① ㉠은 식물계이다.

② ㉡은 고양이과이다.

③ ㉢은 장미속이다.

④ 토끼풀의 세포에는 엽록체가 있다.

⑤ 4가지 생물의 세포에는 모두 핵막이 있다.

19 그림은 생태계 (가)와 (나)의 먹이 관계를 나타낸 것이다.

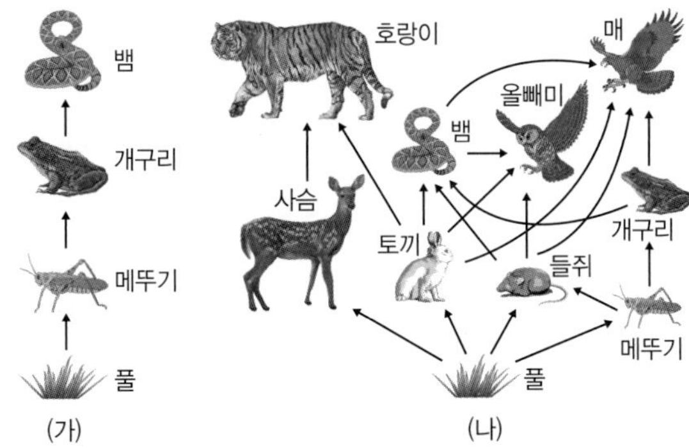

이에 대한 설명으로 옳지 <u>않은</u> 것은?

① (나)는 (가)보다 종다양성이 높다.

② (가)는 (나)보다 유전적 다양성이 높다.

③ (나)는 (가)보다 먹이 관계가 복잡하다.

④ (나)는 (가)보다 안정성이 높은 생태계이다.

⑤ (가)에서 메뚜기가 사라지면 생태계평형이 깨질 수 있다.

20 다음은 카리브해 우렁쉥이에 대한 자료이다.

카리브해와 플로리다 동부 해안 등에 서식하는 ㉠우렁쉥이는 주로 ㉡맹그로브 뿌리 주변에서 자란다. 바닷물을 걸러내면서 ㉢플랑크톤을 먹고 이를 통해 영양분을 얻는다. 카리브해 우렁쉥이로부터 추출한 ㉣트라벡테딘은 항암 효과가 있어 항암 치료에 활용된다.

이에 대한 설명으로 옳은 것은?

① ㉠은 원핵생물계에 속한다.

② ㉠의 세포에 엽록체가 있다.

③ ㉡은 동물계에 속한다.

④ ㉢의 개체수가 증가하면 ㉠의 개체수는 감소한다.

⑤ ㉣의 원료인 ㉠은 생물자원에 해당한다.

21 생물다양성보전을 위한 노력에 대한 설명으로 옳은 것을 보기에서 모두 고른 것은?

ㄱ. 외래종을 꾸준히 도입하면 생물다양성보전에 도움이 된다.

ㄴ. 생물다양성협약은 생물다양성보전을 위한 국제적인 노력이다.

ㄷ. 생태통로는 단편화된 서식지에서 생물의 이동을 돕기 위한 노력이다.

① ㄱ   ② ㄴ   ③ ㄷ

④ ㄱ, ㄷ   ⑤ ㄴ, ㄷ

서술형 문제

22 그림은 생쥐와 장미의 몸 구성 단계를 순서 없이 나타낸 것이다. (가)와 (나)는 각각 생쥐와 장미 중 하나이며, A와 B는 각각 기관계와 조직 중 하나이다.

(가) 세포 → 조직 → 기관 → A → 개체

(나) 세포 → B → 조직계 → 기관 → 개체

⑴ (가), (나), A, B가 각각 무엇인지 쓰시오.

⑵ A와 B 구성 단계의 특징을 설명하시오.

23 그림은 토끼와 토끼풀을 나타낸 것이다.

5계 분류 기준을 바탕으로 토끼와 토끼풀의 공통점 두 가지와 차이점 두 가지를 설명하시오.

24 그림은 항생제 X를 사용한 이후 X에 내성이 있는 세균의 비율 변화를 나타낸 것이다.

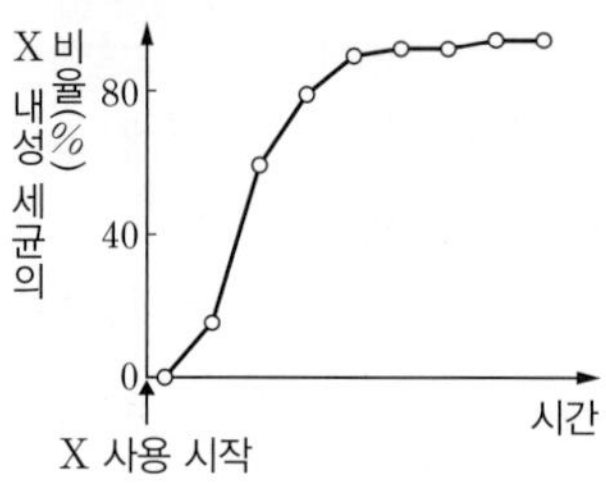

X를 사용한 이후 X에 내성이 있는 세균이 증가하는 과정을 설명하시오.

25 그림은 과거에는 우리나라에 살지 않았지만 현재는 대량으로 번식하여 살고 있는 큰입배스와 가시박을 나타낸 것이다.

큰입배스   가시박

큰입배스와 가시박이 우리나라의 생물다양성에 미치는 영향을 설명하시오.

정답과 해설 053쪽

01 다음 중 온도와 열에 대한 설명으로 옳지 <u>않은</u> 것은?

① 열이 이동하면 물체의 온도가 변한다.

② 열은 고온의 물체에서 저온의 물체로 이동한다.

③ 온도가 높은 물체일수록 더 많은 열을 가지고 있다.

④ 온도는 물체의 차갑고 뜨거운 정도를 수치로 나타낸 것이다.

⑤ 온도가 낮을수록 물질을 이루는 입자의 운동이 활발하다.

[02~03] 그림 (가)는 A와 B가 접촉했을 때 A에서 B로 열이 이동하는 것을 나타낸 것이고, (나)는 A의 시간에 따른 온도 변화를 나타낸 것이다. (단, 외부와의 열출입은 없다.)

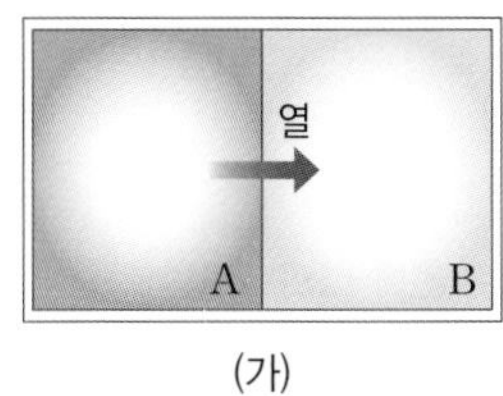

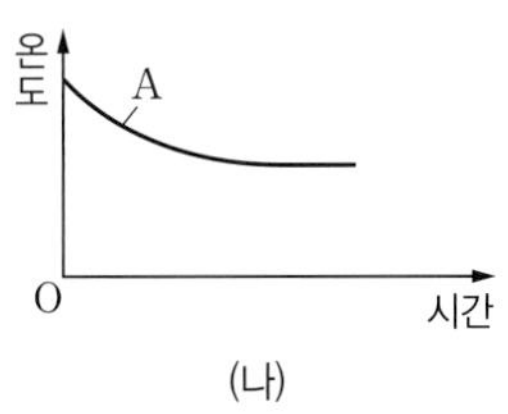

(가) (나)

02 이에 대한 설명으로 옳은 것을 보기에서 모두 고른 것은?

보기

ㄱ. A의 질량이 B의 질량보다 크다.

ㄴ. A가 잃은 열에너지는 B가 얻은 열에너지와 같다.

ㄷ. 시간이 흐르면 B의 온도가 A보다 더 높아질 것이다.

① ㄴ　　　② ㄷ　　　③ ㄱ, ㄴ

④ ㄱ, ㄷ　　　⑤ ㄱ, ㄴ, ㄷ

03 이에 대한 설명으로 옳지 <u>않은</u> 것은?

① A와 B의 접촉면에서 전도가 일어난다.

② 열평형이 일어나면 온도가 변하지 않는다.

③ 시간이 지날수록 열의 이동은 점점 빨라진다.

④ 접촉하기 진 A의 온도가 B의 온도보다 높다.

⑤ 시간이 지날수록 온도 변화는 점점 줄어들 것이다.

04 열의 이동 방법에 대한 설명으로 옳은 것을 보기에서 모두 고른 것은?

보기

ㄱ. 전도는 열이 이웃한 입자에 차례로 전달되는 것이다.

ㄴ. 복사는 물질을 구성하는 입자들이 직접 움직이면서 열이 전달되는 방법이다.

ㄷ. 뜨거운 공기는 위로 올라가고 차가운 공기는 아래로 내려가면서 열이 전달되는 방법은 대류이다.

① ㄴ　　　② ㄷ　　　③ ㄱ, ㄴ

④ ㄱ, ㄷ　　　⑤ ㄱ, ㄴ, ㄷ

05 그림 (가)~(다)는 난로에 의한 열전달을 나타낸 것이다.

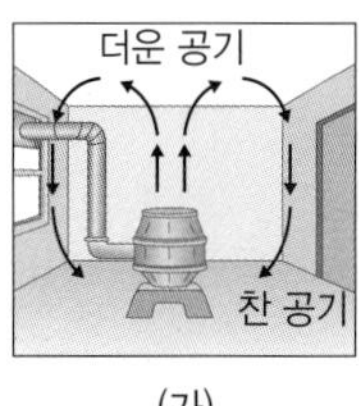

(가) (나) (다)

이에 대한 설명으로 옳은 것을 보기에서 모두 고른 것은?

보기

ㄱ. (가)에서 열은 공기의 대류에 의해 전달된다.

ㄴ. (나)와 같은 원리로 태양에서 지구로 열이 전달된다.

ㄷ. (다)에서 손잡이는 열의 전달을 막기 위해 나무나 플라스틱으로 만든다.

① ㄱ　　　② ㄷ　　　③ ㄱ, ㄴ

④ ㄴ, ㄷ　　　⑤ ㄱ, ㄴ, ㄷ

06 다음에서 관련된 열 전달의 방법이 나머지와 다른 것은?

① 뜨거운 물에 넣어 둔 숟가락이 뜨거워졌다.

② 냄비의 손잡이는 플라스틱으로 되어 있다.

③ 겨울에도 햇빛이 비치는 곳에 가면 따뜻해진다.

④ 얼음 위에 생선을 놓으면 생선이 상하지 않는다.

⑤ 뜨거운 음식을 그릇에 담으면 그릇이 뜨거워진다.

07 그림은 모닥불 주변에 손을 가까이 가져가면 손이 따뜻해지는 것을 나타낸 것이다.

그림에서 열이 전달되는 방법에 의한 현상으로 옳은 것을 보기에서 모두 고른 것은?

보기
- ㄱ. 에어컨은 방의 위쪽에 설치한다.
- ㄴ. 실내에 사람이 많아지면 따뜻해진다.
- ㄷ. 컵에 얼음을 넣어 두면 컵 표면에 물방울이 생긴다.

① ㄴ   ② ㄷ   ③ ㄱ, ㄴ

④ ㄱ, ㄷ   ⑤ ㄱ, ㄴ, ㄷ

08 그림은 금속 막대의 한쪽 끝을 가열할 때 금속을 이루는 입자의 모습을 나타낸 것이다.

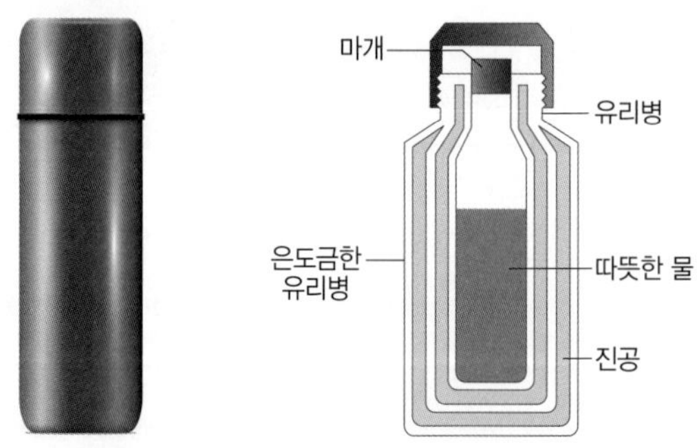

이에 대한 설명으로 옳은 것을 보기에서 모두 고른 것은?

보기
- ㄱ. 이웃한 입자에 열이 차례로 전달된다.
- ㄴ. 시간이 지나면 B의 온도가 올라간다.
- ㄷ. A에서 B로 고온의 입자가 직접 이동한다.

① ㄱ   ② ㄷ   ③ ㄱ, ㄴ

④ ㄴ, ㄷ   ⑤ ㄱ, ㄴ, ㄷ

09 그림은 보온병과 보온병의 구조를 나타낸 것이다.

이에 대한 설명으로 옳은 것을 보기에서 모두 고른 것은?

보기
- ㄱ. 진공은 전도로 인해 열이 이동하지 않도록 막아준다.
- ㄴ. 마개는 뜨거워진 공기가 밖으로 빠져나가지 않게 해준다.
- ㄷ. 은도금은 복사로 인해 열이 이동하지 않도록 막아준다.

① ㄱ   ② ㄴ   ③ ㄱ, ㄷ

④ ㄴ, ㄷ   ⑤ ㄱ, ㄴ, ㄷ

10 그림은 비커에 담긴 물을 알코올램프로 가열하는 것을 나타낸 것이다. 다음 중 같은 원리로 열이 전달되는 것으로 옳은 것은?

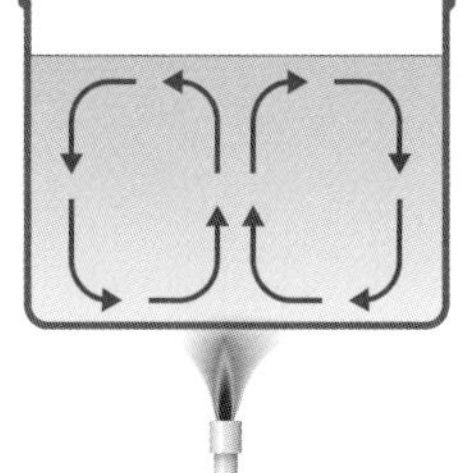

① 겨울에 철봉을 만지면 손이 차갑다.

② 모닥불에 가까이 가면 얼굴이 뜨거워진다.

③ 많이 사용한 휴대폰을 잡은 손이 뜨거워진다.

④ 온돌로 바닥을 가열했는데 방 공기가 덥혀졌다.

⑤ 적외선 온도계로 접촉하지 않고 온도를 측정할 수 있다.

11 그림은 찬물을 담은 열량계에 뜨거운 물을 담은 금속 캔을 넣은 후 두 물의 온도 변화를 나타낸 것이다.

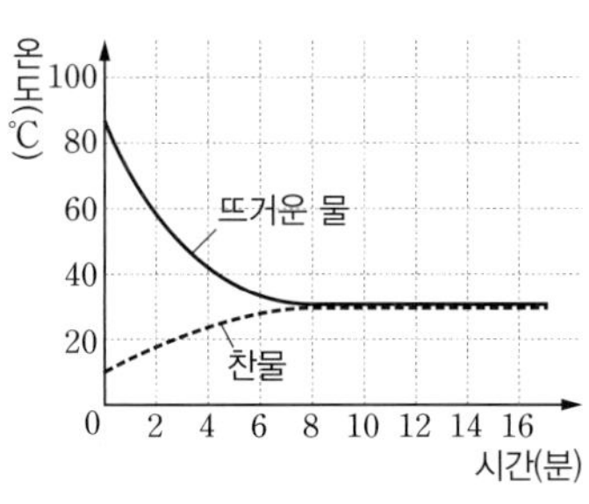

이에 대한 설명으로 옳은 것을 보기에서 모두 고른 것은? (단, 외부와의 열출입은 없다.)

보기
ㄱ. 6분일 때 두 물은 열평형 상태이다.
ㄴ. 찬물이 얻은 열량과 뜨거운 물이 잃은 열량은 같다.
ㄷ. 뜨거운 물의 온도 변화가 찬물의 온도 변화보다 크다.

① ㄱ　　　　② ㄴ　　　　③ ㄱ, ㄴ

④ ㄴ, ㄷ　　　⑤ ㄱ, ㄴ, ㄷ

[12~13] 그림은 온도가 다른 물체 A와 B가 접촉했을 때 온도 변화를 나타낸 것이다. (단, 외부와의 열출입은 없고, a~d 구간은 같은 시간 간격이다.)

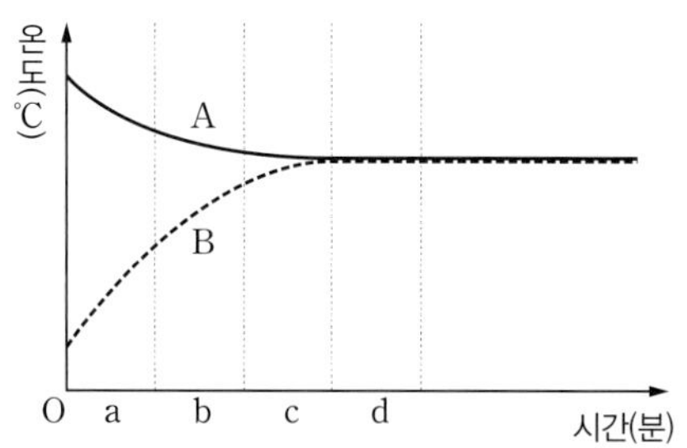

12 이에 대한 설명으로 옳은 것을 보기에서 모두 고른 것은?

보기
ㄱ. B의 입자 운동은 계속 활발해진다.
ㄴ. 접촉하기 전 A의 입자 운동은 B보다 둔하다.
ㄷ. 시간이 충분히 지나면 A와 B의 입자 운동의 활발한 정도는 비슷해진다.

① ㄱ　　　　② ㄷ　　　　③ ㄱ, ㄷ

④ ㄴ, ㄷ　　　⑤ ㄱ, ㄴ, ㄷ

13 a~d 구간에 대한 설명으로 옳은 것을 보기에서 모두 고른 것은?

보기
ㄱ. 질량이 같다면 A보다 B의 비열이 더 크다.
ㄴ. B의 열이 가장 많이 이동하는 구간은 a 구간이다.
ㄷ. c 구간에서 A가 잃은 열의 양과 B가 얻은 열의 양은 같다.

① ㄱ　　　　② ㄴ　　　　③ ㄱ, ㄷ

④ ㄴ, ㄷ　　　⑤ ㄱ, ㄴ, ㄷ

14 비열에 대한 설명으로 옳은 것은?

① 물체의 질량이 클수록 비열이 크다.

② 200 g의 물보다 100 g의 물의 비열이 더 크다.

③ 어떤 물질의 온도를 1 ℃ 올리는 데 필요한 열량이다.

④ 물질의 종류에 따라 고유한 값을 가져 물질의 특성이 된다.

⑤ 같은 질량의 다른 물질에 같은 열량을 가하면 비열이 클수록 온도 변화가 크다.

15 표는 여러 가지 물질의 비열을 나타낸 것이다.

물질	구리	알루미늄	철	금	은
비열 (kcal/(kg·℃))	0.09	0.21	0.11	0.03	0.06

이에 대한 설명으로 옳지 <u>않은</u> 것은?

① 은 1 kg의 온도를 1 ℃ 올리려면 0.06 kcal가 필요하다.

② 질량이 같은 구리와 은을 같은 열량으로 가열하면 구리의 온도가 더 크게 변한다.

③ 같은 질량, 같은 온도에서 위 금속을 같은 가열 장치로 가열한다면 금의 온도가 가장 많이 높아진다.

④ 같은 질량, 같은 온도의 위 금속을 같은 가열 장치로 가열한다면 알루미늄의 온도가 가장 천천히 변할 것이다.

⑤ 같은 온도의 금과 은을 같은 가열 장치로 가열하여 같은 온도에 동시에 도달한다면 이때 금의 질량이 은보다 2배 크다.

16 그림은 한여름 낮에 해변의 모습을 나타낸 것이다.

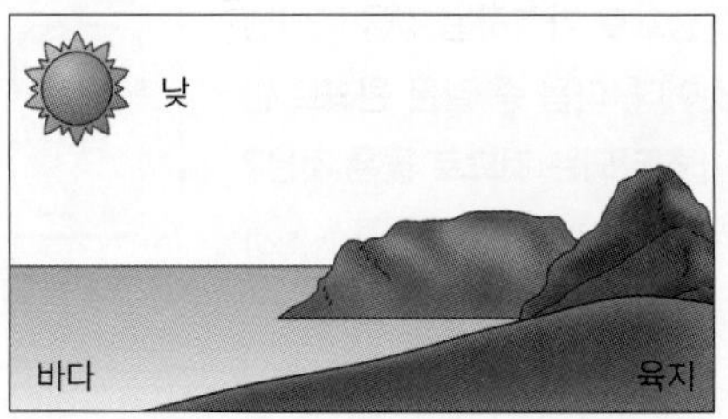

이에 대한 설명으로 옳은 것은?

① 육지의 비열이 바다보다 크다.

② 바다에서 육지로 바람이 분다.

③ 바다의 공기는 위로 상승한다.

④ 밤에는 육지보다 바다가 더 빨리 식는다.

⑤ 낮에는 육지보다 바다가 더 빨리 데워진다.

17 그림은 200 g의 식용유와 200 g의 물을 동시에 가열했을 때 온도 변화를 나타낸 것이다.

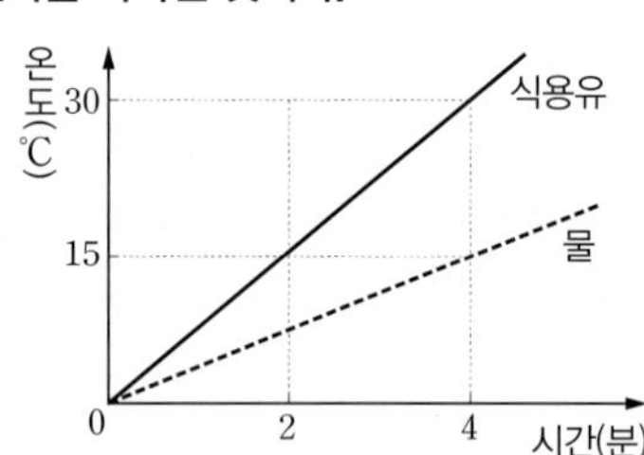

이에 대한 설명으로 옳은 것을 보기에서 모두 고른 것은? (단, 물과 식용유는 같은 가열 장치로 가열하였다.)

> **보기**
>
> ㄱ. 물의 비열이 식용유의 비열보다 크다.
>
> ㄴ. 물의 온도 변화가 식용유의 온도 변화보다 크다.
>
> ㄷ. 가해준 열량과 질량이 같다면 비열과 온도 변화는 반비례한다.

① ㄱ　　　② ㄴ　　　③ ㄱ, ㄷ

④ ㄴ, ㄷ　　　⑤ ㄱ, ㄴ, ㄷ

18 그림은 같은 질량의 액체 A, B를 같은 가열 장치로 동시에 가열했을 때 온도 변화를 나타낸 것이다. 이에 대한 설명으로 옳은 것을 보기에서 모두 고른 것은?

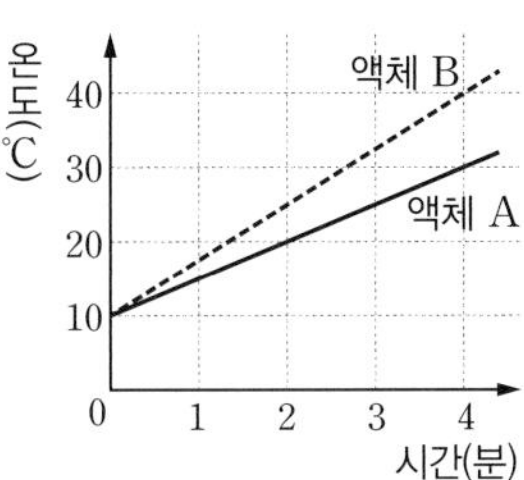

보기

ㄱ. A의 비열이 B보다 크다.

ㄴ. A와 B의 비열의 비 A : B는 3 : 4이다.

ㄷ. 4분까지 A와 B가 얻은 열량은 같다.

① ㄱ ② ㄴ ③ ㄱ, ㄷ
④ ㄴ, ㄷ ⑤ ㄱ, ㄴ, ㄷ

19 그림 (가)는 다리의 틈새를, (나)는 철로의 틈새를 나타낸 것이다.

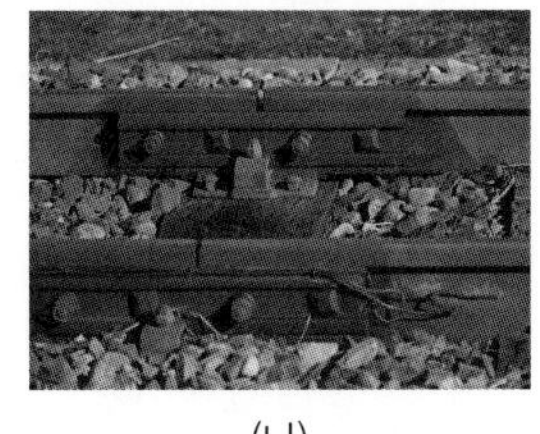

(가) (나)

이에 대한 설명으로 옳은 것을 보기에서 모두 고른 것은?

보기

ㄱ. (가)의 틈새는 여름보다 겨울에 더 벌어진다.

ㄴ. (나)의 틈새는 한여름에 철로가 휘어지는 것을 막을 수 있다.

ㄷ. (가)와 (나)는 온도가 높아지면 물질의 길이 또는 부피가 팽창하는 것을 고려하여 만든 것이다.

① ㄱ ② ㄴ ③ ㄱ, ㄷ
④ ㄴ, ㄷ ⑤ ㄱ, ㄴ, ㄷ

20 열팽창을 이용한 예에 대한 설명으로 옳은 것을 보기에서 모두 고른 것은?

보기

ㄱ. 바이메탈은 금속의 열팽창 정도가 다른 것을 이용한다.

ㄴ. 치아와 치아 충전재는 열팽창 정도가 비슷한 것을 이용한다.

ㄷ. 철근과 콘크리트는 열팽창 정도의 차가 큰 두 물질을 사용한다.

① ㄱ ② ㄷ ③ ㄱ, ㄴ
④ ㄴ, ㄷ ⑤ ㄱ, ㄴ, ㄷ

21 그림은 열팽창 정도가 다른 두 금속 A, B를 이용해 만든 바이메탈을 냉각하거나 가열했을 때 휘어지는 모습을 나타낸 것이다.

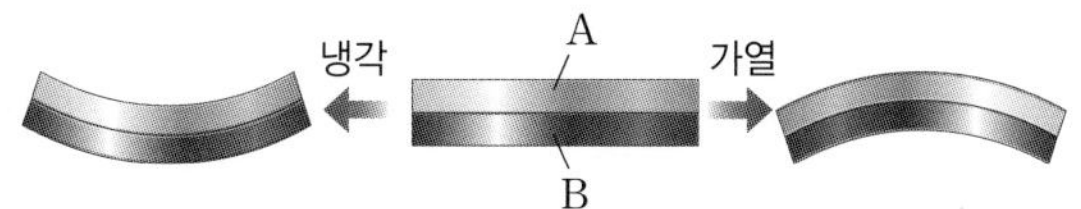

이에 대한 설명으로 옳은 것을 보기에서 모두 고른 것은?

보기

ㄱ. 열팽창 정도는 B보다 A가 더 크다.

ㄴ. 가열하면 열팽창 정도가 큰 금속 쪽으로 휘어진다.

ㄷ. 온도에 따라 휘어지는 정도가 다르므로 온도 조절 장치로 쓰이기도 한다.

① ㄱ ② ㄴ ③ ㄱ, ㄷ
④ ㄴ, ㄷ ⑤ ㄱ, ㄴ, ㄷ

서술형 문제

22 그림 (가)는 촛불 주변에 손을 가까이 가져가는 것을, (나)는 난로에서 따뜻한 바람이 나오는 것을 나타낸 것이다.

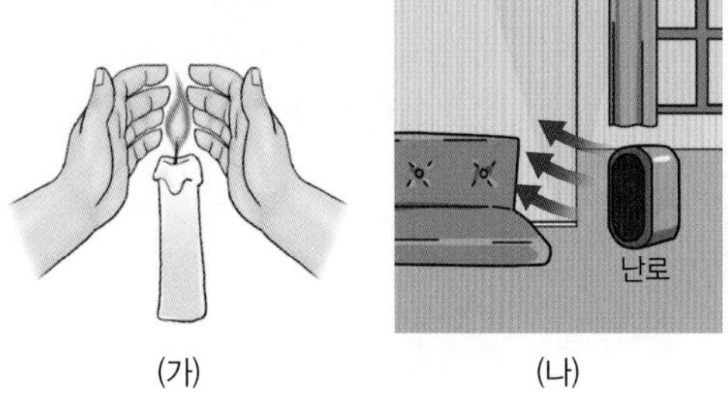

(가)

(나)

(가)와 (나)에서 열이 이동하는 원리와, 그 원리로 열이 이동하는 예를 한가지씩 설명하시오.

(가) ________________________________

(나) ________________________________

23 그림은 뜨거운 오븐 그릴을 잡고 있는 고무 손잡이를 나타낸 것이다.

(1) 그림에서 열이 이동하는 경로를 설명하시오.

____

____

(2) 오븐 그릴을 잡을 수 있도록 손잡이를 고무로 하는 까닭을 열의 전도를 이용해 설명하시오.

____

24 그림 (가), (나)는 해안에서 낮과 밤에 바람의 방향이 바뀌는 것을 나타낸 것이다.

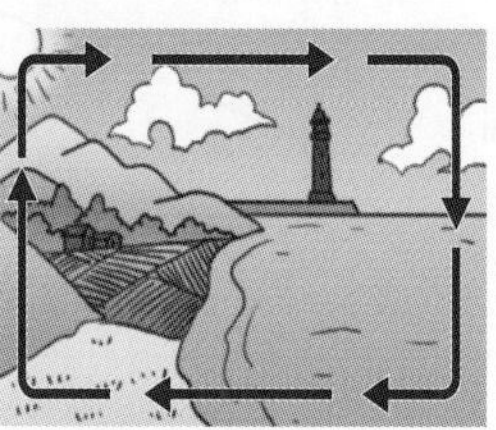 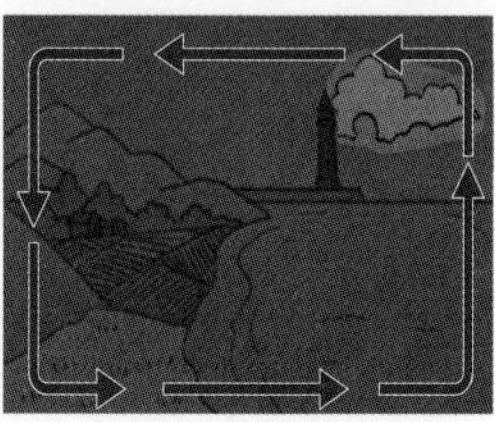

(가) 낮

(나) 밤

해안에서 바람의 방향이 바뀌는 까닭을 아래 용어를 사용하여 설명하시오.

> 바다, 육지, 비열, 공기, 상승

____

____

25 표는 1000 m 길이의 금속의 온도를 1 ℃ 높였을 때 금속의 종류에 따라 금속이 늘어난 길이를 나타낸 것이다.

금속의 종류	백금	강철	놋쇠	알루미늄
늘어난 길이 (mm)	9	11	19	23

(1) 바이메탈을 가장 잘 휘어지게 만들려고 할 때 사용할 금속 두 개를 쓰고, 그 까닭을 설명하시오.

____

____

(2) 뜨거운 음식이나 차가운 음료에도 길이 변화가 작아야 하는 치아 교정용 기구를 만들 때 위 금속 중에서는 어떤 것이 가장 적합할지 그 까닭과 함께 설명하시오. (단, 교정용 금속 기구는 열팽창 정도만 고려한다고 가정한다.)

____

01 입자의 운동에 대한 설명으로 옳지 <u>않은</u> 것은?

① 입자는 모든 방향으로 운동한다.

② 입자는 스스로 끊임없이 운동한다.

③ 입자가 운동할 때 입자의 크기가 변한다.

④ 온도가 높을수록 입자의 운동이 활발해진다.

⑤ 증발과 확산은 입자의 운동 때문에 나타나는 현상이다.

02 증발에 대한 설명으로 옳지 <u>않은</u> 것은?

① 액체가 기체로 변하는 현상이다.

② 입자가 스스로 운동하여 일어나는 현상이다.

③ 액체 내부의 입자가 밖으로 나오는 현상이다.

④ 액체의 표면적이 넓을수록 증발이 잘 일어난다.

⑤ 비가 내린 후 웅덩이에 고인 물이 마르는 것은 증발과 관련이 있다.

03 그림과 같이 페트리 접시 위에 페놀프탈레인 용액으로 적신 솜을 일정한 간격으로 올려놓고, 페트리 접시의 중앙에 묽은 암모니아수를 2~3방울 떨어뜨린 뒤 뚜껑을 덮었다.

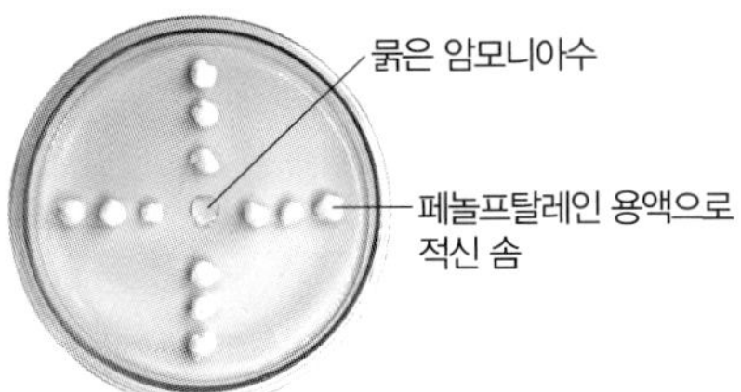

이 실험에 대한 설명으로 옳지 <u>않은</u> 것은?

① 암모니아의 확산을 확인하는 실험이다.

② 암모니아 입자는 한 방향으로만 운동한다.

③ 암모니아 입자가 스스로 운동한다는 것을 알 수 있다.

④ 묽은 암모니아수와 가까운 쪽에 있는 솜부터 순서대로 색이 변한다.

⑤ 페놀프탈레인 용액으로 적신 솜의 색이 변하는 것은 암모니아 입자와 관련이 있다.

04 생활 속에서 볼 수 있는 확산 현상의 예로 옳지 <u>않은</u> 것은?

① 전자 모기향을 피워 모기를 쫓는다.

② 마약 탐지견이 냄새로 마약을 찾는다.

③ 염전에서 바닷물을 가두어 소금을 얻는다.

④ 뜨거운 물에 차 티백을 넣어 두면 차가 우러난다.

⑤ 방 안에 방향제를 두면 방 전체에서 방향제 냄새가 난다.

05 증발과 확산의 공통점으로 옳은 것을 보기에서 모두 고른 것은?

> **보기**
> ㄱ. 기체 상태에서만 일어난다.
> ㄴ. 입자의 운동 때문에 일어난다.
> ㄷ. 온도가 높을수록 잘 일어난다.

① ㄱ　　　　② ㄷ　　　　③ ㄱ, ㄴ

④ ㄴ, ㄷ　　　　⑤ ㄱ, ㄴ, ㄷ

06 오른쪽 그림은 풍선 속에 들어 있는 물질을 입자 모형으로 나타낸 것이다. 이 물질에 대한 설명으로 옳은 것을 보기에서 모두 고른 것은?

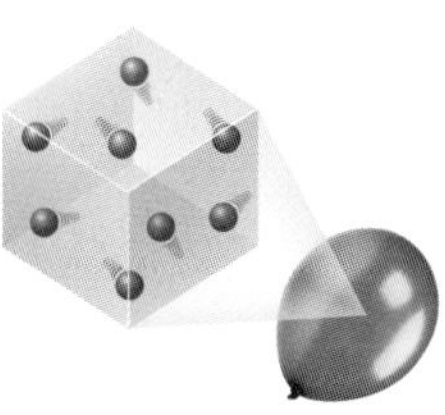

> **보기**
> ㄱ. 담는 용기에 따라 모양이 달라진다.
> ㄴ. 압력을 가하면 부피가 쉽게 변한다.
> ㄷ. 입자의 배열이 규칙적이어서 입자 사이의 거리가 매우 가깝다.

① ㄱ　　　　② ㄴ　　　　③ ㄷ

④ ㄱ, ㄴ　　　　⑤ ㄱ, ㄴ, ㄷ

[07~08] 그림은 물질의 세 가지 상태를 입자 모형으로 나타낸 것이다.

(가)   (나)   (다)

07 (가)~(다)에 대한 설명으로 옳은 것은?

① 압축이 가장 잘 되는 상태는 (가)이다.

② 모양과 부피가 모두 일정한 상태는 (나)이다.

③ 담는 용기에 따라 모양이 달라지는 상태는 (나)와 (다)이다.

④ 물질을 구성하는 입자의 운동이 가장 활발한 상태는 (가)이다.

⑤ 물질을 구성하는 입자의 배열이 가장 규칙적인 상태는 (다)이다.

08 실온(25 ℃)에서 (나)의 상태로 존재하는 물질을 보기에서 모두 고르시오.

보기

ㄱ. 물	ㄴ. 나무	ㄷ. 공기
ㄹ. 소금	ㅁ. 식용유	ㅂ. 플라스틱

09 다음은 금속 캔을 재활용하는 과정에 대한 설명이다.

> 수거한 철 캔이나 알루미늄 캔을 높은 온도에서 녹여 액체 상태로 만든 뒤, 액체 상태의 금속을 원하는 모양의 틀에 부어 식힌다.

이 과정에서 이용한 두 가지 상태 변화로 옳은 것은?

① 융해, 응고   ② 융해, 액화

③ 액화, 응고   ④ 기화, 액화

⑤ 기화, 승화

10 그림은 물질의 상태 변화를 나타낸 것이다.

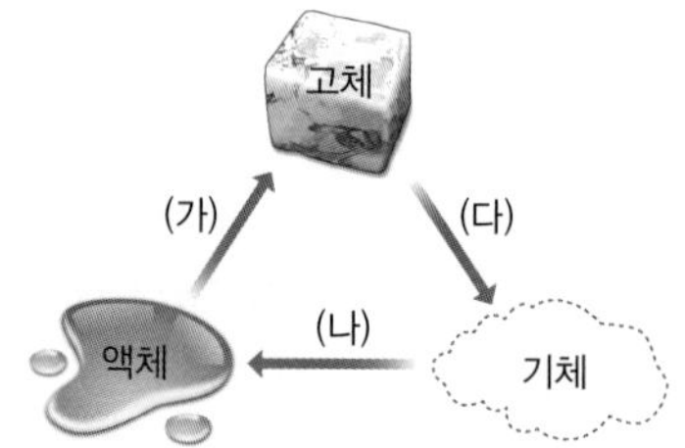

이에 대한 설명으로 옳지 <u>않은</u> 것은?

① (가)는 응고이다.

② (다)는 승화이다.

③ 나뭇잎에 서리가 생기는 현상은 (가)에 해당한다.

④ 풀잎에 이슬이 맺히는 현상은 (나)에 해당한다.

⑤ 드라이아이스의 크기가 작아지는 현상은 (다)에 해당한다.

11 입자의 배열이 불규칙해지는 상태 변화가 일어나는 예로 옳은 것은?

① 철이 녹아 쇳물이 된다.

② 냉동실 벽면에 성에가 생긴다.

③ 새벽녘 강가에 안개가 생긴다.

④ 뜨거운 고깃국이 식으면 기름이 굳는다.

⑤ 뜨거운 차를 마실 때 안경이 뿌옇게 흐려진다.

12 오른쪽 그림과 같이 뜨거운 물이 들어 있는 비커 위에 얼음이 담긴 시계 접시를 올려놓았더니 잠시 후 시계 접시 아랫면에 액체 방울이 생겼다. 시계 접시 윗면(㉠)과 아랫면(㉡)에서 일어나는 상태 변화에 대한 설명으로 옳은 것은?

① ㉠에서 얼음이 승화한다.

② ㉡에서 물이 응고한다.

③ ㉠에서 상태 변화가 일어날 때 입자의 운동이 둔해진다.

④ ㉡에서 상태 변화가 일어날 때 입자 사이의 거리가 멀어진다.

⑤ ㉠과 ㉡에서 상태 변화가 일어날 때 물질의 성질은 모두 변하지 않는다.

13 그림과 같이 공기를 뺀 비닐봉지에 드라이아이스 조각을 넣고 입구를 막아 두었더니 비닐봉지가 부풀어 올랐다.

이때 비닐봉지 속 드라이아이스에 대한 설명으로 옳은 것은?

① 질량이 증가한다.

② 부피는 일정하다.

③ 입자의 크기가 커진다.

④ 입자 사이의 거리가 멀어진다.

⑤ 입자의 배열이 규칙적으로 변한다.

14 물질의 상태 변화가 일어날 때 변하지 <u>않는</u> 것을 모두 고르면? (정답 2개)

① 물질의 질량

② 물질의 부피

③ 입자의 배열

④ 입자의 종류

⑤ 입자 사이의 거리

[15~16] 그림은 물질의 상태 변화를 입자 모형으로 나타낸 것이다.

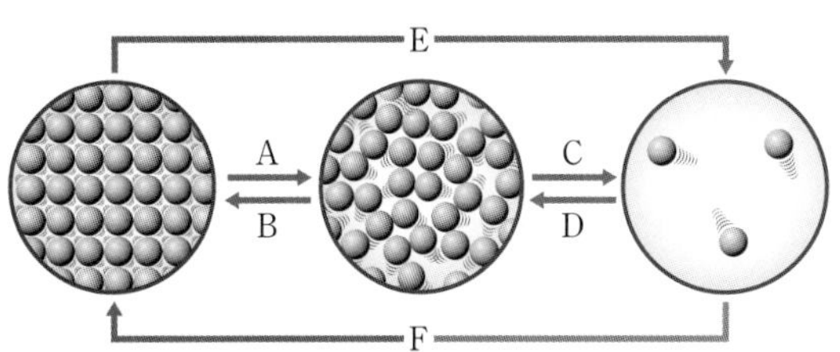

15 A~F 중 입자의 운동이 활발해지는 과정을 모두 고른 것은?

① A, C, E

② A, C, F

③ A, D, E

④ B, C, F

⑤ B, D, F

16 그림은 어떤 고체 물질을 가열할 때 시간에 따른 온도 변화를 나타낸 것이다.

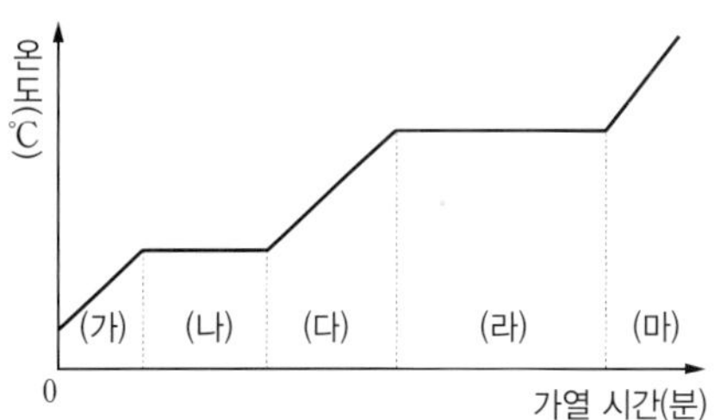

(가)~(마) 중 상태 변화가 일어나는 두 구간을 고르고, 그 구간에서 일어나는 상태 변화를 A~F에서 골라 옳게 짝 지은 것은?

① (가) – A, (다) – B

② (가) – A, (다) – C

③ (나) – A, (라) – C

④ (나) – E, (라) – F

⑤ (다) – E, (마) – F

[17~18] 오른쪽 그림은 액체 X의 냉각 곡선을 나타낸 것이다. (단, X는 물을 제외한 액체이다.)

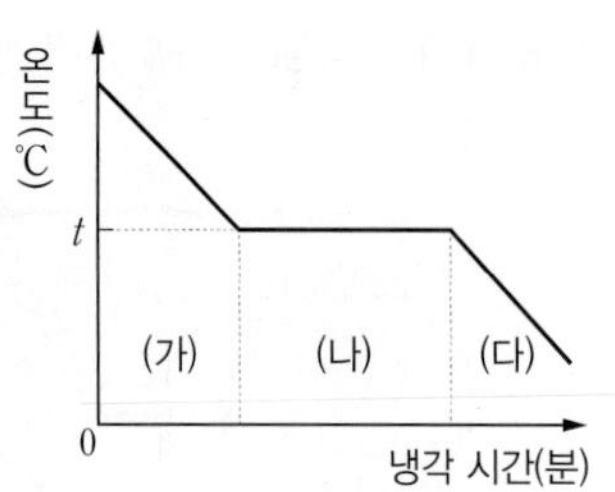

17 이에 대한 설명으로 옳지 <u>않은</u> 것은?

① X는 t ℃에서 얼기 시작한다.

② (가) 구간에서는 액화가 일어난다.

③ (나) 구간에서는 입자의 운동이 둔해진다.

④ (다) 구간에서 X는 고체 상태이다.

⑤ 입자 사이의 거리는 (가) 구간에서가 (다) 구간에서보다 멀다.

18 (나) 구간에서 온도가 일정한 까닭으로 옳은 것은?

① 상태 변화 하는 동안 열에너지를 흡수하기 때문

② 상태 변화 하는 동안 열에너지를 방출하기 때문

③ 상태 변화 하는 동안 입자의 성질이 달라지기 때문

④ 상태 변화 하는 동안 입자의 개수가 달라지기 때문

⑤ 상태 변화 하는 동안 입자의 크기가 달라지기 때문

19 다음 두 가지 상태 변화의 공통점으로 옳은 것은?

- 아이스크림을 포장할 때 드라이아이스를 함께 넣는다.
- 사막의 유목민들은 시원한 물을 마시기 위해 양가죽 물주머니를 사용한다.

① 열에너지를 흡수한다.

② 열에너지를 방출한다.

③ 주변의 온도가 높아진다.

④ 입자의 운동이 둔해진다.

⑤ 입자의 배열이 규칙적으로 변한다.

20 오른쪽 그림과 같이 수영을 하고 물 밖으로 나오면 추위를 느낀다. 이와 같은 종류의 열에너지가 출입하는 예를 보기에서 모두 고른 것은?

보기

ㄱ. 미지근한 물에 얼음을 넣으면 물이 시원해진다.

ㄴ. 날씨가 더울 때 개는 혀를 내밀어 체온을 낮춘다.

ㄷ. 여름철 뜨거워진 도로에 물을 뿌리면 시원해진다.

ㄹ. 커피 전문점에서 수증기를 이용하여 우유를 데운다.

① ㄱ, ㄹ 　　② ㄴ, ㄷ 　　③ ㄷ, ㄹ

④ ㄱ, ㄴ, ㄷ 　　⑤ ㄱ, ㄴ, ㄹ

21 상태 변화가 일어날 때 출입하는 열에너지의 종류가 나머지 넷과 <u>다른</u> 하나는?

① 액체 파라핀을 이용하여 온열 치료를 한다.

② 얼음집 안쪽에 물을 뿌려 집 안을 따뜻하게 한다.

③ 시장에서 생선을 얼음과 함께 보관하여 생선이 상하지 않게 한다.

④ 겨울철 과일 창고 안에 물통을 놓아두어 과일이 얼지 않게 한다.

⑤ 날씨가 갑자기 추워질 때 과일나무에 물을 뿌려 과일이 얼지 않게 한다.

서술형 문제

22 오른쪽 그림과 같이 전자저울에 거름종이를 올린 페트리 접시를 놓고 영점을 맞춘 다음, 거름종이에 손 소독제를 몇 방울 떨어뜨렸다.

(1) 시간이 지남에 따라 전자저울의 숫자는 어떻게 되는지 쓰시오.

(2) 위 (1)의 결과가 나온 까닭을 입자의 운동과 관련지어 설명하시오.

23 그림과 같이 주사기에 같은 부피의 주스와 공기를 각각 넣고, 같은 크기의 힘으로 피스톤을 눌렀더니 주스는 부피가 거의 변하지 않았고 공기는 부피가 쉽게 변하였다.

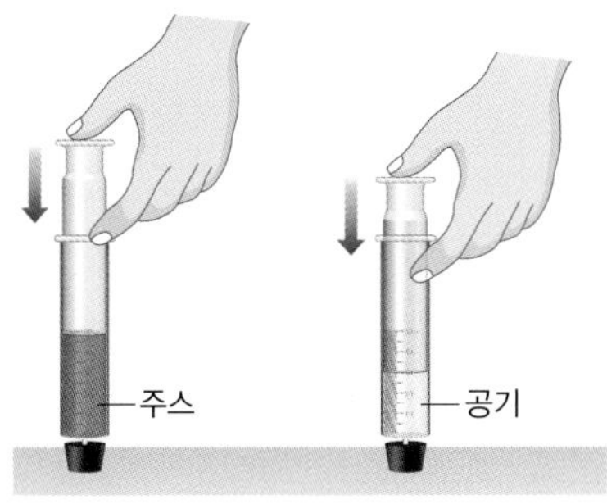

이러한 결과가 나온 까닭을 입자의 배열과 관련지어 설명하시오.

24 다음은 생활 속에서 볼 수 있는 두 가지 현상을 설명한 것이다.

- 녹인 초콜릿을 모양 틀에 가득 부어 굳히면 초콜릿이 모양 틀의 크기보다 작아진다.
- 물을 얼음 틀에 가득 부어 얼리면 얼음이 얼음 틀 위로 부풀어 올라온다.

이러한 현상이 나타나는 까닭을 물질의 상태가 변할 때의 부피 변화와 관련지어 설명하시오.

25 그림은 어떤 고체 물질을 가열하여 모두 녹인 후 다시 냉각할 때의 온도 변화를 나타낸 것이다.

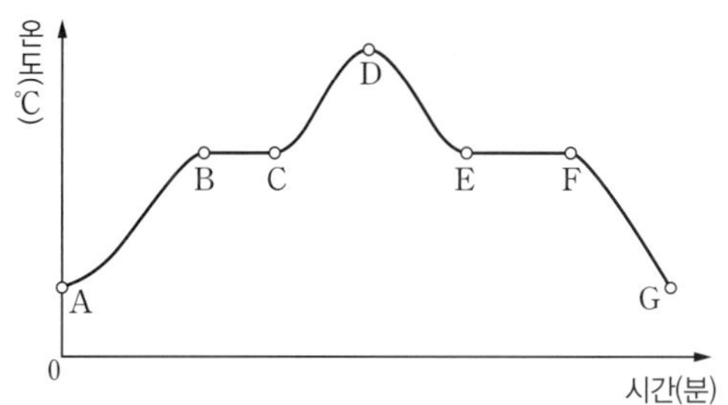

(1) 상태 변화가 일어나는 구간을 모두 쓰시오.

(2) 위 (1)에서 답한 구간에서 상태 변화가 일어나는 동안 입자 배열의 변화를 각각 설명하시오.